JN100551

Frank M. Snowden, Epidemics and Society

疫病の世界史 下

消耗病・植民地・グローバリゼーション

フランク・M・スノーデン

桃井緑美子・塩原通緒＝訳

明石書店

Epidemics and Society: From the Black Death to the Present
by Frank M. Snowden
Japanese translation rights arranged
with YALE UNIVERSITY PRESS
through Japan UNI Agency, Inc., Tokyo

疫病の世界史（下）――消耗病・植民地・グローバリゼーション

目次

＊本文中の〔　〕は訳註。

疫病の世界史（上巻）——黒死病・ナポレオン戦争・顕微鏡　目次

第14章 「消耗病」――ロマン主義時代の結核

結核は、マイコバクテリウム属の細菌の一種であるヒト型結核菌によって引き起こされる感染症で、大昔から人間を苦しめてきた病気の一つである。マイコバクテリウム属の細菌は動物にも病気を引き起こすことから、おそらくヒトの進化の早い時期においてマイコバクテリウム属の細菌の一種が動物からヒトへと種の壁を越えて感染するようになり、そこから人類の病気としての結核の連綿たる歴史がはじまったのだろうと現在では理解されている。結核が早い段階でヒトに伝播したということの考えの裏づけとなるのが、紀元前一万年ごろからはじまる新石器時代のホモ・サピエンスの罹患の証拠がぞくぞくと出てきていることだ。また、古代エジプトとヌビアで結核が蔓延していたことを示す確固とした証拠もある。DNAや芸術品やミイラの骨などに、これらの地域を襲った病の痕跡が刻まれているのだ。太古より、それなりの大きさの集落に人間が密集していたところには、つねに結核があった。そんな病はほかにない。結核は、古代ギリシャ・ローマ、アラブ世界、極東、および中世と近代初期のヨーロッパの、深い苦しみの種だったのである。

西洋では、産業革命とそれにともなう大々的な都市化を受けて、十八世紀と十九世紀に結核の猛威が最高潮に達した。結核は主として空気感染によって広まる呼吸器疾患である。一七八九年から一九一四年にかけてのいわゆる「長い十九世紀」に、北西ヨーロッパと北アメリカに出現したごみごみしたスラム街は、呼吸器疾患の流行にとって理想的な条件を備えていた。人びとは狭い共同住宅にぎっしりと詰め込まれ、劣悪な環境の工場で酷使され、十分な換気もなされない状況で、粒子状物質をたっぷり含んだ空気を吸わされていた。衛生状態はお粗末で、さらに人びとの体は貧困と栄養不良と既存の病気のせいで、もともと抵抗力が落ちていた。

こうした状況のもとで、肺結核による罹患数と死亡数は急上昇した。当時の医者は、死体解剖の結果を何よりもの根拠として、もはや結核にかかって肺を冒されていない者はいないに等しい――ただほとんどの場合は、体の免疫反応によって病変が封じ込められ、活動性の疾患にまでは進行しなかっただけだろうと見なしていた。流行の最盛期には、イギリス、フランス、ドイツ、ベルギー、オランダ、アメリカといった工業国の人口の九〇パーセント以上が結核に感染していたかもしれなかった。そのため、これらの国々はまるごと「恐るべき人類の結核化」にさらされているともいわれた。[1]

そのように感染が広まっていれば、これらの工業国での罹患数と死亡数が悲惨なまでに上昇するのも必至だった。たとえば一九〇〇年のアメリカ合衆国では、死亡原因の第一位が結核だった。当時は一年に約七万五〇〇〇人が結核で死んでいた。住民一〇万人あたり二〇一人という年間死亡率である。工業化と結核との密接な関係から、結核は本質的に「文明病」であるとの認識が十九世紀を通じて広まっていった。この時期の西洋では、イギリスの作家で説教師のジョン・バニヤンが称したように、何にもまして結核こそが「死者の王者」だった。バニヤンの著作『悪太郎の一生』の主人公は、放蕩のかぎりを尽くした生涯の報いを受けて、結核で命を落とすのである。[2]

このように、過去数世紀のあいだに工業化の進行するところで結核が急速に蔓延したのを見ると、結核は疫病なのか、それともやはり地域流行病なのかという疑問が浮かぶ。この病気には、社会にいっとき広まっては消えていく疫病の特徴的な盛衰がまったくなく、どの世代の人間から見ても、結核はくる年もくる年も頑として存在していた。さらにいえば、個々の患者の体においてさえ、結核の進行は気まぐれだった。ペストやインフルエンザや黄熱やコレラのようにいきなり劇的な病状を引き起こすというよりも、何十年もしつこくつきまとうことの多い病気だった。実際、患者はしばしば結核を慢性的な苦痛として経験し、自分の病状に対処するために生活を見直し、損なわれた健康を取り戻すという目標に専念していた。

しかし、もっと長期的な視点で見ると、結核はやはり疫病のモデルに合致する。ただ、その過程が長期にわたるのを大目に見なければならないというだけだ。個々の患者のレベルでは、現在、結核は感染症とはいっても、それなりに長い接触期間を通じたあとに人から人にゆっくりと広まる感染症で、長期にわたってじわじわと体を蝕むのが特徴であると理解されている。同様に、社会全体においても、結核は緩慢な疫病で、ことによると一か所に何百年にもわたって存続しながら、それから何世代かをかけてなぜか徐々に収束していくものと理解することができる。十九世紀の結核の最盛期を生き延びられた人びとは、この病を疫病と見なした。実際、彼らはペストになぞらえて、これを「白いペスト」と呼んでいた。

工業化と、それにともなって生じた混乱は、近代の結核の年代記を説明するのに大いに役立つ。「史上初の工業国」であるイギリスでは、結核の流行の波が一七〇〇年代の後半から一八三〇年代にかけて最高潮に達し、それから住居や賃金や食事や公衆衛生の条件が改善するとともに、ゆっくりと、しかし着実に弱まっていった。イギリスよりも遅れて工業化がはじまったフランスやドイツやイタリアなどの国では、結核の急増も遅れてはじまり、工業化が定着して経済の近代化がはじまった二〇世紀の変わり目になって、ようやくその上昇が減少に転じた。

肺結核と経済転換との関係のさらなる裏づけとして、この病気は北ヨーロッパの工業国では何よりも主要な死因となったが、当時まだ農業が主流だったイタリアやスペインなどの国の公衆衛生にとってはさほど脅威になっていなかった。実際、一国内においても結核の発生率の地理的な差は経済発展のパターンに準じていた。たとえばイタリアでは、結核は主としてミラノやトリノなど北部の工業都市を襲ったが、戸外での農作業を中心とする南部の農民社会ではずっと被害が少なかった。アメリカを代表する結核の権威であったモーリス・フィッシュバーグの一九二二年の文章を引用すれば、「感染頻度は、文明の程度や、未開人の文明人との接触に密接に関連している。……結核が存在しない地域は、文明といっさい接触してこなかった未開人が住む地域のみにかぎられていると見られる[3]」。

結核の近代史は二つの時代に分かれる。ロベルト・コッホがヒト型結核菌を発見する一八八二年の前と後だ。この発見によって、細菌病原説が確立され、結核が伝染性であることが実証された。この二つの時代は、結核に対する理解や認識の点でも、結核が社会におよぼした影響の点でも、また、結核が喚起した公衆衛生上の対応の点でも、大きく異なっている。本章は、一七五〇年から一八八二年までの、結核が「消耗病《コンサンプション》」と呼ばれていた「ロマン主義」時代についての考察に充てる。そして次の章で、現代の結核について論じる。だがまずは、この病気の病因と症状について考えておこう。

病因

ヒト型結核菌（マイコバクテリウム・ツベルクローシス）は、一八八二年にロベルト・コッホによって発見された。そのため「コッホ菌」と呼ばれたり、「ツベルクル菌」と呼ばれたりすることもある。人間はこの結核菌に、四種類のきわめて不均一な伝播経路を通じて感染する。そのうち三種類は、①母体から胎児への胎盤経由での伝播、②擦過傷や使いまわしの注射針を介しての細菌の侵入、③汚染された肉や牛乳の摂取を通じての菌の取り込みだが、これらは事例としてはかなり希少で、現代の結核には補助的な役割しか果たしていない。

四番目の伝播経路は、圧倒的に重要なものとして突出している。感染者の咳やくしゃみや会話とともに空気中に排出される、汚染飛沫に含まれた結核菌の吸入である。ひとたび吸入されると、結核菌は気道の奥にある細気管支と肺胞、すなわち息を吸うたびに空気が入ってくる微小な通路と袋に取り込まれる。

呼吸とともに肺の最も奥の組織に引きずり込まれた結核菌は、十中八九、原発性肺感染を引き起こす。しかしながら、感染は病気と同義ではない。健康な人の場合はたいてい体が有効な細胞性免疫反応を装備している。活性化した大食細胞《マクロファージ》――血流から初期病変部位に向かわせられる白血球――が侵入微生物を捕食して、肉芽腫という一種の結節を形成する。一方、類上皮細胞と呼ばれる別の食細胞は、その肉芽腫のまわりを柵状になって取り囲む。数週間、ないしは数か月のうちに、九〇パーセントの症例は治癒する。感染は封じ込められ、もうそれ以上は活動性疾患に進行せず、症状が発現することはない。うまく封じ込められた損傷がしつこく存在することに個人は気づかないが、肉芽腫の内部の菌は破壊されるのではなく隔離されている。菌はそのままそこで生きつづけ、免疫系が深刻に弱まれば後日いつでも病気を引き起こせる。再活性化や再感染が起こるまで、進行を停止された病気は、医学的には「頓挫性」という部類に位置づけられる。そして患者は「潜伏性結核」にかかっているといわれる。

　最初の侵入から五年のうちに、症例の一〇パーセントは臨床的に重大な疾患に進行する。これらの症例では、結核菌がうまくマクロファージに対抗して食細胞による包囲網をかいくぐる。結果として「活動性結核」が一連の症状を発生させ、合併症も引き起こす。この結末は、いくつかの可能性が偶発的に生じた結果である。侵入してきたヒト型結核菌の菌株がとくに強毒だったのかもしれないし、侵入細菌の数が許容範囲を超えて多かったのかもしれない。さもなければ、栄養失調、糖尿病、ＨＩＶ感染、アルコール依存、マラリア、薬物乱用、珪肺症、化学療法など、通常の免疫反応を抑制するさまざまな条件が介在したせいで、体の免疫系が弱まっていたのかもしれない。こうした症例では、無数の結核菌が肺の周囲組織に侵入し、場合によってはリンパ系や血流にも入り込んで体内のあらゆる部位に運ばれる。これが「粟粒《ぞくりゅう》結核」という播種のプロセスで、耕された畑いっぱいに粟の種がまかれた様子に似ていることから、そう呼ばれている。このような散布は、ほぼ不可避的に死につながる。うまく治癒がなされなかった初感染の直後にこうなることもあるが、前には頓挫性の症例だった場合でも、その後に体の免疫が弱まって原病巣の再活性化を招いた結果、こうなることもある。また、初回感染で免疫が獲得されなかったために頓挫例が再感染することもありうる。

症状と段階

粟粒結核においては、侵入した結核菌が肺の原病巣から全身に転移することがある。しかし結核菌は、食物といっしょに取り込まれたり、傷口から入り込んだり、あるいは胎盤経由で垂直伝播したりと、さまざまな経路を通じて体内に入ってこられるため、初感染が肺以外の場所で起こることもある。このように感染の起こりうる部位が多様であることから、結核はあらゆる病気のなかでもとりわけ症状の多様なものとなっており、皮膚、心臓、中枢神経系、脳髄膜、腸、骨髄、関節、喉頭、脾臓、腎臓、肝臓、甲状腺、生殖器など、どんな組織や臓器でも冒すことができる。したがって、結核は潜在的にじつにさまざまな外観を呈する可能性があり、ことによると別の病気の症状そっくりにも見えるため、理学的診断がとくに難しい病気であることで悪名高い。二〇世紀に信頼性の高い診断検査が導入されるまでは、判断に迷った医師がしばしば結核を、腸チフス、気管支肺炎、コレラ、気管支炎、マラリア、敗血症、髄膜炎など、別の病気とまちがえることがあった。

とはいえ、俗に「肺病」とも呼ばれるぐらい、結核において最も一般的で、最も重要な病型はやはり肺結核であるため、ここではその肺結核だけを詳細に見ていくことにする。この病気の第一の特徴は、人体内での進行が――その理由はいまだに謎に包まれているが――途轍もなく気まぐれなことである。極端な場合には劇症化の一途をたどって、症状があらわれてから数か月以内に死にいたることもある。このような症例は、十九世紀には「急性」「悪性」または「奔馬性」の消耗病と呼ばれていた。

一方で、結核がほぼ慢性疾患のようになって、数十年にわたってゆっくりと進行することもある。そのあいだには一時的に寛解したり、ともすると回復したように見えることすらあるが、そのあとにはなぜかふたたびぶり返し、結局は病気の進行を避けられない。抗生物質が使われるようになる前は、闘病期間に一年から二〇年と差はあるものの、患者の約八〇パーセントが最終的には死亡したと推定される。ただし一部の患者は年齢にかかわりなく自然に回復し、完全に治ったように見えることもあった。

このような感染後の経緯の差は、結核にかかった十九世紀イギリスの代表的な二人の作家のきわめて対照的な病状の推移によくあらわれている。一人はジョン・キーツで、彼の病状はまさしく奔馬性肺結核の進行を典型的に示していた。キーツは一八二〇年二月に発病して、きっかり一年後に二六歳で亡くなった。このロマン派の詩人は、肺結核と芸術、そして肺結核と天才との関連の象徴となった。キーツが瀕死の弟の看病中に結核にかかったこと、健康によいローマの気候を求めて必死の思いでイギリスを離れたこと、恋人ファニー・ブローンと別れたこと、そして詩人としての最盛期と多くの人から認められる最後の詩作期間を経てローマで没し、そこで埋葬されたことは、まるまる一〇〇年のあいだ語り継がれた。彼の短い生涯は、自らを燃やし尽くす流星や、彗星や、蠟燭にもたとえられ、十九世紀半ばの結核についての社会的理解を象徴するものとなった。「消耗病」は、高等な文化、美的感性、天才の指標であり、キーツはまさにそうしたイメージの申し子だった。

これに対して、結核の病状のもう一方の極端な例を示したのが、スコットランド人のロバート・ルイス・スティーヴンソンだった。キーツとは対照的に、スティーヴンソンは数十年にわたって病気と闘い、保養地や療養所を出たり入ったりしながら、世界各地を転々として健康の回復にたゆまず努めた。最終的にスティーヴンソンは一八九四年に四四歳で亡くなったが、キーツにくらべれば長生きできて、生産的な人生を送れていた。そして彼の人生を終わらせたのは、おそらく結核ではなく、脳卒中だった可能性が高い。

十九世紀の医師は、肺結核の進行は不可解ながらも三つの段階をたどると考えていたが、ある段階から次の段階へは気づかないうちに移行していることが多く、症状も重複していたので、喀痰検査やツベルクリン反応検査やX線検査などの信頼できる診断法が開発される以前は、病気がかなり進行するまで診断はつねに不確かだった。加えて、患者が第三段階に達する前に死亡することも、症状が進んでいるのに回復することもめずらしくなかった。結核のあらゆる特徴と同様に、各段階の持続期間も予測しがたく、また、ある段階からかならず次の段階に進行するともかぎらなかった。さらに肺感染は、肺の両側でも片側だけでも起こりえた。症例としては片側性感染のほうが一般的で、右肺よりも左肺が冒されることがはるかに多かった。肺専門医のフィッシュバーグは、この病気の多様性を次のように説明している。

慢性の肺病では、症状が悪化して患者が死亡するまで、または症状が改善して回復するまで、連続した経過をたどることはめったにない。これは頓挫性の肺病においても、あるいは逆に、急速に進行する奔馬性の肺病においても同様の特徴である。慢性肺病の通常の症例は、不連続で発作的な、気まぐれといってもいいような経過をたどる。あるときには急性もしくは亜急性の憎悪期があったかと思うと、またあるときには寛解期があって、その期間の患者は多少なりとも厄介な症状から解放され、場合によっては比較的元気になることすらある。[4]

このように各段階は流動的で、どこか気まぐれにも見えるため、明確に区切られたものというよりも、ある程度の指針を示すものとして理解するべきだろう。

第一段階＝初期の結核

活動性結核の発症はたいてい徐々にあらわれるが、典型的な初期症状は普通の風邪とまちがわれやすい乾いた咳（空咳）で、とくに就寝時に不快感が増して咳払いをすることになる。夜中には咳が止まっても、明け方になるとまた出はじめる。ときには発作的に激しく咳き込み、胸が空っぽになるまで止まらないこともある。咳をしてもすっきりしなければ、その咳はおそらく日中もずっとつづき、夕方に向かってさらに激しくなるため、寝つくことができずに不眠と疲労を呼び、胸や喉の痛みも生じさせる。咳に吐き気がともなうこともめずらしくなく、程度のさまざまな嘔吐を引き起こす。この時点になると、患者は軽めの運動でも息切れを起こすようになる。また、体重が減る、顔色が悪くなる、仕事や勉強の生産性が下がる、食欲が減退する、リンパ節が腫れるといった症状も出てくる。

持続的な倦怠感は、この疾患の発症時からの主要な臨床症状であり、たいていの場合、患者が最初に気づくのはこの症状である。とくに理由も考えられないのに生じるこの疲労について、二〇世紀初頭の「結核学者」チャールズ・マイナーはこう簡潔に説明している。「全身に『倦怠感』が広がり、呼吸するのさえ一苦労になる。横になって休んでみれば、疲労がじわじわと手足に伝わっていくように感じる。両手両足が疲労感でうずき……起き上がれば、これまでは活発だった人が、休息がとれたようにも元気が戻ったようにも感じられず、仕事への意欲もまったく湧いてこない」[5]。

第二段階＝中等度まで進行した結核

結核の第一段階と第二段階のあいだに明確に定義された境界はない。しかし第二段階に入ると、咳き込む回数が多くなり、苦しさが増してくる。肺の内部では結核結節が増加して、徐々に肺に穴をあけていき、その後この空洞が炎症を起こす。ここに頻繁に痰が溜まるので、患者はこの濃くて緑がかった悪臭のある粘液を咳とともに吐き出すが、その量はますます多くなる。喀痰量はさまざまだが、多い場合は一日に合計五〇〇ミリリットル近くになることもある。この痰を吐き出すといったんは楽になるが、すぐにまた咳が出て、その頻度と苦しさは高まるばかりである。

病気の進行のほかの徴候としては、「消耗熱」が挙げられる。毎日一回か二回、体温が三九度五分から四〇度ぐらいまで急上昇し、悪寒がして、おびただしい寝汗をかく。この汗もまた結核の厄介な特徴で、患者は汗でびっしょりになり、ぐったりして、くり返し睡眠を妨げられる。ただし発熱曲線は一様ではなく、患者によって異なる。通常は断続的なパターンを示すが、連続的になる場合もあり、それは予後不良の一つの指標となる。また、発熱がまったく起こらない場合もある。

発熱のほかにも、脈拍数が一分間に一二〇回以上にもなる頻拍という徴候があり、これは発熱がない場合でも生じうる。また、重度の疲労感があって睡眠をとっても軽減しない、声がしわがれて小声でしかしゃべれない、関節や胸に痛みを覚える、めまいがする、頭痛がする、ちょっと激しい活動をすると呼吸困難になるといった症状もあり、さらに女性の場合は、月経周期がなくなる（無月経）、月経時に痙攣のような激痛がある（月経困難症）といった月経障害も起こる。もう一つ典型的なのが咳とともに血を吐くこと（喀血）で、とくに、激しい活動をしたあとや強く感情を揺さぶられたあとに、口いっぱいの真っ赤な泡沫状の血が吐き出される。かつてこれは、すべての結核患者とその家族が最も恐れていた症状だった。これによって診断が確定され、最悪の結末が予言されたも同じだったからである。当時の伝聞によれば、療養所内では一人の結核患者の喀血が見られただけで周囲に不安が醸成され、それによってほかの患者にも喀血が誘発されたという。

加えて、この段階の結核は個人の性格にも影響をあたえると考えられていた。中等度に進行した結核の患者はだいたいにおいて、常識的にはありえないほど自らの病状に対して楽観的になり、人生に陶酔し、将来に大志を抱き、好色になる。これらの特徴を総合すると、診断的に有意義な一つの見解がまとめられる。すなわち「肺病病みの希望（spes phthisica）」という言葉で表現されたような根拠のない楽観が、いってみれば結核性人格《パーソナリティ》の特徴と考えられるのである。

第三段階＝進行した結核

信頼性の高い検査法が開発される前は、第三段階にならないと結核の確実な診断はできなかった。この段階に入ると、患者に結核のあらゆる徴候があらわれているので、すぐにそれと認識できた。体がひどく痩せ衰えるのは、この病気のきわめて普遍的な特徴であるため、そこからこの病気は二つの通り名をもつようになった。一つは「消耗病」、もう一つはその同義語の「癆《ろう》」で、後者は「衰弱」を意味するギリシャ語に由来する［日本でも結核はかつて癆痎（ろうがい）と呼ばれた］。結核が重度まで進行すると、しだいに体から肉が落ち、筋肉の張りが失われ、最後には骨と皮ばかりになってしまう。この衰弱過程を後押しするのが 食欲不振症や下痢症など、結核にともなういくつかの特徴的な合併症で、そのために適切な栄養摂取ができなくなる。嚥下困難もしばしば見られる症状で、感染の広がりから喉頭に病変が生じ、そのために飲食物を飲み込むのが苦痛になって、摂食がほぼ不可能になる。逆に、患者の体重増加は最も好ましい予後徴候の一つである。

たいていの場合、顔つきにも変化があらわれて、頬がこける、目がくぼむ、首が細長くなる、顔面の筋肉が衰える、猫背になる、顔色が青白くなるなど、全体的に「消耗した面相」になってくる。同時に、胸部にも一連の変形が生じる。呼吸のたびに圧迫されるのに加え、罹患した肺組織に無理やり血液を流さなければならない負荷もあって、肺臓、気管、心臓の位置が胸腔内でずれていき、そのために左右の対称性が失われる。一方、肋骨のあいだは深くくぼみ、鎖骨は大きく突き出て、肩甲骨は翼を広げたように張り出してくる。循環不全の進行による浮腫が生じれば、手足はむくんで冷たくなり、心臓は肥大する。とくに肺に血液を供給している右側には大きな負荷がかかるため、肥大もしやすい。

このように、結核における疾患過程は患者の外観にはっきりと目に見える痕跡を残す。同時に、医師が患者の胸部に聴診器をあてれば、この過程がはっきりと音にもあらわれている。この手法は「間接聴診法」といって、フランスの医師ルネ・ラエネクが一八一六年に単耳聴診器を発明したのちに、芸術の域にまで高めた技法である。ラエネクによる一八一九年の有名な論文「間接聴診法についての論説」に、彼の編み出した方法論が体系化されている。ラエネクとその一派は、患者の罹患した胸部から聞こえてきた音を書き留めておく目録を作成し、ぱちぱちと火のはぜるような音、そのさらに耳障りな音、かちっと掛け金がかかるような音、ごぼごぼと水が流れるような音、ぴぃぴぃと笛が鳴るような音、ひゅうひゅうと風が吹くような音など、さまざまな事例を記録した。また、空洞性呼吸音、破壺共鳴音、いびき音（低調性連続音）、歯車様呼吸音についても書き残した。しかし、何よりも貴重だったのが「ラッセル音」についての記述である。細かい音、中程度の音、大きい音、湿った音、粗い音、無響性の音、有響性の音、捻髪音、亜捻髪音、ギー音（呻軋音）、ブンブン音（飛蜂音）といった多様なラッセル音の微妙な違いは、それらを聞き分けられるほどの音楽の素養と鋭敏な音感を備えた診断医を有利にさせた。アメリカの進歩主義時代［一八九〇年代から一九二〇年代］の結核専門家だったフランシス・ポッテンジャーは、自分が聴診した結核患者のさまざまな胸の音をこう記述している。「蛙の鳴き声に似たものもあれば、小銃の射撃音のようなもの、猫のごろごろいう声や、子犬のくんくん鳴く声に似たもの、あるいはバスビオラの低音のようなものもある。通り道が狭いほど高い音が出て、広いほど低い音が出る[6]」。

音が聞こえるぐらい肺がぼろぼろになってしまうと、このうえなく痛ましい症状があらわれる。それは、絶えずつきまとう容赦ない空気への渇望だ。この症状は、いまでは急性呼吸窮迫症候群（ＡＲＤＳ）と呼ばれている。この「窒息」症候群は、両側性肺結核の患者と、気管や喉頭の炎症を合併している患者にとくに多く見られる。後者の合併症は、結核菌が気管に侵入して狭窄症を引き起こすもので、気道が狭まるため物理的に呼吸が妨げられることになる。一八七五年のある医者の記述によれば、「これは呼吸がしにくいとか息が詰まるとかいうどころではなく、空気が欲しくて欲しくて仕方なくなるというものである[7]」。呼吸困難に苦しみながら死んでいく患者を鮮明に描写したフィッシュバーグの一文を引用する。

まるで晴天のへきれきのように、ひとしきり咳き込んだかと思うと……患者はいきなり胸に差し込むような鋭い痛みを覚え、「何かが崩れ落ちた」ような、何か冷たいものが脇腹を伝っているような感覚にとらわれる。患部側に手を当てながらにわかにベッドに起き直り、空気を求めてぜいぜいとあえぐ。急激な呼吸困難、チアノーゼ、速い微弱な脈拍、悪寒、じっとりと冷たい手足など、肺虚脱のさまざまな現象があらわれる。顔は苦痛でゆがみ、目はひんむかれ、唇は鉛色、額には冷汗がにじんでいる。[8]

治療をしなかった結核患者の半数以上は死を迎えることになるが、このように胸に溜まった液体にむせかえっての窒息は直接の死因になりうる。しかし進行した肺結核の場合、ほかの密接に関連した原因からも死にいたることがある。そのうち最も顕著なのは、脈拍数が一分間に二〇〇回まで上がったときの心不全と発作性頻拍、太い肺血管が冒されて大量出血や動脈瘤を生じさせたときの大量喀血による窒息、および、突発的な気胸や肺虚脱による窒息である。末期の肺病の最後はどうしても陰惨なものになる。たいてい窒息をともない、しばしば幕は突然に下りる——だがその前に、長さはさまざまでも、決まってある程度の時間は強烈な苦しみに襲われるのだ。

消耗病についての医学理論

消耗病についての「ロマンチック」な解釈を最も総合的にあらわしていたのが、当時の結核の第一人者であるラエネクの研究だった。ラエネクは一八二六年に自らも結核で命を落とすことになるのだが、それまではひたすらネネッケル病院の医師として、結核に冒された担当患者の胸の音を聞き、それらの音を、患者の死後に解剖台で検分した病変と一つひとつ関連づけていった。結核の理解に対してラエネクが果たした重要な貢献はいろいろとあり、間接聴診法を編み出したのもその一つだったが、全身の結核結節を見つけだして丹念に解剖することを通じて、さまざまな器官の一見ばらばらな症状が、じつはある特定の疾患の異なるあらわれであると確信を得たことも大きかった。結核の進行においてはなにをさておいても重要なのは結節であると気づいたことで、それまで無関係と見なされていた一連の病理を統合することができたのだ。こうしてラエネクは結核の統一理論の「父」となった。だが、何より影響力が大きかったのは、彼の医療哲学だった。その「本質主義的理論」は、結核についての専門家の見方にも一般大衆の見方にも浸透して、コッホが革命的な発見をするまで主流でありつづけた。この理論がそのように呼ばれたのは、結核の根本的な原因が体そのものの基本的性質――すなわち「本質」にあるという考えにもとづいていた。

ラエネクは熱烈な反伝染論者だった。消耗病は遺伝性であり、患者の体の「組成」にもとづく、その体に固有の原因から発症するというのがラエネクの見解で、彼自身の用語でいえば、罹患の原因は患者個人の生来的な「体質（diathesis）」だった。これはギリシャ語で「素質」を意味する言葉である。この遺伝された、もしくは生来もちあわせた欠陥が、人を結核にかかりやすくさせる究極の原因だというわけだ。これをもっていることで周辺環境の影響――素因ではなく直近の「誘因」――にさらされやすくなり、その影響によって、もともと危うい体が早々に病気にかかってしまう。つまり消耗病はもって生まれた定めであり、個人の体に最初から刻まれている運命なのだ。したがって、この病気の被害者に非はなく、彼らは――梅毒や天然痘の患者とは異なり――決して周囲の人びとにとって危険な存在ではないとされた。

結核の自然発生を持論としていたラエネクは、個人の体質が本人の内的な原因だけで病気を引き起こすこともありうると考えていたが、むしろそれよりも、外部の二次的な誘因による影響に注意すべきだと主張していた。結核の究極の原因は体質であるとしても、それを引き出す誘因はさまざまだった。ラエネクは、精神的なショックや「悲しみの情念（passions tristes）」――死別の悲しみ、希望の喪失、宗教的な狂信、報われない愛など――の重要性を強調した。それらが体の「動物的なエネルギー」を低下させると考えていたからである。プロの医療者の目から見ると、働きすぎや「汚れた野心」による知的能力の誤用からも、同様の結果が生じると考えられた。

一方で、物理的な要因も決定打となりえた。訳知り顔の医者たちがことのほかもったいぶって嘆いたのが、過剰な性欲による影響だった。それによって必要不可欠な体液の流出が起こるため、結果として生命力が弱まって、病気への入り口が開かれるのだと、彼らは説教した。この点で、何よりも問題視されていたのが自慰行為だ。肺専門医のアディソン・ダッチャーは激しい口調で、「手淫」は「自瀆行為」であり、健康への害悪という点で「戦争、暴飲暴食、悪疫、飢饉にも匹敵する……人類の大いなる破滅のもと」であると非難した[9]。

「結核学者」を名乗る一部の専門家たちは、近代に結核が急増したことの原因として、酒がひどい影響をおよぼしているとも主張した。十九世紀に盛り上がった節酒運動は、倫理的、宗教的な戒めにもとづいていただけでなく、アルコールが結核の燃料になるという医学的な信念にももとづいていた。実際、イギリスの医師で小説家のベンジャミン・ウォード・リチャードソンが一八七六年の著作『ヒュギエイア――健康の町』で描いた架空の医学的ユートピアでは、結核も、結核を助長するパブも根絶されていた。結核と飲酒との関係には、説得力のある統計的な裏づけもあたえられた。フランスの医師ジャック・ベルティヨンが示したこの統計は、結核がパブの主人と郵便配達人の職業病に近いことを実証していたが、まさに彼らは極限まで酒を飲むことで知られていたのである。

消耗病と階級とジェンダー

消耗病は遺伝性で、伝染する病気ではないと考えられていたため、病人がスティグマを負わされることはなかった。罹患者に責任はなく、罹患者が病気を広めるとも思われていなかった。さらにいえば、この病気は特定の社会階級や民族集団とも関連づけられていなかった。現代の疫学の視点では、貧困層が結核に襲われやすいことはよく知られている。これは、人の密集した不衛生な生活環境や労働環境に置かれることが際立って多いのが貧困層だからだが、十八世紀から十九世紀のあいだは、社会的、文化的、経済的なエリートのあいだにも多数の犠牲者が出ていた。十九世紀の結核の犠牲者リストには、前述のキーツとスティーヴンソンだけでなく、フリードリヒ・シラー、アントン・チェーホフ、ブロンテ姉妹、エドガー・アラン・ポー、オノレ・ド・バルザック、フレデリック・ショパン、パーシー・ビッシュ・シェリー、ウジェーヌ・ドラクロワ、ニコロ・パガニーニといった多くの著名人が含まれている。消耗病患者の社会的身分の内訳には、感染経路がきわめて大きな影響をおよぼしていた。なぜなら空気感染を通じて広まる病気は必然的に「平等」な、誰にでも届くものとなり、たとえばコレラや腸チフスのような社会病――糞口経路を通じて伝染する、明らかに貧困と関連のある病――にくらべ、特権階級の人びとの生活に入り込む可能性が高かったからである。

実際、これほどまでに苦痛をもたらし、体を変形させ、命をも奪いかねない病気であったにもかかわらず、皮肉なことに結核は、社会的地位の高い、能力のある、洗練された男女を冒すだけでなく、その美貌や天性の才能や性的魅力を増大させ、高めるものだと世間一般に思われていた。この理解には深く性差がかかわっていて、男女それぞれに大きく異なる影響をおよぼした。女性の場合は、肺結核により、貧血症のような気だるさこそが女性美であるという新たな理想像を抱かせられた。その結果、はかなげで、青白く、繊細で、すらりと細長く、透けて見えるのではないかというぐらいの透明感をもつことが追求されるようになる。アンリ・ド・トゥールーズ＝ロートレックの一八八七年の作品『おしろい』（別名『テーブルに座る若い女』）は、この結核に触発された身体的な理想を完璧にとらえている（図14－1）。ロートレックが描い

図 14-1 アンリ・ド・トゥールーズ＝ロートレックによる『テーブルに座る若い女』、別名『おしろい』（1887 年）。19 世紀の女性のあいだには、香料入りの粉おしろいを顔に塗って、結核患者の青白い顔に似せるという流行があった。ファン・ゴッホ美術館、アムステルダム［ゴッホ財団］

たほっそりとした女性（おそらくは愛人のシュザンヌ・ヴァラドン）の前には、粉おしろいの入った瓶が置かれている。当時の流行にもとづいて、これからその粉で顔を白く塗り、結核患者の血色の悪さを演出しようというのである。ラファエル前派の画家たちも、結核にかかった女性をわざわざ選んでモデルにしていた。ダンテ・ゲイブリエル・ロセッティのお気に入りのモデルとなり、のちには妻となったエリザベス・シダルや、ウィリアム・モリスにモデルとしてよく使われ、のちに彼と結婚したジェーン・バーデンがその一例だ。この結核の美学は二〇世紀初頭までつづいた。その時代の代表格が、アメデオ・モディリアーニの肖像画に描かれた、繊細な体つき、青白い顔、白鳥のように細長い首をもった女性たちである。

ジョン・キーツ（一七九五〜一八二一年）も「美しいけれど無慈悲な乙女」というバラッドで、消耗病を究極のファム・ファタール――魅惑的で、「こよなく美しく」、抗いがたい魔性の女――として描いている。詩人もまた抗うことなく、彼女の魅力と「甘いささやき」に屈する。「彼女が優しく私を眠らせた」あと、初めて夢で明らかになる。自分は取り返しがつかないほどに――「ああ！　災いなるかな！」――彼女の「とりこ」になってしまったのだと。そしてほかにも大勢の仲間がいた。「青ざめた王や王子たちも／青ざめた戦士たちも、みな死者の青白い顔をしていた」[10]。

この時代のオペラや文学も、結核にかかったヒロインの忘れがたい霊妙な魅力を賛美した。プッチーニのオペラ『ラ・ボエーム』（原案はフランスの作家アンリ・ミュルジェールが書いた物語『ボヘミアン生活』）の主人公であるお針子のミミ、アレクサンドル・デュマの小説『椿姫』の主人公である高級娼婦のマルグリット・ゴーティエ、これをジュゼッペ・ヴェルディがオペラ化した『椿姫《ラ・トラヴィアータ》』においてマルグリットに相当するヴィオレッタなどがよい例である。神経性無食欲症（俗にいう拒食症）は、医師ウィリアム・ガルの一八七三年の論文で確立された用語だが、これが結核の影響によって若い女性のあいだで増加した可能性は大いにある。彼女たちは自らを、詩、絵画、演劇、小説、オペラなどで結核のはかなげなヒロインを題材に「宣伝」される、女性的な美しさの理想と引きくらべて測ったのである。

ファッションもまた、そのような痩身の結核患者をモデルにした女性美の理想を追求させるのに大きな役割を果たした。食生活、立ち居ふるまい、服装、美容法などにも反映されたこのトレンドは、歴史学者のキャロリン・デイがいみじくも「消耗病的な上品さ」と呼んでいるもので、そこでは病気を装うことが社会的地位の証しであり、でっぷりしていて丈夫なのは下品であると見なされるようになった。デイによれば、「健康はもはや流行遅れだったので、自然に病気にならない場合、多くの女性が病気らしい風情を装った」。言い換えれば、結核は「病気への切望」を生み出したのである。[11] 消耗病を遺伝性と断定していた当時の本質主義的な医学理論も、この病気を患っているように見えることの魅力を高めた。そうした女性は自分が上流社会の人間であると主張してよいと、誰の目にも明らかに宣言している理論だったからである。

ファッションというのはもちろんイメージであって、実体ではない。心のなかでは結核にかかりたくないと思いながらも、外面的には結核にかかりやすい体質であることを装って、自分の上品さを誇示しようとするのは決して矛盾したことではなかった。求められる基準に近づくために、金持ちの健康な女性たちが、わざとやつれた、いまにも壊れそうな姿になりきって、知的で、感性豊かで、洗練された内面をもっていることを示そうとした。そして、その目的のため、運動や激しい身体活動を避け、食欲も極力抑える一方で、舌がもつれたような話し方を身につけたり、ふらふらした足どりで歩いたりするようになった。それもこれも、結核患者の食欲不振や元気のなさを真似してのことである。おしゃれな女性たちは化粧にも気を配った。ベラドンナのエキスをまぶたに一塗りすると瞳孔が開いて目が大きく見え、美の象徴である結核患者の風貌に似て見えるだとか、エルダーベリーの果汁をほんの少しまぶたに差して影が落ちているようにすると目に注目が集まって、うまく結核患者を装えるなどと指南する社交界雑誌の記事を、多くの女性が参考にした。また、前述したように、必須とされていた透明感のある青白い肌を模倣するには粉おしろいが有効だった。そのうえで唇にほんのり紅を差すと、いわゆる消耗熱の効果を再現しながら、頬の青白さをいっそう引き立たせることができた。

エレガントな女性たちは、次いで衣服の必要条件にも目を向けた。当時の医者の解説によれば、結核と診断される患者の目に見える徴候のなかでも、とくに顕著なのは全身が痩せ衰えること、胸もお腹も平らになること、腰が細くなること、首が力なく前に垂れること、肩甲骨がはっきりと突き出てくること、とされていた。そこで女性の衣服には、こうした徴候を模するのに役立つことが求められるようになった。夜会服は背中の開きがますます大きくなり、両肩を締めつけて肩甲骨を露出させ、まるで「翼が……体から生えてきて、いまにもそれを広げて飛び立ちそうな」風情をまとわせた[12]。夜会服の後ろ身ごろにうっすらと隆起した人工のこぶをつくり、それを着ると自然に体が前かがみに見えるような工夫もなされた。コルセットは丈が長くなり、体を締めつける紐も増え、芯も幅広になって、ぎゅうぎゅうと体形を補正した。上半身のV字型の身ごろと広がったスカートと大きく膨らんだ袖は、その組み合わせによって腰の細さを際立たせた。

ロマン主義文学のヒロインの美しい感動的な死をこのうえなくみごとに、まざまざと描いたのが、ハリエット・ビーチャー・ストウの一八五二年の小説『アンクル・トムの小屋』に登場するリトル・エヴァの死に際である。この作品は奴隷制についての物語であるだけでなく、病気についての物語でもあるのだ。リトル・エヴァは末期の結核にかかっているが、まったくもって人の心を高揚させるような、うっとりするほど美しい死を遂げる。それは現代の医師のフィッシュバーグが記述した、見るも恐ろしい窒息死とはまさに対極にある。リトル・エヴァの死は、当時の読者にとっては文化的な意味をもっていた。だが、現代の臨床医にとってはいささか困惑させられるものでもある。その短い生涯のクライマックスの場面では、リトル・エヴァの美しさがくり返し強調されて描かれる——。

小さな霊の死出の旅路は、あまりに輝かしく穏やかだったし、その小さな帆船は、あまりにやさしく芳しいそよ風に乗って天国の岸辺へ運ばれていたので、死が近づきつつあるのだとは信じることができなかった。子供は何の苦痛も感じなかった。ただ、日増しに、自分でも気づかぬほど緩やかに、少しずつ弱っていった。彼女はあまりに美しく、愛らしく、信じきって、幸せそうだったので、彼女のまわりに息づいていると思われる、無邪気で安らかな雰囲気に感化されない者はいなかった。セント・クレア〔彼女の父親〕は、不思議な穏やかさが自分に訪れてくるのを感じていた。それは希望ではなかった。そんなことはありようがなかった。かといって、それは諦めでもなかった。それは、未来のことなど考えたくなくなるほど美しく思われる、いまこのときの穏やかな安息だった。それは、輝く穏やかな秋の森の真ん中にいて、明るく紅葉した葉が木々を輝かせ、小川のそばにはまだ最後の花々が残っているようなときに感じる、あの魂の静謐のようなものであった。私たちは、それがすぐに消え去ってしまうことを知っているがゆえに、そこにより多くの喜びを見出すのだ。[13]

（『新訳　アンクル・トムの小屋』小林憲二訳）

架空のヒロインに代表される美の基準に縛られていたのが女性だったとすれば、男性のほうは、結核の影響によっておのれの創造力を新たな高みへと押し上げることを文化的に期待されていた。この点において、まさにキーツは前述したとおり、男性芸術家の理想型の役割を果たしていた。彼の創造性は、熱に浮かされて苦しみながら過ごしたローマでの生涯最後の年に、ようやく完全に開花したといわれたのである。このときの彼は、熱によってすっかり体が消耗していたが、そのおかげで頭脳と魂が、病んでいなかったならばとうてい達していなかったような新たな高みへと飛翔することができた。フランスの小説家ヴィクトル・ユーゴーについての真偽の怪しい語り伝えが、ことの要点をついている。ユーゴーはしばしば友人たちから結核にかかっていないことを責められたそうで、もしこれを患ってさえいれば、もっと偉大な作家になれるのに、といわれていたのだという。

同じ理由から、二〇世紀初頭にアメリカでの結核流行の勢いが衰えたころ、ブルックリンの医師アーサー・C・ジェイコブソンは著書の『結核と創造性』（一九〇九年）で、アメリカ文学の質の低下は避けられないだろうとこぼした。肺病によって肉体的な苦痛が生じるとしても、それはずっと昔から、この病気がもたらす芸術的な恩恵によって埋め合わせられてきたというのが彼の主張だった。結核には「天性の才能を開花させる手段」として働く力があり、「そこから知的世界全体にかかわる利益が生まれてきたのは事実」である、とジェイコブソンは述べている。彼の説によれば、そうそうたる結核患者たちの比類なき知的生産性は、彼らの内面に無限の精神力と楽観があることをうかがわせる、「肺病病みの希望」という特異な臨床的特徴があってこそのものだった。結核患者の人生は「肉体的には短くなるが、精神的には、その短縮に反比例して活気づけられる」。これが「神のあたえたもうた償い」なのである。[14]

消耗病はラエネクの本質主義的理論で理解されていたために、この病気に対してスティグマが生じることはめったになかったが、唯一の例外は結婚市場で起こった。消耗病は遺伝性と考えられていたので、医師が結核患者に結婚をあきらめさせ、病因をもつ体質が次世代に引き継がれることのないようにするのは、賢明な予防措置だった。とりわけ危険視されていたのは、消耗病の素因をもった二つの家系のあいだでの結婚である。たとえば肺専門医のアディソン・ダッチャーは、一八七〇年代のその当時、担当する結核患者に「素質」の意味するところを説明するのは自らの責務であると考えていた。そうすることで「人類の最高に有望な未来をくじき、大勢の人間を時期尚早に墓に追いやる病気を永続させる」のを止めたいものだと、本気で思っていたのである。[15] このような本質主義の影響により、コッホの発見がなされる前の時代には、結婚を規制し、優生思想を助長するような公共政策を思い描く人びとが出てきていた。

消耗病と人種

消耗病と精神的な鋭敏さの関係がどれだけ強調されるかは、階級の差やジェンダーの差だけでなく、人種の差によっても変わった。消耗病が一種の文明病であるという考えは、人種による医療格差にかかわる当時の二大学説を支えていた。その第一は、人類のさまざまな人種は生物学的にまったくの別物だから、どの病に倒れるかも人種によって異なるというものだった。消耗病は知的に優れていることの指標だったため、消耗病にかかるのは白人だけだと理解されていた。結核はこの意味でも「白いペスト」と呼ばれていたわけで、場合によってはもっとあからさまに、「白人の災禍」とまで呼ばれていた。アメリカでは、アフリカ系アメリカ人は別の病気にかかるのが常識だった。その病気に名前をつけようともしなかったことが、そのころ当然のように存在していた人種ヒエラルキーと、医療からの有色人種の締め出しについて多くを語っている。診断結果としての消耗病は、白人様の専有物だったのだ。ニューオリンズとミシシッピ州ジャクソンで開業していた著名な胸部専門医のサミュエル・カートライト博士（一七九三〜一八六三年）は、黒人奴隷制度を神によって定められた制度であるとして強固に擁護していた。南北戦争前の南部で支配的だった見解を堂々と述べ立てるなかで、彼は次のような考えを明らかにした。

黒人はときに、めったにないことではありますが……肺病にかかります。……しかし肺病とは、典型的に、快活で楽天的な多血質、明るい色白の顔、赤または亜麻色の髪、青い目、大きな血管、そして、肺をめいっぱい自由に広げられないほど小さな骨格をもった人びとの病気です。……肺病は、支配者人種の病気であって、奴隷人種の病気ではない――つまりこれは、活発な血液生成、酸素を多く含んだ動脈血をことのほか大量に受け取っている脳、循環系の力強い発達、および、知的な活力、鮮やかな想像力、不屈の意志、自由への愛によって知られる、支配者人種にとっての災いなのです。黒人の体質は……これらすべての反対であるからして、肺病の対象ではありません。[16]

人種と消耗病を関連づけるアメリカでの第二の学説は、厳密な論理に照らせば、結核が白人だけの病気であるという考えと矛盾していた。この第二の見解は、黒人が結核にかからないということは認めながらも、その理由に対して生物学的というよりも、社会学的な説明をあたえた。当時はびこっていた医療面での人種差別は、奴隷所有者を利するための言い分として、黒人は奴隷制のおかげで長いこと結核と無縁でいられ、結核の誘因である近代的な生活のストレスからも守られてきたと主張したのである。言い換えれば、南北戦争前の南部ではアフリカ系アメリカ人は結核にかからないといわれていたが、それは生物学的に決定されていたわけではないということだった。むしろそれは「特殊な制度」〔黒人奴隷制度の通称〕が慈悲深いことの証であって、この制度は劣った人びとのニーズを満たしてやっていたというわけである。この主張は奴隷制度廃止論への対抗策だった。奴隷制を破壊するのはすなわち黒人人種を破壊することであり、黒人は白人の保護がなければ結核で壊滅してしまうだろうと理屈をつけたのである。

ロマン主義

消耗病の文化的反響の一面として、この病気はロマン主義の感性、メタファー、図像体系に寄与した。主要な疫病なら何でも文化芸術に大きな影響をあたえるわけではない。たとえばインフルエンザやアジアコレラには文化への影響力がそれほどなかったが、ペストはすでに見たとおり、文化を一変させるほどの影響をおよぼした。結核は、芸術に顕著な影響をおよぼした病気のさらなる一例だが、その影響はペストのそれとは大きく異なっていた。ヨーロッパにおいてはペストほど、苦悶に満ちた突然の大量死という恐怖を人びとの心に掻き立てたものはなかった。

それに対して結核の場合は、犠牲者が気づかぬうちに病にかかってしまい、身辺整理や心の準備をする暇もないという状況がまずありえなかった。したがって消耗病は、突然の死《モルス・レペンティナ》と、それにまつわる恐怖とは異なるものを喚起した。これが呼び起こしたのは、このうえなく芸術的で創造的な個人がその生涯を全盛期で断ち切られてしまうときの悲しさという概念、人生の短縮という概念だった。ペストとは異なり、消耗病は人びとに高揚感をあたえた。この病は霊的な領域を示唆し、罹患者に死の警告をしながらも、神との関係や自分の属する社会との関係を分析し、理解するための十分な時間をあたえてくれたからである。かのキーツも、有名なソネット（十四行詩）のなかで、短縮された人生の憂いを表現している。

わが命はや終りはせぬかと憂える時
脳裡に溢れる詩想《おもい》を　わが筆の拾いとる暇もなく

高々と積まれた書物《ふみ》の　豊かな穀倉をなし
熟れ尽くした稔りを文字に記して蔵《おさ》めぬうちに、
星の燦《きら》めく夜空の面《おもて》に　高雅なロマンスを象《かたど》り
巨大な雲と耀《かがや》く徴《しるし》の数を　うち眺め
ながらえて　機《とき》に適《かな》う霊感の手により
その幻影《かげ》を跡づけ捉えることの叶わぬと思う時、
また　たまゆらに移ろう美《うるわ》しきひとよ、
　重ねて君を目守《まも》ることなく
ひたぶるの恋の　現《うつつ》を超える力を味わい尽すことの
　絶えてなしと覚える時に——広大な世界の
岸辺にただ独り立ち　思いを凝らす
恋も栄誉《ほまれ》も失せゆきて無に帰するまで。[17]

（『対訳　キーツ詩集』宮崎雄行訳）

ロマン主義文学の主要なテーマの多くは、消耗病患者の世界観に近い感性を示している。青春のはかなさへの深い意識、染みわたる悲しみ、過去や失われたものへのノスタルジックな憧れ、崇高なものや超越的なものの追求、天才や英雄的人物の崇拝、そして物質的なもの、野卑なもの、腐敗したものを洗い落としたあとの、内なる自己とその精神状態——ラエネクの「本質」——への没頭。秋は、くり返し出てくる示唆的な修辞である。つまり秋とは、もはや収穫と恵みの時期ではなく、葉が落ち、花がしおれていく季節であり、早すぎる死が訪れる季節でもあるのだ。だからキーツを悼んだシェリーの哀歌「アドネイス」でも、キーツの比喩として「青白い花」という表現がされている――「花開く前に花びらを摘み取られてしまった花／実りの兆しを前にして死す」。このような悲哀の美学という観点で、ロマン主義の芸術家は消耗病患者をそれぞれの作品の中心に据えた。その影響で、経験主義的な近代精神からすると消耗病の総体的な症状はおぞましい下劣なものに見えるはずであるにもかかわらず、下卑た事実よりも美しい想像こそを崇高とするロマン主義的な考えが、消耗病に対する社会的解釈の特徴にもなっていた。

消耗病による社会への影響

異なる時代に流行した二つの深刻な感染症――ペストと結核――を比較してみると、各種の疫病は人を死なせるという意味では同じでも、決して置き換え可能ではないという重要な点がはっきりと見てとれる。それどころか、それぞれの病はそれぞれ独自の社会的反応を生み出している。すでに見てきたように、一四三七年に初めて西ヨーロッパに襲来したときから、一七二〇年から一七二二年にマルセイユで、一七四三年にメッシーナで最後の大きなアウトブレイクを起こしたときまで、ペストはつねに、集団ヒステリー、生贄探し、逃亡、経済崩壊、社会混乱と同義だった。

対照的に、結核はこうした現象をいっさい引き起こさなかった。常時存在していて、非常にゆっくりとしか広まらず、死亡数が急激に上昇することのない病気である消耗病は、外部からの突然の襲来にともなう恐慌を生み出すことがなかったのである。犠牲者は無害と考えられていたので、逃亡や強制隔離はいずれにしても無意味だった。そもそもこの病気は遺伝性の内的な病毒の産物とされており、個人の運命としかとらえようがなかった。したがって、黒死病ではなく白死病に襲われた都市では、権威の転覆が起こることもなく、貿易や商業が破壊されることもなく、市民生活はふだんどおりに継続していた。たしかに消耗病は、社会全体に深い影響をもたらしたが、それはペストに襲われた都市のドラマチックな状況の再現ではなかった。消耗病が呼び起こしたのは私的な恐怖であって、社会の恐慌ではない。歴史家のキャサリン・オットーの言葉を借りれば、「消耗病の罹患数と死亡数の累計はどんな疫病よりも大きかったが、市民生活になんら影響がおよばなかったので、この病気を脅威と感じる人はほとんどいなかった[18]」。

人びとが消耗病に脅威を感じなかったのは、単純な比較の問題でもあった。結核による死は、絶対的にではないにしろ、少なくとも当時のほかの疫病にくらべれば「美しい」ものであったのだ。肺結核は天然痘のように罹患者の外観をひどく損なうことはなかったし、その症状も、苦痛をもたらすとはいえ、アジアコレラが引き起こす激しい下痢にくらべれば、さほど屈辱的なものではなかった。肺は腸よりも幽玄なのである。

長患い

消耗病が社会におよぼしたあらゆる影響のなかでも、最も明瞭で、最も浸透したのが、長患いの概念だった。一九七〇年代にアブデル・オムランが提唱したことで知られる「疫学転換」、もしくは「健康転換」を迎える前の、慢性疾患のほうが例外的で感染症のほうが主流だった時代には、病気が長引くことのほうがめずらしかったが、唯一の例外が結核だった。かくして消耗病は、長期にわたる病の新しい基準を打ち立てた。これは罹患者が生涯つきあわされる病気となったのである。ひとたび消耗病と診断されると、以後の患者の将来は突如として知れなくなった。今後の仕事について、結婚について、家族について、患者は苦渋の決断に直面させられた。通常のいろいろな責任や、友達づきあいや、夢や希望は脇において、そのかわりに新しい、非常にたいへんな課題を引き受けなければならなかった。すなわち健康を回復するか、あるいは早すぎる死を受け入れることを学ぶかである。

消耗病患者として生きるとはどういうことか、その本質をまざまざと示しているのが、ロシアの作家アントン・チェーホフ（一八六〇～一九〇四年）による数々の戯曲である。劇作家であると同時に医師でもあったチェーホフは、肺病の魔の手にかかった。発病後、彼はモスクワでの演劇活動をあきらめ、気候の温暖な黒海の海岸で健康を回復させようとして――最終的には無益に終わるものの――クリミアへと旅立った。チェーホフの最も有名な五つの戯曲――『イワーノフ』（一八八七～一八八九年）、『かもめ』（一八九六年）、『ワーニャ伯父さん』（一八九七年）、『三人姉妹』（一九〇一年）、『桜の園』（一九〇四年）――は、すべて闘病中に書かれたものだ。明確に消耗病を扱っているのは最初の作品の『イワーノフ』だけだが、どの作品でも無言のうちに、消耗病の長患いが隠れた自伝的テーマとなっている。五つの戯曲のどれにおいても、まるで消耗病患者のような行動できない主人公が描かれているのは偶然ではない。どの主人公も身動きがとれなくなっていて、自分で制御できない出来事の結末をただひたすら待っているだけなのだ。

チェーホフが亡くなる一九〇四年に書かれた『桜の園』では、なぜか変えようもないほど人生が麻痺してしまった登場人物たちの運命が考察されている。ピョートル・トロフィーモフは学位を取得できない永遠の学生、エルモライ・ロパーヒンは最愛の人にプロポーズできない商人、リュボーフィ・ラネーフスカヤはろくでなしの愛人に資産を食い尽くされて、自分の地所を破滅から救うことのできない無力な女地主、そしてボリース・シメオーノフ＝ピーシチクは、借金のかたに財産をとられないようにする計画を実行することに二の足を踏んでいる地主である。彼ら全員と、長患いのチェーホフとの両方を代表して、ピーシチクが早くも第一幕でこう宣言する。「いつぞやも、これはもう全部なくしちまったと思って、観念したものですが、そうしたらなんと、うちの土地に鉄道が建設されまして……金が入りましたよ。だから今日とはいわずとも、明日にはまた何か起こるに決まってます。ダーシェンカが二〇万あてますよ。あの子は富くじを一枚もってますから[19]」。

チェーホフの発病後の人生は、「長い十九世紀」における中産階級と上流階級の消耗病患者の典型的な一例だ。消耗病は、この時代の大きな人口移動の一因となった。いわゆる「転地療養」という名の移動である。治療介入としての環境の変更は、ヒポクラテスの有名な著作『空気、水、場所について』の昔から、医学にできることのなかでも名誉ある地位を占めてきた。したがって結核に関しても、医師がつねに勧めるのは「気候療法」、すなわち健康によい土地に出かけていくことだった。

どのような気候がどういった理由で健康によいと見なすのかについて、医学的な見解はさまざまだった。しばしば医者は、結核患者を山に行かせようとした。山地では息を長く吸い込めて、しっかり吐き出せるから、呼吸が深くなるのだともいわれたし、山地では空気が薄いので太陽光線が浸透しやすいから、よく日焼けして、血行がよくなるのだとも、「輝かしい太陽の光と壮大な山の風景が、新たな希望と勇気を吹き込んでくれる」のだともいわれた[20]。また、山の空気は食欲を刺激し、消耗病患者にとって大敵の衰弱に効くのだともいわれた。一方で、海沿いの温暖で乾燥した気候を推す医者もいれば、同じく温暖でも寒暖差のない気候がよいのだという考えを信奉する医者もいた。ある意見では、気候の変化が消耗病にとっての療法になると提唱され、また別の意見では、それはあくまでも補助療法でしかないと主張された。医者の見解は、病気の進行段階や患者の年齢に応じた推奨目的地についても割れた。しかし多くの医師からすると、治癒力をもっているのは目的地ではなく、旅に出ることだった。船で海を渡ることで「肺の通気」が大いに促進されると同時に、船酔いによって体から腐敗した体液が取り除かれる、というのが彼らの考えで、「長々と」馬の背に揺られていくことさえ体によいとされていた。

いずれにしても、これらの意見の基本にあったのは、疫病は本質的に「炎症性」か「亢進性」の病であるから、「反対刺激」による鎮静効果のある大気療法と食事療法が適切な治療法なのだという考えだった。そこでヨーロッパの財力ある消耗病患者は、アルプスや、コート・ダジュールや、イタリアや、クリミアへと出かけていった。キーツとシェリーはローマに行き、英国作家のトバイアス・スモレットはニースに行き、エリザベス・バレットとロバート・ブラウニングの詩人夫妻はフィレンツェに行き、ショパンはマリョルカ島に行き、細菌学者のパウル・エールリヒはエジプトに行き、チェーホフはクリミアに行った。この「療養」目的の移動をさらに勢いづけたのが、各種医学書の氾濫、さまざまな噂や逸話、「連鎖移住」、そして鉄道会社や蒸気船会社といった利害関係者が作成したパンフレットだった。

アメリカでは、消耗病患者の移動がたいそう激しく、とくに一八七〇年代の大陸横断鉄道の完成にともなって、健康を求める人びと――「州間移住者」――の流れが大洪水へと変わった。アメリカ史における「フロンティア学説」〔西部への人口移動からアメリカ独自の個人主義や民主主義、経済の平等などが生まれ、それが逆に東部にも影響したとするF・J・ターナーの説〕の新しい医学的事例が生まれたようなものだ。結核患者による結核患者のための専用コミュニティも創建され、その代表格がコロラド・スプリングズとパサディナだった。回復を期待する患者のメッカであった南カリフォルニアは、「天然の大サナトリウム」「新たな肺を生む国」などと呼ばれるようになった。

「西部行き《ゴー・ウエスト》」を選んだ最も有名な消耗病患者の一人は、「OK牧場の決闘」で語り継がれる英雄で、保安官ワイアット・アープの友人だったジョン・ヘンリー・「ドク」・ホリデイである。もともとジョージア州で歯科医をしていたホリデイは、しつこい咳の症状を肺結核と診断されたあと、カンザス州のダッジ・シティに移り住み、さらにアリゾナ州のトゥームストーンに移住した。この移動は、まさに命を永らえようとしてのことだった（最終的にそれはかなわなかったが）。南西部に落ち着いてからのホリデイは、歯医者を辞めて、ギャンブルと銃撃戦に身を投じた。それというのも、来院した患者が彼の咳を嫌がって帰ってしまうからだった。結局ホリデイは結核に屈するが、自己治療に使っていたアルコールと阿片チンキも彼の体を蝕んでいた。享年三六、一八八七年のことである。

このような財力の余裕がなかった消耗病患者の場合、「転地療養」にかかわる療法は、もっと手近なところに見つかった。その一つが「吸入療法」で、これは生命維持に必要な成分を遠隔地から医院や自宅に調達する手段として考案された。医者は吸入器や噴霧器や気化器を用いて、鼻や肺や喉に霧や煙や蒸気を当て、患部の治療にあたった。気候療法での推奨目的地がさまざまだったように、吸入療法で効くとされる成分も、クレオソート、クロロホルム、ヨード、テレビン、石炭酸、各種の水銀剤など、さまざまだった。また別の、もっと変わった旅の代替策として、熱気球の下に取りつけたバスケットに乗って空中高く舞い上がる「高度療法」というのもあった。これなら旅にともなう多額の費用も不便さも回避して、山の空気のたくさんの恩恵にあずかれた。

これはあくまでも推測の戯れ言だが、自宅で受けられる治療の苦しさが、患者を旅に向かう気にさせた要因の一つだったのではあるまいか。酸性の噴霧液を使った吸入療法は苦痛をともない、希望はさておき、救いはほとんどあたえなかったのだ。このほか十九世紀の標準的な自宅療法には、瀉血や吸角法や催吐剤によって体内を浄化したり、刺激作用のある動物の肉を食べるのを極力避けて、野菜と魚と冷たいスープを基本とした解熱作用や消炎作用のある食事をとったり、運動とストレスを最小限に抑えたりといった、全体観的な体液戦略もあった。また、クレオソート、塩酸、牛の胆汁《オックスゴール》、ペプシンは、食欲を増進させる有効な刺激剤と考えられており、患者の体重を増やし、弱った筋緊張を改善するための内服薬として投与された。体液説が知的根拠を失ってしまっても、医師は昔からの療法にかかわる選択肢をほとんどもたなかった。一方で、医者は対症療法も採用し、痛みにはモルヒネや阿片を、発熱にはキニーネやストリキニーネやアトロピンを、喀血には阿片か薬草茶（シソ科のシロネ）を処方していた。

第15章　「伝染病」——非ロマン主義の時代の結核

肺病の医学的、社会的な意味は、一八六〇年代から二〇世紀の変わり目までのあいだに変容した。これはいってみれば、「消耗病の時代」から「結核の時代」への転換だった。「消耗病」は、優美で創造的なエリートたちがかかるロマンチックで魅惑的な遺伝性の病だったが、一方の結核は、貧しくて汚らしい人たちがかかる恥ずかしい低劣な伝染病だった。前章で見たように、『アンクル・トムの小屋』のリトル・エヴァの死は、患者を崇高にし、見舞客をうっとりさせる、えもいわれぬほど優美で霊妙な病気としての消耗病の概念をこのうえなくみごとにあらわしていた。対照的に、アンドレ・ジッドは結核に対して明白な実証主義の見方をとり、これを苦痛のともなう、おぞましい、危険な病としてとらえた。ジッドの一九〇二年の小説『背徳者』では、結核にかかった主人公のミシェルが自分の病状を忌み嫌う。リトル・エヴァの感動的な最期の描写とは対照的に、ミシェルは発病後の苦しいばかりの人生を、ロマン主義のひとかけらもない態度でふり返る。ストウのエヴァやプッチーニのミミなら決して口にしなかったであろう言葉を使って、彼はこう宣言する。

着いた初めの数日のことは、どうして語ることができよう？　一体、何が記憶に残っているというのだ？　あの数日の恐ろしい思い出には、口が無いのだ。僕はもう、自分がだれか、どこにいるかもわからなかった。……いわゆる死の翼が、僕を掠めたということだ。……

数時間後、僕は喀血した。それは、露台の上をやっと歩いている時だった。……僕は、息が切れるので、深呼吸を一つしたのだった。とたんに、胸からこみあげて来た。そして口に一ぱいになった。……しかし、それはもう初めのころの喀血のように、澄んだ血ではなかった。むかむかとして、床の上に吐き出したのは、大きな、見るも恐ろしい血の塊だった。

僕はあと戻りをして、体を屈め、吐いたものを見つけた。藁屑を拾って血塊をすくい上げ、ハンカチの上にのせた。そして、じっと見詰めた。それは、黒いと言ってもいいほどの色をしたきたない血だった。妙にねばねばした、恐ろしいものだった。[1]

（『背徳者』川口篤訳）

ストウとジッドそれぞれの描写は、患者を崇高に見せる感動的な消耗病と、肺と人生を虚脱させ破壊する卑しむべき結核との差を、端的にあらわしている（図15－1と15－2）。この二通りの描写を隔てている要因はいくつかあり、それらが組み合わさって、この病気に関する医療と公衆衛生の両方に対する新しい態度を育んだ。

接触伝染説

消耗病が遺伝性ではなく、感染性の疾患であることが実証されるとともに、この病はそれまでの魅力を失った。この方向転換への最初の大きな一歩となったのが、フランスの軍医ジャン・ア

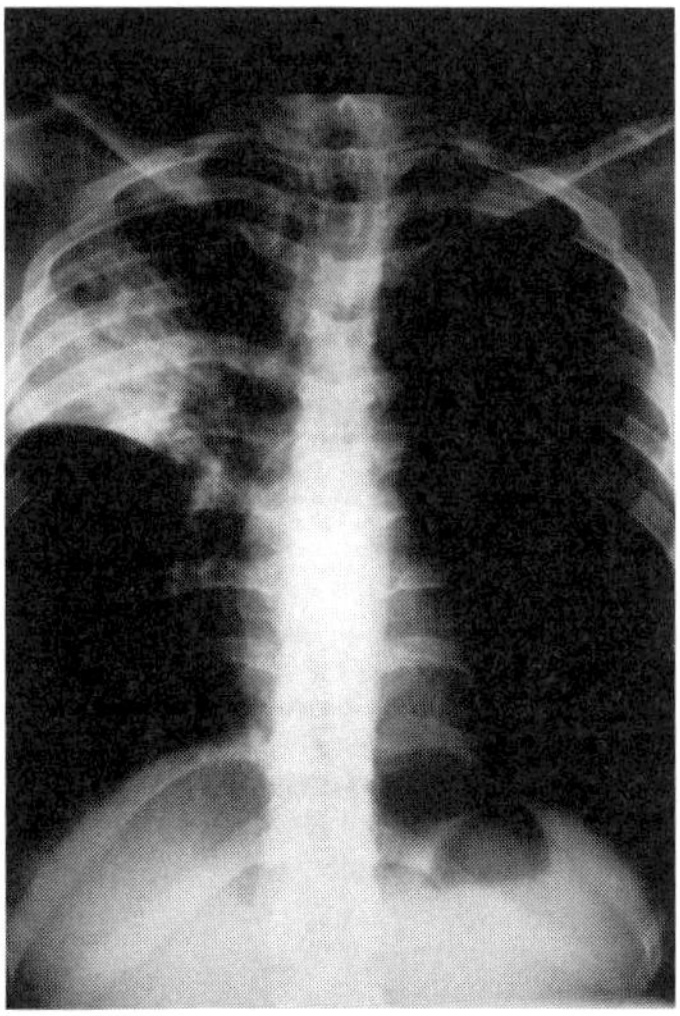

図 15-1 結核患者の胸部X線写真。右肺上葉に軽い虚脱が見られる。[ウェルカム・コレクション、ロンドン、CC BY 4.0.]

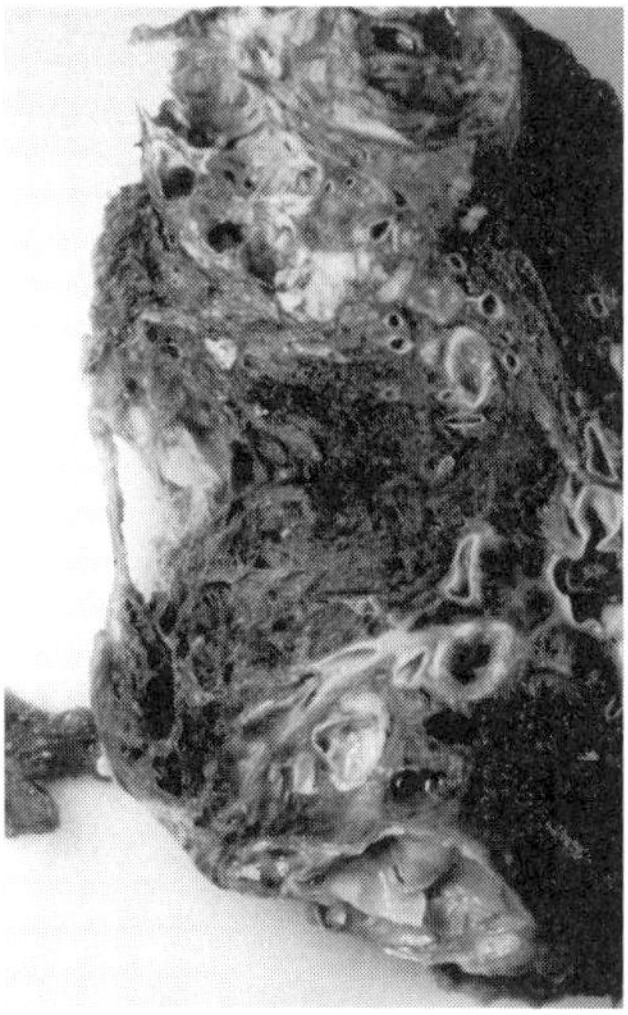

図 15-2 慢性の線維性肺結核を患っていた肺の標本。[ウェルカム・コレクション、ロンドン、CC 0.]

ントワーヌ・ヴィルマン（一八二七～一八九二年）の研究である。ヴィルマンは、一八六八年と一八六九年の画期的な著作『結核に関する研究』と『肺病の伝播について』において、結核に関する当時の二大医学理論に異を唱えた。一つは、結核にかかる原因が患者の「体質」にあるとする本質主義的な見方で、もう一つは、結核が遺伝性の病気であるという考えである。ヴィルマンにいわせれば、この二つの説はどちらも論理的に欠陥のある循環論法の一例で、科学的理解の進歩を妨げ、予防医学の発展を遅らせるものだった。言い方は違っても、この二つの説が共通して主張していたのは、結核が個人の素因によって引き起こされるということだったが、そう決めつけられてしまっては、医者としても、この大量の死者を出している災いになんとも対処のしようがなかった。得られているデータによれば、当時は毎年一六万人ものフランス人が結核で死んでいた。その病因が体質と遺伝であるというのなら、この病気は自然に出てくるお化けのようなものだということになる。病気が体内から出現し、それがどういうわけか、いままで何もなかったところに結節を発生させるといっているだけなのだから。これに対してヴィルマンは、結核は体外からやってくるものだと確信していた。なんらかの病原体がするりと体内に入り込み、そのあと結節というかたちで広まっているのにちがいなかった。

体質説と遺伝説は論理的に循環していて、医学を無力化するのに加え、どちらもヴィルマンの最もよく知る環境、すなわち軍隊における結核の流行を説明できていなかった。ヴィルマンによれば、十九世紀半ばのフランスの兵士はほとんどが農民の出だったが、にもかかわらず、彼らのあいだから出る結核の罹患者と死亡者はかなりの数にのぼっていた。この事実を踏まえると、従来の二大学説はこれを——それまで罹患者がいなかった家系の出身で、軍の兵舎にいきなり大勢で押し込められるまではいたって健康だった若者たちのあいだでの肺病の発症を——どう説明するのかという病因学的に厄介な問題が浮上した。ヴィルマンからすると、この謎は体質でも遺伝でも説明がつかないのは明らかで、そのどちらでもない、接触伝染という概念からしか正しそうな答えは出てこなかった。彼の考えでは、軍隊は健康な若者たちを感染性の病原体にさらしつつ、その病原体が人体から人体へと広がりやすい環境に彼らを住まわせていたのである。

ヴィルマンは自らの仮説を裏づけるため、消耗病が伝染性であるかどうかを確かめる一連の室内実験を行った。まずは消耗病にかかった人間とウシの結節から採取した膿をウサギに接種してみると、やがてウサギは発症した。次には、消耗病にかかったウサギの結節から採取した膿を健康なウサギに接種した。するとやはりウサギは発病した。ヴィルマンはこの結果を見て、結核はやはり伝染病であり、目に見えない「細菌」（彼の用いた用語でいえば「ウイルス」）が原因であることが確認されたと思った。

理論、疫学的エビデンス、そして実験室での検証に裏づけられたヴィルマンの考えは、きわめて多くのことを語っており、彼の研究は広く影響をおよぼして、近代細菌病原説の出現と接触伝染説の勝利に重要な一歩を刻んだ。しかしながら、イギリスのジョン・スノウと同様に、ヴィルマンは結核の原因となる病原菌を特定できなかったため、この主張を決定的なものにはできなかった。それが証明されるには、顕微鏡検査のさらなる発展と、ロベルト・コッホの研究を待たなくてはならなかった。

すでに見たように、この問題を決着させたのは、近代細菌説の先駆者である微生物学者のロベルト・コッホ（第12章）の介入だった。コッホは一八八二年に結核菌を特定し、これが結核の起因の役割を果たしていることを――彼が定めた有名な原則にしたがって――厳密に証明した。これは非常に重大な発見だった。これによって十九世紀の最も重要な感染症の原因である病原菌が判明したことになり、また、コッホやルイ・パスツールのような伝染論者がマックス・フォン・ペッテンコーファーのような反伝染論者に勝利したことが、これではっきりと示されたからである。

仕方のないことながら、この新しい理解が一朝一夕で根づくことはなく、定着まではそれなりに長い時間がかかった。ジッドの『背徳者』から十二年が経った一九一四年でも、トーマス・マンはいまだに『魔の山』で、その影響力の高い筆致によって消耗病にロマン主義の装いを凝らすことができていた。この小説では、あいかわらず優雅なエリートたちがスイスのアルプス山脈にあるダボスで療養しながら、もてあました暇を会話の洗練に注ぎ込んでいる。さらに時が経った一九二二年でも、サマセット・モームの短編小説「サナトリウム」が、スコットランドを舞台にして同じような「本質主義的」な見方を伝えていた。

結核菌が発見されても、期待されたような予防と治療の向上にはつながらなかったため、伝染説の勝利——および、結核を「貧困の病」とする見方——の確立はさらに遅れた。そしてコッホ自身が、ついうっかりと懐疑論を助長していた。先行きを時期尚早に楽観しすぎたコッホは一八九〇年に、結核の原因がわかったところで今度はいよいよ特効薬も発見した、と誤って発表してしまったのである。それが「コッホの痘苗」、すなわちツベルクリンだった。ヒト型結核菌の派生物であるツベルクリンは、治療薬としてはみごとなまでに使えず、幻滅を広めるだけに終わった。コッホはこれを特効薬とすべく調合したにもかかわらず、痛みをもたらす副作用が生じ、死亡者まで出てしまった。のちにツベルクリンは診断検査が有効であることの根拠として役立てられるようになったが、信頼の回復にはほとんどつながらなかった。第二次世界大戦後にストレプトマイシンが発見されて、ついに抗生物質の時代が到来するまで、医者はあいかわらず、ヴィルマンの発見とコッホの発見がなされる前とまったく同じように、結核との闘いに無力のままだった。

結核の病因の重要な特徴は、その感染経路を覆い隠し、結核が感染症であるという考えを受け入れにくくさせることにあった。潜伏期間が長期にわたり、そのあいだ患者には自覚症状がないため、菌に曝露したときと発病したときとのつながりが見えにくかったのである。無症状の潜伏期間はことによると何か月も、何年もつづいたが、そのようなことは前例がなかったので、それが細菌説の受け入れを困難にしていた。

したがって、全体観的な体液説はなかなか消えなかった。細菌説を受け入れている医者でさえ、それを従来の見方とごちゃまぜにして、「コッホの菌」は結核のまた一つの「誘因」にすぎないと曲解することもあった。このような姿勢は、とくに年配の医者に多く見られた。彼らは細菌学や顕微鏡検査の訓練を受けておらず、科学研究所との接点もなく、むしろ、細菌学はなんら有用な治療法を生み出していないと強調していた。また、伝統にしがみついていた医者たちは、近代細菌説という新しい見解が定量化と結びつけられること、および、顕微鏡、染色法、スライドカバー、寒天培養基といった新しい――そして見方によっては――不穏なテクノロジーと結びつけられることに、もやもやした胸騒ぎを感じてもいた。ヒポクラテスの時代からの体液説は一夜にして引っくり返されたのではなく、崩されるには長い時間を要したのである。

本質主義と遺伝という医療哲学が少しずつではあるが着実に崩れ、科学的に強固な伝染説がしだいに支持を得るようになった。それが結核に対する新しい姿勢が生まれた大きな要因だったとすれば、もう一つの要因は、結核とその社会的側面に関する疫学調査や統計調査が進んだことにあった。そうした研究により、たしかに結核は社会のエリート層を襲ったが、それより何より、結核は社会病であって、男女の労働者や都市部の貧困層からなる「危険な階級」を不釣り合いなまでに多く罹患させていることが実証されたのである。たとえばドイツのハンブルクでは、結核による死亡率が所得税の納税額に反比例していたことが一九二二年に報告されている。あるいはパリでは、肺病での死亡数がひときわ多かったのは貧しい第二〇区で、最も少なかったのは裕福な区域であることが記録されていた。結核についての二〇世紀初頭のある典型的な意見は、まるでジッドの一文のようであり、本質主義や十九世紀の消耗病についての理解とは完全に一線を画していた。「下等な、ありふれた病気で、臭い息や、汚物や、むさくるしさのなかで生まれてくる……それを見目麗しい金持ちは薄汚い貧乏人からもらってくるのだ[2]」。

同じようにニューヨーク市でも、ある種の安アパート（「テネメント」と呼ばれる）でひどく肺疾患が蔓延し、そうしたところは「肺病区画」と呼ばれていたほどだった。そのむさくるしい様子は、著書の『向こう半分の人々の暮らし』（一八九〇年）に代表されるフォトジャーナリストのジェイコブ・リースの写真に鮮明にとらえられている（図15-3）。一九〇八年には、公衆衛生の改善を訴える市民団体が「結核展」を主催し、三〇〇万人の来場者を集めた。この展示の目的は、市内三万人のアパート居住者に結核を発症させた、汚く、暗く、ごみごみした、換気の悪い環境を、実例をもって示すことだった。こうした環境のもとで結核にかかった結果、ぼろぼろになった肺が「恐ろしい例」としてアルコールに漬けられて保存され、世の人びとの検証の目にさらされたのである。それと同時に展示の主催者は、コッホが広めた新しい理解の柱をなす二つの教えを示したピンク色の「してはならないことカード」を六〇万枚配布した。「あなたは消耗病を他人にうつしてはならず、他人が消耗病をあなたにうつすことも許してはならない」。ただし、ニューヨークやほかのアメリカの主要都市にあってヨーロッパの都市にはなかった唯一の特徴は、貧困と病気との関係に民族的な偏りが顕著に見られることだった。ニューヨークの罹患者においてはアイルランド系とイタリア系の移民が大多数を占めていたのである。

一八八二年のコッホの大発見によって従来の常識が科学的に打ち壊されたあと、結核についての

図 15-3「ベイアード街のテネメントに詰め込まれた住人たち」。ジェイコブ・リース撮影。『向こう半分の人々の暮らし —— 19 世紀末ニューヨークの移民下層社会』(創元社 2018 年、原著 1890 年)より。

のまったく新しい見方が社会に浸透していったもう一つの要因は、ヨーロッパ列強のあいだで国際情勢に緊張が高まっていたことだった。ちょうど当時は、社会進化論が生まれ、帝国主義の各国が「アフリカ争奪」にしのぎを削り、国家主義的な経済競争が進んでいた時代だった。フランスがアルザスとロレーヌを失ったことに象徴されるように、フランスと統一間もないドイツとのあいだには敵対関係があった。イギリスとドイツのあいだでも軍拡競争が進んでいた。そしていよいよ全面衝突が起こりそうな危険な情勢をありありと反映するように、敵対する二つのブロック —— ロシア帝国、フランス、イギリスからなる三国協商と、ドイツ、オーストリア＝ハンガリー、イタリアからなる三国同盟――が結成された。結果として、国家の脆弱性と、備えの必要性、もしくはイギリスでいうところの「国民的効率」［大国としての国力を維持するには国家の効率、ひいては労働力の質を高めなければならないとする考え］が、深く意識される状況になった。しかしながら、そこで大きな障害となったのが肺疾患だった。この病気は出生率を低下させ、生産性を損ない、軍事力を弱め、貴重な資源をむざむざ流出させていたのである。したがって消耗病は、患者本人や患者が属する共同体にとってだけでなく、経済成長と人口成長にとっても脅威だった。消耗病の蔓延は大国を蝕み、下手をすると国家の存続さえ脅かしかねなかった。

これが患者に深刻な影響をあたえた。社会の恐怖が高じた結果、スティグマの時代が到来し、結核と診断された人や、暗にそれを示すしつこい咳をしている人は、もれなく差別の対象となって遠ざけられるようになった。アメリカでは新聞や雑誌がその風潮の高まりを「肺病嫌い《フォビア》」や「結核嫌い」といった表現で報じたが、これを煽っていたのは、公衆衛生当局がありとあらゆるところにばらまいたメッセージだった。パンフレットやポスターが消耗病患者の危険性を警告し、医師や看護師が診察時にそのメッセージを補強していた。

結核は伝染性であるという新しい理解が広まると、世の人びとはしつこい咳をしている人を危険と見なし、果ては非国民とさえ見なすようになった。その結果、結核患者の締め出しが起こった。いつしか結核患者は家も借りられず、職も見つけられず、保険にも入れない状況になっていて、その病状は結婚にも深刻な障害となっていた。小学校では親たちの要求によって登校時に生徒が熱を測られるようになり、三七度を超えていたらそのまま帰宅させられた。

関連したヒステリーも生じた。人びとは切手を舐めると悲惨な結果になると思い込んでパニックを起こした。多くの都市では、住民が図書館の本に疑惑の目を向けた。前に読んだ人から致命的な結核菌が移されているかもしれないと危ぶんだのである。市民は本を再貸し出しする前にかならず燻蒸消毒することを要求した。これを受けて、ニューヨーク公共図書館は返却された本を保健委員会に送り、そこで「加圧したホルムアルデヒドガスを使って本を滅菌消毒する」ことにした。「本は気密室に入れられ、上から吊るされて、垂れ下がったページがガスの作用を受けられるようにする」[3]。同じ理由から、「クリーン・マネー・クラブ」の圧力を受けた銀行は硬貨を殺菌し、財務省は古い紙幣を回収して、汚染されていない代替紙幣を発行した。ニューヨーク保健局の研究所によると、汚れた硬貨には生きた菌が平均二六個、汚れた紙幣には平均七万三〇〇〇個もついていることが検査で確認された。

　十九世紀の半ばからずっと流行していた顎ひげと口ひげも、すっかり人気がなくなった。細菌がひげに巣くってしまい、それが他人の食べものについたり、キスで他人の唇にうつったりすると考えられたからである。実際、いくつかの公衆衛生当局は、キスはあまりにも危険なので完全にやめておくべきだと勧告した。アトランタ・コンスティテューション紙は一九〇二年、市街の男性歩行者の非公式調査を実施した。顎ひげを生やしていた男性はわずか五パーセントで、「ブロードウェイを歩く男性の三人に一人がひげを生やしていた数年前とは対照的」だった。「われわれがナポレオン時代の髭のない人種と同じになる日もそう遠くないだろう」と同紙は残念そうに綴っている[4]。

　結核菌への人びとの恐怖はとどまるところを知らず、教会でも聖餐杯の共有や、聖水を誰彼かまわず振りかけることへの抗議が起こった。同様に、水飲み場に金属コップを一個だけ置いて使わせることへの抗議行動や、ガラス製や金属製のカップを使いまわすアイスクリーム店の習慣に対する反対運動も起こった。同時に、多くの都市の住民が、近隣に肺疾患用の病棟や診療所を開設することに反対する請願書を提出した。外来患者やその家族が通院の行き帰りに使うバスや路面電車の吊り革、手すり、床などに、コッホ菌をつけられてはたまらないと恐れたのである。そのような危険にさらされた一帯では、不動産価格が急激に下落した。

消耗病と結核の違いを最も明確に決定づけたのは、コート・ダジュールとリグリア海岸に立ち並ぶ瀟洒なホテルの経営者たちがくだした判断だった。そこはかつて、裕福な消耗病患者が療養先として一番に選ぶ目的地だった。コッホの発見を受けて、ホテル経営者は結核患者をこの先はもうお断りさせていただくと告知した。咳き込むお客様はほかのお客様を怖がらせ、ホテルの従業員の健康も脅かしますので、というのが彼らの言い分だった。明らかに、消耗病はもはやロマンチックなものではなくなっていた。しかし、ニューヨーク・トリビューン紙の一九〇一年の論説のように、状況はあまりにも行きすぎだという見方もあった。

アメリカ国民とアメリカの役所は、知識にもとづかない恐怖に煽られて、ややもすると無意味かつ残酷に、消耗病患者を極端なまでに追いつめる行動に出かねない。この病気が感染性であるという考えを理解した人びとの側には、パニックに陥って、ときおり見かけられるようなひどい行為を犯してしまう傾向がある。地域一帯の住民が結集して伝染病の病院を焼き払ってしまうような行為である。……

カリフォルニア州とコロラド州では、よその州からの病人を締め出すという話も聞かれているが、危険なのは、消耗病を寄せつけまいとする普通で自然な感情が大事にされすぎて、いまの時代にはそぐわない、中世の時代のような無慈悲さをよみがえらせてしまうかもしれないということだ。[5]

そうはいわれても、結核が社会全体の健康と安寧を脅かすという新たに広まった意識は根強かった。一九〇八年、ニューヨーク市の衛生局長を務めていたトマス・ダーリントン博士は、結核のことを甚大な破壊力と表現し、この病気のせいでアメリカでは一日に四〇〇人が死亡し、対策と治療に年間三億ドルを支出させられていると主張した。ダーリントンがいうには、一九〇六年にバルパライソを襲った壊滅的な地震のような大規模な自然災害でさえ、結核がもたらす大惨事にくらべればかすんでしまうが、さいわいにして一般大衆はようやくその危険性に目覚めつつある、とのことだった。

このような、人道的な意味でも衛生学的な意味でも愛国的な意味でも、そして経済学的な意味でも結核は国家的な緊急事態であるという意識に駆られ、十九世紀末から二〇世紀初頭にかけて、先進諸国が一致団結して結核に対する一連の「戦争」に乗り出した。総合的に見れば、これはおそらく過去最大の運動で、一つの病気にここまで集中的な対処がなされたことはほぼなかっただろう。運動に加わった関係者の内訳は国によってさまざまだったが、全体的には、慈善団体、医学界と医師会、商工会議所、公衆衛生局、教育者、および国、地域（アメリカでは州）、地方レベルの行政府などが中心になっていた。

当時の国際緊張を反映し、この努力に対してはあらゆるところで軍事的な比喩が使われた。

スーザン・ソンタグが一九七九年の著作『隠喩としての病』で論じているように、「戦争」「作戦」「武器」「戦闘」といった言葉が、この取り組みに関する語彙の多数を占めた。同様に、結核を象徴した邪悪な竜に、銃剣や短刀や小銃が向けられる絵柄がたくさんビラに描かれた。フランスでは一九一四年以降、結核がしばしば擬人化され、国家の敵たる「ル・ボッシュ（le boche）」と呼ばれた。これは「ドイツ人」を意味する侮蔑語である。

結核との闘い

結核との闘いは十九世紀末にはじまって、第二次世界大戦後にストレプトマイシンが登場するまで、西欧と北米の全域において展開された。具体的な組織構成や資金量や戦略は、国によっても時期によってもさまざまだったが、主要な共通点がこの運動に統一性をもたらしていた。それはある部分、問題がどこでも同じだったからである。また、専門分野としての医療と公衆衛生が、世界共通の科学的理解にもとづいて実施される国際的な分野であることも、運動を似たようなかたちに収斂させた要因の一つだろう。加えて、各国のさまざまなキャンペーンは、それぞれ他国の「最優良事例《ベストプラクティス》」を手本としていた。それらを統一すべく、一九〇五年からは結核に関する一連の国際会議もはじまった。パリで開かれた最初の会議は、各国の経験、研究、制度設計を共有していくことを目的としていた。

この国際運動の最前線にあったのがアメリカでの展開で、そこにはこの運動全体に共通する組織発展の軌跡がよくあらわれている。そもそもこの取り組みは、地方レベルではじまった。口火を切ったのは、ニューヨーク、フィラデルフィア、シカゴ、ボストンの医師会である。全米結核協会の中心人物だったシガード・アドルファス・クノップフによれば、結核に対する聖戦のはじまりは一八八九年だったという。この年、ハーマン・ビッグスを中心とするニューヨークの三人の医師が、結核の広まりを抑止するための推奨事項一式を市の保健局に提示した。象徴的なことに、この最初の一歩には重要な意義があったものの、一八九〇年代に入るまで、運動が安定した組織構造を得ることはなかった。

そして一八九二年、ついに初の結核予防団体がフィラデルフィアに設立され、ペンシルベニア結核予防会と命名された。この会の創設は、三つの意味で、決定的な出来事だった。結核予防という特定の目的のために設立された初めての機関だったこと、追って設立されるもう二つの重要な地方団体のモデルとなったこと、そして、一九〇四年に全国的な組織が創設されるに向けての布石となったことである。フィラデルフィアをモデルにした二つの地方団体とは、一つが一九〇二年に設立されたニューヨーク市結核委員会、もう一つが一九〇六年に設立されたシカゴ結核研究所である。

この三つの地方での取り組みから生まれたのが、エドワード・リヴィングストン・トルドーを会長とした全米結核協会で、その目的は、全国の運動を先頭に立ってまとめ、運動にさらに弾みをつけることだった。一九二〇年までには、提携関係にある結核団体がすべての州とコロンビア特別区（ワシントンDC）に存在するようになっていた。

全米結核協会が後援したキャンペーンは、じきに先進諸国で採用されることになる三つの手段を頼りとしていた。療養所《サナトリウム》、診療所《ディスペンサリー》、保健教育である。イギリス、フランス、ドイツ、ベルギー、ポルトガル、カナダ、デンマーク、スウェーデン、ロシア、日本、ノルウェー、オーストラリア、アメリカの各国で、これらは一番に選択される武器となった。

療養所《サナトリウム》

ゲルベルスドルフからサラナクレークへ

結核対策として考案されたさまざまな手段のなかでも、最も独特で、最も重要だったのが、療養所《サナトリウム》である。世界初の結核療養所は、ドイツ人医師ヘルマン・ブレーマー（一八二六〜一八八九年）の発案から生まれた。このブレーマーが一八五九年、シュレジエン地方のゲルベルスドルフに、サナトリウムの原型となる施設を建てたのである。十九世紀半ば、ベルリン大学の医学生だったブレーマーは結核に感染し、担当医師から当時の標準的な助言を受けた。転地療養して健康の回復に努めよ、というお決まりの一言である。予後に悲観的になりながらも、ブレーマーはヒマラヤでの高地療法を選択した。ところが驚いたことに、行ってみると病状は改善した。おそらく屋外での生活がこの回復の原因で、自分の経験は広く普遍化できるのではないか、とブレーマーは考えた。やがてベルリンに戻り、無事に医学課程を修了した彼は、博士論文のタイトルに、自らの事例から推論される明るい希望を込めた――「結核は治る病気である」と。

シュレジエンに居を構えたブレーマーは、自らの説を検証すべく、消耗病患者専用の施設を立ち上げて、そこで自分がインドの山地で発見した三つの具体的な治療法――屋外での生活、完全な休息、良質の栄養――を患者に施すことにした。この厳格な三本柱のプログラムを実施するために設立されたのがゲルベルスドルフ・サナトリウムである。治療はブレーマーがインドで発見したガイドラインに沿って行われた。一八七六年には、ブレーマーの元患者で、のちに弟子となったペーター・デトヴァイラーが、ファルケンシュタインに同様の運営方針のサナトリウムを開設した。

二つの先駆的な施設がドイツに生まれていたにもかかわらず、サナトリウム運動はなかなか公衆衛生の主軸にはならず、そうなるにはアメリカの医師エドワード・リヴィングストン・トルドー（一八四八〜一九一五年）の活躍を待たなくてはならなかった。トルドーが活動に乗り出したころには、結核が伝染病であり、国家の繁栄を脅かす危険なものでもあるという新しい知見が、サナトリウム運動に勢いをつける素地をつくっていた。ゲルベルスドルフとファルケンシュタインで細々とした取り組みがはじまってから一世代を経て、結核の撲滅はその時代の急務となっていたのである。さらに、かつては正体の知れなかった敵がコッホ菌だったとわかったことで、適切な武器で立ち向かいさえすれば、結核は打倒できる相手だという確信も強まっていた。もはや国家も、その保健当局も、無力ではなかった。このような決然たる空気を背景にして、トルドーはブレーマーの最も影響力ある後継者となった。

ブレーマーや、ほかの多くの結核患者と同様に、トルドーも人生を変えるような健康危機を経験した。地元ニューヨークのコロンビア大学で医学の学位を取得したあと、消耗病で死の床にあった兄の看病をしていたトルドーは、一八七〇年代に自らも消耗病と診断された。死を覚悟しつつも、トルドーはブレーマーと同じく、大自然のなかでの安静療法を試みた。彼が赴いた先は、ニューヨーク州アディロンダック山地のサラナク湖畔だった。外気を吸いながら休息をとり、湖に浮かべたカヌーから狩猟をするなどして時を過ごすうち、彼の体調は改善し、ついには回復した。

結核撲滅のために自らも尽くすことにしたトルドーは、ブレーマーの先駆的なサナトリウム療法と、コッホの発見のことを知った。この二つの知識に支えられ、彼はブレーマーのアプローチを都市部の貧困層に適用することを決意した。すでにそのころには、その層こそが結核の主要な犠牲者であるとわかっていたのである。この取り組みを支援してくれる慈善家から資金を調達して、トルドーは一八八四年、点在するコテージからなるサナトリウムを開設し、無一文の消耗病患者たちを迎え入れた。サラナクレークの患者には多額の補助金が支給された。余裕のある利用者は維持費の半額を自分で支払ったが、本当に貧しい利用者の費用は施設からの寄付でまかなわれた。

ブレーマーの場合、弟子たちからなる狭い集団の外ではほとんど無視されていたが、トルドーは人道主義者の医師であっただけでなく、治療に関する自分の見解を売り込むことに懸命な、優れた宣伝マンでもあった。彼は最初からサラナクレークをサナトリウム構想のショーケースとして考案していた。この施設の誕生とともに、ついにサナトリウム運動が結核との闘いの新しい強力なツールとして、アメリカでも外国でも本格的にはじまった。一九二二年までには、アメリカ国内だけでも七〇〇のサナトリウムができており、収容力は一〇万床を超えていた。

それらアメリカの施設は、全米結核協会発行の『結核治療用の療養所、病院、一日収容施設、予防用保護施設の全国名鑑』に明白にあらわされているように、組織面ではきわめて多様だった。[6]民間の施設もあれば、国、州、郡、市町村が運営する施設もあった。一部の施設は入所に制限を設け、治療費を自己負担できる患者しか受け入れなかったが、ほとんどの施設では貧しい人のための慈善枠が用意され、各人の支払い能力に応じた料金設定もされていた。一九三〇年当時なら、費用は無料から、アリゾナ州プレスコット郊外の民間サナトリウム「パムセットガーフ」の週一五〇ドルまでの幅があった。大多数の施設は郡内や州内の一般市民に広く開かれていたが、人種や性別や年齢によって制限を設けるところも多かった。たとえばアフリカ系アメリカ人が完全に排除されたり、別の建物や別棟に「分離すれども平等」の枠が用意されたりするのは普通のことだった。いくつかの州や郡は、メリーランド州ヘンリトンにあった州立療養所黒人分館のような、「ニグロ」の患者専用のサナトリウムを開設した。

多くのサナトリウムは、ある特定の人口集団――移民、子供、退役軍人、アメリカ先住民、ユダヤ人――や、各職能団体、職種別労働組合、キリスト教宗派など、患者の属性に応じての受け入れを行っていた。保険大手のメトロポリタン生命のような、ある一企業の従業員だけを対象にした施設もあれば、映画業界人専用の施設、あるいはミズーリ州セントルイスの「ナイト・アンド・デイ・レストキャンプ」が用いていた父権主義的《パターナリスティック》な表現でいうところの、「体調が優れない勤労女性」専用の施設もあった。たいていのサナトリウムは独立機関だったが、総合病院や刑務所や精神病院の一棟に間借りしているところもかなり多かった。ごく一部は都市部にあったが、典型的なサナトリウムは田舎の数百エーカーの土地を占め、できれば鉄道駅との行き来がしやすい高台にあるのが望ましかった。

患者の収容能力も、施設間の差異を示す重要な特徴だった。端的な例でいえば、一九三一年当時のアメリカ最大の二つのサナトリウム――ミネソタ州のヘネピン郡立療養所と、ミシガン州ノースビルのデトロイト市立療養所——は、それぞれ七〇四人と八三七人の結核患者を収容できた。逆に、小規模な施設の場合、たとえばフロリダ州ウエストパームビーチの「有色人種のための結核療養所」では利用可能なベッドが十二床、カリフォルニア州サンディエゴ近くのアルパイン療養所では二〇床しかなかった。コロラド州などいくつかの州では、刑事施設内に結核患者用の収容設備があるだけで、公立のサナトリウムへの支出がいっさいなく、患者は数ある民間のサナトリウムか、指定の寄宿舎に送られた。

加えて、結核の種類や進行段階に関連した入所条件も数多くあった。ほとんどの施設では、サラナクレークの例にならって、肺結核の「最低限」の段階、すなわち初期段階にある患者しか受け入れなかった。しかし一部には、ロサンゼルス郡のオリーブビュー療養所やカリフォルニア州モンロビアのポッテンジャー療養所のように、「肺結核、泌尿生殖器結核、喉頭結核、腸結核のすべての段階」に対応しているところもあった。

前述の結核施設の『全国名鑑』で、ミネソタ州の結核治療についての項を見ると、提供されていた施設の多彩さが明確にあらわれている。

〔ミネソタ州には〕連邦政府病院の病床を別として、結核用の病床が二四六三床ある。公立施設は一六か所で、その内訳は、州立サナトリウムが一か所、郡立サナトリウムが一四か所、市立の学校兼予防所《プリベントリウム》が一か所。このほか民間と半官半民のサナトリウムが六か所、無症状の結核患者のための寄宿舎が一か所ある。連邦政府は退役軍人のための病院と、先住民向けのサナトリウムをそれぞれ一つずつ運営している。加えて、結核患者一六九名を州立精神病院に、三〇名を癲癇《てんかん》患者と知的障害者向けの施設に受け入れられるようになっている。さらに州の刑事施設にも、十九名の結核患者を収容できる。

いずれにしても、アメリカのすべてのサナトリウムは、サラナクレークに代表される「サナトリウム療法」の概要にしたがうことを使命としていた。

予防教育

トルドーの理解では、サラナクレークは予防目的と治療目的の両方を同時にかなえていた。予防の面では、サラナクレークが貧しい消耗病患者を混雑した安アパートや作業場から引き取った。それまで彼らは、咳やつばや息とともに細菌を大気中に吐き出すことで、そこに病気を広めていたのである。トルドーが計算したところ、ニューヨーク市の平均的な消耗病患者は一年のあいだに一人で二〇人を感染させていた。サラナクレークのサナトリウムは、こうした保菌者を都市から連れ出し、アディロンダック山地の大自然に移動させることで感染の連鎖を断ち切った。その意味で、ここはペストに対する隔離と似たような予防的機能を果たしたのである。

加えて、サラナクレークは入所した患者に「結核エチケット」についての教育をほどこすことで、結核の発生率を下げようともしていた。このエチケットを学んでおけば退所後も、他人に病気をうつす可能性が低くなるだろうとの考えからである。サラナクレークの患者は全員が半年以上はアディロンダックに滞在し、何年もそこで暮らす患者も少なくなかった。その期間に、サナトリウム側はあらゆる機会をつかまえて、患者に生涯にわたって実践してもらいたい衛生上の作法を教え込んだ。たとえば患者は、咳き込みそうになっても我慢できるときは我慢する訓練をさせられた。ハンカチをつねに携帯して、咳がひどいときは、そのハンカチに向かって咳き込むようにとも教えられた。

痰を吐くことに対しても、同様の考えが適用された。喀痰は、結核撲滅のための聖戦の主要な関心事の一つだったのである。痰を吐くことは、つねに他人を汚染の危険にさらす行為なのである、と患者は教えられた。ちょうど当時は、空気中を浮遊する菌こそが、この病気の流行の主要因なのだと信じられていたため、全世界的な「粉塵恐怖症」が起こっていたところだった。一八九九年にシガード・アドルファス・クノップフはこう述べている。

> 吐き出された痰が液体状態を保っているあいだは、それほどの危険はないが、床や路上やハンカチに吐き出されたものは、通常、きわめて急速に乾燥し、粉状に分解する。そうすると、この痰からの粉塵が空中に浮遊して、たまたまその空気を吸った人は誰でもその粉塵を気道に取り込んでしまう可能性がある。こうした粉塵にはさまざまな種類の菌がうようよしているが、なかでも最も危険なのは、結核菌である。これは乾燥状態でも数か月にわたって病毒性を保有する。[7]

したがって、患者が「無差別な痰吐き」を慎重に避けるのは非常に重要なことだった。サラナクレークでは、患者はつねに厚紙製のカップをポケットやハンドバッグに入れて携行し、それを専用の痰受けとして使用するようにと指導された。そして毎日の終わりには、その可燃性の痰つぼを燃やすようにといわれた。そうすることで痰つぼだけでなく、そこに溜め込まれた微生物のお荷物も破壊できるからだった。

塵に乗った菌の危険性を避けるため、消耗病患者は家庭内での新しい衛生習慣を学び、そして晴れて地元社会に戻ったのちは、それを家族や間借り人や共同住宅の住人に教えることを求められた。家庭内で注意すべきこととして何より重要視されたのは、床を箒で掃くという伝統的な習慣の危険性を知ることだった。箒での掃き掃除は、汚染された塵を空中に舞い上がらせてしまうため、致命的な影響をおよぼしかねないというのである。そこで衛生観念の基本原理として、箒のかわりにモップを使うことが推奨された。サラナクレークの患者はさまざまな面で、感染のサイクルを断ち切ることを目的とした手法を学び、実践し、教えるようになった。

治療法

一方で、トルドーはサナトリウムが主たる治療目的も果たしていると考えていた。これに関しては、確固たるデータにもとづいた説得力のある主張はできない。サラナクレークが出した統計では、有症状の消耗病患者の三〇パーセント以上というかなりの「治癒率」が示唆されている。これはサナトリウム外の一般的な結核人口とくらべると高い数字だ。一般的には、進行中の結核はほぼ例外なく致命的で、遅かれ早かれ死にいたると考えられていたのである。とはいえ、サラナクレークの心強い数字をそのまま受け取ってしまうと、深刻な誤解を招きかねない。というのも、このサナトリウムは意図的に、まだ結核の初期段階にある軽症の患者だけを受け入れていた。サナトリウム療法で効果が出せると考えられる患者の支援を優先すべきだとの方針から、病状が深刻な段階に進んでいた患者に対しては、受け入れを断っていたのである。

結果として、トルドーが治療にあたっていた患者は、結核患者の一般集団を代表するものではなかった。このような厳しいトリアージを経ていたのでは、サラナクレークの好ましい結果が本当にここの治療の有効性を反映していたのか、それとも治らない患者を最初からふるい落とす入所選考の有能さを反映していたのかは、どうにも判断のしようがない。トルドー自身、サラナクレークがそもそも目ざしていたのは患者を治療することではなく、結核という診断が死の宣告に等しいと見なされていた時代に、患者に希望をあたえることであったと認めていた。この方針は彼の施設のモットーに明確にあらわれていた――「ときどきは治癒を、たいていは緩和を、しかしかならずや慰安を」。

とはいうものの、トルドーも、彼の支持者たちも、そして世の中全般の医療従事者も、サラナクレークをはじめとするサナトリウムは治療機関であるという認識をもっていた。実際、十九世紀末までには多くの肺専門医が、結核は早期に診断され、厳密な治療法が適切に採用されるなら治癒の可能な病気であると見なすようになっていた。アメリカにおける結核の権威だったクノップフも、一八九九年に、結核は「あらゆる病気のなかでも最も治癒が可能で、少なからぬ確率で治癒する」と明言している[8]。そして理想的な治療とは、ブレーマーの斬新なビジョンと、それを体系的に応用したトルドーの方式を踏まえて、サナトリウムで施されている治療だった。

病院の肺疾患病棟や、診療所《ディスペンサリー》、家庭など、ほかの環境での結核患者への治療も、お手本であるサナトリウムのやり方を可能なかぎり踏襲していたが、サナトリウムにくらべればどうしても欠陥があり、劣るというのが一般的な認識だった。二〇世紀の半ばまで、サナトリウムはずっと結核治療の中枢で、どのサナトリウムも、四つの中心原則を結核治療の基盤に据えていた。すなわち屋外生活と、段階的な運動をまじえた安静と、栄養のある食事と、医療スタッフによる全面的な患者管理である。これらを基本として、そのときどきの医学的流行により、さまざまなバリエーションが加えられた。

屋外生活

サナトリウム治療の根幹は、もともとブレーマーが唱道していた、いわゆる大自然療法だった。トルドーはこの治療戦略を発展させるかたわら、サラナク湖の真ん中に浮かぶ小さな島――のちの通称「ラビットアイランド」――で、ちょっとした実験を行った。二つのウサギの集団を、まったく対照的な二種類の囲いにそれぞれ閉じ込めたのである。一方の囲いは、トルドーが都会の安アパートの決定的な特徴と見なすものを再現していた。すなわち不潔で、ぎゅうぎゅう詰めで、換気が悪い。これに対して、もう一方の囲いに入れられたウサギは、ラビットアイランドそのものとまったく変わらない屋外環境で過ごすことができた。「スラム」のウサギたちが死に、「屋外」のウサギたちが生き残ったのを見て、トルドーはふさわしい治療方針の結論を得た。このウサギ実験は科学的に説得力のあるものではなかったが、トルドーがすでに出していた結論を確信させるには十分で、その結論の裏づけにできる鮮明な実例をトルドーにもたらしたのだった。

サラナクレークではもちろん、のちに誕生した世界中のサナトリウムでも、その第一の原則は、患者にどんな天気でも屋外生活をさせるべし、というものだった。ほとんどの施設は、対照的な二種類の建築様式を規範とした。コテージ型、もしくは翼廊型《パビリオン》である。サラナクレークとその姉妹施設――一八九六年にニューヨーク州リバティに開設されたルーミス療養所――は、コテージ型の典型だった。通常、コテージ型のサナトリウムは、三〇メートルほどの間隔で建てられた二〇棟から三〇棟のコテージからなり、各棟に四名から八名の患者が割り当てられる。入居した患者は起きている時間のほとんどすべてを、一人で、ないしは三、四人の少人数で、小さなポーチにしつらえられたデッキチェアにもたれて過ごす。雨の日や雪の日は屋内に退避し、寒い日には毛布にくるまったが、そうでなければつねに戸外のさわやかな空気を体に浴びた。

パビリオン型の施設では、七五名から一〇〇名の患者が一つ屋根の下で生活するが、長いベランダが建物の長さに沿って伸びている。患者は日がな一日、この共有空間にしつらえられたデッキチェアに寝そべって過ごす（図15－4）。施設によっては、複数の翼廊が屋根つきの回廊で結ばれていて、悪天候のときにはそこが遊歩道のかわりになった。

ネットワーク式のコテージ型よりもパビリオン型のほうがはるかに建設費が安かったため、世界的にはパビリオン型が多数を占めたが、どちらにしても本質的な特徴は同様で、半独立の状態であれ大集団の一員としてであれ、とにかく患者が屋外生活を送ることだった。その点で、サラナクレークのパンフレット「患者のルール」に書かれた条項は典型的だった。「患者は戸外での生活を送ること。具体的には、毎日八時間から一〇時間は外の空気にふれているように。……各患者は午前九時から昼の十二時四五分まで、および午後二時から午後五時四五分まで屋外にいること。屋外での睡眠は、この要件に支障をきたすものではまったくないと考えられる」。さらに室内にいるときでさえ、「雨が降ろうが晴れようが、暖かかろうが寒かろうが」、患者は窓を開けて寝ていた。なぜなら「回復を望むのであれば、消耗病患者はいついかなるときも可能なかぎり

図 15-4 小児結核患者のために 1907 年に開設されたイギリスのスタニントン療養所。この写真のように、患者は屋外の翼廊でほとんどの時間を過ごした。[ウェルカム・コレクション、ロンドン、CC BY 4.0.]

清浄で新鮮な空気のもとで過ごすべき」であるからだった。[9] イギリスのサナトリウムの医療責任者二名による一九〇二年の簡潔な表現を借りるなら、「結核は天の清らかな空気によって打ち負かされる」のである。[10] 室内に関しては、コテージ型でもパビリオン型でも、塵に対する懸念が構造と装飾の決め手となった。壁は水洗いがしやすいように、壁紙が張られるのではなくペンキが塗られた。重い家具やカーペットは禁止された。床はモップをかけやすいように硬材でつくられた。箒の使用は厳禁だった。

安静と段階的な運動

サナトリウム生活の主要な特徴の二番目は、どのような運動をどの程度するかにあった。これに関しては、国ごとの流儀が勝っていた。アメリカではサラナクレークを規範として、体温が三七度五分以上、もしくは脈拍数が毎分一〇〇以上の患者は絶対安静、激しい活動はいっさい禁止とされていた。熱がある程度以下の患者には一日三〇分の運動が許されたが、日常生活のごく単純な運動――食事をしに食堂まで歩いていくことや、ベッドの出入りをすることや、立っていることなど――もその三〇分に含まれた。

一方、イギリスでは、労働者階級の人間――結核患者の多数を占めていた――を絶対安静に慣らしてしまうと、本人の道徳心が損なわれ、回復後に生産的な人生を送るのに向かなくなるという考えが広く行き渡っていた。この考え方の実例となっていたのがブロンプトン療養所で、「段階的な運動」というプログラムがここの特徴だった。患者は検温の結果によって体調を判断され、体調が改善していれば、それにしたがって段階的に激しくなる運動を課された。休憩用のベンチが置かれた長い通路が敷かれ、運動の難易度に応じて色分けされている。患者は体力に応じて緑から青へ、さらに赤へと、勾配が少しずつ急になっていく通路を「段階」を踏んで歩行運動する。

食事

サナトリウム運動の治療面における第三の教義は、消耗病による衰弱に対抗し、患者の抵抗力を高めるための、しっかりとした食事を重視することだった。たとえばサラナクレークでは、患者は一日四回の十分な食事をとり、その合間に牛乳を一杯飲むよう奨励された。食事は牛肉と炭水化物を中心として、えてして食べものに嫌悪をもよおす患者をなんとか言いくるめ、一日三五〇〇キロカロリーから四〇〇〇キロカロリーを摂取させることを目標にしていた。

食事療法は、医学における最古の治療介入の一つであり、もともとヒポクラテスとガレノスが体系的にやらせていたものだった。しかし結核治療における食事療法の新しい点は、この戦略が体液説とは無関係だったこと、つまり、平衡失調や悪液質を改善しようとしたときのように、摂取する食べものに温かいもの、冷たいもの、湿ったもの、乾いたものといった条件をつける必要がいっさいなかったことにあった。トルドーの時代の治療がそれらにかわって採用したのは、本質的に対症療法だった。その戦略は、消耗病患者の生命エネルギーと回復力を奪うことによって患者を衰弱させていると思われる食欲不振に対抗して、カロリー摂取量を増やすことだったのである。ただし医学的な食事管理を進めるうえで重要だったのは、そのころ一般に広まっていた、つねに満腹にしておくべしというのが消耗病患者への最良のアドバイスだという誤解を正すことだった。この点で、サナトリウムには二つの主要な役割があるとされた。一つは、自分の体調に応じてふさわしい食べものを選ぶことのほうが純然たる量よりもずっと重要であると患者に教えること、そしてもう一つは、その教えを守らせるにあたって必要な監視をつけることである。

閉じた環境

サナトリウム療法のもう一つの根本的な特徴は、サナトリウムが「閉じた」施設であって、患者はここに滞在しているあいだ、つねに医療スタッフによる監視と監督の対象にされたということだ。その目的は、患者の生活のあらゆる面を規定する治療法の事細かな条項を、すべて忠実に遵守させることにあった。たゆまぬ努力なくして結核からの回復はありえないと考えられており、その努力から少しでも逸脱することは、生命の危機に直結すると見なされていた。したがってサナトリウムでは、患者の身体的な健康を促進する一方で、患者を精神的に動揺させるような情報が外の世界から入ってこないように、あるいは回復への希望を萎えさせるような沈鬱な医療情報が患者の仲間うちで漏れ伝わらないように、多岐にわたる複雑な規則を取り決めていた。

こうした方針から、患者は敷地内から出ることを固く禁じられ、部外者の面会も周到に監視された。患者の郵便物は、不穏な知らせから患者を守るためとの理由で検閲され、施設の図書室に置かれる読み物も、いわゆる「頭の治療」の一環として、明るい楽天的な人生観のものばかりが慎重に選別された。同じ理由から、患者どうしで各自の病気の進行状況について話すことも禁止され、仲間づきあいは毎度の食事と、日中一時間の許可された会話に限定された。

精神的なストレスと身体的な不摂生を防ぐため、男女は分離され、患者どうしが情緒的な関係や性的な関係を築こうとするのは御法度とされた。また、賭け行為や不敬な行為、喫煙に対しても厳しい規制があった。この修道院暮らしも同然の生活を実践させるうえで、安静療法は医療としてだけでなく、統制としての機能も果たしていた。患者を長時間、ポーチやベランダで「水平に」並べておけば、つねに全員に目が届く。その意味で、サナトリウムの患者はジェレミー・ベンサム考案の「円形刑務所《パノプティコン》」の囚人たちと変わりなかった。罰則も厳しく、規則違反は強制退去にも値した。こうした措置の論理的な根拠として、アメリカの肺専門医フランシス・ポッテンジャーはこのように述べている。

> サナトリウムは、戸外での衛生的で、栄養学的で、科学的な結核治療を、最良のかたちで遂行できる機関である。……サナトリウムの外においても良好な結果を得ることは可能だが、それでもやはり、患者本人と、患者のあらゆる行動に対して、同じような完全管理をするこ

とは不可能である。また同様に、患者と医師のあいだに親密な相互関心と協力の意識を育むことも、同じ犠牲を払いながら同じ目的に向かって奮闘しつつ、自分たちが回復に向かって着実に前進しているのを絶えず確認しあえる多くの仲間との連携から生じるような、心からのたすけあいを得ることも不可能である。サナトリウムの精神的効果は、測り知れないほどのものである。[11]

サナトリウムの魅力

サナトリウムが父権主義的《パターナリスティック》な上下関係のある構造を意図的にとっていたのは明白で、ブレーマーとトルドーが提唱した治療方針と教育方針を効率的に実行することを任された医療スタッフは、強大な権限をあたえられていた。しかし患者の大半にとって、そのような環境での生活にはたいへんな魅力があった。まだ抗生物質が登場していない時代には、致命的な恐ろしい病から回復する唯一の希望をあたえてくれたのがこの生活で、その効果は広く認められてもいたのである。さらにサナトリウムでの生活は、消耗病患者の大多数を占めていた貧困層に、安全で、食に困らず、知りたくもない知らせから遮断される場所も提供してくれた。しかもサナトリウムはたいていの場合、退所後の患者の経済的な将来まで配慮してくれた。治療中の患者が労働市場でできそうなことについても助言をくれ、回復が進んだ患者に対しては役に立つ技能の講習会も開いてくれた。場合によってはサナトリウムが雇用の斡旋をして、「進行の停止した」消耗病患者を積極的に雇い入れているレコ・マニュファクチャリング社やアルトロ・マニュファクチャリング社のような博愛主義的な企業に紹介し、衣類や時計や宝飾品の製造といった短時間の軽作業につけるようにしてくれた。

当然ながら、サラナクレークのサナトリウムには申し込みが殺到した。一九二〇年の時点では、一つの空きに対して二〇人の応募者がいるという人気ぶりだった。この需要のあまりの大きさは、サナトリウムに隣接する町をたいへんな開発ブームに沸き立たせたほどで、サラナクレークに断られた大量の消耗病患者を受け入れるための営利「安静コテージ」がつぎつぎと生まれた。これらの施設はマイルドな安静療法を売りにして、トルドーの医療スタッフの助言と監督にしたがったサービスを実践した。さらにはトルドー自身もこの町の町長として、これらの施設の運営に協力した。多くの安静コテージにはそれぞれ独自の特色があり、たとえばある施設は病状の進んだ患者専用、ある施設はイタリア系専用、ある施設は女性専用に設計されていた。

サラナクレークは怖いところだという評判が立つどころか、その楽観的な姿勢と、面倒見のよさと、そしてトルドー本人の親切さで知られていた。このサナトリウムに魅力があることは、後年ふたたび入所を求める元患者があとを絶たないことからも明らかだった。多くの場合、患者はこの施設と施設内での日課に依存するようになり、退所を遅らせようとしたり、なんとしてでも退所させられないようにしたりすることも少なくなかった。スタッフにとって悩ましかったのは、結核という身体的疾患と、当時「神経衰弱症」と診断されていた精神的不調との区別がつきにくいことだった。後者は「疑似消耗病患者」のごとく、結核の多くの症状、とくに「結核性人格」の症状――頭痛、疲れやすさ、不眠、倦怠感、過敏性など――をそっくり示していたのである。サナトリウムで治療すべき身体的疾患が見つからないにもかかわらず、神経衰弱症の患者は引き続きの治療を要求した。この問題は広く知られるようになっており、一部の専門家からは、サナトリウムがあまりにも快適すぎて患者が「本来属する環境と生活に過度に不満をもってしまう」ことにならないように、質実剛健のつましい施設として構築するよう注意すべきだとの提言まで出ていたほどだった[12]。

サナトリウムに対するこのような肯定的な反応は、最近の史的解釈の傾向とはうまく合致しない。近年では少なからぬ研究者が、サナトリウムは健康を促進しようとするのではなく、社会的支配力を行使して医療スタッフの仕事をやりやすくし、患者を社会的階層制に順応させようとする隠れたフーコー的な動機をもった、高圧的な施設だったと見なしている。最も代表的なのが、社会学者のアーヴィング・ゴッフマンが一九六一年の著作『アサイラム』で示した見解である。ゴッフマンによれば、サナトリウムはその統制と管理の手法において刑務所や強制収容所や捕虜収容所や精神病院と同様の、「全制的施設《トータルインスティテューション》」と見なされるべきだという。こうした解釈は、医療者の記録や患者の書簡を断固として否定的、かつ政治的に読み解いた結果にもとづいているように思われる。加えて、これらの解釈はきわめて重要な区別を見落としている。ほかの全制的施設の患者とは違って、すべてのサナトリウムの成人患者は――刑務所や精神病院に収容されていた少数の患者は別として――自ら施設を出て家に帰る自由をつねにもっていた。彼らは自発的に施設にいたのである。

結核の権威だったポッテンジャーとクノップフのそれぞれの著作は、まさに誤読されやすい文献の実例だ。どちらにおいても、サナトリウムの医師が患者に対して絶大な権威をもつことの必要性が強調されており、ポッテンジャーは「患者本人と、患者のあらゆる行動に対しての完全管理」についてまで述べている。しかし文脈から示唆されるのは、そうした管理はあくまでも治療目標を果たすためだということであり、「心からのたすけあい」と「患者と医師のあいだの親密な相互関心と協力の意識」がともなわなければならないとも述べられている。[13] 一方のクノップフも、サナトリウムでの統制は「厳しすぎる必要はない」として、患者の健康のために必要な規制を課すことのみに限定されるべきだと論じている。[14] 結核の流行の最盛期に立ち上げられたサナトリウム運動は、治療を可能なことと見なしていたが、このうえなく周到に制御された条件のもとでしか可能にならないとも考えていた。つまり患者の活動を支配する広範な権限は、社会的管理の手段ではなく、生死にかかわる問題だったのだ。この運動についての早くからの評論家で、自らもサナトリウムの医師だった人物の言葉を借りるなら、結核からの回復は「それだけで困難な課題であり、何をさしおいても優先させなければならない」のだった。[15]

その他の療法

屋外生活、絶対安静、栄養の高い食事が、サナトリウム療法の三本柱ではあったが、施設によって、時期によって、また国の独自の状況によっては、これらに加えて別の療法も試された。サナトリウムの特徴は、消耗病の治療専用に特化していたことなので、おのずとサナトリウムは肺専門医の注目するところとなり、実験的な新しい方法論が導入されやすかったのだ。

たとえば空気療法のような、侵襲性のほとんどない手法においては、血液に酸素を供給し、肺機能を刺激するための深呼吸を教えることを目的とした「胸郭体操」が取り入れられたりした。また、部分真空をつくった小室に患者を二分から八分ほど座らせて、肺の伸縮と拡張を深めさせようとする「肺キャビネット」なるものが流行したこともあった。同様に、水治療法や日光療法にもさまざまな流行があり、冷水を含ませたスポンジで消耗病患者の体をこすってエネルギーと抵抗力を刺激しようとしたり、天気のよい日に長時間にわたって患者に日光浴をさせたりといった手法が試みられた。

戦間期のアメリカでは、より大胆な外科的介入が全盛期を迎えた。標準的な内科処置ではなかなか治癒率を上げられていないという事実を受けて、こう結論づける外科医が出てきたのである――内科医が何千年と結核の治療にあたってきても、これを治癒させる方法は見つからなかったのだから、そろそろ外科医がこの仕事を引き継ぐ番である、と。肺結核の外科的治療のなかでもとくに人気が高かったのが、人工気胸だった。これは胸膜腔に空気や窒素を注入して、肺に外から圧力をかけることにより、肺を収縮させるという処置である。人工気胸は一八九〇年代にイタリアのカルロ・フォルラニーニが開発していた手法だが、一般に採用されるようになったのはテクノロジーへの信頼が高まった一九二〇年代に入ってからで、とくに北米を中心として広まった。この処置のおおもとにある理論は、冒された肺をこれによって完全に安静にさせられるというもので、要は骨折した手足にギプスをあてるのと同様の考えだ。これはいうなれば、全体観的な安静療法の戦略を局所的に応用したものだった。一部の外科医はさらに一歩進んで、肺を永続的に収縮させるべく、肋骨を切除して横隔膜を麻痺させたり、横隔神経を切断し、その一部を切除したりすることもあった。そして同じぐらい大胆だったのが、両方の肺を部分収縮させる両側気胸の手法だった。

一部の施設では、外科医が肺葉切除までやっていた。罹患した肺の一部、もしくは肺全体を取り去ってしまうのである。当時の考えでは、胸部の細菌負荷を外科的に軽減することは一種の補助療法となり、並行して行われる内科的治療の効力を高めるはずだとされていた。残念ながら、この方法は合併症の発生率を高め、死亡数を増やしてしまった。結局、結核に対する外科的治療は一九四〇年には放棄されていた。理論としては魅力的でも、実践するとなると効果がなく、ともすると致命的でもあったからである。

サナトリウム生活についての記述は数あれど、それを明らかに否定的に綴っている最たるものが、A・E・エリス（本名デレク・リンゼイ）の自伝的小説『拷問台』（一九五八年）である。エリスはこの作品を、トーマス・マンの『魔の山』でのロマンチックで啓発的な描写に対する痛烈な返答として著した。まさにタイトルが示すとおりに、エリスにとってフランス側アルプスのブリッセでえんえんと過ごした日々は、責め苦にしかたとえようがなかった。作中で、主人公のポールは自殺しようとする直前に、医長のブルノーからこう諭される。「これは人がどんなことに耐えられるかを試す神の実験だと思いなさい[16]」。ポールとほかの入所者たちが耐えさせられていたのは、果てしなくつづく、つらく苦しい外科処置のくり返し――気胸、胸腔鏡検査、胸郭成形術、穿刺、肺葉切除――であり、それは痛みと膿と悪臭を生み出すだけの、希望も終わりも見えないものだった。「拷問台」に乗せられたポールの経験を、エリスはこう描写する。

穿刺に次ぐ穿刺、注入に次ぐ注入。ポールの胸のうちでどんどん圧力が高まっていく。これはひっきりなしに膿が分泌されているせいだ。したがって必然的に、定期的な空気の抽出を行わなければならなかった。その合い間に……シスター・ミリアムがやってきて、静脈注射を打ったり、血液沈降速度を測るための血を五ｃｃ抜いたりしていく。……毎日一〇回以上の筋肉注射をされて、尻と太ももが痛むあまり、燃えさしの山に寝かされているような気になってくる……。

昼も夜も、えんえんとくり返される発熱のサイクルの断片でしかない。意識は清明で、もうろうとしていたわけではなかったが、自分の存在が純粋に物理的なものとしか思えなかった。痛みと熱さを感じているだけの肉の塊で、ただの機能と感覚の集合体——それが自分に対する実感だった。[17]

ただし、この苦痛の羅列を考えるときに、一つ思い出しておくべきことがある。ここでエリスが語っている生活は、ブレーマーやトルドーが知っていた、安静の原則にもとづいて純粋に内科的な治療が行われる、伝統的なサナトリウムで展開されていたような生活ではないということだ。エリスが描いているのはサナトリウムの衰退期、すなわち多くの施設が結核治療を外科医に任せ、療養ポーチよりも手術室を施設の目玉として宣伝していた時代の話なのである。そしてもう一つ重要なことを注記しておくと、現実にデレク・リンゼイがブリッセで恐ろしい日々を過ごすようになったのは、彼が陸軍を除隊した一九四六年よりあとのことだった。

診療所《ディスペンサリー》

結核との闘いにおいて、サナトリウム運動に次ぐ二番目の大きな特徴は、「診療所《ディスペンサリー》」の設立だった。この施設はいうなれば結核専門の保健所で、サナトリウムの使命を完遂する手段として一連のサナトリウムと同時に設立された。田舎を所在地とするサナトリウムは、人の密集する地域で病気をもらった労働者をそこから引き離す機能を果たしたが、ディスペンサリーは対照的に、専門の臨床サービス——診断、治療、予防——を病気の蔓延する都市の中心部にもち込んだ。

世界初の結核専門診療所は、「消耗病と肺病のためのヴィクトリア診療所」という名称で、一八八七年にエディンバラに開設された。これは十九世紀のもっと早い時期から存在し、同じく「ディスペンサリー」と呼ばれていた施設とは根本的に別物だった。従来のディスペンサリーは汎用の外来診療所であり、投薬を「施す《ディスペンス》」ことが目的で、結核との闘いにはまったく関与していなかった。対照的に、エディンバラのヴィクトリア診療所は消耗病専門医のロバート・ウィリアム・フィリップ（一八五七～一九三九年）の労作で、彼がこれまでにない大々的な結核撲滅運動の一環として、細心に定義された集中的な役割を負わせるべく設立したものだった。フィリップは数年後、ヴィクトリア消耗病院というサナトリウムの設立にも尽力した。彼はつねづね、この二種類の施設——結核ディスペンサリーとサナトリウム——は連動すべきものと考えていたからである。このスコットランドでの前例につづき、一八九六年にはアメリカ初のディスペンサリーがニューヨークに開設され、その後の急速な成長の時期を経て、一九一一年には全米の都市に五〇〇を超えるディスペンサリーができていた。

診断面でのディスペンサリーの役割は、患者が自分の病気に気づきもしない時点で早々に結核の初期症状を発見することだった。ディスペンサリーはこの目的をかなえるための一つの策として、労働者が都合のよい時間帯に気軽に受けられる、予約不要の無料の検査を提供した。やってきた人全員の病歴を聴取し、痰をとって顕微鏡で調べ、身体検査を行い、結核を診断するための

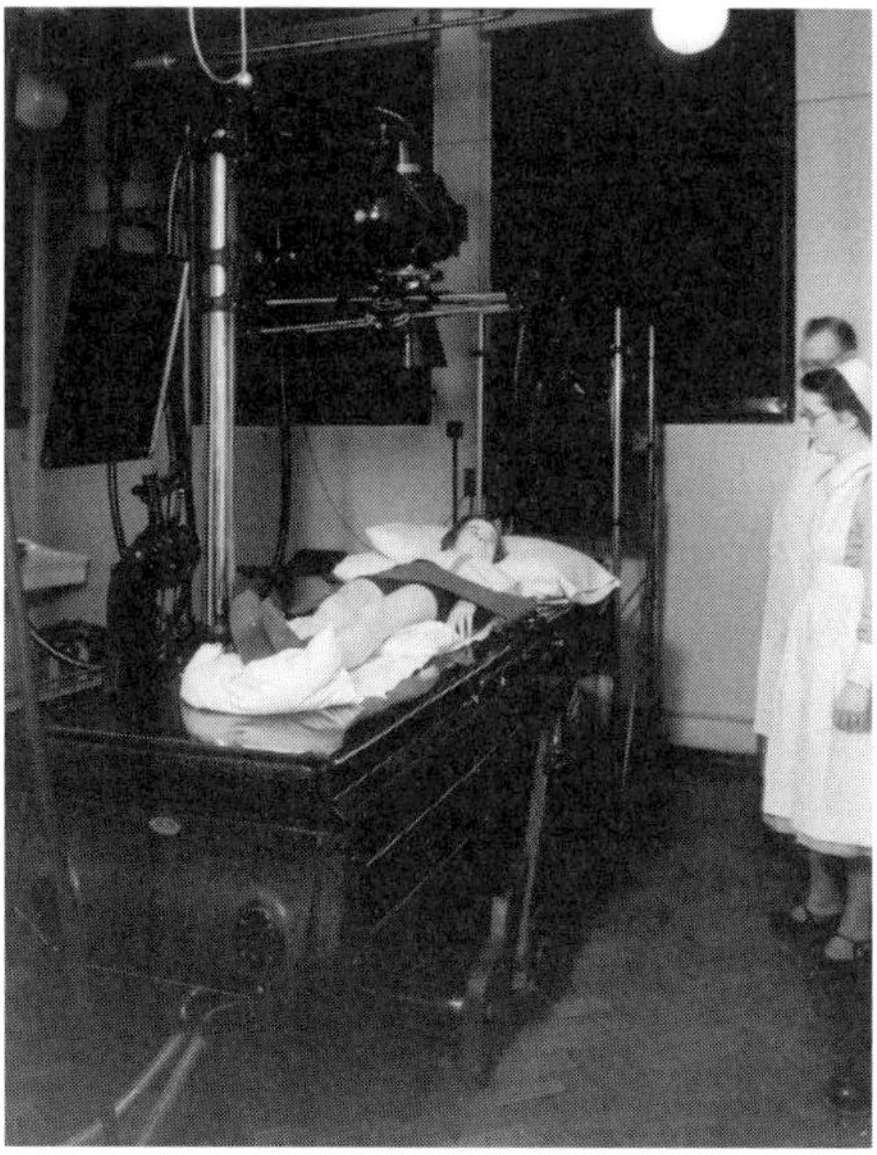

図 15-5 結核の診断においてX線は重要な手段の一つだった。[「ウエスト・ミッドランズ州の結核療養所と広報活動」Adrian Wressell 撮影。ハート・オブ・イングランド NHS ファウンデーショントラスト。CC BY 4.0.]

ツベルクリン検査やX線検査を施した（図15－5）。だが、ディスペンサリーはただ受動的に住民が受診に来るのを待つだけでなく、自ら訪問看護師を雇って、わかっているかぎりの地元の患者すべての自宅を訪問させた。その目的は、患者の家族を説得して、たとえ体調が万全だと感じていても受診に来るよう促すことだった。結核の最初期の段階にある患者でないと、サナトリウム療法は効きにくい。これが広く浸透していた知見だったから、ディスペンサリーはトリアージの機能と紹介の機能を果たしていた。それは結核との闘いにおいて非常に重要なことであり、ニューヨーク市の運動家エリザベス・クローウェルに「説得にあたる看護師たちの働きかけがなければサナトリウムは空っぽになってしまう」といわせたほどだった[18]。

残念ながら、ほとんどの結核患者はサナトリウムの入所基準を満たさなかった。公式に断られる患者の種類はいろいろあって、たとえば診断時ですでに病状が進みすぎていた患者、治療不可能と判断されて退所した患者、病気が「進行停止」して経過観察しか必要ないとされ、サナトリウムから自宅に戻っていた患者などがそれに該当した。こうした患者に対しては、サナトリウムではなくディスペンサリーが治療の面倒を見た。結核撲滅運動のもと、健康診断を実施し、病状を診断し、必要に応じて患者をディスペンサリーやその系列の医療施設や社会福祉施設に通わせた。

患者の治療計画を立てるときの第一歩は、各患者の病歴や罹患状況を詳細に聴取することだったが、そこで重点的に調べられる内容は、現代の病院や診療所で調べられることとは大きく違っていた。ディスペンサリーでは患者の症状だけでなく、その住居、家賃、家族人数、職業、給料、負債、食生活、衛生環境、家屋の換気といった、私的な生活環境にも注意を払った。その後、訪問看護師――看護師という職業の発展過程において、当時の段階ではもれなく女性だった――がこれらのデータを補完すべく自宅視察を行って、住環境の過密度や住人全員の健康状態、経済状況などを評価した。

この情報をもとに、ディスペンサリーは新たに受け入れる患者の治療方針を策定した。抗生物質の時代となる一九四〇年代以前の消耗病患者への対処の常として、目ざすところは、人口過密の困窮した環境においても可能なかぎり、サナトリウム療法の主要な特徴を再現することだった。そしてそのためには、ディスペンサリーが「社会医療」と呼んでいたものを実践することがどうしても必要だった。この考えは、患者がそもそも病気をもらった不衛生な環境にそのまま患者を戻すことは、死刑を宣告することに等しいという原理にもとづいていた。十九世紀初めの医療の原則だった「社会医学」を意識的に想起させる呼び名でもって、ディスペンサリーは個々の患者の面倒を見ただけでなく、その患者を取り巻く社会的、経済的、物理的な環境の改善にも手をつけた。

その一環として、ディスペンサリーは結核患者がどんなに人の密集した安アパートに住んでいても、各自がそれぞれの個室、つまり、ほかに居住者のいない自分だけの病室を確実にもてるように取りはからった。その部屋からは、ほこりの溜まりやすい家具がすべて撤去された。消毒も頻繁に行われ、看護人が患者の世話をしやすいように病床は部屋の中央に移された。最も大事なのは、窓を――あればの話だが――大きく開けて、光と空気を取り込むようにすることだった。これはいうなれば、都会版の大自然療法であり、ディスペンサリーは冬用のリネンもたっぷり用意してやった。そのほかにも社会医療として、痰を吐くときにかならず使ってもらう使い捨ての痰つぼが支給され、ハンカチをあてずに咳をしてはならないという注意がなされ、来客や激しい身体活動を制限する規則が設けられ、横たわった姿勢で長時間、絶対安静にしていることの必要性がこまごまと説かれた。

集合住宅の過密度や間取りの問題でそうした環境が整わない場合には、患者に健康を回復させる機会だけでももたせられるように、ディスペンサリーが少しでもましな住みかを探してやった。同様に、家庭の経済的事情で所定の療法を守るのが難しい場合には、スタッフが慈善家に寄付を募って、その資金を家賃の足しにしたり、質入れした衣類や家具の請け出しや、借金の返済などに用立てた。さらにディスペンサリーのスタッフは、その影響力を使って結核患者の家族に見合った適切な勤め先を探してきたり、ハンデを理由に解雇されるのを防いだりした。訪問看護師は食生活も監督し、敷地内が定期的に清掃されているかも確認し、訪問時に患者の体温と脈拍の測定も行った。

加えて、社会医療には健康教育も含まれた。患者とその家族が自分で自分の身を守れるようにするためである。ディスペンサリーの看護師は、感染者が出た家庭の住人全員に結核という疾患の基本を教え、喀痰と粉塵の危険性を強調した。そして家族が病人と部屋を共有しないことを確実に守らせるとともに、結核患者の家族は非常にリスクが高いのだから、定期的にディスペンサリーを受診して健康状態を確認する必要があるのだと説明した。さらに、結核撲滅運動が後援する講演会や展示会、保健所や医師会が推進する関連行事などが催されるときには、看護師がチラシを配布して、前もって患者に知らせてやった。

予防所《プリベントリウム》

二〇世紀の初めに、ディスペンサリーは貧困地域へのアウトリーチ活動の最後の一手として、「予防所《プリベントリウム》」という新しい種類の施設を推進した。プリベントリウムの医学的根拠は、ツベルクリン皮膚検査によってわかるようになった結核の疫学についての新しい知見にあった。もともとコッホが発見したツベルクリンは、大々的な論争を巻き起こしたすえに、結核の治療薬としては使えないという結論を出されていたが、やがてアメリカの進歩主義時代に、「潜伏」している結核を検出するための標準的な手段になった。この検査で陽性反応が起これば、かなりの信頼性をもって、すでに菌への曝露があり、「頓挫」してはいるが治癒してはいない病気をもっていると確定できたのである。そして検査が広範に実施されてみると、この種の潜伏性結核が子供のあいだで予想外に蔓延していたこと、そして成人においての活動性結核の発症が、新たな一次感染によるものではなく、子供のころに知らないうちにかかっていた病気が活動しはじめた結果である場合が多いことも判明した。ノーベル賞を受賞した医学者エミール・フォン・ベーリング（一八五四～一九一七年）の簡潔な表現を借りれば、「成人の結核は歌の最後の一節にすぎず、この歌の最初の一節は、ゆりかごの幼児に対して歌われていた」[19]。

そこで小児科医たちは、もし幼少期の病変が結核の世界的な流行の原因であるのなら、結核撲滅運動の有効な戦略――ひょっとしたら本当にこれを撲滅できるかもしれない方法――は、子供の一次感染を防ぐことだという説を立てた。当時の考えでは、その目標を達成する手段は二つあった。一つは、感染しやすい子供が結核に罹患した家族と接触する機会を最小限に抑えるために、子供を家から離して看護師や教師に面倒を見させることにして、一定期間の隔離を経て感染していないことが確認されたなら、同じようなほかの子供たちとひとまとめにして養育するという方法である。そして子供たちを守るもう一つの方法は、子供自身の免疫を高め、病気に対する抵抗力を上げさせるため、サナトリウムから得られた教訓をすべて採用することだった。すなわち、子供たちを衛生的な環境に置き、栄養価の高い食事をたっぷり摂らせ、早く就寝させ、念入りに計画した運動を行わせ、さらに全般的に屋外生活を送らせるため、空気の新鮮な野外教室での授業や、全天候型のポーチでの昼寝や、野外スポーツ活動などを実施する。そして子供たちが家を離れているあいだに、担当看護師が自宅の衛生状態の改善を監督する。

プリベントリウムという様式ができあがる前の萌芽のようなものは、各国それぞれの状況に応じて、さまざまなかたちで生まれていた。古くは一八八八年に「フランス結核児童協会」が設立されており、これが結核児童施設というコンセプトの先駆けとなった。もう一つの最初期の施設は、一九〇五年にカナダで開設されたサンタガットゥデモン療養所、通称「ブレーマー療養プリベントリウム」である。この二つの先駆的な施設は両方とも、あらゆる重病が子供を結核にかかりやすくさせるという考えからはじまった。したがって「病弱な子供」を結核から救う唯一の方法は、子供が健康になるまで長期にわたってあらゆる深刻な感染から守りつつ、ゆっくりと体力を回復させることだったわけである。フランスの施設にしろカナダの施設にしろ、恒常的な予防策を講じようともしていなければ、厳密な医療哲学にしたがってもいなかった。

しかし結核の専門家からすると、この二つの原型から得られた新たな教訓は、まさに子供への予防措置こそが消耗病との闘いの重要な手段であるということだった。ここでいち早く起こされた決定的な行動が、アメリカで一九〇九年に、最初の九二名の子供の一団をニュージャージー州レークウッドに新しく建設されたプリベントリウム――ナッシュビル・テネシアン紙によれば「絶対的にユニークな施設」――に迎え入れたことである。この取り組みは、全国的に大きな注目を浴びるなかではじまった。それというのも、大勢の輝かしい著名人が支持者の一覧に名を連ねたからである。慈善家のネイサン・ストラウス、産業界の大立者アンドルー・カーネギー、社会改革論者でフォトジャーナリストのジェイコブ・リース、著名な医師のエイブラハム・ジャコビとハーマン・ビッグス、そしてニューヨークの報道陣のほぼ全員といった面々だ。支持の動機はさまざまで、ツベルクリン皮膚検査の思いがけない医学的効用に感銘を受けた人もいれば、窮乏した子供たちに同情した人もおり、また別の人は、もしプリベントリウムが成功すれば、サナトリウムとディスペンサリーが成人に施している莫大な費用の支援にくらべて大幅な節約になるだろうと計算した。しかし、ともあれ全員が同意していたのは、危険にさらされた貧しい子供たちに新鮮な空気を吸わせるための寄宿学校を、いまこそ試してみるときだということだった。

レークウッドの施設はのちにニューヨーク州ファーミングデールに移転したが、この最初のプリベントリウムの開設後、同様の施設がアメリカ全土にも海外にも設立された。こうして結核との闘いは、治療に加えて予防も重視するようになり、サナトリウムとディスペンサリーという既存の施設とはまた別の、新たな施設が追加された。そしてプリベントリウム運動が拡大するにつれ、プリベントリウムそのものが多様化していった。ほとんどのプリベントリウムは、厳密な医学的指導のもとで運営される学校施設だったが、サマーキャンプの体裁をとるところもあった。ニューヨーク市は洋上デイケア施設がご自慢で、マンハッタンの子供たちをフェリーボートに乗せてニューヨーク港を一日かけて回ったりした。第四桟橋から出発する「ベルビュー・デイ・キャンプ・ボート」や「デイ・キャンプ・マンハッタン」などがその一例で、これらは栄養失調の子供たちや、活動性結核にかかった子供たちのために運営されていた。

健康教育——衛生意識

しかし健康教育は、ディスペンサリーとプリベントリウムの枠にとどまってはいなかった。結核との闘いの一環として、一般市民に細菌がもたらす危険について理解させ、その理解にもとづいた衛生意識をもたせるべく、絶えず大々的な努力がつづけられた。ここで主導的な役割を果たしていたのが各地の結核協会と、それを支援していた各自治体の保健局である。彼らは空いている壁を見つけては——鉄道駅、郵便局、工場、病院、学校、およびバスや路面電車の車体も加えて――「ところかまわずの痰吐き」や、口元を覆わないで咳き込むことの危険性を警告するビラを貼りまくった。当時の文化的慣習を考えれば、なぜそんなに痰吐きが重視されたかもわかるだろう。男性のあいだで葉巻や噛みタバコが流行していた時代には、痰はどこにでもあるものであり、とくにヴィクトリア時代と進歩主義時代のアメリカではそうだった。一八四二年にアメリカを旅行したチャールズ・ディケンズは、そこかしこに黄色い痰が落ちているのを発見したときの強烈な嫌悪感を述懐している。「アメリカではあらゆる公共の場で、この不潔な習慣が認められる。法廷では、判事も、書記も、証人も、被告も、全員が自分用の痰つぼをもっており、陪審員と傍聴人にも痰つぼが用意されている。こんなにも多くの人間が、自然のなりゆきで絶えず痰を吐きたくなるものなのか[20]」。

メリーランド州結核委員会の見解によれば、このあまりにも重大で広範な危険を抑え込むためにどこよりも厳しい措置をとっていた、模範とすべき自治体がニューヨーク市だった。当地では市の条例で、「公共の建物とエレベーターの床、鉄道駅と階段、および舗道」に痰を吐くことを禁止していた[21]。この条例を守らせるため、市は私服警官を配備して違反者が見つかれば逮捕させ、行政官には違反者に対して五〇〇ドルの罰金と最長一年の収監を科す権限をあたえた。各地の運動組織は痰吐きの抑制に加え、講演会の企画、健康パンフレットの作成、新聞への寄稿といった活動も行った。最も革新的だったのは、一九〇四年にはじまった、全米結核協会と国際結核会議の企画による展覧会である。常設と巡回の両方の形式で、結核の歴史、種類、損害費用、伝播様式、予防、疫学、治療法など、この病気のあらゆる主要な側面が紹介された。メッセージを伝えるために、主催者はさまざまな工夫を凝らした。専門家や著名人の討論会を開き、結核でぼろぼろになった肺をガラス瓶に入れてホルムアルデヒド漬けにして展示した。こうした展覧会は、中心都市で何百万人もの来場者を集め、この「闘い」でなされた啓蒙活動のなかでも格別に影響力の高いものになった。

さらなるアウトリーチの手段として、全米結核協会は三つの重要な雑誌を発行した。一八九九年創刊の『結核ジャーナル』、一九〇三年創刊の『屋外生活ジャーナル』、そして一九一七年創刊の『全米結核評論』である。前の二つは一般大衆への情報提供を目的とし、三番目は医療従事者を対象としていた。さらに協会は映画も製作した。『モロクの神殿』という一九一四年の作品で、結核についての新しい理解を説明したものだ。ある陶器職人とその家族の不運を描いた教訓的なメロドラマ仕立てになっており、主人公たちは貧しい環境のせいと、医学的な助言を聞き流していたせいで、恐ろしいモロク神への人身御供にされることになる。このモロク神の人肉を求めてやまない恐るべき食欲が、結核の比喩になっていた。

「闘い」の評価

この闘いは結核にどれほどの影響をあたえたのだろうか。社会のいくつかの側面においては、影響は絶大だった。この聖戦によって一般大衆は、結核が危険な感染性疾患で、おもに貧困層によって伝染するのだということを学んでいった。この新しい医療哲学は、すでに見てきたとおり、消耗病に対する文学表現、服装やひげの流行、部屋の内装、家庭の衛生管理、図書館の本の取り扱いなどを根本的に変えていった。

だが、このメッセージは期せずして負の面を生んだ。反動として罹患者に対するスティグマと、病的な恐怖が生じたのである。新聞雑誌はこうした結果について、中世におけるハンセン病患者への態度や、近代初期のペストの犠牲者への見方を彷彿とさせるものだと表現した。結果として、すでに社会的に疎外されていた貧困層や少数民族などの社会集団が、ますます社会から疎外されることになっていった。しかしながら、後世から見てのハンセン病やペストへのなぞらえは、二つの決定的な面で、誇張が過ぎていた。結核患者はハンセン病患者のように死ぬまで強制的に療養所に追いやられたわけではなかったし、また、ペスト流行時の魔女やユダヤ人やよそ者のように、暴力を浴びせられたわけでもなかったのだ。社会の態度はしばしば不快で差別的であり、その意味では冷たくなったといえるが、社会秩序が乱されることはなく、魔女狩りや暴動といった話も比喩的なものであって、事実そのままではなかった。

コッホの発見によって得られ、「闘い」によって高らかに宣伝された、結核についての新たな科学的理解は、医療現場にも深く影響をおよぼした。瀉血や催吐剤によって体液を排出させるようなヒポクラテス的理解にもとづいた治療はしだいに行われなくなり、転地療養の勧めも消えていった。患者はそれらにかわって、空気療法と安静療法と食事療法の三本柱にもとづいた治療をサナトリウムか自宅で受けるようになった。さらに戦間期のアメリカでは、結核の外科的処置という大胆な試みも併用された。

しかし結果となると、数十年におよぶ結核との闘いのあいだに考案された治療法が、かつての伝統的な体液療法より有効であったという確たる証拠はない。医者や各種の施設のあいだでは、自分たちのやっている治療に効果があるという実感が大いに高まっていたが、彼らが主張した成果は話だけのものであって、確固とした統計的根拠を欠いている。加えて、いわれているような進歩の根拠となる科学的なメカニズムも、一度も正確に説明されたことがない。第二次世界大戦後の胸部専門医たちの見解によれば、この聖戦で活用された医学的装備一式は、おそらく満足な効果を生まなかっただろうが、外科的介入を別にすれば、害をなしてもいなかっただろうという。実際、患者にとっては——少なくとも心理的に——利があったのではないかと考えるべき理由もある。サナトリウムの振興にともなって、回復を信じる強い気持ちが広まっていたのはたしかなのだ。

しかし医療そのものよりも、明らかに変わったのは医者と患者との関係である。結核との闘いにおいて初めて宣言されたこと——それは、医者が患者に対して絶対的な権威をもつことが病気からの回復に必須だということだった。顕微鏡や体温計やX線によって可視化され、聴診器によって可聴化される結核の徴候を正しく読み取れるのは医者だけで、患者ではなかった。したがって、病気の進行を見定め、適切な治療方針を決定できるのも、専門職である医者だけだった。この新たな権威の主張は、胸部専門医が「完全管理」を求めたことにあらわれていた。その強い願望のあらわれが、サナトリウムのこまごまとした規則であり、決まりが守られないときに医者が行使する制裁だった。

だが、やはり何より重要な問題は、例のマキューン・テーゼをめぐる議論によって提起された問題である（第11章を参照）。イギリスやアメリカのような最も進んだ工業国では、十九世紀半ばまでに目に見えて結核の流行が収束し、二〇世紀初頭までには、西欧のほぼすべての国でも同様の収束が見られた。こうした結果に、結核との闘いは果たしてどの程度まで役立っていたのだろうか。結核流行が先進世界全体で大幅に減衰したことを、公衆衛生当局や運動団体や医療現場の意識的な政策によってなしえた結果だと見なすのは、因果関係の誤った見方であるだろう。そもそも結核の減少傾向は、「闘い」の布告の前から生じていたのであり、その迅速で着実な進みぶりについても、撲滅運動が仕掛けた対策の作用としては説明できない。サナトリウムでもディスペンサリーでも教育でもない、もっと本質的な要因を、マキューンは疑いなく正しく特定している。食生活、住環境、衛生状態、識字率の向上に加え、労働時間の短縮、児童労働の法制化、賃金上昇、労働組合の発展といった要因が、結核流行の主要な被害者であった労働者層の生活水準を大幅に引き上げ、それがまた、結核の危険因子を大幅に減らす重要な要因になったのである。

同時に「闘い」は、現代の疫学の理解に照らすと、結核の病因とほとんど関係のない問題にエネルギーを費やしすぎていた。その一例が、痰やほこりなどの媒介物対策への没頭である。これらの媒介物は、結核の感染においては比較的小さな要因でしかない。もっと重要な感染経路は、咳をしたり、くしゃみをしたり、会話をしたり、あるいはただ呼吸したりするだけで、つねにそこから発せられる飛沫が空気中に浮遊して、それを誰かが吸い込むことなのである。撲滅運動の資源の大部分は一貫して、いまでは疫学的にあまり効果がない、もしくはほとんどないとわかっている感染防止策に費やされた。

一方で、注意すべき点は多々あれど、この「闘い」でとられた手段が、結核による死亡数と罹患数の急激な減少にまったく無関係であったと決めつけるのも正しくないだろう。関係する変数についての信頼できる統計が存在しないので、正確さは望めない。したがって結論はどうしても推測になる。しかし状況の論理からすれば、たとえばサナトリウムなどは、定量化はできなくても重要な役割を果たしていたはずだ。サナトリウムが設立されたことにより、人の密集した都市のスラムから消耗病患者が連れ出されたから、これが有効な隔離となって、他人への感染が防がれたと考えられる。アメリカのような人口の多い国――一九一〇年の時点で九二〇〇万人――だと、一〇万人というサナトリウム総人口は少ないくらいだったから、その効果が特別に大きかったわけではない。言い換えればサナトリウムは、すでに別の理由で進行していた傾向を補強したのだということになるだろう。

ちなみに国際結核会議は一九〇八年に、アメリカではいかなるときでも総人口のうちに活動性結核の罹患者を五〇万人ほど抱えていたという推定値を出している。こうした計算にもとづけば、その数の五分の一を療養所に隔離することができていた場合、結核の発生率にそれなりの効果がおよんでいたことになる。なぜなら有効な予防措置や治療行為が何もなされていなければ、結核患者は一人につき、年間約二〇人を感染させると考えられていたからだ。したがって、そのような措置を講じていた施設は、病気の流行を止めるとまではいかないまでも、感染の拡大を遅らせることによって流行の影響を小さくしていたといえるだろう。結核撲滅運動がとっていたほかの手段にしても、効果は似たようなものだったと考えられる。結核の広範な流行を収束に向かわせられたかに関していえば、全国五〇〇か所のディスペンサリー、数十か所のプリベントリウム、および広く施された健康教育が果たした役割は、サナトリウムとの相乗効果を考えても、あくまでも限定的なものにとどまっていただろう。

しかし言い方を変えれば、結核との闘いは罹患数と死亡数を下げることにかなりの効果をあげ、衛生環境の向上、賃金の上昇、住環境の改善、教育の普及とともに生じていた低下傾向を継続させた。さらに数字を下げるためには、科学研究室からの新たな外部ツールが必要だった。それが一九四〇年代の抗生物質、とくにストレプトマイシンの導入であり、これによって結核の制圧に向けての次の大きな前進が可能になったばかりか、結核の根絶という見えそうで見えなかった希望まで現実味を増した。結局、結核の収束にはこれという単一の要因はなかった。社会環境と衛生環境の改善、治療や症例追跡や隔離を可能にする医療体制、そして技術的な手段――そのすべてが最終目標に近づくのに必要だった。

とはいえ「闘い」はもう一つ、測定不能だが後世に残る遺産を公衆衛生にもたらした。すでに見てきたように、この運動から生まれて広まった一連の用語の中心には、「社会」という意味深いキーワードが鎮座していたのである。社会医療、社会事業、社会医学、社会問題、社会的ケア、社会階級、社会病、社会的展望……。一九〇一年にロンドンで開催された結核国際会議にも、議長を務めたアメリカ人学者のエドワード・トマス・デヴァイン（一八六七～一九四八年）が強調したような、当時ならではの特徴があらわれていた。大半の医学会議とは違って、この結核撲滅を題目とした会議では、分科会の一つのタイトルに「社会的」の一語が添えられた――「結核の衛生的、社会的、産業的、経済的な諸側面」と。また、議長に選ばれたデヴァインは、社会事業と社会改革に生涯を捧げた人物であり、基調講演でもこのように説いている。

われわれがこのような分科会をもてたのも……まさに医師や衛生学者が、近年ようやく自らの仕事についての理解を深め、この昔からの敵の大きさや奥行きを正確に測り、そのさまざまな側面を評価することができるようになってきたからかもしれません。そして目の前の患者を相手にするだけでなく、その先にいる家族や隣人に目を向けるようになってきたということかもしれません。……ここに医療の専門家が集まって、この分科会を立ち上げているということは……結核を克服するためには個々の患者を治療するだけでなく、賢明なる健康上の規則を守らせるだけでもなく、もっとそれ以上の何かが必要であると、ついに気づいたことの証拠なのではないでしょうか。……われわれは法学と医学の権威に、いかなる原則のもとで国家が国民の健康を守るために警察力を行使すべきかという問題について議論してくれるよう求める所存であります。……これらの領域にも、結核撲滅運動は躊躇なく広がっていかねばなりません。[22]

このように、医学的な意義だけでなく社会的な意義もまとうことによって権能を拡大した「闘い」は、当時の最も深刻な医学的問題に対してほかに何も防衛策が見つかっていなかった時代に、希望をもたらしてもいた。この運動は、ほぼ誰もが認めていたように、少なくとも部分的には成功していたし、この時代に最も蔓延していた最も致命的な病気も予防措置と治療の普及と社会改革によって真っ向から迎え撃てるという教えを、半世紀にわたって根気強く授けつづけた。たとえば看護師のエリザベス・クローウェルなども、ディスペンサリーの看護師は「専門的な看護」には時間と精力を「ほとんど」費やしておらず、むしろ教育的な仕事や社会的な仕事のほうがずっと多くを占めていた、と説明している。ひたすら臨機応変に、辛抱強く、不屈の努力を重ねてこそ、消極的な人、無関心な人、先入観にとらわれた人、そして教育のない人に、個人の衛生と公共の衛生についての基本的な原則を教え込めるのだということだろう。[23]

ならば、この結核との長い闘いが、第二次世界大戦後の西欧で構築される「社会国家」の確立への下支えとなった要因の一つだったのではないか、と推測したくなる。戦後、ヨーロッパ社会はデヴァインとクローウェルが言及していた、「結核治療を万人に」と定義してもよさそうな最終目標を採用した。当時はアメリカでさえ、やはりその種の国民医療をもう少しで確立するところまでいっていたのだ。しかしアメリカでは、時の大統領ハリー・トルーマンが医療と冷戦下での再軍備を同時にやっている余裕はないと主張したことで、その動きは後退してしまった。

戦後の時代と抗生物質

第二次世界大戦後から一九八〇年代まで、結核制圧を目ざす人びとのあいだにはまぎれもない楽観が広まっていた。この自信は、結核との闘いの伝統的な装備――サナトリウム、ディスペンサリー、教育――に依拠していたのではない。むしろ「闘い」の構造は急速に解体されていった。予防面と治療面で新たに二つの科学的ツールが登場したことで、かつての装備は効果の薄い、不要なものと見なされるようになったからである。それらにかわった新しい手段は、結核をより有効に制圧できそうだっただけでなく、地球上から完全に根絶してくれそうにさえ思えた。

まず予防面での武器は、ワクチンだった。これはエドワード・ジェンナーが天然痘に対して、あるいはルイ・パスツールが狂犬病に対して採用したのと同様の方法論に沿って開発された、いわゆるＢＣＧ（カルメット＝ゲラン桿菌）ワクチンである。ＢＣＧは基本的に、ウシに結核を引き起こすウシ型結核菌（*mycobacterium bovis*）を生きた状態で弱毒化したもので、ジェンナーの牛痘が大疱瘡に対する免疫を生んだように、こちらはヒト型結核菌に対して交差免疫をあたえた。

ＢＣＧの最初の大量試験は、一九三〇年代にアメリカ先住民居留地で行われた。インディアン事務局結核部門のジョゼフ・アロンソンは、ＢＣＧの有効性を八〇パーセントと報告したが、それは明確な実証のない統計データにもとづいた数字だった。それでもこの楽観的な見解にもとづいて、世界保健機関（ＷＨＯ）とユニセフは、全世界の結核問題に対する解決策としてＢＣＧを支持した。そしてスカンディナビア諸国とともに、史上最大規模の公衆衛生プログラムに乗り出した。これが「国際結核キャンペーン」（ＩＴＣ）で、全世界の人びとにＢＣＧワクチンを接種させようという取り組みである。この活動は、新たに設立されたＷＨＯにとって初めての大規模な公衆衛生キャンペーンであり、のちの国際的な予防接種プログラムにとっても重要な手本となった。

ＩＴＣの組織的な活動は、のちの国際的な取り組みのモデルとして、みごとなほど成功した。一九四八年七月一日から一九五一年六月三〇日までのあいだに、二二の国とパレスチナ難民キャンプで予防接種前のツベルクリン検査を三〇〇〇万件近く実施し、次いでツベルクリン検査で陰性だった一四〇〇万人にワクチン接種を行った。しかし予防措置としては、結果は期待外れのものとなった。このキャンペーンで出された一二三件の報告は、有効性という最も重要な問題についての答えがばらばらだったのだ。その大きな理由は、ヒト型結核菌には複数の株があり、ＢＣＧの有効性はその株によって、それこそアロンソンの有名な八〇パーセントから〇パーセントまでさまざまなのだが、それがわかっていないままにキャンペーンがはじまっていたことにある。アロンソンが示した結果はほかの状況では再現できないものだったのだ。

したがってＢＣＧは、世界を結核の根絶に向けて前進させるどころか、議論の泥沼にはまり込んでしまった。いくつかの国は――アメリカをはじめとして――BCGの有効性が証明されていないことを理由にキャンペーンへの参加を拒否した。アメリカの当局はそれだけにとどまらず、BCGは被接種者に誤解を生じさせ、これでもう自分は安全だからほかの予防措置は必要ないと思わせてしまう危険があると主張した。こうしてITCは、史上最も広範に、最も持続的に取り組まれた公衆衛生活動となりながら、はかばかしい成果はまったく得られなかった。だが、初期の推進派がITCの発進を支持する一つの論拠として最初に主張したとおり、少なくとも害はなかった。

それよりはるかに希望をもって迎えられたのは、抗生物質の発見にともなう新しい治療薬の時代の幕開けだった。そのはじまりがペニシリンで、これは一九二八年にアレグザンダー・フレミングによって発見されたのち、一九四一年から治療薬として使われるようになった。ペニシリンは結核とはとくに関係なかったが、その後の一連の「魔法の弾丸」、すなわち特効薬《マジックブリット》が開発されるための道を開き、めざましい技術的な進歩さえあれば結核も世界的に根絶できるのだと信じさせることを可能にした。結核に適用できた初めての「特効薬《ワンダードラッグ》」はストレプトマイシンという抗生物質で、一九四三年にラトガーズ大学のセルマン・ワクスマンによって発見された。そして翌年、これを重症の結核患者に初めて試用してみたところ、奇跡的とも思えるほどの治療効果をもたらし、患者は急速に全快した。ワクスマンはこの研究により一九五二年にノーベル賞を受賞した。その後、ストレプトマイシンにつづいて一九五〇年代初頭にはイソニアジドが、一九六三年にはリファンピシンが実用化された。

こうした新しい武器を手に入れたことで、医療従事者はついに確信した。過去三〇〇年にわたって社会の災禍だった結核が、容易に治療のできる、治癒の可能な病気になったのだ。たとえばアメリカでは、結核の発生率が七五パーセントも低下し、一九五四年に年間八万人以上だった罹患者が、一九八五年には二万人にまで激減していた。政府はアメリカ国内では二〇一〇年までに、全世界では二〇二五年までに結核が根絶されると予測した。このままでは組織が廃れてしまうと考えて、全米結核研究予防協会は米国肺協会と改名し、『英国結核ジャーナル』は『英国胸部疾患ジャーナル』に改称した。一方、結核との闘いを担っていたシステムはおのずと崩れ去った。入所する患者がいなくなったサナトリウムはつぎつぎと閉鎖され、ディスペンサリーは不要なものになっていった。結核研究は勢いがなくなり、結核撲滅を目的とした公衆衛生対策に資金が投入されることもなくなった。

結核の新たな緊急事態

残念なことに、アメリカでも諸外国でも、結核発生率の低下は一九八〇年代に入ると減速し、やがて急上昇に転じた。アメリカの場合、発生率を記録する曲線が横ばいとなった一九八五年には、活動性結核の新規患者は二万二二〇一人で、これは過去最低の数字だった。しかし一九八六年から一九八七年にかけて発生率はわずかに上昇し、一九九〇年代に入ると急激に上昇した。一九九一年に確認された新規患者は二万六二八三人で、一九八五年にくらべると一八パーセント増加していた。最も憂慮すべきは流行の震源地たるニューヨークで、市の保健局長マーガレット・ハンバーグがこう警報を鳴らした。「目下ニューヨーク市は深刻な結核の流行のさなかにあり、緩和のめどはほとんど立っていない。一九九一年の新規患者は三七〇〇人近くと報告されており、一九八〇年から一四三パーセントも増加している。市内の患者数は全国の一五パーセント近くを占め、発生率は全国平均の五倍の高さだ[24]」。

アメリカでの急上昇を促す条件はいくつもあった。たとえばHIV／エイズが同時流行していたこと、結核有病率の高い国から移民が入ってきていたこと、薬剤耐性が広まっていたこと、そしてホームレスや精神障害者や貧困層を中心に、結核の標準的な養生法を辛抱強く守らない患者がいたことなどである。だが、何より影響が大きかったのは、抗生物質が結核を根絶するだろうとの確信のもと、結核キャンペーンの解体が決まってしまっていたことだった。カリフォルニア州の下院議員ヘンリー・ワクスマンも一九九三年に、危機に対応できない連邦政府のやる気のなさを非難している。

これは謎でも意外でもない。……この結核流行の兆候は着実にあらわれていた。対応が必要だったことは明確に見えていたのに、まるで迅速な対応がなされなかったのだ。なぜ手が打たれなかったかというと、資金がないからだ。もし公衆衛生上の過誤を裁く法廷があったなら、連邦政府はこの結核の事例において故意に怠慢を働いたと見なされるだろう。ほとんど手が打たれないあいだに、当然ながら問題は深刻化した。一九八八年に公衆衛生局は結核対策の年間費用を三六〇〇万ドルと見積もった。その年の大統領予算は、その一〇分の一強だったのだ[25]。

ただし世界的に見ると、最も被害が大きかった地域は東欧と東南アジア、およびアフリカのサブサハラ地域だった。一九九三年、WHOは遠からぬ結核の根絶を見込むどころか、結核の流行が手に負えないまでに拡大していることを発表するという前例のない手段をとって、世界的な緊急事態を宣言した。国連の出した数字によれば、二〇一四年には九六〇万人が結核にかかり、一四万人の子供を含む一五〇万人が死亡するだろうと推定された。少し前には予防も可能で治癒も可能だと宣言された病気が、この結末である。いったい何があって、かつての自信と楽観はここまで打ち砕かれてしまったのだろうか。

そこには多数の要因が働いていた。なかでも最も重要だったのは、同時に発生していたHIV／エイズの世界的流行である（第19章と第20章）。結核は、エイズを悪化させる最も重大な「日和見感染」として、そしてエイズ患者の主要な死因として、急速に認識されつつあった。主要な免疫抑制疾患の一つであるHIV／エイズは、頓挫性結核を活性化させ、活動性疾患へと変える。同時に、HIV／エイズにかかった患者は新規感染や再感染をきわめて起こしやすくなる。したがって世界的なエイズの流行は、それにつづく結核の流行の大きな決定因なのだ。この両方が組み合わさったものが、HIV／結核と呼ばれる。

アフリカ南部のいくつかの国をはじめ、世界でもとりわけ資源に乏しい一部の国では、HIV／エイズと結核が一般大衆を苦しめる大きな災いの種であり、罹患数、死亡数、社会的苦難、不平等の主要な原因となっている。一方、先進世界での様相は大きく異なる。こちらでは、HIV／エイズは一般市民を苦しめる病気というよりも、社会の周縁部にいる比較的貧しい人びとを襲う災いである。たとえば人種的、民族的なマイノリティや、移民、介護施設入所者、囚人、ホームレス、静注薬物使用者、あるいは糖尿病のようなＨＩＶ感染症以外の疾患が原因で免疫系に欠陥を抱えている患者などが犠牲になりやすい。

だが、ＨＩＶ／エイズが現代の結核の途方もない急増をもたらした一番の要因だったとしても、問題はそれだけではない。世界的緊急事態のもう一つの大きな原因は、薬剤耐性である。進化の選択圧のもと、ヒト型結核菌は、これに対抗して配備された「特効薬《ワンダードラッグ》」への耐性を発達させた。それが初めて例証されたのは一九七〇年代で、結核菌はまず一種類の抗生物質に、次いで第一選択薬のすべてに耐性をもつようになった。これが多剤耐性結核菌（ＭＤＲ－ＴＢ）である。抗生物質が過剰に処方されたり、完治していないうちに症状が治まったため治療が中断されたりしてしまうと、耐性の進化はいっそう早く、いっそう力強くなる。通常、結核の治療は六か月から八か月にわたってつづけられるが、患者は三週間ほどすると体調が上向いてくるため、たいていそこで治療を受けるのをやめてしまう。そして再発時には、そうした規定を守らない患者の五二パーセントが薬剤耐性のある結核菌を体内にもっている。近年では、耐性範囲の拡大した「超多剤耐性結核菌」（もしくは「広範囲薬剤耐性結核菌」、ＸＤＲ－ＴＢ）まで出現している。ナイジェリアのある医師団の見解によると、結核の治療の中断や不適切な治療は、まったく治療をしないことよりもよほどたちが悪いという。「延命された患者はそれだけ長期にわたって結核菌を排出することになり、しかもその結核菌は、すでに薬剤耐性をもっているかもしれないからだ[26]」。

ＨＩＶと薬剤耐性という一般的な要因に加えて、地域特有の条件も、結核の緊急事態を招いた要因として働いている。戦争、経済破綻、政治的抑圧、環境の激変などが理由で大規模な人口移動が起こったところでは、不衛生な難民キャンプ、質の悪い食事など、肺疾患が蔓延する条件がそろってしまう。同様に、「麻薬との闘い」で投獄率が上昇したところでは、刑務所が満杯になって、そこでの感染を助長してしまう。また、共産主義の失墜にともなう東欧での医療の崩壊は、受診を困難、もしくは不可能にした結果、やはり病気を蔓延させた。

　結核の緊急事態に立ち向かうため、WHOとユニセフは、費用がかからず、新技術や科学的発見に頼らずにもすむと考えられる、斬新で有効なアプローチを実践すると発表した。一九九四年に発表され、直接監視下短期化学療法（directly observed treatment, short course = DOTS）と名づけられたそのアプローチは――実際に役立つのかを確認するための有効性試験も行われていなかったが――結核流行に対する行政上の特効薬になると期待されていた。この戦略の前提にあったのは、言いつけを守らない結核患者が問題なのだから、そうした患者を公衆衛生当局の監視下に置きながら、当局の定める「短期療法」に沿って抗生物質投与を六か月から八か月にわたってつづければ、この問題は解決できるだろうという推測だった。WHOはDOTSを支える追加対策として、国による政治的な働きかけや、薬剤供給の確保、喀痰塗抹分析による患者発見、経過観察評価を求めた。さらに近年では、DOTSを補完するDOTSプラスというプログラムも進められ、多剤耐性結核の患者に対して第二選択薬の抗生物質を混合したカクテル療法が適用されている。

　もちろん、DOTSはいわれるほど斬新なものではなかった。この対策の本質的な部分――所定の治療法にしたがっているかどうかの包括的な監視――は、言明こそされていないものの、サナトリウムのポーチやベランダでの安静を基本とする戦略への回帰にほかならないからだ。DOTSはいまも第一の選択肢とされる戦略だが、開始されてから一〇年のうちに、資源の乏しい環境でのＤＯＴＳの効果はきわめて限定的であることが実証された。結核の影響がどこよりも甚大な貧困国で、ＤＯＴＳを完璧に実施することは不可能に近かったのだ。公衆衛生施設に乏しく、訓練を受けた職員も不足している。国民はこの治療法の機序を理解できるだけの十分な教育と知識を得ていない。医薬品はたいてい不足している。そして国民が診療を受けるまでに乗り越えなければならない障害が――診療所は遠く、交通手段もかぎられ、受診に行くとなれば働けなくなって賃金が得られず、そもそも出かけられるような体調ではないなど――あまりにも多い。無作為研究で明らかになっているように、このような状況下では、ＤＯＴＳ患者と自己流の服薬をしている患者とで、治療の完遂率にほとんど差があらわれない。規定を守らない患者をなくすために開始されたこの新しい戦略は、それが最も必要とされるところで失敗するケースが多いのである。

同時に、ＤＯＴＳには戦略上の基本的な欠陥があることも明らかになった。もともとＤＯＴＳは、これが手本としたサナトリウム療法と同様に、結核を独立した流行性疾患と想定して対処する前提でできていた。その意味で、ＨＩＶ／エイズの同時流行のさなかにＤＯＴＳを推進するのは時代錯誤だった。要するに、この取り組みを開始させる第一の要因だった重複感染に対しても、あるいはこの二つの病気をともに流行しやすくさせる経済的、社会的な条件に対しても、ＤＯＴＳは有効な戦略になっていなかったのである。二一世紀も半ばにさしかかろうとする現在、結核の流行に対して新たな研究、新たなツール、新たなアプローチが必要とされているのは明らかである。

第16章 ペスト第三のパンデミック――香港とボンベイ

ペストの第三のパンデミックは、一八五五年に中国雲南省からはじまったとみられる。同地で何度か流行をくり返したあと、一八九四年に広東、マカオ、香港に広がった。一〇年前にエジプトでコレラが流行したときに倣い、数か国が微生物学者の調査団を送って禍害を調査させた。目的は原因菌を突きとめること、発生の機序を解明すること、これ以上の感染拡大を防止する方法を見出すことだった。一八九四年六月に、フランス人微生物学者アレクサンドル・イェルサン（一八六三～一九四三年）と日本人細菌学者の北里柴三郎（一八五三～一九三一年）がペストの病原体エルシニア・ペスティス（*Yersinia pestis*）をほぼ同時に発見した。ところが科学のこの大進歩は、治療、予防、実行可能な公衆衛生対策にただちに結びつかなかった。ペスト菌は香港から汽船の航路をたどって東、西、南へと、世界中の港湾都市へ瞬く間に伝播したのである。

一八九四年から一九〇〇年までのあいだ、ペストは東の神戸と長崎へ、太平洋を経由してマニラ、ホノルル、サンフランシスコへ、ホーン岬をまわってサントス、ブエノスアイレス、ハバナ、ニューオリンズ、ニューヨークへ達した。同時に西と南のシドニー、ボンベイ（現ムンバイ）、ケープタウン、マダガスカル島、アレクサンドリア、ナポリ、ポルト、グラスゴーに到達した。こうして第三のパンデミックは初めて真の意味で世界的流行に、すなわち主要な海港から五大陸を総なめにする「大洋を越えた」流行になった。蒸気船と鉄道による輸送交通機関の革命により移動時間が大幅に短縮されたことで、ペスト菌は初めて南北アメリカに到達した。

第三の「現代の」パンデミックは、ユスティニアヌスの大疫および黒死病とはまったく異なる経過をたどった。初めの二度のパンデミックでは、ペストは鼠《ねずみ》と蚤《のみ》とともに移動して船を降り、着岸した港で大流行を引き起こした。それから陸を、川を、沿岸を猛然と突き進みながら階級も人種も宗教も問わずにおびただしい死をもたらし、町や村を破壊し尽くして去っていった。一方、大洋を越えたパンデミックには歴然とした違いがあった。社会構造に対してひどく不平等で、死亡者は特定の社会に大きく偏っていた。先進国では、大きい海港に到着して小規模なアウトブレイクを発生させるくらいだったが、ひとしきり暴れたあともすっかり沈静しはせずにくすぶりつづけた。感染者が爆発的に増加して接触感染によって急速に広がるのではなく、数年にわたって罹患者を出しつづけるのが特徴だった。

ヨーロッパの都市でそれを例証するのが、大西洋に面したポルトガルのポルト港である。ポルトは先進国で最も大きい打撃を受けた。ペストは織物と穀物を積んだ船でインドを発ち、ロンドン、リバプール、ハンブルク、ロッテルダムを経由して、一八九九年六月初めにポルトに到達した。衣類にもぐり込んだり鼠の被毛のなかで孵化したりした蚤が媒介生物《ベクター》になった。ポルトガルで最初に報告された犠牲者は、ボンベイからの船荷を降ろした沖仲仕たちだった。ペストは六月五日に発覚してから一年以上もとどまった。ただし黒死病のときとは違って、現代の悪疫は害獣のうようよする密集した貧民街ばかりを襲った。しかも手のつけようのない大流行はなく、「拡大のペースが遅い点で特異」だったと合衆国海員病院事業部のフェアファクス・アーウィンは述べている。[1] 八月からその年の暮れまで、感染者数は平均して週に一〇人未満、死亡者はそのうち四割だった。ポルトガル政府は翌一九〇〇年二月に早々にペスト終息を宣言し、その後は夏から秋にかけてぱらぱらと感染者が報告されるのみになった。

ところが欧米先進国とは対照的に、中国、マダガスカル島、インドネシアなどの植民地、そしてどこよりも英領インドでの第三のパンデミックによる災禍は黒死病を彷彿させる桁違いの規模だった。死者と逃亡者は凄まじい数にのぼり、経済は崩壊し、社会は極度の緊張に苛まれ、ルネサンス期に策定された苛酷なペスト対策が適用された。三度目のパンデミックは世界の貧困と飢餓と荒廃の断層線に沿って広がるにつれて、片側ばかりに苦難をもたらしたのである。一八九四年以降、ペストによる死者は北米で数百人、西ヨーロッパで数千人、南米でも二万人あまりだった。それに対して被害の大きい側を見ると、第三のパンデミックに最も苦しめられたインドは疫病が最終的に沈静化するまでに世界総数の九五パーセントを占める死者数を記録した。三億人の人口のうち二〇〇〇万人がペスト菌によって命を落とし、致死率は八〇パーセントに達したのである。この顕著な偏りとそこに人種的な含みがあることから、当時の欧米の識者は第三のパンデミックを「東洋のペスト」「アジアの悪疫」と呼んだ。

現代のペストの影響は経済的な階層による偏りもあった。人びとは無差別に襲われたわけではなく、一つの国、一つの都市のなかでも貧困層に属する人びとが集中的に攻撃された。マニラ、ホノルル、サンフランシスコでは、圧倒的に中国人の「苦力《クーリー》」(肉体労働者)と日本人労働者が苦しめられた。発生中心地だったボンベイでは、ヨーロッパ人の死亡者はごくわずかだったのに対し、貧民街とその「先住民」居住者――ヒンドゥー教徒、イスラム教徒、それよりは少ないがパールシー――が惨害に見舞われた。同じように、ボンベイで最大の被害を受けた地域は不衛生で経済的に立ち遅れた地区、マンドビ、ドビ・タラオ、カマティプラ、ナグパダだった。ペストはこうした地区で暴れまわり、とくに下位カーストのヒンドゥー教徒が犠牲になった。それに引き換え、大通りのある瀟洒で富裕な「それ以外のボンベイ」はおおむね被害を免れられた。こうした地区では、わずかなエリートインド人――商店主、銀行家、企業経営者、専門職者――もヨーロッパ人住民と同程度の低い死亡率ですんだ。

被害の人種格差は甚だしく、医学において差別的な結論がくだされることになった。医師と衛生当局は、疾病は人種の不平等が生得的なものであることを示していると主張したのだ。ユスティニアヌスの大疫と黒死病のヨーロッパ史を恥ずかしげもなく棚に上げたこの主張は、白人はペストに対して遺伝的に高い免疫があるとするものだった。この説を支持する者はペストを有色人種と非文明人、および先住民の近くに住む不運なヨーロッパ人の被る災難とみなした。気を緩めすぎないかぎり、白人は安全だった。ここに人種隔離が正当化されたのである。

この思想は、貧困者と虚弱者が病気になるのは自業自得だといっているに等しい。実際、新聞はそう書き立てていた。一八九四年のある新聞記事によれば、現代のパンデミックの原発地である中国は「旧態依然の東洋国」「地球上で最も不潔で不浄な国」だった。[2]「チャイナマン」［中国人に対する英語の侮蔑語］の生活は本質的に不健全で、腐敗と堕落と汚物の「巣」で営まれていた。そう決め込んでいる者にとって、ヨーロッパでは中世の病気だった黒死病が二〇世紀になろうとするころに東洋を襲うのはまったく不思議ではなかった。ペストが発生するのは「ピッグテイル」［弁髪のことで、中国人に対する侮蔑語］が「衛生状態に無頓着」だから、そして「西洋文明と啓蒙」[3]に対して国を開こうとしないからなのだ。前回のペスト禍からこれまでに何も学ばなかった東洋は目もあてられないほど遅れており、ダニエル・デフォーが記した一六六五年から一六六六年のロンドン大疫病の試練が再来するのは当然だというのが白人社会に流布していた意見だったのである。非キリスト教圏の未開発国である中国は「国を挙げての不浄と不信仰の報いを受けている」[4]というわけだった。

科学の進歩に関する白人の思い上がりも、植民地に対するこうした差別意識があったからだ。国際的な医学界は二つの主張で白人の安全を保証した。一つは、ヨーロッパと北アメリカは文明と科学によって守られているというものである。ペストは文明の進歩の前にかならず退散するとロベルト・コッホは明言した。もう一つは、疾病を科学的に理解することで、東洋の植民地においても行政当局はペストを根絶できるとする主張だ――ただし、これには無知蒙昧な先住民が協力するという条件がついた。一九〇〇年、合衆国公衆衛生局医務総監ウォルター・ワイマンは、この病気を「撲滅する」のに必要な科学知識は備わったと高らかに宣言した。ワイマンの見解は次のようなものだったが、それはこのあと実際に起こった出来事とはほとんど関連がなかった。「この病気は現代医学の科学的進歩を鮮やかに例証する。ペストの正体について確固たる知識がようやく得られたのは一八九四年のことである。そして現在、その原因、伝播の仕方、感染拡大の防止方法は科学的にどれだけ確実なのかというところまできている」[5]。

香港は現代のパンデミックが世界に広がるのに一役買った。世界第三位の国際港である香港は五大陸の港湾都市を貿易と人の移動で結んでいた。したがって一八九四年の春に中国雲南省からペストが最初にこの地にやってきたとき、全世界が脅威にさらされることが確実になった。事実、ホノルル、マニラ、ボンベイ、ポルトでのアウトブレイクは香港から汽船が到着したことに原因をたどることができた。ペストは一八九四年春にイギリス植民地の香港を襲い、九月に沈静した。犠牲者の正確な数は中国人が植民地政府に隠したために把握できず、統計値は実際よりもかなり小さい。公式の数字では、一八九四年に人口二〇万人のうち三〇〇〇人が死亡し、半数が国外に逃亡したとされている。ブリティッシュ・メディカル・ジャーナル誌は、この数字は実際の数分の一でしかなく、現実には一万人とみられると報告した。

　犠牲者は、太平山地区の人口稠密な貧民街に住む中国人労働者にほぼかぎられていた。この「第五保健区」の人口密度は九六〇（人／エーカー）で、裕福なヨーロッパ人居住区が三九だとすれば、その数十倍も高い。「第三保健区」の一万人の白人に死亡者はほとんどいなかった。駐屯軍兵士と船員を別にすれば、ヨーロッパ人は「ヴィクトリアピーク」――香港島の最高地点、海抜五五二メートル――周辺の丘に住んでいた。この一帯には香港社会の経済的、人種的エリートのために平屋様式《バンガロー》の木造家屋が建てられていた。ある新聞によれば、丘の住民は「ほぼ完全にペストを免れていた」[6]。

　第三のパンデミックの顕著な特徴は、蔓延する地域がおおよそ決まっていて、数十年にわたって毎年のように同じ季節に同じ場所に戻ってきたことである。一八九四年の流行のあと、一八九五年は平穏にすぎたが、一八九六年からは毎年二月か三月になると流行しはじめ、秋の訪れとともに去っていくというパターンが一九二九年までつづいた。ただしその規模にはひどくむらがあった。わずかな死者数ですんだ年がある一方で、一九一二年と一九一四年と一九二二年は一八九四年に比肩する甚大な被害があった。総計で約二四〇〇人の罹患者が正式に報告され、そのうち九〇パーセント超が死亡した。換言すれば、香港の住民の一〇パーセントがペストで命を落とし、毎年の発生の中心地は太平山地区だったのである。

ある日刊紙によると、これは苦力《クーリー》のせいだった。彼らは「なんとしても安アパートに住みたがり、普通のヨーロッパ人が一家族で住むような家に大勢でひしめくように住んで満足している。彼らが要求する住居設備は阿片が吸えれば十分な狭い寝床だけだ」[7]。そんな家畜小屋のような住居に住む中国人は、「いんちき煎じ薬」を出す土地の「いかさま医者」のいうことにしか耳を貸さず、「ヨーロッパ人医師の常識にかなった助言にしたがおうとしなかった」[8]。

細菌説と瘴気《ミアズマ》とペスト

植民地のヨーロッパ人医師と衛生当局、さらに現地職員はともに誤解されていた。彼らはヨーロッパの科学進歩に関する最新の情報を知らず、ペストについての理解もその遅れに見合うものでしかないと思われていた。だが実際には、一八九〇年代の医学はほかのどの分野よりも全世界共通のものになっており、大英帝国の東の端にいる医師も医学議論をつぶさに追い、また議論に参加してもいた。とくにペストに関してはペスト菌が発見されたのが香港であり、北里もイェルサンも公衆衛生局に助言し、公衆衛生対策について局員とさまざまな面から話しあっていた。ジェイムズ・カントリーやJ・A・ローソンといった公衆衛生局の権威ある医師は国際的な医学機関で重要な位置にあり、また香港総督のウィリアム・ロビンソン卿はペストの医学情報を精察していた。したがって彼らの見解には最新科学が反映されていたのである。

一八九四年にペストが香港に伝播したころ、細菌説は同地でも本国イギリスおよび全大英帝国と同様に有力な医学哲学だった。エルシニア・ペスティス（*Yersinia pestis* 当初はパスツールの名からパスツレラ・ペスティス〔*Pasteurella pestis*〕と命名された）の発見はたちまち大歓迎された。北里とイェルサンがペストは細菌を原因とする感染症だと発表したとき、二人はペストの理解に革命をもたらしたわけではない。コッホとパスツールの発見を確証したのである。こうしてペストは、つぎつぎと原因菌が明かされた疫病——炭疽、結核、コレラ、腸チフス——の仲間入りをした。

　ところが紛らわしいことに、のちにペストは病原体がすでに突きとめられている微生物疾患とは異なることが確認された。ペストは病因のはるかに複雑な、媒介生物が伝播する病気だったのである。原因菌のペスト菌の発見はきわめて重要なことだったが、それだけでは進歩は歯がゆいほどかぎられていた。インドペスト委員会が一九〇八年から一九〇九年に鼠と蚤の複合的な役割を立証するまで、ペスト発生の機序は謎だった。第三のパンデミックが香港から世界をめぐりはじめたときは、まだ重大な疑問が残っていた。細菌はどうやって人の体に入るのか。罹患者に貧しい者やごみごみした貧民街に住む者がこれほど多いのはなぜなのか。同じ場所に毎年のように戻ってくるのはなぜなのか。そのあいだペスト菌はどこにいるのか。そしてブリティッシュ・メディカル・ジャーナル誌が問いかけたとおり、「疫病の流行に取り組むすべての者が目標」としている「根絶」に成功するにはどうすればよいのか。[9]

　これらの疑問を解く鍵があるとすれば、場所と衛生状態が関係していると大多数の医学者が考えていた。疫病に見舞われた都市の土壌がペスト菌に汚染された巨大なペトリ皿のような働きをし、したがって欧米先進国のように土をきれいにすればペスト菌は繁殖しないと理論づけたのである。欧米並みの衛生状態ならば、ペストの突然の発生があっても散発的に感染者が出るくらいで、やがて終息するだろう。だが不衛生な発展途上国では、都市の土壌は土と腐敗した有機物と汚物が混じりあっているため、ペスト菌は養分に富んだ環境でぬくぬくと繁殖することになる。

北里とイェルサンは一八九四年に香港に赴き、この仮説が証明されたと発表した。六月にペスト菌を別々に発見した二人は、公衆衛生局に大平山の土壌の調査を依頼され、ふたたび競うようにして調査した結果、土壌サンプルに病原菌が見つかったと報告した。この第二の明白な発見は、炭疽の病因に似ていることを示唆していた。一八八五年から一八九二年までコッホの研究所に勤務していた北里には、そのことがすぐにピンときた。北里はその時期にコッホとパスツールの発見の基盤になった炭疽菌を調べ、学術論文を書いていたからである。

ルイ・パスツールは一八八一年にフランスのプイイ・ル・フォールで、感染した羊によって汚染された畑に炭疽菌が存在することを示し、のちにそれが芽胞のかたちで生きつづけることを突きとめた。何年も経ってから健康だが免疫のない羊が病気を発症するのはそのためだったのである。北里はペストがそれによく似ていると気づき、香港の貧民街の養分に富んだ土壌にペスト菌がもぐり込んでいるため、菌は毎年どこからか新しく伝播してくる必要がないと指摘した。ペスト菌は大平山の共同住宅の不潔な微環境――土、床、下水溝、壁――にひそみ、そこで発芽する機会を待っているのだ。北里とイェルサンは炭疽菌との類似性をはっきりさせるためにペストの芽胞を探したが、うまくいかなかった。それでも香港のペスト発生のメカニズムがプイイ・ル・フォールの炭疽のそれに似ているのは自明だと考えた。温度、湿度、栄養の条件がそろえば、常在するペスト菌が繁殖し、病気ではないが栄養の足りていない体に新しく病気を発症させるのである。この説は第三のパンデミックの初めの一〇年に、「真再燃説」と呼ばれた。特定の地域で何年もぶり返すペストの謎の力はこれで説明できた。
「真再燃説」を支持するとすれば、ペスト菌に感染するには三通りの経路がある。第一に、養分に富んだ土や汚い床の上を裸足で歩くと擦り傷などから菌が侵入する。第二に、床に寝たときには鼻孔がペスト菌の入り口になる。第三に、屋内のちり粒子や発散気で細菌が空気中に舞い上がる。ちりも発散気もそれ自体に毒性があるとは考えられていなかった。それらが危険なのはペスト菌が空気中を浮遊するからで、体高の低い鼠が下層の空気を吸って先に感染し、次に背の高い人間が上層の空気を吸い込んで感染する。相容れない概念とのつながりに驚かされるが、ペスト菌は瘴気と同じようにして伝播すると考えられていたのだ。

　このようなペストの病因の解釈は、公衆衛生対策を計画するうえで大きな意味があった。香港公衆衛生局は一八九四年に流行した病気をペストと判定し、厳しい対ペスト策を徹底して実行した。まず香港港が汚染されていると宣言し、非常権限を行使して入港する船舶とその乗員乗客に検疫をし、軍隊を派遣して感染の疑いのある者を探し出し、街の中心から離れたケネディタウン地区に新設した伝染病病院に強制的に送り込んだ。また、罹患者の発生した家を立ち入り禁止にして消毒し、患者の衣類と身のまわり品を焼却し、遺体をペスト穴で焼いて石灰を撒いた。こうした施策は現地住民の宗教的な慣習を踏みにじるものだった。街を脱出する者が続出し、「外国の悪魔」が支配する植民地政府は貧乏人を片づけて死体を実験に使うためにペストをばら撒いているとか、「野蛮な外国人」兵士が女性を連れ去って「下劣な目的」を果たすのを許しているといった過激な噂が流れた。[10]シュロップシャー連隊の兵が配備され、港に砲艦があらわれたのは、市民に命令を守らせ、暴動を未然に防ぐために必要なことだった。

公衆衛生局は、こうした厳しい措置も必要かつ不十分と判断した。ペスト菌の流出入を防止し、市中での感染拡大を抑制し、死亡数と罹患数を減らせば、何よりヨーロッパ人住民を守ることができる。一方、街の土壌と汚物にひそんだ細菌は、これまでのようなペスト対策では力がおよばなかった。ある程度は抑制できても「根絶」まではできず、ペスト菌は生きつづけ、隙あらば顔を出して流行を引き起こした。

「真再燃説」が前提としているとおり、歴史は解決策を示してくれているようだった。一六六五年から一六六六年のロンドン大疫病は、イギリスを苦しめた最後のペストの流行だった。第三のパンデミック初期の公衆衛生当局は細菌説による洞察から、過去にイギリスがペストに打ち勝ったのはロンドン大火のおかげだったと考えた。ペストが流行しはじめて間もない一六六六年九月、炎は中世のロンドンを呑み込み、結果的に街とその土壌を滅菌して浄化した。これによりペスト菌とペストは「根絶」され、二度と戻ってこなかったのである。厳密にいえば相関関係と因果関係はまったく別物なのだが、大火とペストの永遠の消滅がほぼ同時だったために、この説は否定しがたかった。

歴史と、当時歴史の説明に使われていた科学理論のどちらにも通じていたロビンソン総督は、十七世紀のロンドンの経験を参考にしてプランを策定した。一八九八年に離任する前に実行に移した計画は、大平山の共同住宅を壁で囲んで火を放つというもので、ペストに汚染された建物に蓄積した汚れを一掃し、同時にその下の土も消毒してしまうのが目的だった。公衆衛生局のJ・エアーズ医師がアウトブレイクの当初に述べたとおり、「その一帯全域をできるかぎり焼き払わなくてはならない」[11]。トロントのグローブ紙は次のように評価した。「政府は汚染地区の所有権を得て、すべての建物を燃やし、地中の菌巣を埋め立てた。要するに、当局と衛生官の行動は英国植民地政府の歴史において最も輝かしい一ページを綴ったのである」[12]。

市内の住宅市場も火を放つという決定を後押しした。建物のない区画のほうが地価が高かったからである。こうしてロビンソン総督の放った火で浄化された土地に二〇世紀の大平山が再建されることになった。ロビンソンが自分の名のつけられた通りのない唯一の植民地総督であることに、中国人住民の心情があらわれているといえるだろう。一九〇三年のタイムズ・オブ・インディア紙は、次のように問いかけて十分な理由を挙げている。「貧民地区の心臓部からこの巨大な区画が引きちぎられたとき、家なしになった何万もの市民の魂はどうなったのだろうか。答えは、邪魔の入らなかった地区に唖然とするほど人がひしめいて住んでいるという事実にある。家賃は五〇パーセントから七五パーセントも上がってしまった。一間に一家族が住んでいたところに、いまでは二家族か三家族が住んでいる」[13]。

再燃説は小さい一地方にかぎられた新手の実験的な考え方ではなく、第三のパンデミックの初期にロンドンの歴史と香港の事例に支えられてほかの都市でも広く採り入れられた。たとえばホノルルでは、一八九九年末にチャイナタウンで「公衆衛生のための焼き払い」が何度も実行された。だが、火は風に煽られて広がるばかりで、ついに「一九〇〇年のチャイナタウンの大火」が一月に発生する事態にいたった。このときの大火災で三八エーカーの区域が焼き尽くされ、一帯の四〇〇〇の民家が焼失したとされている。一九〇三年には、シカゴ・デイリー・トリビューン紙が「英国はペストとの闘いを断念」の見出しとともに次のような記事を掲載した。

焼き払いは東アジアの白人が好んで用いた浄化の手段であり、とくにコレラとペストが流行したときに敢行され、アジア人の外国人への憎悪を煽った。現地住民の住居の劣悪な衛生環境が疫病拡大の大きな原因とされ、遠慮会釈なく火がかけられた。ところがなんの役にも立たなかったのだ。[14]

ボンベイの壊滅

現代のパンデミックで最大の犠牲を強いられたのは、大英帝国第二の大都市であるボンベイだった。国際都市ボンベイは織物貿易と植民地統治の中心であり、水深の深い静かな港がある。一八九六年にペストが襲来したとき、人口八〇万人を擁するこの都市の港は世界のどの都市よりも病気と死の最大の重荷に耐えねばならなくなった。ペストを蔓延させた条件、ペストと闘うために打たれた対策、植民地政府が課そうとした苛酷な対策への貧民の必死の抵抗をふり返ってみれば、ボンベイはまさにこの災禍の縮図であることがわかる。

「患者第一号《ペイシェント・ゼロ》」はいまもって不明だが、ペスト菌は一八九六年に香港から密航してきた鼠とともにボンベイに到着した。そのため、最初に判明した患者は埠頭に隣接するマンドビ地区の貧民街の住民だった。穀物貿易で到着してこの地区に運び込まれた大量の小麦と米の袋が災いをもたらしたのだ。ほどなくインドペスト委員会は次のように説明した。

ボンベイでは大きい穀物倉庫はみなマンドビにある。……穀倉は非常にたくさんあり、つねに荷が貯蔵され……業務時間中は開け放してある。……穀物は金属の容器ではなく南京袋に入れられ、床から天井まで積み上げられている。こうしたことはみな鼠の繁殖にうってつけの条件なのである。栄養豊富な食料が大量にあり、積み上げられた袋の隙間は格好の隠れ場所と繁殖場所になる。難なく侵入でき、見つかる危険は早々に察知できる。鼠が大繁殖するのに適したこれらの条件がここにはそろっていた[15]。

公式の記録では、流行は九月二三日にはじまった。その日、一人の患者が発覚し、インド人医師のA・G・ヴィーガスが報告した。だがそれに先立つ七月には、早くも人びとはマンドビの倉庫で多数の鼠が死んでいることに気づいていた。八月初め、穀物倉庫の上階のアパートの住民のあいだに正体不明の病気が発生し、「腺熱」とか「弛張熱」「腺腫熱」など、なんということのない病気と診断された。こうした深刻さの感じられない病名がつけられたのは、商人や工場主や自治体役所から強い圧力がかかったからだった。正確な報告がなされれば、ボンベイの船はヨーロッパの港に入港を拒否され、莫大な経済的損失を被ることになり、そんな面倒を避けたかったのである。ペストは未開な東洋の産物と烙印《スティグマ》を押されているので、市当局としてもあらゆる手を打って新聞沙汰になるような事態を阻止したかった。そんなわけで、七月下旬から着手された最初の公衆衛生計画は事なかれ主義のその場しのぎでしかなかった。しかし、それも二か月しかもたなかった。九月の末には研究所の試験結果が明らかになり、患者数がうなぎのぼりに増加したことから、非常事態を公式に認めざるをえなくなった。ろくに対策を打たずに数週間も放置されているうちに、インドで最初の病巣地が形成されてしまったのである（図16－1）。

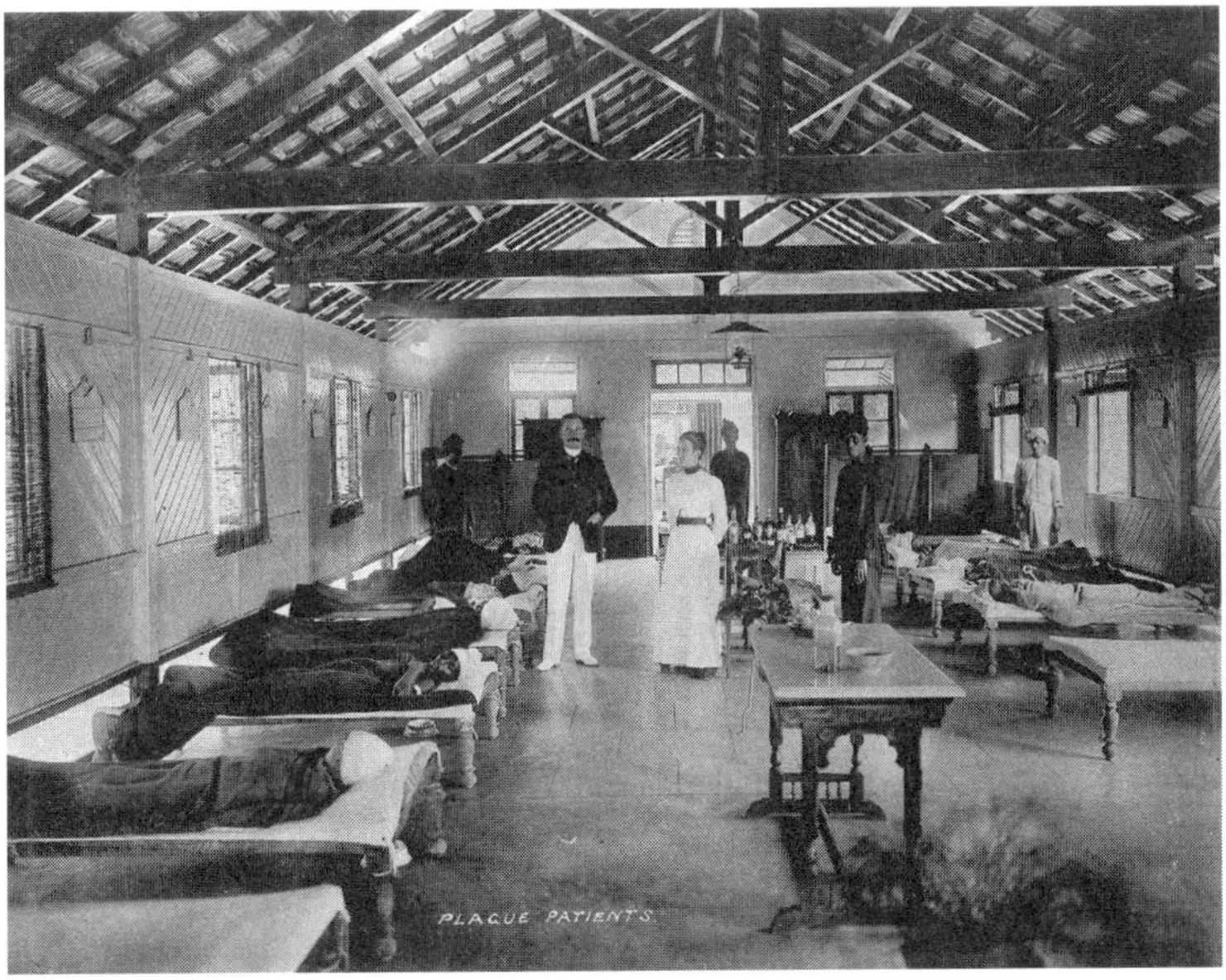

図 16-1 ボンベイの伝染病病院（1896-1897 年）［Clifton & Co. 所蔵。ウェルカム・コレクション、ロンドン、CC BY 4.0.］

一八九六年秋から一九二〇年代まで、ペストはインド最大の都市を襲って破壊した。香港の事例で見たように、そのパターンは第三のパンデミックに特有のものである。ペストは毎年十二月の涼しい季節の訪れとともにやってきて、五月の夏の暑さとともに去っていった。この周期を決定していたのは、「東洋の」ネズミノミの活動に適した温度と湿度だった。六月から九月は、熱帯の夏の暑さとモンスーン気候の湿度の高さのせいで蚤が不活発になる。そのためにペストは季節性を示し、毎年十二月から四月が「ペストシーズン」になった。

タイムズ・オブ・インディア紙はペストシーズンの死亡数を記録した。猖獗《しょうけつ》をきわめた一九〇三年のような年には、一月から二月の多発期に週二〇〇〇人のピークに達した。公式に発見されていない犠牲者が多いため、この数字は実際を大きく下まわっているとして認めない者も多かったようだ。当時ボンベイに住んでいた著名な医師アレッサンドロ・ルスティグの言葉では、

疾病の正確な統計値を算出するのはインドでは無理である。大きい町では住民のかなり多くが定まった住居をもたず、頭上を覆う堅牢な屋根もなしに通りや広場で暮らしている。死者数にいたっては概算するのがもっと難しい。ヒンドゥー教徒の遺体は、ある種の儀式にしたがって川か神聖な池に投げ込まれるか茂みで焼かれてしまい、たとえ当局が把握したくても気づきようがないのだ。[16]

しかもペストはボンベイ管区全体に広がった。また、さらにもっと遠くのプーナ（現プネー）、カラチ、カルカッタ（現コルカタ）、そしてインド亜大陸の北と東の無数の町と村にも達した。貿易や労働移動や巡礼などのために道路と鉄道でボンベイと結ばれているこれらの市町村では、人口一人あたり死亡数が大港湾都市ボンベイと肩を並べるまでになった。

ヴィクトリア時代末期のボンベイには、好景気に引きつけられた地方の貧しい人びとが、荷役人、織工、紡績工、港湾労働者、清掃人、建設労働者などの仕事を求めて流入した。これによりボンベイは世界で指折りの人口稠密な都市になった。カルカッタの人口密度は一エーカーあたり二〇八人、ロンドンの自治区で二二一人だったが、それがボンベイとなると七五九人に跳ね上がった。ゴミの収集規定も建築条令もないまま、畜舎や家畜、皮なめし屋、肉屋、工場などがひ

しめくように集まって、そこから出るごみや廃棄物や排泄物が際限なく溜まり、陽の差さない建物の隙間をむき出しの排水溝と下水溝が縫うように通っていた。牛糞の塊は乾燥させて売られ、ひどい悪臭にもかかわらず貧しい者の燃料として利用された。このような無許可の排水路、通気の悪さ、不衛生、栄養不良、害虫と害獣、それに――何よりも――密集状態そのものによって、間もなくボンベイの有名なチョールが集中的に疫病に襲われることになった。チョールは、地方から移住した貧しい人びとに安く住宅を供給するために急場しのぎに建てられた集合住宅である。インドペスト委員会はチョールについてこう述べている。

> 大きいウサギ小屋のような建物には多数の部屋が狭い外通路に面して並んでいる。部屋は狭くて暗く、換気がなされている気配がほとんどない。床は泥と牛の糞を練りあわせたもので毎週塗り直されるが、この作業は宗教儀式の一つなのである……。住人にはこうした床が裸足の足にひんやりと心地よいのだという……。もう一つの重要な特徴は夜間の人の多さだ。横になった人で床が埋め尽くされるほどなのである。[17]

共同住宅は造りもいいかげんなら、不在大家による補修も手抜きだった。コーリと呼ばれる個々の部屋は非常に狭く、そこに大勢が住んでいるため、息苦しくならないようにドアがいつも開け放されていた。

イギリスの植民地ペスト対策

九月二三日、当局はやにわに重い腰を上げ、いよいよ徹底的にペストを封じ込めるための公衆衛生対策を計画することになった。一八九七年二月に制定した伝染病法により、中央政府のペスト委員会は無制限の権限を得た。北里とイェルサンの仕事からペストが伝染病であることがわかっていたため、委員らは第二のパンデミックでの厳しいペスト対策を踏襲しようとした――検疫、罹患者および接触者の強制隔離、すみやかな埋葬である。市民はペスト対策がはじまるという噂を聞いただけで戦戦恐恐とし、ペスト封じ込めという目的を無にするような行動をとった。大人も子供も街を離れようとし、正式な発表がなされる前からなだれを打って逃げ出したのだ。十二月までに二〇万人の市民が脱出し、この数字は膨らみつづけて翌年二月には人口の半数にあたる四〇万人に達した。当然の結果として、脱出者はペスト菌を市外へもち出した。ボンベイ市民はペストそのものよりもイギリス人政府の課す衛生対策のほうを恐れたのである。

一方、港は静まり返り、経済活動がぴたりと止まるなか、イギリス人政府は人びとが恐れていた軍隊動員策を明らかにした。新しく任命された監視委員会はボンベイ市をいくつかの区域に分割し、市民が「騒然とするような」ふれを出した。「役人は以下を目的として建物に入る権利を有する――室内の消毒、汚染された物品の押収、罹患していると判断した者の病院への強制入所、汚染された家の住人の隔離[18]」。監視委員会はこの権限をもって捜索隊を送った。衛生官が荷車の御者と現地人兵《セポイ》、イギリス人警官、治安判事をしたがえて毎日早朝に病人探しに出発し、予告なく家に踏み込んだ。そしてペストにかかっていると見られる者が見つかると、カーストと宗教の慣習におかまいなしに全員の身体検査をした。ペストの「しるし」である赤黒いあざと腫れを執拗に探し、たとえパルダにしたがって生活している女性でも除免しなかった。パルダとは、女性を人目にふれさせないために家庭内に隔離するヒンドゥー教徒とイスラム教徒の習慣である。

捜索隊は疑わしい者を発見すると、外から見てわかるようにその家の戸口に丸と「UHH（居住不適）」のしるしをつけた（図16－2）。それから忌み嫌われているアーサーロードの市営伝染病病院へ荷車か車輪付き担架で病人を運ぶ（図16－3）。同時に、病人の同居者を接触者と見なして全員の身がらを拘束し、「健康収容所」と

図16-2　ペスト患者の出た家。ボンベイ、1896年。丸はペストによる死者を、丸に十字はその他の原因による死者をあらわす。印のつけられた家はさらに措置が必要なことを役人に示した。［ウェルカム・コレクション、ロンドン、CC BY 4.0.］

図16-3 ボンベイの伝染病病院前に停まる車輪付き担架（1896-1897年）［ウェルカム・コレクション、ロンドン、CC BY 4.0.］

皮肉に呼ばれた急ごしらえの収容所へ連行してテントや小屋に隔離する。だがここでもインドの慣習は配慮されず、カーストや信仰、民族、性別の異なる者がいっしょくたに収容された。イギリス人の政府当局は病人を家族から引き離し、西洋式の治療を押しつけ、接触者をも差別的に隔離し、社会および宗教のしきたりを踏みにじったのである。

丸とUHHのしるしは、ダニエル・デフォーが『ペスト』に書いた赤い十字とは目的が違っていた。ロンドンの十字はその建物が「封鎖」され、出入りが禁じられていることを道行く人に警告するものだったが、ボンベイではその家屋にさらに措置が必要であることを衛生官に知らせるものだった。ボンベイのペスト撲滅作戦も香港の場合と同じく、ペストの人への伝播を「真再燃」と見なす、当時正統とされていた説にもとづいていた。土壌をペスト菌の温床とするこの理論にしたがうなら、さらに施すべき措置とは家屋の壁に漆喰を塗ることだった。村や小さい町では貧しい者に緊急時の宿泊所を提供できたので、衛生官がやってきて住民をまとめてそこに移動させ、香港とホノルルでのように、汚染された住居をその下の土もろとも焼いた。これが立ち退きと駆除による公衆衛生対策だったのである。現代の視点から見れば、そんなことをしても驚いた鼠が大慌てで別の場所へごっそり移動するだけで、逆効果だとわかる。

しかもこうした策は、ボンベイのような人口過密な大都市では非現実的でもあった。緊急事態のさなかに、それだけの規模で市民を転居させる計画はとうてい実行できない。長期的な計画として、新しい機関が設立されて——ボンベイ改善トラスト（BIT）——大規模都市開発に取り組むことになった。それでも衛生局医療官のJ・A・ターナー医師の言葉どおり、「ペストを場所の病気とみなし……ペスト菌が繁殖している場所を一つひとつつぶして徐々に駆除していくことで、その勢いをそぐ方法を見つけ出さねばならない」[19]。さしあたっての対策で、イギリス人政府は大都市の事情と現実に譲歩した。汚染された都市環境でペスト菌が根を下ろしたと考えられる場所をしらみつぶしにたどって菌を駆除するが、建物や区域の全体に火を放つような方法はとらないことにしたのである。

この考え方に沿って、市当局は感染者の寝具と衣類と家具を感染媒介物と定め、衛生班に焼却を指示した。また、建物の燻蒸滅菌もさせた。硫黄蒸気は空気の浄化法としての長い歴史がある。そこでペスト菌に汚染されていると考えられるコーリで硫黄が焚かれた。さらに細菌を殺すために壁に消毒剤――昇汞《しょうこう》（塩化第二水銀）、石炭酸、塩素――を塗布した。また、床を深さ一五センチほど掘り、土に昇汞水を撒いて消毒した。建物の上階では屋根を取り払い、壁に穴をあけて日光と風を入れ、病原体の浮遊している発散気を外へ逃がした。

　こうした作業が屋内で進められているあいだ、衛生官は戸外にも注意を払った。建物の外壁に石灰を塗り、蒸気を噴きかけ、通りを清掃し、側溝や排水溝を洗い流した。最後に、ペスト患者の遺体が発見された場合には、すぐさま荷車で運び去って焼却した――ただしこれも、たとえばパールシーが火葬を禁忌していることを公然と無視してのことだった。

　インドが不運だったのは、十九世紀末のペストの伝播と同時期に飢饉に襲われたことである。それは人の記憶にあるかぎり最悪の飢饉だった。ニューヨーク・タイムズ紙はこの不運を「インドのかつてない惨禍」と呼んだ。[20]一八九七年から三年連続してモンスーンがなく、旱魃で作物が育たずに牛も人間も飢えた。農業へのこの大打撃に追い打ちをかけたのは、旧約聖書に記されたファラオのエジプトのように、イナゴと鼠の大群に穀物を食い荒らされたことだ。雨不足と飢饉は一九〇六年までの一〇年にわたってつづいた。その間に一億人のインド人が飢えにあえぎ、一八九七年から一九〇一年のあいだだけで五〇〇万人が餓死したのである。しかも飢餓に最も苦しめられたのは広いボンベイ管区であり、そのことがペストの流行に重大な影響をおよぼした。骨と皮ばかりに痩せこけた体は病気への抵抗力に乏しく、ペストは天然痘およびインフルエンザと同様にボンベイの貧民のあいだで猛威をふるった。皮肉なことに、飢饉を鎮めてくれるはずの小麦と米の船荷さえ、鼠と蚤がもぐり込んだせいで逆に火に油をそそぐことになったのである。

市民の抵抗と暴動

阿鼻叫喚の飢餓の街を視察してまわる役人のあとを、イギリス人が奸計をめぐらせているとの流言がついてきた。彼らがヒンドゥー教徒とイスラム教徒とパールシーの信仰を軽視するのは意図的であり、土地の伝統的な宗教を貶めてキリスト教を押しつけ、イギリス支配を強化するのが目的なのだと多くのインド人が思っていた。また、インド人に欧米式のアロパシー医療を強いて、伝統医療と縁を切らせようとするのも同じ理由だった。そして流言の広まりから、もっと忌まわしい妄想が生まれた――疫病は降りかかった災難ではなく、故意の殺人だというのである。疫病の原因は、イギリス人が人口超過と貧困という双子の問題を一気に解決しようとして撒いた毒なのだ。ヴィクトリア女王の意図はインド人の遺体を供物にしてペストの神を宥め、インド人ではなくイギリス人を神の怒りから守ることだった。

こうした考えは他国人であるイギリス人の植民地支配に対する根深い不信から生まれ、芽生えてきた民族主義の支持者によって広められた。また、無学で貧しいインド人がパスツールとイェルサンを理解していないことも一因だった。彼らはそもそも医者にかかることなどめったになく、まして胡散臭い外国人に押しつけられたやり方に耐えなくてはならない理由もわからない。飢えと恐怖に苛まれる彼らには、これ以上の介入に耐える気力はなかった。そこに、捜索人や警官や兵士がペスト禍のもとであたえられた広範な職権を濫用しているという信憑性の高い報告があったため、怒りがいっそう煽られた。兵士が管理下のインド人女性を暴行したとか、看護人が死にかけている者の時計を盗んだ、捜索人が住まいに漆喰を塗るのをやめるかわりに賄賂を要求したといった話がぽつぽつとだがあり、インド人の怒りを一気に爆発させたのである。
　このように政治的に緊迫した状況下では、捜索隊の到着をきっかけにたちまち騒動が起こった。ボンベイ中で病気が隠匿された。痛めつけられたり殺されたりしないように、親類や友人知人が病人をかばうからである。市民の協力が得られずに、当局は流行の場所と規模を把握できず、有効な衛生対策を適時に打つのが難しくなった。しかもボンベイ市民の抵抗は受け身にとどまらず、ペスト対策にもっと強硬に反対することもしばしばあった。
　過密なチョールでは、一棟の建物に一〇〇〇人からの人が住んでいることもあった。このようなごみごみした地域ではニュースや噂が瞬く間に広がり、捜索人が到着すればたちまち群衆が集まって罵声を浴びせて追い払った。すでに一八九六年十月には、怒り狂った一〇〇〇人のヒンドゥー教徒がアーサーロードの伝染病病院を襲撃していた。港湾労働者と運輸労働者が大規模ストライキを打ち、職工と紡績工のストも立てつづけにあった。そして一八九七年春、異邦のイギリス人社会を震撼させる出来事があった。ペスト委員のW・C・ランドを含む四人の役人が彼らの実施した厳しい対策への報復に銃撃されたのである。インドは「爆発火山のようだ」とニューヨーク・トリビューン紙は警告した。[21]
　第三のパンデミックで最も衝撃的な出来事は、タイムズ・オブ・インディア紙をはじめとする報道機関をやきもきさせた一連の暴動だろう。新聞はイギリス支配が明らかな「インドの目覚め」に直面しつつあると書き立てたが、それらは全面的な反乱とさえいえた。最も有名な反乱は、リポンロードで分断されたボンベイ北部の貧民街で一八九八年三月九日に起こった。ここには八〇〇〇人のイスラム教徒の職工が工場の高い煙突の暗い影が落ちるチョールに住んでいた。出来高払いと支払いをひと月かふた月も遅らせる懲罰をめぐる労働紛争で、職工と紡績工は不満を募らせていた。賃金の未払い期間をしのぐための借金、飢え、疫病の恐怖、そして当局への不信から、工場労働者は役人の来訪をおもしろく思わなかった。

イギリス人医学生の指示を受けた警官二人と助手二人からなる捜索隊が、三月九日の早い時間に共同住宅にやってきた。彼らは発熱して朦朧としている若い女性を発見した。見たところペストが疑われたが、父親は見知らぬイギリス人に娘が調べられるのを頑として拒否した。そこでまずイスラム教徒の医師が、次にイギリス人の女性看護師が呼ばれたが、それでも父親は態度を変えなかった。そのころには人だかりができて挑発的に騒ぎ立てていたので、捜索隊は引き下がった。踵を返した彼らを数百人の群衆が追いかけて背中に罵声を浴びせ、石を投げつけた。

捜索隊は逃げたが、手に手に竹の棒や石をもった群衆はどんどん大きくなった。いく手にも分かれた群衆は目に入ったヨーロッパ人に誰彼かまわず襲いかかり、病人を載せる荷車に火をつけ、たまたま居合わせた二人のイギリス兵を殺害した。その間にイギリス人の援軍が駆けつけ――警察官、兵士、セポイ――デモ隊とにらみあった。行政官が解散するよう命じたが暴徒らは聞く耳をもたず、やじと石を投げつけたので、ついに兵士らが発砲した。暴徒は十二人の死亡者と重傷者を残して混乱のうちに散った。

騒乱はボンベイの「先住民地区」にいつもの「東洋的すばやさ」で広がったとタイムズ・オブ・インディア紙は報じている。[22] インド人はヒンドゥー教徒、イスラム教徒、パールシーの日ごろの分割を棚上げにして手を結び、イギリス人に対抗した。群衆はヨーロッパ人を襲撃しつづけ、騒動に駆けつけようとした単独の警官がとくにねらわれた。暴徒はアーサーロードへ向かい、伝染病病院を包囲してまず患者を解放し、イギリス人が彼らの家を焼いたようにラザレットに火を放って立場の逆転を見せつけようとした。一日が終わるころには、死傷者は一〇〇人を超えていた。

プーナ、カルカッタ、カラチでも、また多くの町や村でも同様の騒ぎが起こった――イギリス人が軍事作戦並みのペスト対策を実施しようとしたところはみな同じだった。イギリス人は鞭と餡で応じた。政治の領域では弾圧するかわりに、医療の領域で譲歩したのである。治安法が発布されて手入れが行われ、新聞が廃止され、扇動者は裁判なしに遠いアンダマン諸島へ流刑に処され、反逆者は起訴された。目的は反乱を鎮圧することであり、新聞は警察の手入れの頻度が帝政ロシアの弾圧策に急速に肩を並べるようになったと伝えた。

この厳しい措置の埋めあわせに、ボンベイ総督のサンドハースト卿はペストとの闘いで手を緩め、これほどまでに広がった敵意の根源を絶とうとした。強制措置は小さい町での比較的小規模なアウトブレイクの場合のみとし、大都市での凄まじい流行には群衆が治安部隊を制圧しかねないので適さないと判断した。市民と全面対決するには力のバランスがイギリス人に不利だった。イギリスの全軍勢力はインド全域でわずか二三万人だったからである。

ペスト対策の強制をあきらめるという決定は、インドペスト委員会が報告書を公開したことでいっそう容易になった。中世と変わらない厳しい措置は病気の封じ込めに一つも効果がなく、社会秩序の観点からするとむしろマイナスだったと報告書は結論していた。疫病は撲滅されるどころか、毎年寒冷な季節に戻ってきて勢力範囲を広げた。しかも厳しいペスト対策を実行するには途方もなく費用がかかった。社会を混乱させ、そのうえ金もかかるなら、厳しくするのは得策ではないと見てとったサンドハーストは、一八九八年に市民に自発的にしたがわせる方向に舵を切った。

ペスト対策の方向転換

サンドハーストの新政策の発表後、圧政的な公衆衛生対策――捜索隊、強制的な身体検査、アロパシー治療、アーサーロードでの強制隔離――はすべて廃止された。気味の悪いラザレットは残ったが、新しい規定のもとで、各宗教グループ向けの小規模な地域病院があらわれはじめた。こうした施設は親類や友人も出入りでき、伝統的な治療を受けられ、カーストや性別の決まりが尊重された。ボンベイでは現代のペストがまだ終息していなかったころに、このような施設が三一か所で開業した。イギリス人政府は市民をその気にさせるために裁量扶助基金を設立し、隔離期間の賃金の保証、消毒によってだめになった個人の所有物の補償、治療を求めたが亡くなった患者の葬儀費用、残された家族の救済費用に充てた。

血清とワクチン

強制するのをやめて好条件を提示したことで、社会の緊張はみるみるほぐれ、一触即発の状態を脱することができた。だが、ペストの罹患数と死亡数を下げるにはいたらず、犠牲者の数は二〇世紀に入って市民が進んで協力するのが通例になっても変わらなかった。流行終息への期待は、研究室で開発される新しい手段と免疫学の急速な発展にかかっていた。前者は抗ペスト血清である。イェルサンとルスティグはそれぞれ実験でペスト菌に感染させた馬がペストにかからないことに気づき、この事実を利用して、免疫をあたえた馬の血液から血清をつくることに成功した。この血清はまず思い切った療法として重篤な患者にあたえられ、次に予防血清として使用されて、どちらの場合も一応の成果を上げた。四八〇人のペスト患者で試験したルスティグの血清は、同数の対照群が回復率二〇・二パーセントだったのに対し、三九・六パーセントを達成したのである。ほかにこれといった治療法がなく、アーサーロードの病院はこの結果に勇気づけられて二つの用途に血清を用いた。

もっと重要だったのは、ボンベイの地で開発されたワクチンである。ボンベイ管区はパンデミックの初期に、高名な科学者のヴァルデマール・ハフキン（一八六〇〜一九三〇年）に研究資金を出していた。ハフキンはジェンナーおよびパスツールのあとを継ぐウクライナ出身のロシア人細菌学者で、インドが緊急事態に陥ったころには、コレラワクチンの開発で国際的に名を知られていた。ペスト研究所で研究にあたったハフキンは一八九七年に、殺したペスト菌からワクチンをつくり、まず鼠に、次に人間の志望者に接種したところ、効果と安全性が確認できた。免疫はどちらの試験でも部分的かつ一時的でしかなかったが、道具箱に一つも道具がないよりはるかによい。そこで一八九八年にイギリス人のペスト委員らは、ハフキンの研究成果をもとに集団接種をすることを決定した。ハフキンの画期的な成功以前に用いた道具や手段はどれも役に立たなかったとインドペスト委員会が正式に言明したことに背中を押されたのである。新しいワクチンだけがかすかな希望の光だった。

残念ながら、ワクチン接種作戦では望まれた結果を手にすることはできなかった。理由の一つは技術的なものだ。ハフキンのワクチンは複数回の接種が必要で、全回とも医学的な訓練をされた者が接種するが、その適格者が不足していた。ボンベイ管区の膨大な数の市民に確実に届けるには、人材の問題が大きすぎたのである。しかもこの作戦は市民の応諾よりも抵抗を誘った。市民が反対したのは、一つには完全な免疫が得られず、ワクチンを接種してもペストにかかる場合があることがすぐに誰もの知るところになったためだ。そのうえワクチンには、めまい、頭痛、リンパ節の腫れ、接種箇所の腫脹と痛みといった不快な副作用があり、接種後数日は何もすることができなかった。この厄介な問題のせいで、イギリス人は毒を投薬しているのではないかという疑いが生じた。

疑いが確信に変わったのは、重大な事故が起こってからである。ワクチンの必要数の供給に頭を痛めたペスト研究所は、安全性をおろそかにしてしまった。こうして一九〇三年十月にマルコワルの厄災が起こった。研究所が一部のワクチンを破傷風菌で汚染させてしまったうえに、石炭酸《フェノール》を添加する二重安全の過程を抜かすという手違いが重なった。その結果、汚染されたワクチンを接種された一九人が苦しみ抜いて死んだのである――死因はペストでなく、破傷風だった。緊急事態の対応策として打たれた血清とワクチンは、中世のペスト対策を頼るのとなんら変わるところがなかったのである。

「鼠なければペストなし」

対ペスト計画の最後の段階は、ポール＝ルイ・シモンが一八九八年に提唱した説の正しさがようやく証明されたことにともなってはじまった。鼠と蚤のつながりがペストを伝播させるとするシモンの説を、インドペスト委員会は初めは信じなかった（第4章参照）。だが、ペスト菌の生物学的特性と流行発生の機序を再調査してみて、委員会は考えを変えた。広範な調査によってシモンの発見の正しさが確認され、ネズミ－ノミ感染経路が新しい正統な説になったのである。失敗つづきの一四年を経て、疫病抑制の新しい計画がまた生まれた。シモンの発見で焦点がしぼられた新しい対策は、鼠――いわゆる灰色の脅威――を標的にすることを第一とした。スローガンは「鼠なければペストなし」である。

この計画をボンベイで進めるために、J・A・ターナー医師は一九〇九年に撲滅運動をスタートさせた。鼠狩りはボンベイ市の地図に描かれた円からはじまった。円の一つひとつはスタッフが三日で処理できる地域をあらわしている。箒、鼠捕り、消毒剤、洗浄装置を持った鼠駆除隊が割りあてられた円の地域へ送られた。一日目の午前は街路に専念し、雨溝をさらって排水路を掃除し、鼠の餌になるごみを除去する。午後は鼠捕りを仕掛ける。粉砂糖と小麦粉をまぶし、ヒ素かストリキニーネ、それに粉ガラスを加えたパンのかけらと魚を餌にし、その罠を鼠の通り道か巣と思われる場所に大量に設置する。

翌日その地域に戻り、生きた鼠も死んだ鼠もみな集め、ブリキの箱に入れて研究所に持ち帰る。発見場所を記した札を鼠につけ、腫れがないかどうかを調べてから死骸を焼却する。三日目はまた箒と洗浄装置を携えて円の地域に戻り、室内を清掃して消毒する。鼠の死骸に腫れが認められた場合は、その場所をもう一日かけて消毒する。以上を終えたら次の地域に移動する。目的は鼠捕りにかからなかった鼠を巣から追い立て、戻らないようにすることだった。同様の鼠退治策はイギリス、南アフリカ、オーストラリア、フィリピン、日本でも採用されて成果を上げており、計画の推進者はいっそう覚悟を固めて臨んだ。

一九一〇年、ボンベイの鼠捕り大作戦の二年目には、五〇万匹の鼠を集めて調査し、焼却した。市の研究所は――希望的な見方ではあっただろうが――鼠の総数の四分の一を始末し、疫病の波は引いたと判断した。その年、ボンベイ市民のペストの犠牲者は五〇〇〇人にとどまった――それまで「普通の」年で一万から一万五〇〇〇人、最悪だった一九〇三年は二万人に達したのにくらべれば、大きな進歩である。一九一〇年には、人びとはもしやペストは根絶されたのかと初めて思うようになった。

ところが残念なことに、鼠が減ってもペスト撲滅に直結しはしなかった。繁殖力旺盛で頭もよい鼠は猛攻撃から立ち直り、毒餌を避けることさえ学習してしまい、仕掛けも毒も無になってしまったのである。もっと困ったことに、不殺生を教義とするヒンドゥー教徒がなんとしても鼠を殺そうとせず、鼠捕りから逃がしてやったのだ。イギリス人がインド人を始末したがっていると多くが疑っている状況では、この妨害は非常に深刻だった。ペストをまき散らしたのは――インドの鼠ではなく――イギリス人の仕掛けた鼠捕りだというのである。さらに鼠狩りはターナーが思いもよらなかった点で逆効果だった。巣から追い立てられた鼠は散り散りになって、うすく広く病気を拡散したからである。こうしてペストはいつまでも居残った。伝播する速度は遅くなったものの、冬が来るたびにしつこくよみがえり、数千人が犠牲になった。最終的には一九二〇年代を通じて年間の犠牲者の数は減っていき、ペストは半世紀近くをかけて一九四〇年ごろに沈静した。

世界が学んだこと

だが流行が収まっても、新しい不安が頭をもたげた。この疫病はまたボンベイに襲来しはしまいか。被害をこれだけ大きくさせたこの都市の社会状況と経済状況は変わっていないのだ。貧困、人口過密、貧民街、鼠。そのどれもなくなっていない。しかしありがたいことに、ペストは戻ってこなかった。鼠の数が減ったことを別にすれば、対策と生物学上の要因にその理由がある。まずペスト対策についていうと、鼠と汽船が世界中に病気を運んでいたことが第三のパンデミックでわかった。シモンの発見以降、鼠の移動を止めるために船に侵入させない対策が世界中でとられるようになった。

一九〇三年に着手された第一段階は、ペスト菌の世界への拡散が鼠のせいであることを確認するところからはじまった。ジョージア州サバンナとフロリダ州タンパを皮切りに、各地の鼠駆除サービスが入港する汽船に硫黄燻蒸をして、そのことが立証された。刺激臭の強い煙霧で鼠を巣から追い出してみたところ、驚くほどたくさんの鼠が国際貿易ルートを行き来していることがはっきりと示された。そして逃げ出した鼠を捕獲して調べたところ、船内の少なからぬ数の鼠がペスト菌を保有していることが明らかになったのである。五五か国を往来する数百の船がペストに汚染されていると公式に報告された。

どの国でも鼠の侵入を食い止めることが経済の面でも公衆衛生の面でも第一の優先事項になり、現実的な方策について早急に国際的な合意がなされた。海運業者は鼠の駆除と鼠よけの対策をするよう求められた。歓迎されざる乗船客に塩素ガスとシアン化水素が用いられた。そののち船への侵入を確実に防ぐように、鼠の通り道と隠れ場所になっていた隔壁と天井の隙間がふさがれた。造船所も鼠が入らないような設計を採用して汽船を建造するようになった。こうして一九二〇年代には、世界の海洋は乗り越えられない防壁になり、もはや鼠のハイウェイではなくなったのである。

二つの生物学上の要素も気づかぬうちに働いて、長かったインドの悲劇に幕を引き、再発を防いだ。一つは、ドブネズミがインド亜大陸に猛然と移動してきて、クマネズミを生態的地位から追い落としたことである。これによってインドはペストの攻撃に以前よりも強くなった。ドブネズミは気性が荒いが、あまり人前に姿をあらわさない。おのずと人と鼠のあいだに距離ができ、人間は鼠の体についている蚤にも接触しにくくなった。インドにはクマネズミを害獣と考えずに愛玩する人がいたため、このことはとくに重要だった。二種の鼠の闘いが人間の健康に大きな意味をもったのである。

第二の生物学上の要素は確証されてはいないが、論理的には十分に考えられることだ。齧歯動物の免疫性によって、ボンベイ市民はペスト菌にさらされにくくなったのではないかと推測されるのである。いわば齧歯動物の地域流行病としてペストが存続したために、何世代ものうちにボンベイ管区の鼠に強い選択圧が働いた。そうだとすれば、鼠はペスト菌に対する集団免疫と耐性を獲得したかもしれない。人間に近づかないドブネズミがそれによって部分的にでも守られていたなら、人間のあいだでペストが伝播する速度は急激に落ちたと考えられる。だからペストは流行をくり返して去っていったのちは、現在までのところ戻ってくる気配がないのだろう。

しかし、最後の疑問がまだ残っている。第三のパンデミックはなぜ第一および第二のパンデミックとパターンが大きく違ったのだろうか。この問題に関する包括的な研究はなく、答えは暫定的なものにならざるをえない。だが、ペスト菌にはいくつかの菌株があり、第三のパンデミックの原因になった菌株がその伝播において圧倒的に鼠と蚤に依存していたことはわかっている。先行の二度のパンデミックであれほど顕著に見られた病毒性の強い肺ペストのように、飛沫感染やヒト－ヒト感染で増殖することはまずなかった。第三のパンデミックがさほど急速に広まらなかったのは、この違いによる。そしてこの菌株が病毒性も強くなかったとすれば、ペスト菌はおもに齧歯動物のあいだで伝播され、鼠の数を減らしはしても絶滅はさせない程度に流行したのかもしれない。こうして香港とボンベイに病原保有体《リザーバー》動物が定着できた。そしてペストは存在しつづけ、温度と湿度の適した条件がそろうたびにあらわれたのだろう。さらに、ネズミノミとその媒介生物としての効率に未知の変数が影響したということもありうる。疫病はこうした要因が組み合わさって発生し、ゆっくり広がり、再燃し、全体としてはユスティニアヌスの大疫と黒死病ほどの凶事にはいたらなかったのだろう。これは十分に考えられることである。

第17章　マラリアとサルデーニャ――歴史の利用と誤用

マラリアは、人類にとって最古の災禍の一つである。総体的に見れば、人類史上最大の総合疾病負担を生んできた病気かもしれないという学者もいるほどだ。その理由は二つある。まず、ペストや天然痘やコレラとは違って、マラリアは人類が誕生して間もないころから、絶えず容赦なく人類に負担を強いてきた。加えて、その地理的な発生範囲が途轍もなく広い。

今日、マラリアは予防も治療も可能な病気になっているにもかかわらず、いまだ人類を苦しめる最も深刻な問題の一つとして存続している。二〇一七年に世界保健機関（ＷＨＯ）が示した控えめな統計でも、世界人口の半分――三二億人――はマラリアに感染するおそれがあり、二〇一七年には一〇六か国で二億一九〇〇万人がマラリアに罹患、四三万五〇〇〇人が死亡したとされている。最も被害が甚大だったのはアフリカのサブサハラ地域で、マラリア罹患者数の九二パーセント、死亡者数の九三パーセントをここで記録し、とくにナイジェリア、モザンビーク、コンゴ民主共和国、ウガンダの四か国の状況が深刻だった。およそ一分につき一人の子供がマラリアで死んでいると推定されるほど、この病気は――ＨＩＶ／エイズ、結核と並んで――公衆衛生上の最大の緊急事態となっている。

マラリアによる負担は、たんなる死亡数や罹患数の統計から示唆されるよりも疑いなく重い。

マラリアは妊娠中の主要な脅威の一つであり、罹患すれば流産率が上がり、多量の出血や重度の貧血によって母体の死亡率も上がり、さらに重度の低出生体重を原因とする、あらゆる後遺症の比率も上がる。マラリアは母体から胎児に伝染することもあるので、子供が生まれながらにして感染していることもありうる。

さらに、マラリアは主要な免疫抑制疾患なので、罹患者はほかの病気にきわめて冒されやすく、とくに結核、インフルエンザ、肺炎といった呼吸器感染症に弱い。マラリアが風土病になっていて、年間を通じて感染がつづいている熱帯地方では、住民がつねに感染、再感染、重複感染の危険にさらされている。一度感染したのちに回復すれば、部分的な免疫が獲得されるが、それには持続的な高いコストがともなう。というのも、くり返しマラリアに感染すると、重度の神経障害や認知機能不全につながる場合が多いからだ。その結果として、根深い貧困がはびこり、非識字率が上昇し、経済成長が損なわれ、市民社会の成熟が停滞し、政情不安が増す。治療、闘病、早死になどにかかわるマラリアの直接費用だけでも年間一二〇億ドルと見積もられるが、それに加えての間接費用は、定量化するのは困難ながら、その数倍にのぼると考えられている。こうした事情から、マラリアは世界の南北格差の大きな一因になっており、第三世界が自立できない原因にもなっている。マラリア感染が蚊によって媒介されることを発見した功績でノーベル賞を受賞したイギリスの医学者ロナルド・ロスは、マラリアによって殺されなかった者はマラリアによって奴隷にされる、という主張を残した。

マラリア原虫と、その生活環

ヒトがかかるマラリアは、単一の疾患ではなく、「マラリア原虫」という寄生生物の五つの種のそれぞれによって引き起こされる、五種類の疾患のことである。この五種類の原虫のうち、有病率、罹患率、死亡率、そして人類の歴史への影響という点でも、人間を苦しめるものとして圧倒的に重要なのは、熱帯熱マラリア原虫（*Plasmodium falciparum*）と、三日熱マラリア原虫（*Plasmodium vivax*）の二つである（あとの三つは、卵形マラリア原虫〔*Plasmodium ovale*〕、四日熱マラリア原虫〔*Plasmodium malariae*〕、サルマラリア原虫〔*Plasmodium knowlesi*〕）。これらの寄生生物は、環境中に自由に存在しているのではなく、その複雑な生活環を人間の体内か、もしくはハマダラカ属に属する特定の種の蚊の体内で完結させる。

典型的なベクター媒介性疾患であるマラリアは、感染したメスのハマダラカを媒介生物《ベクター》として伝播する。この蚊はいうなれば空飛ぶ注射器で、その口吻を人間の皮膚に突き刺すと同時に、人間の血流に原虫を直接送り込む。これがマラリアの発病過程のはじまりだ。循環する血液中にとどまったままでは人体の免疫系にやられてしまうので、送り込まれたばかりの原虫はすみやかに、発見を逃れられる安全な肝組織に移動する。そして肝細胞内で複製をつづけ、やがて臨界数に達したところで、宿主細胞を破裂させて開放的な血流に戻り、生活史の次の段階を開始する。三日熱マラリア原虫と熱帯熱マラリア原虫との重要な違いは、前者が肝臓にこもりつづけたまま、何か月も何年もあとになって初めて活動を開始する場合もあるということだ。その意味では、三日熱マラリアから完全に回復したように見える人でも、のちに再感染してもいないのに再発症する可能性がある。

ひとたび血流に入ったあとの原虫は、五つの種のどれでも同じようにふるまう。すなわち赤血球を攻撃し、その内部に侵入する。そして赤血球内でアメーバのように無性生殖を行ったのち、その赤血球を破裂させ、破壊すると同時にふたたび血流に流れ出る。これが全身のいたるところで同調して起こる。循環する血流に戻った原虫は、また同じように攻撃と生殖と回帰のプロセスを一定の間隔でくり返す。その周期は種によって、四八時間か七二時間のどちらかである。

潜伏期間の長さはさまざまだが、通常、熱帯熱マラリア原虫で九日から一四日間、三日熱マラリア原虫では十二日から一八日間である。病気の発症は、原虫が複製を繰り返してねずみ算式に増殖し、ついに免疫系が活性化されるのに必要な臨界量に達したところではじまる。これによって潜伏期間が終了し、最初の症状、すなわち高熱と悪寒の発作があらわれるが、これは継続的でなく断続的なもので、マラリアが別名「間欠熱」と呼ばれるのはそのせいである。マラリアの決定的な特徴の一つは、患者が四八時間、もしくは七二時間ごとに発熱をくり返すことだが、これは原虫が血流に戻ってくるたびに発熱がはじまるということだ。三日熱マラリア原虫と熱帯熱マラリア原虫の場合、この間隔が四八時間であることから、その熱は「三日熱」と呼ばれ、三日熱マラリアと熱帯熱マラリアはそれぞれ——歴史的には——「良性三日熱」と「悪性三日熱」という名で呼ばれてきた。

無性生殖と血流への回帰を何度もくり返したのち、原虫はついに生活環の新たな段階に達して、「配偶子」と呼ばれる雌雄の細胞をつくりだす。配偶子は有性生殖をすることができるが、ただし人間の体内ではできない。原虫が生活環を完了するには、蚊の体内に戻ることが必須となる。

それにはハマダラカのメスに人間の血液を餌として摂取してもらわなくてはならない。この過程で、ハマダラカが攻撃した血管から原虫の配偶子が吸い上げられることになるからだ。その後、配偶子は蚊の体内で有性生殖を行って子をもうける。これが蚊の消化管内でまた次の段階を経たあと、蚊の口吻に移動する。この段階の原虫は「種虫《スポロゾイト》」と呼ばれ、いつでも人間の血流に送り込まれる準備ができている。そうしてまた、人間の体内での無性生殖と蚊の体内での有性生殖の一巡を新たにくり返すのだ。

症状

マラリアの典型的な症状は間欠熱で、そこに高熱、悪寒、大量の発汗、頭痛といった特徴がともなう。嘔吐、ひどい下痢、譫妄もよく見られる。マラリアのなかでも最も重症化しやすい熱帯熱マラリアでは、血液中の原虫感染密度が圧倒的に高くなることがとくに多く、体内の赤血球の四〇パーセントが感染していることさえある。このような激しい寄生虫血症に陥った患者は、貧血になって衰弱していく。熱帯熱マラリア原虫の場合は、赤血球にさらなる影響をおよぼす。赤血球が血管壁に固着しやすくなったり、内臓器官の毛細血管や細静脈に凝集したりするのである。そうなると血管閉塞や多量の出血が生じ、ほかの重篤な感染症とまぎらわしい一連の症状が引き起こされる。そのためマラリアは、あらゆる疾患のなかでも症候学的に最も気まぐれな、判断のしにくい疾患の一つとなっている。そして脳や肺や消化管が冒された場合や、患者が子供や妊婦だった場合には、たちまち致命的な結果につながることもある。マラリアは妊婦にとって最も深刻な感染症の一つで、発症すれば例外なく流産し、失血死することも少なくない。また、急性呼吸窮迫、低血糖症からの昏睡、重度の貧血などが重症化した場合にも、結果として死にいたることがある。

それほど重症でない熱帯熱マラリアや、三日熱マラリアと四日熱マラリアの大半の症例なら、その病気は自己限定性疾患、すなわち自然によくなっていく病気である。三日熱マラリア原虫と四日熱マラリア原虫は、あらゆる赤血球を無差別に攻撃するのではなく、未熟な赤血球と老化した赤血球を明らかにねらっている。その結果、赤血球の感染度は著しく低くなる。一方、免疫系は白血球を、循環しているものも固着しているものも含めて動員し、寄生虫をうまく封じ込めて、最終的には血液循環からの排除に成功する（ただし、三日熱マラリア原虫に顕著なように、居残った原虫が再発を起こすこともよくあるが）。しかし、いったんマラリアに対抗すると免疫は万全でなくなって、応答の効率が悪くなるために、マラリアが多発する地域では再感染や重複感染（血流中に複数の種の原虫が同時に存在している状態）がしばしば起こる。こうした場合、最初はある一種の原虫によって、次には別の種の原虫によって引き起こされる発熱が、たいてい毎日のようにくり返されることになる。これが歴史的に「毎日熱」と呼ばれていた病気である。

いわゆる良性の症例でも、慢性障害が残ることはしばしばある。脾臓が大きく腫れて痛みが生じたり（脾腫／巨脾症）、やつれたり、疲れやすくなったり、貧血になったり、精神障害が起こったりして、最終的に「悪液質」と呼ばれる完全な無気力、無関心の状態にいたることもある。そうした患者は動くのもままならず、神経障害に苦しめられ、ただ無感情に目を見開いていたりする。イタリアの自然主義作家ジョヴァンニ・ヴェルガの「マラリア」という短編小説に、まさにそのような悲運が描かれている。

マラリアは必ずしもすべての人間に取りつくわけではない。なかには百歳までも生き延びた者がいる。たとえば、低能のチリーノのように。彼には頂くべき王も国家もなく、手に職もなければ分け前もなく、父親も母親もなくて、寝るべき家も、食べるべきパンもなかった。……薬も飲まなかったが、熱にもかからなかった。半ば死にかけて、道端に行き倒れになっていたところを、百回も救われたことがある。ついにマラリアのほうが彼を見放したのだ、手のほどこしようがなかったから。彼の脳髄と両脚の脹脛《ふくらはぎ》とを食い荒らし、皮袋みたいに膨れた腹の奥にまで入りこんだマラリアは、そのあとで彼を復活祭みたいに満足させ、太陽に向かって蟋蟀《こおろぎ》よりも楽しく唱わせるようになった。[1]

(『カヴァレリーア・ルスティカーナ』河島英昭訳)

当然ながら、こうした後遺症を抱えた人びとは、学校では注意散漫、職場では非生産的で、もちろん市民社会への参加はかなわない。このような意味で、マラリアはこの病気を風土病とする国や地域の経済を蝕み、識字率の低さや貧困を著しく助長することになる。

加えて、「間欠熱」の異名をもつマラリアは典型的な免疫抑制性疾患であるだけでなく、炭鉱労働者やガラス職人がこれにかかったときに、前者なら塵肺《じんぱい》(黒肺病)、後者なら珪肺《けいはい》のような、慢性的な職業性肺疾患に対する抵抗力も弱まらせてしまう。

伝播

多種多様なハマダラカは、ヒトのマラリアの有能な媒介生物である。これらの蚊はさまざまな生態的地位を占め、その食性もさまざまだ。真水に産卵するものもあれば、塩水に産卵するものもあり、人間以外の温血動物に引き寄せられるものもあれば、「人食い」専門で、人間だけをごちそうにするものもある。屋内で刺す蚊もいれば、屋外で刺す蚊もいる。夜にしか刺さない蚊もいれば、昼間にしか刺さない蚊もいる。しかし、いずれにしてもハマダラカのオスは果実の蜜を主食とするが、一方メスは、卵が成熟するのに必要なタンパク質を確保するために吸血に頼らなくてはならない。

ハマダラカは水面に卵を産みつける。湿地のような広々とした水面でもよいのだが、有能な媒介生物はそのような広い範囲を必要とせず、池でも、川床や川岸に残った水たまりでも、果ては牛や騾馬の足跡に溜まった雨水でも喜んで利用する。このように、ある程度の広がりをもったよどんだ水を必要とすることから、もともとマラリアは主として田舎の病気だったと見られるが、あらゆる媒介生物のなかでも最も恐ろしいガンビエハマダラカのように、都市部や都市周辺部でも繁殖ができるように進化してきたものもある。

卵から孵化した蚊の幼虫は、やがて蛹になり、それから成虫へと成長していく。蚊は飛ぶのがそれほど得意ではないので、孵化した場所からせいぜい三キロメートル程度までしか移動できない。空中に舞い上がると、蚊は人間が発する二酸化炭素を触角のセンサーで検出して、その方向にある人間の居住地に向かって飛んでいく。目的地に近づくと、蚊のセンサーは汗から発する臭いや体温によっても獲物を感知する。そしていよいよ着陸する段になると、今度は蚊の目が、むき出しの肉の動きや広がりに反応する。餌がすでにマラリアにかかっていれば、蚊にとっては好都合だ。じっとしている可能性が高いし、近づいてくる蚊を探して追い払おうとすることもないだろう。もし相手の血液中にマラリア原虫の配偶子がいれば、今度は蚊が感染することになるが、蚊の消化管にマラリア原虫がいても、蚊にとっては見たところ、なんの害もない。

血をたっぷりいただいたあとも、ハマダラカはたいてい満足しない。しばしの休息と消化を挟んで、また何度も刺しにいく。これによって蚊は手際よくマラリアを媒介するとともに、自らの次世代を産みつけるのにふさわしい水面をいつでも探しに行けるようになっている。

もちろん、病気の広まり具合は一連の要因が介在して初めて決まる。ある一定の気温の範囲内でないと、マラリア原虫は広まれないし、蚊は繁殖できない。とくに寒冷地では、その両方が阻まれる。年間を通じて伝播が可能になる点で、熱帯の気候は理想的だ。温帯の気候だと、通常マラリアは毎年の温暖な季節にしか発生しないので、マラリアの伝染力は不安定になる。また、よどんだ水の存在も不可欠だから、旱魃や人為的な介入によって排水や水たまりの除去がなされると、病気の拡散が失速したり止まったりする。一方、たとえば森林伐採などを通じて自然環境が悪化すると洪水が起こったりして、繁殖地が大幅に増えることになる。気候変動で世界が温暖化に向かえば、繁殖期も感染流行期もさらに長くなるだろう。

同時に、住宅事情もマラリアを後押しする決定的な要因である。隙間が多く、飛んでくる虫が入ってきやすい家や、大勢の人間を一か所にぎっしり詰め込んだ集合住宅――こうした環境はそれこそマラリアの温床だ。戦争や天災のような大惨事も、無数の人間を難民キャンプに密集させて、テントのなかならまだしも戸外で生活させるという点で、マラリアにとっては願ってもない出来事である。

蚊の獲物となる人間の体調もまた、マラリアがどういう結果に転ぶかを左右する主要な変数だ。貧困に苦しむ人びとは総じて栄養失調で、免疫系が弱っているため、蚊に刺されて感染した結果が活動性疾患につながりやすい。あるいは適切な衣類、網戸、蚊帳がないことも、蚊が簡単に、しかもくり返し、ごちそうにありつけるようになるために、やはりマラリアの伝播を助長する。マラリアの多発するところでは、人が毎日何度も蚊に刺されており、しかも感染力をもった一刺しの比率が高いのである。

これらいくつもの理由から、マラリアは、職業病、環境病、貧困病、戦災や人災による病など、さまざまに表現できて、どの表現も的確であるという複雑な疾患なのである。

サルデーニャ島の世界的な重要性

第二次世界大戦が終結する前後の一九四四年から一九四五年にかけて、イタリアでは、戦争の壊滅的な影響を受けてマラリアが大流行した。ハマダラカの特定の種によって媒介されるマラリアは、イタリアの統一（一八七一年完了）以来、ずっとこの国の主要な公衆衛生問題で、「イタリアの国民病」とまで呼ばれるほどだった。しかし一九〇〇年以降、この病気をターゲットとした多角的な撲滅運動が展開され、その疾病負担は劇的に減少した。第二次世界大戦の前夜には、運動の最終目標――マラリアの根絶――がいよいよ達成間近だと見られるまでになっていた。しかし残念ながら、このマラリア撲滅運動そのものが戦争の犠牲者となった。人員と資源が全部そちらにもっていかれてしまったからである。その後のマラリア流行は、とくにサルデーニャ島をたいへんな勢いで襲った。人口七九万四〇〇〇人のうち、一九四四年には七万八一七三人がマラリアに罹患していた。しかも犠牲者の大半は、最も危険性の高い熱帯熱マラリアにかかっていた。

この緊急事態を機に、アメリカのロックフェラー財団の科学者たちが、ヨーロッパでの保健活動に乗り出すことを考えはじめた。この財団はずいぶん前から、マラリア制圧の世界的な取り組みにかかわってきた。一九二五年に早くもイタリアを研究拠点として選び、サルデーニャ島のポルト・トッレスに現地調査用の出張所まで設置していた。第二次世界大戦が終結に向かっている一方でサルデーニャ島に大流行が起こると、財団は意を決して、この島からマラリアを根絶する試みを請け負いつつ、同時にアメリカのすばらしい科学技術を見せつけてやることにした。戦前の現地発の運動はあっさり無視して、財団の科学者はアメリカ政府とイタリア政府を説得し、自分たち独自の別の戦略を実行に移していった。それは、ある種の蚊を全滅させるための新しい軍事作戦でもって枢軸国をふたたび打ち負かそうという考えだった。

標的は、この地域でのマラリア伝染を媒介しているアノフェレス・ラブランキアエ（*Anopheles labranchiae*）という種のハマダラカだった。ロックフェラー財団のマラリア学者フレッド・ソーパーは、ガンビエハマダラカをブラジルとエジプトから一掃することに成功していた。しかしながら、土着のハマダラカを完全に駆除する試みはいまだかつて行われたことがなかった。このサルデーニャ計画と呼ばれた実験は、一九四五年に計画され、「サルデーニャにおける対ハマダラカ戦のための地域機関」（Ente Regionale per la Lotta Anti-Annofelica in Sardegna＝ＥＲＬＡＡＳ）という特別に創設された機関の賛助のもとで、一九四六年に開始された。取り組みは一九五一年までつづき、一九五二年に晴れてサルデーニャ島からマラリアが——紀元前一二〇〇年にフェニキア人がこの島に到達して以来、初めて——消滅したことが宣言された。アノフェレス・ラブランキアエはまだわずかながら生き残っていたが、マラリアの伝染は終結した。

皮肉にもサルデーニャ計画は、イタリア医学の固有の伝統に対する勝利でもあった。二〇世紀前半のあいだにマラリア研究を支配していたのはいわゆるイタリア学派の人びとで、アンジェロ・チェッリ、ジョヴァンニ・バッティスタ・グラッシ、エットーレ・マルキアファーヴァといった面々がその中心になっていた。これらの科学者が、マラリアの病因、疫学、病理学を解明したうえで、健康教育、化学療法、環境衛生、社会向上、農業改良などを組み合わせた多面的なプログラムに則った、全国的なマラリア撲滅運動を確立したのだ。

サルデーニャ島へのアメリカの介入は、このアプローチを否認するものだった。彼らはそのかわりに殺虫剤のＤＤＴ（ジクロロジフェニルトリクロロエタン）を、採用すべき唯一の武器として押し通したのである。この戦略は、まさに一九三〇年代にＷ・Ｌ・ハケットが「アメリカのテーゼ」と呼んだもののあらわれで、要はマラリアに打ち勝つにはテクノロジーを用いて蚊を根絶するだけでよく、そうすればあとは社会や経済にかかわる複雑な問題に対処しなくても、マラリアの伝染はおのずと止まるというのである。ＤＤＴが発見されたことで、マラリアの複雑な謎はもっと単純に、「社会問題というよりも昆虫学の問題」として考えられるのではないかという期待がうっすらと広まっていた。そうであるなら、問題はこの「昆虫界の原子爆弾」一発で解決だ。[2]

最強の殺虫剤としてのＤＤＴの特性が発見されたのは一九三九年で、発見者はスイスの化学者パウル・ヘルマン・ミュラーである。第二次世界大戦が終わるとともに、イタリアのカステル・ボルトゥルノで実験的に使用され、次いでポンティーネ湿原とテベレ川の三角州でも試された。この最初の試験がうまくいったので、つぎはもっと大々的にサルデーニャ島でＤＤＴを使ってみようという声が高まった。サルデーニャは地理的に孤立していて、広さも適度なので、実験者にとってはいたく魅力的に映ったのである。そこが僻地であることと、経済発展が遅れていることも好都合だった。第三世界向けのマラリア撲滅の方法論を案出することが、実験の最終目的だったからである。実際、サルデーニャ島での結果は国際的な重要性を帯びることになった。これをモデルとして、一九五五年から一九六九年にかけて、ＷＨＯの指揮下で世界的なマラリア撲滅運動が進められるようになったのである。

サルデーニャ島での大成功は、マラリア研究の「アメリカ学派」の台頭を伝えるものだった。テクノロジーを第一とするその考え方が、かつて支配的だった、社会や経済や環境面での病因を重視するイタリア学派を打ち負かしたのである。このサルデーニャ島におけるアメリカの「勝利」を意気揚々と伝える語りが、実験責任者のジョン・ローガンによって一九五三年に書かれた五年間の噴霧作戦の公式実録『サルデーニャ計画――土着のマラリア媒介生物の根絶実験』のほとんどを占めている。ローガンは、蚊を全滅させることでマラリアを撲滅するという、この先駆的な試みについて詳細に述べていた。そして、そのアプローチは永遠に「公衆衛生活動の最前線を先へ先へと」押し上げていくだろうと予言した[3]。

ローガンの熱意は、ロックフェラー財団のマラリア学者たちの鼓舞を受けて実を結んだ。財団で最も権威があったのは、ブラジルとエジプトで蚊を根絶したソーパーと、ポール・ラッセルだった。ラッセルは一九五五年に『人類はマラリアを支配する』という本を書き、そこでローガンと同じようにDDTの威力について熱弁し、まさに書名どおりのことを宣言した。そしてメキシコシティで開催されたWHOの第八回世界保健総会で、「DDTの時代」のマラリア研究に乗り出すよう訴えた。WHO事務局長マルコリーノ・ゴメス・カンダウも、サルデーニャ島での結果を明らかに意識して、DDTと、どこにでも使える汎用的な方法論にもとづいた、世界的な撲滅キャンペーンを確立するよう総会に呼びかけた。そうして実現したWHOの取り組みを指揮したのがエミリオ・パンパナで、彼の一九六三年の著書『マラリア撲滅の教科書』では、準備、攻撃、整理、維持の四段階からなる戦略が概説されている。

WHOのキャンペーンは最終的に、サルデーニャ計画のようにはうまくいかず、一九六九年に正式に失敗として放棄された。しかし、それまでのあいだにマラリア研究は、感染症の分野に空前絶後の思い上がりが充満する時代を到来させていた。一九四五年以降、一九九〇年代に新興疾患が認められるようになるまで、感染症は容易に根絶できる病気だと思われていた。マラリア学を筆頭に、あらゆる分野が、テクノロジーに頼りさえすれば伝染病を一つずつ根絶していけるだけの強力な武器を開発できるという考えを受け入れていた。かのサルデーニャ島での実験が、全世界での全感染症の征服は苦もなく迅速に達成されるだろうとの期待を膨らませる根拠になっていたのである。

公衆衛生政策は、歴史に学ぶ必要がある。過去を無視したり、過去から見当違いの教訓を引き出したりするような政策は、重大な過ちを犯し、資源の莫大な浪費を招くことになりかねない。WHOは、まさにこの危険を実証した。サルデーニャ島での経過を読み違えたまま、世界的な根絶計画に突っ込んだのである。本章では、サルデーニャ計画と、それに触発されたDDTへの無限の信頼を検証する。DDTの単独での威力を見せつけたサルデーニャ島での結果を礼賛する傾向が、もっと複雑な歴史を長いこと覆い隠してきた。その結果、「特効薬《マジックブリット》」と媒介生物駆除こそがマラリアに対抗する唯一の方法論であるという信念が広まった。だが、サルデーニャ島での成功は、ローガンやソーパーやラッセルやWHOが考えていたよりも、ずっと多様な一連の要因にもとづいていた。殺虫剤のDDTは、たしかに強力なツールだった。だが、それは多面的なアプローチの一手段でしかなかったのである。

マラリアと、その同義語とされたサルデーニャ

サルデーニャ島は昔からマラリアに苦しめられてきたが、十九世紀後半になると、その被害が――イタリア全土と同様に――目に見えて激増した。この島でのマラリアの歴史を研究する第一人者の記述によれば、「十九世紀末までにサルデーニャ島はがっちりとマラリアに押さえつけられたが、その異常なまでの支配力は……国家統一後に……初めて出てきた現象だった」[4]。近代性の象徴そのもののような要素――国家統合、鉄道敷設、人口成長――が組み合わさって、森林伐採という環境破壊を生み、ひいてはそれが、公衆衛生に悲惨な影響をおよぼした。険しい山や丘の合間に無数の急流と峡谷が挟まっている起伏の多い地形のなかで、小規模な小作を中心とする農業で成り立っていたサルデーニャ島は、森林が破壊されると非常に深刻な影響を被る水文《すいもん》システムをもっていたのである。

人口の増加、共有地の囲い込み、および逆累進性の苛酷な税制の圧迫にどうにかして対処するために、農民は小麦を植える未開拓の土壌を求めて丘をどんどん上まで開墾していった。それらの土地はしばらくは肥沃だったが、やがて侵食にやられた。同時に、鉄道の伸長と国内市場の成長で、材木市場と材木を切り出す手段の両方が生まれた。その結果、斧やら火やら鍬やら犂で、山を勝手に荒らす行為が常習化した。山羊や羊の群れも、水の流れの制御に多くの機能を果たしていた橅や松や栗や樫の森を消滅させるのに一役買った。森林の林冠は、降ってくる雨の勢いをそぐとともに、その広い葉の表面に雨水を受けて蒸発させることで地面に落ちる水の量を減らしていた。一方、根や下草は表土を固定し、その下の石灰岩の層を風雨による侵食から守っていた。この覆いがなくなって、豪雨をもろに受けるようになったことにより、徐々に丸裸にされていた丘からは勢いよく水が流れ落ち、土や岩を押し流して、地滑りを引き起こし、下流の川床を沈泥でいっぱいにした。こうして水と土と岩屑がどっと押し寄せてくるようになった川や小川は、くり返し氾濫を起こし、谷間や海岸沿いによどんだ水たまりを生んだ。この現象について、一八八〇年代にサルデーニャ州オリスターノの保健委員会がこう報告書に記している。「かつてサルデーニャは、古来より繁茂した森林のおかげで豊かだったが、いまや貪欲な相場師の蛮行のせいで不毛の大草原になりつつある。金儲けの大好きな連中が、何世紀にもわたって持続してきた遺産そのものである膨大な数の植物を、炭に変えてしまっているのである」[5]。

サルデーニャ島の農業は集約的ではなく粗放的で、人為的に土壌を固定したり排水を調整したりすることが農作業にほとんど含まれていなかったため、結果として、蚊の繁殖にとって申し分のない、よどんだ水たまりが無数に生まれた。サルデーニャ計画の記録によると、そうした蚊の繁殖地があらゆる高度に一〇〇万以上もあったというが、とくに顕著だったのが谷間と沿岸部の狭い平野で、そこでは土壌がまだ肥沃だったから、農民や農場労働者がそこで農期のたけなわに耕作をしていたが、それはマラリア流行期のたけなわとも重なっていた。島の劣化した環境は、ここの主要なマラリア媒介生物であるハマダラカの種、アノフェレス・ラブランキアエにとって、理想的な環境だった。この蚊は、標高九〇〇メートル以上の山の水たまりでも、川や小川の水際でも、さらに真水でも海岸沿いの塩水でも繁殖できた。そして昼のあいだは休息し、夜になると人間の血をいただきに行くのだった。

アノフェレス・ラブランキアエは、地下に育まれた機会も利用した。ちょうど鉱業が発達して、地下に埋蔵されている鉛、亜鉛、鉄、銀、銅、アンチモン、マンガンが採掘されるようになっていた時代のことだ。鉱業には強力なインセンティブがあった。まず、自由主義政治体制下の法律で、地下の鉱床に対する王室の独占が廃止され、探査と採鉱が自由にできるようになっていた。また、本土で工業用の原料の需要が高まっていた。そして輸送革命により、大陸市場へのアクセスも可能になっていた。そのため十九世紀の最後の数十年間に、鉱業は指数関数的に拡大した。生産量は一八六〇年から一九〇〇年のあいだにトン数で五倍に増加し、労働力は五〇〇〇人から一万五〇〇〇人へと三倍に増えた。鉱山労働者にとって不運だったのは、じめじめした坑道で蚊が繁殖したこと、そしてその一方で、貧困、不十分な食事、標準未満の住宅事情が、マラリアの強力な危険因子だったことである。一九〇〇年までに、マラリアは鉱業従事者の最大の健康問題になっていた。たとえば鉱業の中心地だったモンテバルキでは、ほかのどんな理由にもましてマラリアが会社の医療施設への入院理由になっており、一九〇二年には、鉱山労働者の七〇パーセントが前年にマラリアにかかったと報告していた。

森林伐採と鉱業発展を受けての直近の事情ばかりでなく、サルデーニャ島という痛ましい事例からは、マラリアと人間の不運との密接な関係も浮き彫りになった。この島の住民は、おもに貧しい農民からなっていた。彼らは谷間や沿岸部の平野で、マラリア流行期のたけなわに戸外で肉体労働をする。住んでいる家は隙間が多く、飛んでくる虫が入ってきやすい。栄養不良のせいで免疫系は弱っている。衣服で十分に体を保護されてもいない。たいていの人は読み書きができなくて、衛生に関しても無知だから、自分の身を知識で守るということができない。

マラリアと貧困との共生関係については、保健当局もよくわかっていた。たとえば著名な医師のジュゼッペ・ザガリは、サルデーニャ人は全員が体のどこかに衰弱や脾腫など、慢性的なマラリアの徴候を示していると力説した。しかし貧しい人びと——ザガリにいわせれば、豆やひきわりとうもろこしや蝸牛《かたつむり》を主食にしているような人びと——は、もっとまともな食事をしている人びとよりもはるかに症状が重かった。そうした人びとは、悪液質にも陥っていた。これはマラリアによって生じる極度の神経障害で、患者は周囲のことに無関心になり、仕事も学習も、もちろん市民社会に参加することもできなくなる。

新たに統一されたイタリア王国が追求した自由市場経済政策は、不平等を促進し、極貧を助長し、それによって直接的にサルデーニャ人の健康を蝕んだ。統一と近代的な輸送手段を通じて、この地域を全国市場に統合し、次いで国際市場にも統合したことで、地域経済に深刻な影響がもたらされた。南イタリアの資本不足の農業は、北イタリアやアメリカ中西部の近代的な農場とはとうてい競争できなかった。穀物製品の価格は急落し、失業率は急上昇し、栄養不良が蔓延した。

この農業危機は一八八〇年から一八九五年にかけて最も深刻化し、比較的恵まれた北部と経済的に困窮した南部との格差を大幅に広げた。

こうした状況に置かれた南イタリア人の不満が、イタリア史における「南部問題」の出現、すなわち南部人の不公平感の表明につながった。多くの南部代弁者《メリディオナリスティ》にとって、マラリアはこの地域問題の象徴となった。この病気はますます南部の主要な公衆衛生問題になっていったからである。とくにサルデーニャは、イタリアで最もマラリアがはびこっている地域という嬉しくない評判を獲得していた。実際に巷では、サルデーニャ人はみな腹を膨らませているだの、「サルデーニャ」と「マラリア」は同義語だのといわれていたのである。

最初のマラリア撲滅運動——DDT以前

マラリアは、十九世紀末には年間一〇万人の死者を出していたほどの、イタリア最大の公衆衛生問題だった。マラリア学という新しい分野がイタリア医学の自尊心を賭けて浮上してきたのも偶然ではない。この病気の秘密を解明するうえで主導的な役割を果たしたのはイタリアの科学者たちであり、カミッロ・ゴルジ、アンジェロ・チェッリ、ジョヴァンニ・バッティスタ・グラッシを筆頭とするイタリア学派が、マラリア学の分野を国際的にリードした。何より大きかったのは、一八九八年にグラッシとチェッリが蚊の媒介説を実証したことであり、ちょうど国際市場でキニーネがにわかに入手できるようになったこととあいまって、マラリア撲滅運動の構想を後押しした。

キニーネは、アンデス山脈原産のキナノキの樹皮に含まれている天然の抗マラリア剤である。現地住民のあいだでは昔から知られていたが、ヨーロッパ人は十七世紀になって初めてその特性を発見した。そこで、イエズス会士によってキナノキの樹皮がヨーロッパにもち込まれ、そのときからキニーネの原料としての長い歴史がはじまることになった。キニーネは、血流に乗って人体内を自由に循環しているマラリア原虫を殺す。したがって、キニーネには二通りの使い道があった。これは広く知られていたことで、一つはマラリア原虫に曝露する前に予防薬として投与すること、もう一つは熱が出たあとに、治療薬として投与することである。ただし十九世紀後半までは、南米産の樹皮の供給がかぎられているという問題があった。加えてキナノキはきわめて気難しい植物で、原産地以外では世界のどこに移植しようとしても、きちんと育ってくれなかった。しかしジャワ島と、それより規模は小さいがインドでの「解熱の木《フィーバーツリー》」の栽培に成功したことで、大規模利用の可能性が高まって、二〇世紀の変わり目にはじまったイタリアの対マラリア作戦も、この初めて実用化された抗マラリア剤に大きく依存することができるようになった。

キニーネへの期待だけでなく、ほかにも行動を鼓舞する要因はあった。マラリアの経済的コスト、人的コスト、社会的コストについての新たな理解が深まったこと、および、この病気と労働者の生産性低下によって事業上の不利益を被る地主、鉱山所有者、鉄道会社が事情を知って、圧力をかけたことである。

こうした動きに後押しされて、イタリア議会は一九〇〇年から一九〇七年のあいだに一連の関連法案を可決し、これによって世界初の全国的なマラリア撲滅運動がはじまった。「特効薬《マジックブリット》」のキニーネを武器にした運動は決然として進められ、最終的に一九五二年、ついに勝利が宣言されて、イタリアは晴れてマラリアのない国になった。開始当初の戦略は、高リスクの国民全員に、複数年にわたってマラリア流行期の前にキニーネを投与するという方法の一本に絞られていた。キニーネは血流中のマラリア原虫を殺すので、その錠剤を予防薬としても治療薬としても飲ませれば、感染の連鎖を断ち切るという最終目標が達せられると考えられたのだ。予防薬としてキニーネを投与しておけば、感染した蚊に刺されてもマラリアにかからずにすむ。一方、治療薬として使われたキニーネは、感染している患者の血液を「殺菌」するので、その血をごちそうにした蚊を感染から守ることになる。このように、化学的な防護壁がマラリア原虫を寄せつけなくするので、蚊も人間も感染しなくなり、伝染はおのずと止まるはずである。イタリア学派のなかでもとくに楽観的なメンバーは、グラッシを含め、この方法で勝利を――グラッシいうところの「マラリアの終焉」を――数年以内に呼び込めると期待していた。

理論的には明快でも、実際にやってみると、キニーネ戦略はマラリアに対する単独の方法論としては有効でないことがわかった。そもそも遠方の孤立した地域住民に対しては、まず医療へのアクセスを容易にしてやらないかぎり、薬を投与するのが不可能だった。そこでまず、全国民を「キニーネ済み」にするために新しい施設――地方保健所――を創設することにした。これが最終的にこの取り組みの頼みの綱となる。サルデーニャ州の各地に保健所が設置され、本土から赴任した医師や医学生や看護師が常駐し、治療とキニーネ投与にあたった。

だが、キニーネ療法は長期にわたる複雑な処方計画で、規定を忠実に守ってもらう必要がある。さらに、キニーネは副作用をもたらすこともよくあって、めまい、吐き気、耳鳴り、発疹、意識混乱、かすみ目、呼吸困難、頭痛など、さまざまな不快な症状を引き起こす。どれも療法を中断したくなる理由としては十分だった。したがって、熱が下がるまでは服薬をつづけるが、いったん下がれば薬を捨ててしまうというのが患者のあいだで常習化した。しかしいずれにしても、文字の読めない一部の人びとに遵守を期待するのは無理なことだった。彼らは病気についても、いわれたことをしっかり守る必要性についても理解していなかった。運動の現場はすぐにこの教訓を得て、教育もキニーネと同じぐらい抗マラリア薬として重要であることを訴えた。これを受けて、すぐに地方保健所に第二の施設として学校が併設された。この学校は、子供にも大人にも読み書きのできない人が多くいるという大問題に取り組みつつ、人びとのあいだに「健康意識」を育み、マラリアについての基礎知識をもたせることに格別の重点を置いた。マラリアに打ち勝つためには、医師《メディコ》と教師《マエストロ》の共闘しかない、といわれた。

こうして運動は針路を修正し、特効薬一本だった当初のねらいから、この病気の「社会的決定因」への対処に舵を切った。その第一歩が、キニーネ投与の環境を整えるべく、保健所で治療を、学校で教育を受けられるようにすることだった。ほどなくして、マラリア療養所や子供向けのサマーキャンプといった別の施設も創設され、最もリスクの高い地帯から住民を引き離すとともに、まともな食事や衣服の提供、マラリア伝染に関する指導もできるようにした。やがて「マラリアとの闘い」は、その使命をさらに拡大し、労働条件、賃金、住環境、土地の排水、および農場の貯水の管理や撤去といった環境衛生の問題もターゲットにしていった。

一九二二年、ムッソリーニが権力を掌握し、自由主義体制からファシスト党の独裁への移行が起こったことで、理屈のうえでは、対マラリア戦略にも転換が起こった。この病気がしつこく残っていることを自由主義政権の失敗の証拠と見なしたファシスト政権は、マラリアの打倒をもって自らの正当性を示そうとした。ファシストからすると、自由主義イタリアは、ほかのあらゆる議会制民主主義政体と同様に、微力で煮えきらず、全体主義体制こそが唯一このプロジェクトを勝利に導く毅然とした意志をもっているのだった。医学界の権威アキーレ・スクラヴォは一九二五年、聴衆に向かってファシズム以前のイタリアのことを「だらしない小心者」と呼び、この国がサルデーニャにした約束をファシズムだけは果たしてくれると請け合った。[6] 新政権は民主主義の無力さにかえて、すべてを征服せんとするイル・ドゥーチェの意志を体現してくれている、とスクラヴォは力説した。ムッソリーニならマラリアを――後進性の恥ずべき象徴であり、偉大さを目ざさんとする「民族」を弱体化させるしつこい脅威を――このイタリアから排除してくれる。

さらにムッソリーニは、自らの構想する新たなるローマ帝国での特別の場所をサルデーニャに約束した。イタリアで唯一、過疎といってよさそうな地域でありながら、医療面だけは充実しているサルデーニャは、今後の人口拡大と領土拡大にとって不可欠な一部になってくれそうだった。イタリアで二番目に大きな島なら、本土での出産奨励政策によって生じる移住者を難なく吸収できるだろう。出産奨励策、領土拡大、マラリア撲滅は、すべて一個のプロジェクトの別の側面だった。

しかしながら、ファシスト流の大言壮語とは裏腹に、対マラリア政策に関して変わったのは政策を正当化するための言葉遣いだけで、実質的な中身はそれほど変わっていなかった。理論上、マラリアに対するファシストのアプローチは、開墾、植民、農業集約化からなる「全面開拓《ボニフィカ・インテグラーレ》」という名の総合計画を通じて病気を叩くことだった。しかし実際のところ、このアプローチをとるには、途轍もなく大規模な計画策定と資源投入が必要となるため、全国レベルで真剣に実施されることはついぞなかった。ただしイタリアには、全面開拓の戦略に最も明白に適合する、人口密度の低い広大な湿地帯という条件を備えた地域が二つあった。それがポンティーネ湿原とサルデーニャで、ここをムッソリーニの計画のショーケースにすればよいということになった。ポンティーネ湿原はファシスト政権の総合アプローチの大成功例になったが、一方のサルデーニャは大失敗の例になった。既得権益と出費と官僚的な惰性が勝ってしまったためである。

　第二次世界大戦の前夜までに、ポンティーネ湿原では排水も成功し、移民も定住し、マラリアもおおむね制圧されていた。対照的にサルデーニャでは、ところどころに生まれた排水設備のある集約型耕作地のオアシスを自慢できるだけだった。島全体として見れば、依然として環境悪化、無秩序な水文システム、粗放農業、そして蔓延するマラリアばかりが目立った。多少の進歩はあったものの、それはいたって漸進的で、イル・ドゥーチェが約束した「全体主義的」な解決策というよりも、どう見ても伝統的な方法論に沿ったものだった。

　つまり実質的に、サルデーニャでのファシスト時代のマラリア撲滅運動は、自由主義時代にいち早く採用されていた手段と辛抱強い作業をそのまま適用しているにすぎなかった。キニーネの配布しかり、地方保健所しかり、学校しかり、地域ごとの環境衛生しかりだ。ほかの方法論も、場合によっては採用され、実施された。たとえば捕食魚のカダヤシ（蚊絶やし）に蚊の幼虫をねらわせたり、殺虫剤のパリス・グリーンを撒いたり、あるいはくだんの「開拓《ボニフィケーション》」、すなわち開墾と植民と耕作の一貫計画も試された。状況の改善はなされたが、その進歩は少しずつであって、声高に宣言された「ファシスト革命」に一致するようなものではなかった。

残念ながら、イタリアのマラリア撲滅運動の進捗状況に関する統計は、信頼性が低いことで知られている。しかも、それがサルデーニャほどひどい地域はほかにない。遠方であること、連絡手段に乏しいこと、医療へのアクセスがひどくかぎられていること、実験施設が不足していること、さまざまな症状を示すマラリアならではの特性により、ほかの病気とまぎらわしく、理学的診断をまちがえやすいこと――これらすべての要因が、この病気の正確な統計データの取得を妨げていた。とくに死者数よりも症例数をつかむのが難しく、罹患数のデータにくらべれば、死亡数のデータのほうがまだ信頼性が高かった。

このように正確性に疑問符はつくものの、「マラリア熱と湿地性悪液質」による各地域の住民一〇万人あたりの年間平均死亡率を示した公式の数字からは、三つの重要なポイントが明らかに見てとれる。第一に、撲滅運動は全国的にかなりの成功を収め、その成果は現在も生きているということ。第二に、大きな成果があったとはいえ、サルデーニャにおけるマラリアは、やはりこの時点では地域に固有の重大な公衆衛生問題として残っていたということ。結局のところサルデーニャは絶対的には進歩したが、相対的には後れをとったのである。そして第三に、サルデーニャはイタリアで最もマラリアが蔓延する地域として、「悲しい首位」の座を固めたということだ。

イタリアにおけるマラリアにはもう一つ疫学的特徴があった。イタリア全体を見てもサルデーニャを個別に見ても、死亡数は急激に低下していたにもかかわらず、罹患数の同じように急激な低下と、それにともなう伝染の鈍化は見られなかったのである。これは、運動がキニーネに頼っていた結果だった。抗マラリア剤が使えるからには、患者を完治させるまではいかずとも、ひとまず治療することはできるので、たとえ伝染がつづいていても、死亡を防ぐことは可能だった。したがってマラリアによる死者は急激に減少しても、患者そのものはいつまでも減らず、かなりの数にのぼっていたと思われるが、罹患数に関する信頼に足る統計は存在していない。

第二次世界大戦後の危機

マラリア制圧への道は、とぎれることのない直線的な一本道ではなかった。それどころか、夏の流行の深刻度は、天気の変動に応じて年ごとに変わった。降雨量が多く、夏の気温が高かった年は、蚊を大いに喜ばせた。だが、最も深刻で、最もしつこい悪影響をマラリア対策にもたらしたのは、戦争だった。二つの世界大戦はともに、数十年におよぶ忍耐強い努力の成果を台なしにして、劇的なマラリアの大流行をあとに残した。

戦後に公衆衛生が大打撃を受けた背景には、相互に絡みあった複数の理由がある。戦争は、マラリア撲滅運動を事実上の停止に追い込んだ。医療従事者が徴兵されたうえ、キニーネの国際供給が止まって、運動の主たる手段が奪われてしまったからである。

公衆衛生の破壊につながった因果の連鎖の二つめは、サルデーニャ経済の二本柱だった農業と鉱業を直撃した。まず農業に関しては、二つの世界大戦はともに資源を組織的に農村部から工業と軍事にまわした。使役動物と機械類は徴発され、男性は徴兵された。肥料も部品も燃料も備品も手に入らなくなった。投資は止まり、土地の排水は中断され、不在の男性にかわって免疫をもたない女子供が畑に出た（女性と子供に免疫がなかったのは、農作業に携わらず、マラリアの蔓延する平野や谷間よりずっと上にある高台の町に暮らしていたため、病気にさらされる機会がはるかに少なかったからである）。だが、使役動物はそれ自体が健康の係数だった。使役動物がいなくなれば、蚊は人間以外に血をいただく相手がいなくなる。したがって蚊は人間にたかった。さらに、あらゆる種類の物資が不足していたので、生産量は激減し、灌漑や排水システムなどのインフラ整備もおろそかになった。また、船や列車や自動車や荷馬車などの輸送システムが崩壊して、流通網が寸断され、供給量が十分なときでも食料不足が起こった。物価は容赦なく上昇し、買いだめや闇取引の影響で問題はいっそう劇的に悪化した。

鉱業地帯全体にも、戦争によって同じように壊滅的な影響がおよんだ。物資も備品も入ってこなくなり、輸送も止まって、もはや採鉱設備を維持することが不可能となり、坑道は水浸しになって閉鎖された。労働者はまとめて解雇され、産業そのものが麻痺状態に陥った。職を失った鉱山労働者の生活水準は、奴隷のそれよりもひどいものだった。

もちろん軍事行動そのものも、流行危機の一因だった。大量の若者が動員されて、イタリアとバルカン半島のマラリア流行地帯に配備され、多人数が密集した不衛生な環境下で感染にさらされた。ムッソリーニの無謀な軍事作戦の結末は、健康を壊滅的に損なわせた。一九四三年九月八日にイタリアは連合軍側にくだって敗戦を受け入れたが、その後はドイツに各地を占領され、軍を解体され、半島はなおも戦場と化していた。この一連の状況のもと、農業も工業も輸送網も、さらに徹底的に破壊された。家をなくし、住む土地を追われた難民も大量に発生した。占領されたイタリアは、この国を原材料と工業施設と労働力の略奪地と見なすドイツの政策にしたがうしかなかった。連合軍側の一連のサルデーニャ爆撃も、広範な破壊と多数の難民を生み出した。これらすべてが、病気への抵抗力を破壊する要因だった。

このように、ＥＲＬＡＡＳ（「サルデーニャにおける対ハマダラカ戦のための地域機関」）が一九四五年にプロジェクトを開始した当時の状況はなんとも劇的で、そのうえサルデーニャ史上最悪の旱魃の影響により、農業部門はさらに疲弊していた。不運はつづき、翌一九四六年も異常なほど乾燥した。どの作物も一エーカーあたりの収穫高が戦前に遠くおよばず、耕すことも作付けすることもできないほど土壌の硬化と乾燥がひどかったので、膨大な面積が未耕作のまま放置されていた。飼料用作物も収穫できなかったため、家畜は屠殺されるか、そうでなくても餓死した。どうにか生き残った牛も、犂を引けないほど痩せ衰えていた。森林火災が乾燥した土地を焼き尽くし、果樹園も、葡萄畑も、作物も壊滅した。聖書にあるようなイナゴやバッタの大襲来も起こった。肉体労働者の賃金は戦前の九倍に上がったが、物価は二〇倍に上がり、この危機的な鋏状価格差は必然的にインフレを呼んだ。

サルデーニャは飢餓に陥り、国からの配給量が増えたといっても、平均的なサルデーニャ人の一日の栄養摂取量は、健康維持に必要とされる二六〇〇キロカロリーのうちの、わずか九〇〇キロカロリーにしかならなかった。一九四五年から一九四六年の危機的な時期のあいだ、典型的な世帯は収入の九〇パーセントを食料に費やした。店は空っぽで、お金はなく、人びとはぼろをまとって裸足で歩いた。このような生活水準の低下は、公衆衛生の危機にくっきりと表出した。突出して深刻な問題だったのはマラリアと結核だが、当局はほかの病気の深刻な増加も目のあたりにした。成人のあいだではトラコーマ、梅毒、胃腸炎が、子供のあいだでは疥癬、ビタミン欠乏症、百日咳が急増した。

犯罪の波もサルデーニャを襲った。退役軍人、元パルチザン、戦争捕虜が島に帰ってきたのちに、失業と飢餓に直面した。こうした人びとが失業中の農場労働者や脱走犯といっしょになって略奪隊を結成し、戦時中の物資から横流しされた手榴弾やライフルや短機関銃で武装した。これらのならず者が強盗、誘拐、恐喝、殺人を犯す一方で、人員不足の警察はなかなか権威を取り戻せなかった。

第二次マラリア撲滅運動――ＥＲＬＡＡＳとＤＤＴ

サルデーニャに対するアメリカの方針は、社会、経済、医療面での悲惨さの程度が見えてくるにしたがって変化した。ひとまず最初の課題は、複数の感染症の流行によって公衆衛生が崩壊するのを防ぐことだった。流行が重なれば、大量の患者が出て、経済が破綻し、安定した統制を取り戻す仕事が錯綜するようなことになりかねない。発疹チフス、腸チフス、結核はどれも不安材料で、介入を必要ともしたが、圧倒的な脅威はマラリアだった。ＥＲＬＡＡＳは戦後最大の公衆衛生問題に向き合うことになった。

ＥＲＬＡＡＳについては、その公衆衛生上の役割からだけでなく、政治的な文脈からも理解する必要がある。ＤＤＴの使用が決定されようとしていたのは、ちょうど冷戦がはじまりかけていた時期で、このハマダラカ撲滅作戦には、西側諸国と共産主義陣営との対立の論理が反映されていた。ＥＲＬＡＡＳを指揮していたロックフェラー財団は、真に人道的な懸念から健康を促進しようとしていた。しかし同時に、医療、科学、公衆衛生が苦しみを緩和するための手段であるだけでなく、アメリカの覇権を固めるための「ソフトパワー」の道具でもあることを十分に認識してもいた。まずはサルデーニャで、次いで世界規模でＤＤＴによるマラリア撲滅を果たせば、アメリカの科学とテクノロジーの力を存分に見せつけることができるだろう。

さらに、戦後のグローバル市場経済には健康な消費者と生産者が必要であること、迅速かつ安価に健康を獲得できる手段からは永続的な利益が出ることも自明だった。デュポン社やモンサント社などのアメリカ企業がＤＤＴの供給に突出した役割を果たすだろうと考えれば、この撲滅運動はいっそう魅力的だった。しかもマラリア問題に対する「アメリカの解決策」は、貧困と環境悪化という手に負えない問題に手をつけることを最初から必要としていなかった。そうした問題をもち出すと、社会医学だの社会主義だのの匂いがしてくるのだ。

ＥＲＬＡＡＳの戦略は一九四五年に考案され、一九四六年から一九四七年にかけて初めて実施されたが、それは軍事的アプローチによってマラリアを制圧しようとするものだった。ＥＲＬＡＡＳは内部文書で軍事用語や軍事的比喩を多用し、組織を軍隊的なヒエラルキーの原則に沿ったものにして、現場作業には軍の装備を活用した。この「第二次ノルマンディー上陸作戦」と、それにつづく準軍事的な占領は、島の歴史も、住民の生活水準も、サルデーニャ経済も、そして一九〇〇年からはじまっていたマラリア撲滅運動の過去の記録さえも、いっさい顧みていなかった。そのかわりに計画本部はサルデーニャ島を、地域や区域を意味するさまざまな名称をつけた一連の階層的な管理単位に分割した。その一つである「セクター」は、一個の散布班が一週間でＤＤＴを撒ける面積と定義されたもので、最も重要な作戦単位だった。

五二九九のセクターごとに偵察隊が雇われて、家屋、坑道、公会堂、教会、店舗、納屋、橋、豚小屋、馬小屋、羊小屋、鶏小屋、およびヌラーギと呼ばれるサルデーニャ特有の古代の塔など、ハマダラカが休んでいそうな構造物を軒並み調査した。洞窟も処置を指定された場所だった。こうして作戦内容が確定したところで、ERLAASは現地の地理に詳しい地元住民から散布要員を募集した。セクターごとに一個の散布班が用意され、油に懸濁させた五パーセントDDT溶液を入れたキャニスターと、手もちの噴霧器、肩掛け噴霧器をもたされた。そして各構造物の壁や天井に、一平方メートルあたり二グラムの割合でDDTの膜を張るよう指示された。こうしてDDTを塗布しておくことで、DDTにふれた蚊を殺すだけでなく、次回の散布までの数か月にわたって蚊を死滅させる残存効果も期待された。

この当初の戦略は、DDTの前代未聞の殺傷力と、ハマダラカが生態学的に人間と密接に結びついている、つまり、吸血の前後のほとんどの時間を屋内にこもって過ごしているという前提にもとづいていた。作戦の目標は二つあり、その第一は、蚊が産卵するようになる前に、現時点で摂食活動をしている蚊をすべて駆除してしまうこと。そして第二は、十一月から二月までのマラリアの非流行期にハマダラカが越冬する場所すべてに殺虫剤を染み込ませておくことにより、春になって繁殖する蚊がなるべく出てこないようにして、伝染のサイクルを断ち切ることだった。さらに念押しとして、一週間の散布期間が完了するたびに、ふたたび偵察隊が調査に出て、規定どおりに散布が行われたかどうか、蚊が残っていないかどうかを確認し、残っていればその数を数えた。プロジェクトの責任者たちは州都カリアリの「作戦指令室」に集合して、情報を収集し、それを島の地図に照らし合わせ、次の作戦行動の計画を練った。また、成果を上げた散布班や偵察隊には褒賞をあたえ、怠け者には罰をあたえ、班のあいだでの競争心を育んだ。

しかし間もなく、昆虫学的な証拠から、サルデーニャの土着のハマダラカ（アノフェレス・ラブランキアエ）の習性はプロジェクトの設計者が想定していたほど家庭的ではなかったことがわかった。この蚊はもっぱら屋内にこもっているというよりも、むしろ森林性で、ふだんはたいてい戸外で休んでおり、おもに日が暮れてから摂食目的で家屋に入ってくることが多いのだった。つまり、DDT屋内残留噴霧による蚊の根絶という考えには問題があったのである。そこで一九四七年以降、ERLAASは屋内噴霧の重要性を二次的なものに落とし、春と夏に野外の繁殖場所をねらうという代替戦略を最重要視した。この散布は、マラリア発症者数の上昇曲線に沿って行われた。年間で最初に上昇が見られるのが五月で、六月と七月に急上昇し、八月にピークを迎え、そのあと少しずつ下がっていって十一月には消えるのが一般的なパターンだったのだ。

各班は、作業対象を気候と高度に応じて区分けするという手法をとった。ハマダラカが沿岸部で繁殖をはじめる三月には海抜ゼロの地点で作業し、やがて気候が温暖になるにしたがって、少しずつ標高の高いところへ移動して作業する。作業が屋外に移ってもプロジェクトの管理単位はそのままで、散布班と偵察隊を使うのも従来どおりだったが、重点は蚊の成虫から幼虫へ、構造物から山中や川床の水たまり、小川の縁、湿地帯、湖、灌漑用水路、井戸などへと移った。

屋外散布は、屋内残留噴霧よりもはるかに労働集約的な作業だった。繁殖期のあいだは一週間ごとにくり返し散布をしなおさなくてはならない。しかも繁殖地は一〇〇万か所以上あり、その多くは生い茂った茨《いばら》の下に隠れている。したがって、散布に先立って湿地の水を抜いたり、小川をさらったり、ダイナマイトを仕掛けたり、川床を整備して水流を増やしたりしなければならないこともざらだった。そのため屋外散布には、屋内散布には必要のない、さまざまな用具――

鉈鎌、斧、シャベル、つるはし、大鎌、小舟、いかだ、トラクター、溝掘り機、草刈り機、ポンプ、爆発物――が必要になった。加えて、いくつかの箇所は水面面積が広すぎて、手作業では有効に散布しきれなかったため、空中散布の方法をとるしかなかった。イタリア空軍のパイロットが動員されて、兵器のかわりに噴霧液を満たした燃料缶を翼の下に装備した改造爆撃機で仕事にあたった。

屋外散布は、現地住民の抵抗という問題も抱えていた。ERLAASの記録には、自由主義時代のキニーネ配布に対して生じた反対運動ほどの大規模な抵抗があったという言及はない。学校や保健所は対マラリア措置の必要性を宣伝したし、DDTは蠅やトコジラミを自宅から駆除できることを売り文句にしていた。また、散布要員に応募することに強い経済的誘因もあった。にもかかわらず、一部の住民グループは根絶活動を積極的に妨害した。羊飼いや漁師は、飯の種である動物がDDTに殺されてしまうことを恐れて、貯水池を作業班から隠したり、ときにはライフルを放って対抗したりした。ERLAASの給与支払い用の現金輸送車を襲撃するならず者もいた。そして共産主義者はこの計画全体を、アメリカ帝国主義のあらわれだといって非難した。こうした障害と、何千平方キロもの険しい地勢にまたがる難儀な任務を突きつけられながらも、じきにERLAASはサルデーニャ最大の雇用主になっていた。抱える労働者は三万人、そのうち二万四〇〇〇人は、散布そのものではなく、排水や除草といった厳しい肉体労働に従事させられた。

このように修正されたサルデーニャ計画は、一九四七年から一九四八年にかけて最盛期を迎え、屋内外を問わず、島のいたるところで本格的な散布が実施された。そして一九四八年から一九四九年に、ターニングポイントが来た。偵察隊の報告によれば、ほとんどの区域において屋外では「幼虫反応が陰性」、屋内では「成虫反応が陰性」を示したとのことだった。そこでいよいよ一九四九年、全面的な散布から、偵察で「陽性」の兆候が見つかったセクターを掃討する作戦へと重点が移った。一九五一年までにはハマダラカのすべての種が激減していたが、土着のアノフェレス・ラブランキアエだけは、ところどころにしつこく残っていた。このプロジェクトの最初の目的は、在来種のハマダラカを根絶することが実際に可能なのかどうかを確かめることだったので、厳密な意味では撲滅作戦は失敗だった。しかし公衆衛生の点から見ると、感染の連鎖は断ち切られ、サルデーニャからマラリアは消えていた。そこで、サルデーニャ計画は終わりとされた。ロックフェラー財団の言葉を借りれば、「この活動の終了時に、アノフェレス・ラブランキアエはいまだときおり見つけることができた——したがって、撲滅作戦が成功したとは言えないかもしれない。……しかし根絶問題に対する答えは否であっても、公衆衛生の向上という点では、この実験の結果は十分に満足のいく是であった」[7]。公式に報告されているマラリア発症者数は一九四六年の七万五四四七人から、一九四八年には一万五一二一人、一九五一年にはわずか九人と、劇的に減少した。このプロジェクトに「世界的な関心」が集まっていることを知っていた実験責任者のジョン・ローガンは、早くも一九四八年の段階で、自信たっぷりにこう予言した。「これにより、いままでは不可能とされていた、大々的に適用できる根絶手法への道順が示されるだろう」[8]。

その他の根絶要因

サルデーニャからマラリアを根絶した大きな要因がＤＤＴであったのは誰もが同意するところだが、ＤＤＴが単独でそれを果たしたと結論するのは誤解を招く。戦後のＤＤＴ散布は、ローガンの公式説明でも以後の史料でも言及されていない、ＤＤＴとは無関係のいくつかの介入が重なりあっていたさなかに行われたのである。とくに見落とされがちな要因の一つは、ＥＲＬＡＡＳの設立がサルデーニャの労働市場を一変させたことだ。ＥＲＬＡＡＳが屋外散布に方向転換してからは、この組織が公務員の相場よりも高い賃金で何万人もの労働者を雇い入れた。これによってＥＲＬＡＡＳは結果的に、サルデーニャ人をマラリアにかかりやすくさせていた二つの主要な社会的前提条件である、貧困と失業の撲滅に大きく貢献したのである。ＥＲＬＡＡＳがこの島に費やした総額一一〇〇万ＵＳドルは、地域経済の活性化にもつながった。その意味で、ＤＤＴ計画は暗黙のうちに、第二の重要な変数をこの実験にもたらしていた。ロックフェラー財団の理事たちが、プロジェクトの支出はサルデーニャ島の「経済復興」になったと明言したぐらいである。

さらに「マラリア学のＤＤＴ時代」を唱道していたポール・ラッセルでさえ、散布はまた別の変数をこの実験にもたらしたと指摘した。彼の見解では、サルデーニャ計画によって蚊の減少と農業の発展が相互に補強しあう漸進的な上昇スパイラルが生まれていた。ラッセルは早くも一九四九年に、散布計画が「サルデーニャへの付帯的利益」をもたらしたと述べている。農民は「農業用の新しい土地を切り開く」こと、「かつてはマラリアのせいで不可能だった開拓《ボニフィカ》計画を進める」ことができるようになった[9]。こうした環境衛生と農業の発展は、それ自体が重要な抗マラリア剤だった。

ＥＲＬＡＡＳとロックフェラー財団の記録には、サルデーニャ計画以前の半世紀にわたって辛抱強く行われてきたマラリア対策の長い歴史への謝意がまったく記されていない。これらの記録からは、アメリカの介入が新規にはじまったのだという印象が伝わる。つまりそこには、ＤＤＴを使った「アメリカの」科学技術的なアプローチだけがマラリア根絶に有効だったと思わせようとする、ありがちな無意識の誘導が隠れている。しかし実際のところ、ＥＲＬＡＡＳが成功したのはかなりの部分まで、あらかじめ地ならしがされていたおかげだった。たとえば代表的なところでいうと、散布班がいかにその仕事をやりやすかったかということがある。もちろん、ところどころでは、ならず者や羊飼いや共産主義者からの抵抗に遭った。しかし全般的には、公式文書で明言されているとおり、サルデーニャ人の圧倒的多数がＥＲＬＡＡＳの作業員を喜んで自分たちの畑や家に迎え入れた。この熱烈な歓迎は、その世紀の初めにキニーネのカプセルを配りはじめた医師や公衆衛生当局が広い範囲で遭遇した敵意とはまったく対照的である。当時のマラリア撲滅運動の推進者たちは、その薬が毒なのではないか、貧困層を厄介払いすることによって貧困問題を解決しようとする国の邪悪な陰謀の一環なのではないかという一般市民の疑念に直面させられた。サルデーニャ人の健康は前々から大きく損ねられており、発熱などめずらしくもなかったから、患者はたいていマラリアの特別な重要性に気づいておらず、政府から配られる錠剤など摂取したがらなかった。かつてのペストの時代と同じように、田舎では、毒を盛る悪人や極悪非道な陰謀の噂が絶えなかったのである。

したがって、最初の撲滅運動が真っ先にぶつかった最大の障害の一つは、運動の恩恵を最も必要としている人びとから示された頑固な抵抗だった。農民、農場労働者、鉱山労働者、羊飼いといった人びとは、新しく開設された診療所に行くのも拒んだ。自宅にバリケードを張って、訪ねてくる医師や看護師を追い払った。さもなければ、差し出された疑わしい薬をもらいはしても、そのまま溜め込んで転売やタバコとの物々交換にまわしたり、闖入者が帰ったあとにカプセルを地面に吐き捨てたり、その忌々しい錠剤を豚に食わせたりした。国の補助で賄われていたイタリアのキニーネの一部は闇市場にも流れ、そこから北アフリカのマラリア流行地域の需要を満たすために再輸出された。そこでは純度を保証されているイタリアの官製キニーネが高値で売れたのだ。あるいは親が自分の分は服薬しても、子供には飲ませないこともままあった。最も一般的だったのは、重症の患者が発熱が収まるまではキニーネを服用するが、熱が下がったあとは療法を無視して服薬をやめてしまうことだった。結局、公衆衛生当局の一九〇九年の見積もりによると、配布されたキニーネの大部分は使われなかったようである。

こうした疑念と無知が深刻な枷となって運動はなかなか軌道に乗らず、どうにかしてそこを打破すべく、多大な努力が払われた。その試みの一つが教育であり、キニーネを推奨する講話であり、前述した保健所であり、村の著名人が公衆の面前でキニーネを飲み込んで、その信頼性を実証する公衆衛生実演会だった。このようにして、一九〇〇年から一九四五年のＥＲＬＡＡＳ設立まで根気強くつづいていた撲滅運動は、ロックフェラーの散布班を迎えた熱狂の背景となる公衆衛生意識を高めていった。キニーネはある意味で、サルデーニャ人にＤＤＴの必要性を理解させる下準備をしたのだといえるだろう。

サルデーニャ計画で偵察隊と散布班を有効に配備できたのも、一般住民への事前教育がなされていたおかげだった。ＥＲＬＡＡＳにとっては、作業員がすでにマラリア伝染の基礎知識と、自分に課された任務の重要性を理解していたことが大いにたすけになった。そしてロックフェラー財団からすると、根絶を果たすには高度に統制のとれた、それこそ機械のように効率的に働ける組織であたらなければならないことが自明だった。そうした機械のような円滑な働きは、マラリアの科学的な要点をすでに教育されている人材が豊富に島内にそろっていて初めて実現することだった。

ＥＲＬＡＡＳが自らの教育的使命を果たしていったのも、過去数十年の遺産にもとづいてのことだったのだと考えると納得がいく。スタッフに対しては週に一度の講習会を開き、グラッシの唱えた「蚊の媒介説」を伝えた。各学校には、サルデーニャの全児童への授業の基盤とさせる概要《シラバス》を配った。広報番組も放送し、マラリアと、マラリアを根絶する使命について広く伝えた。地域一帯に配布するリーフレットやチラシや会報も印刷した。ＥＲＬＡＡＳはさらに、公衆衛生上の最古の武器の一つまで登場させた。防疫のための隔離線でぐるりと島を囲んだのである。駆除作戦後にふたたびハマダラカが島にもち込まれないように、到着するすべての船と飛行機に保健当局の職員が乗り込んで、ＤＤＴを散布した。

このように、サルデーニャ計画の成果を見るにあたっては、この戦後の運動の地ならしをした公衆衛生活動の長い歴史を考慮しないと答えをまちがえる。加えて、ＤＤＴ実験に関連する記録と資料だけに目を向けていたのでは、ＥＲＬＡＡＳの歴史もゆがめられてしまう。それらの資料もジョン・ローガンの公式説明と同様に、この計画があたかも単独で進められたかのような印象をもたせるばかりで、ＥＲＬＡＡＳ以外の機関が担った取り組みにまったく言及していない。それらの取り組みは、表向きは医療と関係のない目的ではじめられていたかもしれないが、実際には、住民をマラリアにかかりやすくさせる生活事情に大きな影響をもたらしたのだ。したがってサルデーニャ計画は、この危機の医療的な面だけにとらわれず、社会的、経済的な面でもどのような対処がなされていたのかという、もっと広い文脈でとらえないと正しく理解できないだろう。

サルデーニャ計画と同時に行われていた最も重要な介入は、ＵＮＲＲＡ《アンラ》（連合国救済復興機関）によるものである。ＵＮＲＲＡはアメリカからの資金提供を得て、イタリアでは一九四五年から一九四七年まで活動した。その後、ＵＮＲＲＡの役割はマーシャルプランに引き継がれた。サルデーニャ計画と同様に、ＵＮＲＲＡとマーシャルプランによる援助にも、人道的な意図と冷戦にかかわる優先事項の両方が絡みあっていた。サルデーニャ計画との関連からいえば、マラリアとの闘いに密接に結びついていたＵＮＲＲＡのほうがプログラムの効果としては決定的で、マーシャルプランの効果があらわれたのは、ハマダラカとの決戦での勝利がすでに収められたあとのことだった。言い換えれば、ＵＮＲＲＡはサルデーニャ計画が勝利を得るのを直接的に後押しし、マーシャルプランはその勝利を固めるのに貢献した。

イタリアでのＵＮＲＲＡの目的には、長期的なものと短期的なものの両方があった。まずは「救済」が当面の目標であり、そのためには、「無秩序」と「病気」の二大悪と闘うことが必要だった。「無秩序」とは、すなわちストライキやデモや暴動であり、イタリア左翼政党の勢力拡大であり、労働者と農民を左翼的な労働組合や政党の支持にまわらせるような、あらゆる度合いの経済苦境であった。ＵＮＲＲＡの任務は、人道的な「国際責任」を果たすと同時に、革命に備えた「世界の保険」として機能することだった。

無秩序との闘いでの最優先事項は、飢餓の緩和とインフレの抑制だった。そしてこの二つの目標は、イタリア家庭の健康を維持できるだけの必要物資を大量に運び入れることでいっぺんに達成できるとアメリカの立案者たちは考えた。そこでとられた手段が「一日三隻策」である。アメリカからの貨物を積んだ三隻の船が毎日イタリアの港に入り、一隻につきイタリアの鉄道車両五五〇両分の緊急支援物資を荷下ろしする。それらの物資は、八つに分割されたイタリアの各地域に輸送された。

各自治体に到着した支援物資は、その自治体の長、教区司祭、医師、学校教師、実業家など、地元の名士からなる委員会によって困窮する住民に分配された。この大盤振る舞いの援助は、こうした名士たちの地位と正当性を強化する役目も果たしていた。そして腹を空かせていたサルデーニャ人も、ようやくこの物資援助によって、小麦粉、粉ミルク、ラード、野菜、セモリナ、砂糖、魚の缶詰などを手に入れることができた。食料供給とインフレ抑制は、もちろん政治の安定と窮乏の緩和にとってとても重要だったが、病気に対する住民の抵抗力を高めることにも大きな意味をもっていた。貧しいサルデーニャ人の食生活を改善し、購買力を高めたUNRRAの援助は、島で進められていたサルデーニャ計画にとって強力な援軍であり、「消えかけていたランプに注がれる油のよう」なものだった[10]。

UNRRAは間接的に病気の予防をしただけでなく、マラリア撲滅活動に直接関連する支援も提供した。病院が設置され、各種の医療品、とくに抗マラリア剤としてキナクリンという化合物が供給された。戦後すぐの時期には、ほとんどのところでキニーネにかえて、このキナクリンが使われるようになっており、キニーネは最も重篤な昏睡患者への静脈注射用に確保されていた。

DDTによる媒介生物の駆除と並行して、血流中のマラリア原虫を攻撃するイタリアの伝統的な手法が再開されたのだ。同時に、UNRRAはマラリア患者の療養所や、子供のためのサマーキャンプを海辺や山間部に創設する資金も提供した。そうした施設にいれば蚊に刺されずにすみ、まともな食事もあたえられ、マラリア予防についての基本的な教育を受けることもできた。また、妊娠中や授乳中の女性には、特別の食料、衣類、靴が配給された。これらと同時に、被災した家屋の修復や、住むところをなくした人の施設収容を支援するための取り組みもはじまった。このようにして、最も弱い立場にあった多くの住民も、少なくとも部分的には感染から守られた。

「救済」に加えて、UNRRAは「復興」という大事な使命も負っていた。それはすなわち、完全に破壊されていたイタリア経済を修復することだった。まずは工業と農業を戦前の生産水準にまで回復させることが目標とされた。アメリカの戦後政策の立案者たちは、戦間期ヨーロッパに全体主義政権を誕生させ、第二次世界大戦を呼び起こした根本的な原因が、世界恐慌と自給自足的な経済政策にあったと見ていた。共産主義の拡大を阻み、再度の戦争への発展を防ぐため、アメリカはイタリアに莫大な支援を申し出た。イタリアの生産を回復させ、この国をグローバルな自由市場経済に再統合することが、何よりも必要だと考えたからである。

サルデーニャに関していえば、この介入はおもに農業に効果をあらわした。UNRRAから、種子、肥料、燃料、機械設備が提供され、破壊されたまま荒廃していた灌漑用水路や排水路に対して修復援助もなされた。作物にはイナゴ駆除用の殺虫剤が撒かれた。これらの支援の直接的な結果は、もちろん生産高の回復だった。しかし間接的に、この介入はマラリアを減らすことにつながった。農業が集約化されたことにより、水の管理がなされ、結果的に蚊の繁殖地が取り除かれたのだ。

ＵＮＲＲＡは直接的にも、サルデーニャでのマラリア撲滅運動に二つの面で貢献した。その第一は、イタリア政府に無償で提供されたアメリカ製品の販売からの収益が、公衆衛生を支えるための「リラ基金」の設立に使われたことである。サルデーニャでは、このリラ基金がＥＲＬＡＡＳの財政面の柱になっていた。つまりサルデーニャ計画に資金を融通したのはＵＮＲＲＡであって、そのＵＮＲＲＡの幅広い救済活動を含めて考えなくてはサルデーニャ計画は理解できない。さらに、ＵＮＲＲＡが提供した資金はＥＲＬＡＡＳだけでなく、戦前の対マラリア運動のインフラ回復にも使われた。そのおかげで地方のマラリア撲滅委員会や保健所や学校が活動を再開できるようになり、キナクリンの配布も担った。この意味で、サルデーニャ計画は単独の活動ではなく、戦前の伝統的な取り組みと並行して行われていたのである。

まとめ

サルデーニャでのマラリア根絶の成功は、いまだ世界の多くの地域――とくにサブサハラ・アフリカ地域――をがっちり押さえ込んで離さない、人の身体機能や命を奪う病気に対し、人が勝利できるのだという希望をもたせる実例として重要な意味をもっている。いまやマラリアは治療も予防も可能な病気だが、それでも年間およそ一〇〇万人の死者を出している。マラリアは依然として最も重大な熱帯病であり、ＨＩＶ／エイズや結核との相乗作用により、おそらく世界で最も深刻な感染症となっている。

したがって、サルデーニャの経験から正確な結論を導き出すのはとても重要なことである。それはすなわち、歴史的に妥当な説明をあたえなければならないということだ。WHOと国際社会は当初、不正確な教訓を導き出して、DDT散布をしたあとに根絶がなされたのだから、根絶はDDT散布によって果たされたのだという論理的に誤った結論にいたってしまった。

サルデーニャ計画の実像は、そのように単純には割り切れない。もちろん、このプロジェクトは科学技術的ツールの重要性をはっきりと証明した一例であり、それはキナクリンとDDTが果たした役割が十分に裏づけている。マラリアの制圧には、継続的な科学研究と、その研究結果の実際的な応用が必要なのだ。一方、サルデーニャ島をはじめとするイタリア全土の地方保健所で活動していたマラリア撲滅運動の推進者たちは、すでに第一次世界大戦の前から、単一の科学的な武器に頼るのは誤りであることを学んでいた。マラリアは、人間と環境との結びつき、人間と人間との結びつきを含めた全体を、最も色濃く反映した感染症なのである。運動の当事者たちはその結論にもとづいて、貧困、環境悪化、栄養不良、貧しい住環境、非識字、無知、難民の発生、不適切な農耕など、これらすべてがマラリアの要因なのだと主張した。

最初の特効薬としてキニーネが無料で配布されたのも、住宅事情や賃金や識字率の向上、十分な栄養、国の道徳的な関与を背景にしてのことだった。これらの要因は、キニーネそのものと同じぐらい重要な抗マラリア剤だった。マラリアは、強力な科学技術的ツールの適用とともに減少したが、社会正義が広まるにつれても減少した。しかし、どれほど強力な科学技術があったとしても、疑問は残る。その科学技術を配備するのにふさわしい状況とはいかなるものか？

マラリア撲滅運動の創始者の一人だったアンジェロ・チェッリは、この疑問に対し、いつの時代にも通用するモットーで答えている。「何かをするのはよいが、ほかのことをおろそかにするな」[三]。チェッリが示唆するように、有効なマラリア根絶計画たるものは多面的な目覚めを喚起すべきである、というのがサルデーニャの教訓なのかもしれない。関係各所の協力、富裕層の道義心、住民が自分で自分の健康を守れるだけの教育、医療へのアクセス、高価すぎない治療、環境衛生、そして基礎科学研究からもたらされるツール——そのどれもが必要なのだ。チェッリのモットーからは、サルデーニャのもう一つの教訓もうかがえる。マラリア制圧は「応急処置」に頼るのではなく、長期的な関与を基盤にする必要があるということだ。サルデーニャでのマラリア根絶は、半世紀におよぶ運動を経て初めて果たされたのである。そしてもう一点、サルデーニャの成功は、国際支援の重要性を例証してもいる。サルデーニャが根絶という最終目標を達成するにあたっては、アメリカの財政的、技術的な支援が欠かせなかった。そして病気というのは世界全体にとって重要な、命にもかかわる利害関係が絡んだ国際問題なのであるという明確な認識も欠かせなかった。マラリアもまた、あらゆる疫病と同様に、国家の危機ではなく人類の危機なのである。

　このように、根絶の複雑さに関しての重苦しい教訓は数々あれど、やはりサルデーニャ計画は、病気の根絶によっていかに地域の潜在的な資源が活用できるようになり、根絶までの努力が報われることになるかを示す、希望にあふれた実例だ。戦後のサルデーニャの発展は、もはやマラリアが生産性を阻害し、教育を制限し、資源を浪費し、貧困を強要することがなくなったからこそのものである。今日のサルデーニャは、マラリアが撲滅されたときに初めて得られる社会的、経済的、文化的な可能性をまざまざと例証している。

第18章　ポリオと根絶問題

世界からポリオを撲滅する運動は、第二次世界大戦の終結とともにはじまった、いうなれば「撲滅主義の時代」の直接的な所産である。この異常なまでに高揚した数十年間には、ある種のコンセンサスがあった。人間と微生物との長きにわたる闘いはついに決戦を迎えており、最終的な勝利を手にする瞬間がすぐそこまで来ている、と誰もが思っていたのである。予想されることながら、この見方が最も深く根を張っていたのがアメリカであり、戦争での勝利がアメリカに科学技術の力に対する無限の信頼をもたせていた。国務長官ジョージ・マーシャルは一九四八年に、いまや世界は感染症を地球から一掃する手段をもっていると宣言した。同様に、公衆衛生局医務総監のウィリアム・H・スチュワートは一九六九年に、いよいよ感染症に「ピリオドが打たれる」ときが来たと公言した。

ポリオに対する取り組みには、その新しい精神が反映されていた。この病気を相手に奮闘していた中心人物の多くは、すでにほかのキャンペーンを闘ってきた勇士であり、その撲滅主義的な視点をポリオ対策にももち込んできた。フレッド・ソーパーとアレグザンダー・ラングミュアはマラリア学の先駆者であり、D・A・ヘンダーソンは世界的な天然痘キャンペーンの医療監督を務めた経歴をもち、エイダン・コックバーンはあらゆる感染症の終焉を理論化していた。

加えて、この対ポリオ運動は、フランクリン・デラノ・ルーズヴェルト大統領という実例から途轍もない刺激を受けていた。ルーズヴェルトは三〇歳代の後半に麻痺性の疾患にかかり、当時はそれがポリオと診断されていた〔実際には別の病気だったのではないかと推測する見方もある〕。ルーズヴェルトは自らこの運動を奨励し、設立に尽力した二つの慈善団体、ジョージア・ウォームスプリングズ財団と全米小児麻痺財団を通じて、ポリオ撲滅キャンペーンを推進させた。全米小児麻痺財団は「マーチ・オブ・ダイムズ」（一〇セントの行進）の通称で知られていたが、最終的には正式にそう改名して、ポリオに関する研究、治療、広報のための資金調達の主要機関となった。歴史家のデイヴィッド・オシンスキーがいうように、「全米小児麻痺財団は民間慈善団体としての金字塔を打ち立てた、史上最大のボランティア保健機関」であり、「アメリカにおける民間慈善活動の役割――および手法――を再定義する」ことのできる組織に成長した。[1]

ポリオという病気

急性灰白髄炎、通称ポリオは、ポリオウイルスの三種類の株によって引き起こされる、きわめて感染力の強いウイルス性疾患である。ポリオから回復した患者は、病気を引き起こした株に対しては強固な終生免疫を得るが、ほかの二つの株に対しては交差免疫をもたないため、株の区別をつけることはたいへん重要になる。とくにポリオウイルス1型はほかの株よりも強毒で、麻痺症例と致死症例の約八五パーセントが、この1型ウイルスによって引き起こされている。

ポリオウイルスはおもに糞口経路で伝播する。人が汚染された食物や水を摂取したり、汚染された物体にふれたあとに手を洗わないまま口にあてたりすることで、このウイルスに感染する。また、感染している人が咳やくしゃみをしたときに、その痰や粘液にふれることで人から人へと直接感染することもある。人体に入ったウイルスは、一週間から三週間ほどの潜伏期間のあいだに喉の組織や下部消化管の粘膜で増殖する。ほとんどの場合は感染しても無症状で、患者は自分が感染していることに気づかない。しかし、こうした人びとが知らずしらずのうちにウイルスを排出し、無症状感染者として感染を広めてしまうのが、ポリオの疫学にとって非常に厄介なところである。

感染者の約四分の一は発症し、どの程度まで重症化するかは症例によってさまざまである。病気が進行すると、最終的にウイルスは腸からリンパ系に流れ込み、さらに血流に乗って全身に運ばれる。こうなると、ウイルスはほぼすべての器官を攻撃できるようになる。とはいえ、たいていの場合はインフルエンザに似た軽い症状が出るだけで、発熱、頭痛、休んでも治らない倦怠感、喉の痛み、吐き気、腹痛などが、一般的には最長で二週間ほどつづく。ポリオの伝染においては、このような「頓挫性」や「非麻痺性」のポリオが重要な影響をおよぼす。こうした患者は自分の病気の重大性をわかっていないので、きわめて強い感染力をもったまま、周囲の人びとを深刻な危険にさらしてしまうのである。

頓挫性ポリオの罹患者二〇〇人につき一人ほどの割合で、病気ははるかに重度の麻痺型に進行する。その最初の特徴が、いわゆる知覚異常で、たとえば手足に「ピンや針」が刺さったような感覚を覚える。これは中枢神経系、すなわち脊髄と脳が関与していることを示す信号だ。最も一般的なのは「脊髄ポリオ」で、ウイルスが脊髄の運動ニューロンに侵入している。実際、ポリオの正式名称である「灰白髄炎（poliomyelitis）」――十九世紀に命名された――はギリシャ語のpolios（青白い）、myelos（骨髄）、itis（炎症）に由来する。つまり、この病気はもともと脊椎の白い骨髄の病気という意味でとらえられていたのだ。

脊髄に感染がおよぶ正確な機序は、まだ明確には解明されていない。しかし、ひとたび脊髄に達したポリオウイルスは、全身の筋肉の動きをつかさどる運動ニューロンに侵入して、これを破壊する。その結果、神経刺激による電気入力を奪われた筋肉は機能しなくなり、急速に萎縮して、四肢のどれか一つ以上に麻痺を生じさせ、呼吸をつかさどる胸部と横隔膜の筋肉を麻痺させることもしばしばある。そうなればたいていは死にいたる。こうした麻痺の発症は突然で、その重症度はさまざまだ。部分的な麻痺や一過性の麻痺ですむこともあるが、多くの場合、麻痺は全身にいたって、しかも永久に残る。体の片側、もしくは両側の上下肢が弛緩して垂れ下がり、罹患した腕と脚そのものだけでなく、足首や足まで変形する。これが「急性弛緩性麻痺」と呼ばれる症候群のはじまりだ。

脊髄ポリオよりは症例が少ないが、脳に感染がおよぶこともある。脳幹を冒す「延髄ポリオ」は、視覚、嚥下、呼吸、舌の動きをつかさどる筋肉を制御している神経中枢に影響をおよぼす。これによって苦痛をともなう症状があらわれ、気道に粘液が溜まって窒息にいたるなど、死につながることもめずらしくない。そのほか延髄ポリオの症状としては、異常反射、激しい頭痛、痙攣、精神障害、集中力欠如などがある。

麻痺性ポリオからどうにか生還して回復したとしても、試練はそこで終わりではない。多くの場合、身体障害、機能障害、身体部位の変形が生涯にわたって残る。また、ポリオ感染者の約三分の一は、初感染から一五年から四〇年の時を経て、ポストポリオ症候群（ポリオ後症候群）を発症する。症状の進行度はさまざまだが、筋肉や関節の衰弱、倦怠感、寒さに対する不耐性などにはじまって、筋萎縮、関節劣化、呼吸障害、嚥下困難、骨格変形などの身体症状、気分変動、鬱、記憶障害などの精神症状に発展することもある。

現代ポリオ

先進世界での流行

歴史をさかのぼると、かつてポリオは「小児麻痺」とも呼ばれ、幼い子供がかかる稀有な病気と見なされていた。死んだり障害が残ったりすることもあったとはいえ、さいわいにして罹患する人はほとんどいなかった。ところが一八九〇年から第一次世界大戦までのあいだに、ヨーロッパと北米で劇的な変化が起こった。この間に、ポリオは青少年や若年成人までも襲う伝染力の強い疫病として、新しい道を歩みはじめたのである。産業化された先進世界で、温暖な夏の数か月間にたいへんな猛威をふるったポリオは、しだいに結核に匹敵する懸念事項となって、「廃人を生む」「悪疫」といわれるようになった。これを「新型ポリオ」だの「現代ポリオ」だのと呼ぶ人も出てきた。

記録されている最初のポリオの流行は、一八八一年にスウェーデンを襲ったもので、次いで一八九四年にアメリカのバーモント州、一九〇五年にふたたびスカンディナビア、一九〇七年にニューヨーク、一九〇八年にウィーンで流行が起こった。だが、現代ポリオが本格的に発生したのは一九一六年で、このときポリオはニューヨークと、アメリカ北東部の広範囲に大打撃をあたえた。この一九一六年以降、欧米の産業化社会では、夏になると毎年ポリオの大流行がくり返されるようになった。アメリカでは、一九四九年から一九五四年までがポリオの猛威の最盛期だった（表1）。

現代ポリオにまつわる恐怖感には、さまざまな要因が反映されていた。突如として重大な感染症になったこと、治療法がないこと、罹患と死亡による疾病負担が大きいことなどだ。そして同じぐらい不穏だったのが、この病気が人を死なせるだけでなく、麻痺と障害をもたらすことだった。たとえば一九三五年に女性誌レディーズ・ホーム・ジャーナルに書かれた記事などがその代

表1　アメリカにおける1915年から1954年までの麻痺型ポリオの報告症例数

年	症例数	10万人あたりの患者数
1915	1,639	3.1
1916	27,363	41.4
1917	4,174	5.0
1918	2,543	2.9
1919	1,967	2.3
1920	2,338	2.4
1921	6,301	6.1
1922	2,255	2.0
1923	3,589	2.9
1924	5,262	4.6
1925	6,104	5.2
1926	2,750	2.2
1927	10,533	8.8
1928	5,169	4.2
1929	2,882	2.3
1930	9,220	7.5
1931	15,872	12.8
1932	3,820	3.0
1933	5,043	4.0
1934	7,510	5.9
1935	10,839	8.5
1936	4,523	3.5
1937	9,514	7.4
1938	1,705	1.3
1939	7,343	5.6
1940	9,804	7.4
1941	9,086	6.8
1942	4,167	3.1
1943	12,450	9.3
1944	19,029	14.3
1945	13,624	10.3
1946	25,698	18.4
1947	10,827	7.6
1948	27,726	19.0
1949	42,033	28.3
1950	33,300	22.0
1951	28,386	18.5
1952	57,879	37.2
1953	35,592	22.5
1954	38,741	24.0

出典：全米小児麻痺財団『ポリオ、1957年：統計年報』（N.p.,1957）

表的な反応で、ポリオは「死よりも悲惨な手足の切断」につながることが強調されていた。そのため子をもつ親にとって、ポリオはほかのどの疫病よりも恐ろしい病気だった。[2]

流行の狭間にあっても、ポリオを忘れるのは不可能だった。そのあいだにも多くの子供や若者が萎えた手足に苦しめられ、金属製の添え木や装具で体の一部を固定され、車椅子に押し込められ、「鉄の肺」と呼ばれる人工呼吸装置につながれていたからである。ポリオに有効なワクチンを初めて開発したジョナス・ソーク（一九一四〜一九九五年）は、「ほかのどんな感染症とも異なる麻痺型ポリオの特殊性は、わかりすぎるほどわかっている」と述べている。「発作頻度とまったく釣り合わないほどの恐怖と悲劇を二重に負わされる。こんな病気はほかにない[3]」。これまでほとんど顧みられることのなかった身体障害という問題に、社会は初めて直面させられたのである。

加えて、この病気が謎に包まれていたことが、現代ポリオにまつわる恐怖感をいっそう切実にした。一九一六年にニューヨークでポリオが流行したときには、医者でさえ、その病気の主要な特徴に当惑した。科学的にも医学的にも、ポリオとその経過についてはほとんど理解されていなかった。医者が推奨できる治療法もなければ、緩和療法も、予防措置も、身体障害が残った患者のためのリハビリ戦略もなかった。病気の伝播様式も、侵入経路も、病理学も――すべてが未解明の謎だった。

欧米のポリオのとくに不可解な点は、その犠牲者の社会的特徴にあった。衛生状態も、社会階級も、住宅水準も、感染と相関関係にあるようには見えなかったのである。「ポリオは貧困の報いではない」とレディーズ・ホーム・ジャーナル誌は指摘した。「ひとたびこの恐怖が蔓延すれば、裕福なだけではどうにもならない。お金で免疫は買えないのである。広々とした大通り沿いの家に住むまるまる太った赤ん坊も、いったんこれが暴れだしてしまえば、もはや貧民窟の浮浪児と同じぐらい危険にさらされることになり、手足の不自由な小人がそこかしこにあふれかえる謎の現象から逃れられない。……人間にとってこれほど厄介な災いがあるだろうか……私たちの子供を苦しめ、障害を負わせる、この肉眼で見えない病原体ほど謎めいたものは、ほかにほとんどない」[4]。

このように、ほかの多くの主要な疫病とは違って、ポリオは富裕層が逃れることのできる「社会病」ではなかった。それどころか、ポリオは貧困病とは正反対であるようにさえ見えた。この病気は裕福な一帯や、郊外、田舎をことのほか標的にするようにして広まったのである。アメリカでは、ポリオが少数民族よりも、むしろ白人の子供を襲ったため、ひときわ感染率が高くなった。一九四八年に行われた世論調査によれば、当時のアメリカ人がポリオより恐れていたものは核戦争しかなかった。

意味深いことに、ポリオの猛威はロシアとアメリカで同時に新たな高みに達した。ここで苦しみと恐怖という大荷物を共有したことが、冷戦の壁を越えた異例の共同作業を生み出す背景となった。アメリカ側からは医学者のアルバート・セービンとドロシー・ホーストマンが、ソビエト側からはミハイル・チュマコフとA・A・スモロディンツェフが共同研究に参加して、経口ワクチンの最初の大規模試験を推進した。一九五九年、チュマコフの監督のもとで、セービンの研究室で弱毒化させたポリオウイルスの株が一〇〇万人以上のソビエト市民に投与された。翌年の夏、新たな流行の脅威が迫るなかで、チュマコフはロシア科学アカデミーとその背後にいる政治家たちに向けて、予想される流行の猛威はワクチンが未然に防ぐはずであり、さらに、この病気そのものもワクチンで根絶できるはずだと訴えた。冷戦がいっそう深刻さを増し、いつ武力衝突に火がついてもおかしくなかった状況で、米ソの科学者たちは協力して大規模プログラムを立案し、共通の脅威である微生物に対抗するための情報交換と共同研究を平和的に実施していった。

糞口経路で伝播する遍在的な病だったポリオは、先進世界で衛生面が向上したことにより、その特徴が変容していた。衛生面での防御に守られて、乳幼児のうちにポリオウイルスにさらされなくなった子供たちは、獲得免疫を得ることができなくなった。その結果、人口のなかに感染しやすい人が蓄積されていき、成長した子供や大人を襲う周期的な大規模流行が起こる下地をつくった。イェール大学の疫学者ジョン・ポールが「現代ポリオ」と呼んだものは、この機序で説明された。ポリオはもはや「小児麻痺」とは呼べなくなっていたのである。

第三世界でのポリオ

現代ポリオの猛威が欧米でますます加速している一方で、資源に乏しい熱帯世界にも、この病気が重い苦しみを負わせている証拠がぽつぽつと出てきた。その事実は、かなりの驚きをもって迎えられた。二〇世紀半ばに広まっていた従来の常識では、ポリオは近代性と良好な衛生環境のもたらした災いであって、ゆえに発展途上世界の公衆衛生にとっては些細な問題にしかならないと見なされていたのだ。ところが第二次世界大戦中に、イギリス軍とアメリカ軍の部隊が——まったく予想に反して——エジプトやフィリピンといった第三世界の駐屯地でポリオにやられた（表2）。これにより、ポリオが「些細」な問題どころか、いかに発展途上国に蔓延していたかが明らかになった。

表2　1942年から1945年の期間に米軍で確認された麻痺型ポリオの症例数

年	症例数
1942	48
1943	248
1944	350
1945	680

出典：R・プレンティスからアルバート・セービンへの書簡。1949年10月17日付。（Albert B. Sabin Archives, Series 3, Box 23, Item 294, Cincinnati, Ohio.）

この新たな発見は、血清学的検査、直腸スワブ（綿棒）検査、および第三世界の下水道から豊富に採取される微生物の直接的な実験室分析からの証拠によって裏づけられた。さらに不穏なことに、一九七〇年代から一九八〇年代にかけてインドなどで実施された足の障害についての調査によって、そこでの弛緩性麻痺の発生率は欧米と少なくとも同程度であることが明らかにされた。実際、アルバート・セービン（一九〇六～一九九三年）は一九八三年に、ワクチン開発以前における熱帯地方での麻痺型ポリオ発生率の最高値が、先進国でのそれよりも大幅に高かったと述べている。

直接接触と排泄物を通じて拡大するポリオは、たしかに熱帯の都市環境で流行していた。だが、発展途上国で毎年大勢の子供が弛緩性麻痺の犠牲になり、死にいたることさえ少なくなかったというのに、その受難――「旧型ポリオ」とでもいうべき真正の小児麻痺――は報告がなされず、可視化されていなかった。報告がされていなかった理由は、熱帯の貧しい子供たちには医療へのアクセスがかぎられていたからでもあり、この環境には存在しないと古い医学の常識で断じられていた病気を診断できるだけの訓練を受けた医師がいなかったからでもあり、たんに貧困病がありふれていたからでもあった。

欧米では、ポリオにかかった子供は装具や添え木をつけていたり、松葉杖をついていたり車椅子に乗っていたり、あるいは「鉄の肺」［全身を覆う筒のような形状の人工呼吸装置］に入っていたりすることで目についた。

とくに全米小児麻痺財団がポリオ患者の苦難を世に伝えるために、莫大な資源を投入して広報した効果も大きかった。一方、発展途上国では、麻痺にやられた幼児はそのまま死ぬか、あるいは障害を残して成長しても、とくに注目されることもなく、ニューデリーやカイロやジャカルタの路上で物乞いの列に加わった。こうした窮状が見過ごされていた理由は、自分たちの子供だけが飛び抜けた数で病気にかかって死ぬのも運命なので仕方ないのだという貧しい親たちのあきらめのせいでもあり、古い医学の常識がいつまでも頑固にこの現状を否定して、目を背けていたせいでもあった。しかしセービンが報告したように、ポリオが第三世界に負わせている負荷がにわかに明らかになったことで、ついに各国の行政府や保健当局が、セービンいうところのポリオに対する無関心から目覚め、ポリオの世界的な根絶という考えを歓迎するようになった。ポリオは突如として、欧米先進国と発展途上国の共通の緊急課題になった。感染の「隠れた遍在性」が新たに気づかれるようになったとともに、これを根絶すれば、全世界が免疫付与と治療にかけていた毎年の費用、総額一五億ドルを節約できることになるという認識が生まれたのである。

新たな科学的理解——希望から失望へ

戦後数十年のあいだには、先進国と発展途上国の双方での切迫感と並んで、ポリオの根絶は現実的な目標であるという楽観も新たな根拠のもとに醸成された。二〇世紀に入ってから大規模な流行がはじまって、その余波で何十万人もの麻痺患者が出たことから、医学においても公衆衛生においてもポリオへの関心は高まった。しかし、その凶暴性が増してきているのに、「新型ポリオ」は依然として謎のままだった。ポリオウイルス自体は一九〇八年にカール・ラントシュタイナーによって発見されていたが、ポリオの自然史は一九四八年の時点でもいまだ解明されていなかった。正確な伝播様式もわかっておらず、とくに体内へのウイルスの侵入経路が不明で、そもそもポリオウイルスの血清型と株は一つだけなのか、それとも複数あるのかという問題も解決していなかった。

同様に、人体の自衛手段である免疫機構がポリオの猛攻に対してどう働くのかも、いまだよくわかっていなかった。実際、サルを人為的にポリオにかからせたサイモン・フレクスナーの実験からはじまったポリオ発症実験は、そのあと何十年も医療従事者を惑わせることになる誤った教訓を導いた。ここでの重大な過ちは、実験的にサルに発症させたポリオの病理学が、自然にヒトに発症するポリオの病理学と同じであるとする仮定にあった。その結果、三つの誤った結論が引き出された。この病気はほぼ例外なく神経系を攻撃するということ、ウイルスの侵入経路は消化管ではなく鼻であるということ、そして、鼻から入ったウイルスは神経系を経由して脊髄と脳の基底部にいたるということである。ワクチン開発の観点からすると、これらの推論の行き着く先は袋小路だった。なぜなら必然的に引き出される結論として、このウイルスは血流ではなく神経系を通じて拡散するのだから、抗体が防御機構を働かせる機会がどこにもないことになってしまうからだ。この理解では、ワクチン接種による予防は不可能だった。

しかし一九四八年、決定的な突破口が開かれた。アメリカのジョン・エンダーズとトマス・ウェラーとフレデリック・ロビンズが、ポリオウイルスは人間の非神経組織で体外培養できることを発見したのである。この躍進によって、三人はノーベル賞を共同受賞し、ワクチンへの望みはよみがえった。それは、これを機にポリオウイルスの研究コストが大幅に下がったからでもあり、侵入経路についての考えが鼻から消化管に移ったからでもあり、抗体が血流中でウイルスを攻撃できる段階がわかったからでもあり、研究者が三種類のポリオウイルスの血清型だけでなく、それぞれの多様な株を発見できるようになったからでもある。これらの発見でワクチン開発への準備が整い、実際にも一つどころか二つのワクチンが急速に開発された。最初にできたのはジョナス・ソークのホルマリン不活化ポリオワクチン（ＩＰＶ）で、一九五四年に試験が行われ、一九五五年四月に安全性と有効性が正式に断言され、その後すぐにアメリカの子供たちへの大規模な投与がはじまった。もう一つはアルバート・セービンの経口生ポリオワクチン（ＯＰＶ）で、一九五九年から一九六〇年にかけて広範囲に試験が行われ、一九六二年に承認された。

　これらの新しいワクチンがポリオの世界的な根絶を達成できるという確信を前にして、合理的な計算はすっかり吹き飛ばされた。ポリオに対する完全勝利を信じる気持ちはもはや信仰となり、科学界も一般大衆も疑いを抱かなくなった。実際、ポリオがじきに根絶されるという信念の強さは、この病気が植えつけていた「氷のような恐怖」の激しさをそのまま映したものだった。したがって、ソークワクチンが「安全で有効」であることが試験によって証明されたという一報が出ると、異常なまでの高揚感とジョナス・ソークへの誇大な称賛が沸き起こった。「循環血液中の中和抗体の存在は、ポリオウイルスによる麻痺の可能性を減らす有効な障壁である」というソークの仮説はみごと実証されたというわけだった。[5]

　一九五五年四月十二日は、公衆衛生の歴史のなかでも類のない異様な一日だった。国民がこれほどまでに固唾をのんで臨床試験の結果を待っていたことは一度もなかった。この日、ソークワクチンの評価を担当していたミシガン州アナーバーのポリオワクチン評価センターが、その結果を発表したのである。センター長のトマス・フランシスが報告書を読みあげた。テレビ放映された発表において、フランシスはソークワクチンが「安全で、有効で、強力である」ことがわかったと述べた。成功率は八〇パーセントから九〇パーセント、統計的に有意な副作用は見られないとのことだった。

新聞各紙は、この科学的審判を全段ぶち抜きの大見出しのもとに報じた――「恐怖の病は死んだと見られる」「ソークの成功に世界が活気づく」「ポリオ征服」「教会はワクチンに対する喜びの祈りを計画」「ソーク博士は未来の合衆国大統領か」「ポリオへの大勝利」。ふだんは慎重派のニューヨーク・ヘラルド・トリビューン紙まで、ポリオは終わった、これからは普通の風邪も、心臓病も、癌も、すべて「次」につづくだろうと結論づけた。[6] アイゼンハワー政権は、海外向けの国営ラジオ放送「アメリカの声」を通じて、このアメリカ科学の勝利を全世界に伝えた。株式市場でさえ、拍手喝采を送った。製薬会社の株を筆頭に、株価全体が急騰したからだ。

一方のセービンも、ポリオの終焉が間近に迫っていることは同じぐらい強く確信していた。ソークの不活化ポリオワクチンが試験されていたあいだに、自分も同じ目標を共有していること、すなわちポリオの「完全な撲滅」を願っていることを強調して述べたほどである。ただしセービンは、自分の生ワクチンだけがその目標を達成できると信じてもいた。彼は一九六〇年の試験から教訓を得ていた。経口生ポリオワクチンを接種した人たちは弱毒化したポリオウイルスを排出するが、それが地域社会の環境に充満するぐらいまで広まれば、結果として集団免疫が高まり、ワクチンを接種していない人まで「無償で」保護されるのである。セービンが説明したとおり、

「根絶したいのは自然発生する猛毒のウイルスであり、それを果たすには、ウイルスの増殖する場所がどこにもなくなるぐらいまで多数の腸管に急速に抵抗力をつけさせればよい」[7]。

ウイルス学者のあいだで意見が分かれたのは、どちらのワクチンがより有効なのか――「ソークの注射」なのか、はたまた「セービンの服薬」なのか――という問題だった。ソークの注射でポリオを根絶できるのかに関しては、じきに疑念が出てきた。不活化ポリオワクチンは抗体の産生を刺激することができたが、このワクチンは死んだウイルスを使っているので、セービンの生ワクチンのように腸に粘膜免疫をもたらすことはできなかった。さらに、不活化ワクチンには深刻な実際問題からの反論も出た。「ソークの注射」を実施するには資格をもった打ち手が必要で、ワクチン投与がどうしても労働集約的な作業になり、世界的に使用するにはコストがかかりすぎた。たとえば一九六〇年代のアメリカでは、ソークワクチンを一回注射するのに二五ドルから三〇ドルがかかった。それに対して「セービンの服薬」は、角砂糖に染み込ませて飲み込むことができ、費用は三ドルから五ドルしかかからなかった。そして状況をさらに面倒にしたのが、ソークワクチンにはブースター効果を上げるための二回目の接種が必要だったことである。

一九六〇年には、アメリカ疾病予防管理センター（CDC）の疫学チーフであるアレグザンダー・ラングミュア（一九一〇～一九九三年）が、ソークの不活化ポリオワクチンは未曽有の努力によって望ましい成果を上げたものの、予防手段としてはこの国を行き詰まりに追い込んだという結論を出していた。その努力の大きさは、誰にも否定できないものだった。一九五五年以来、九三〇〇万人のアメリカ人が不活化ウイルスのワクチン接種を受けていた。医務総監のリロイ・バーニーが、これを医学史上に類を見ない「記念碑的な」達成であると宣言したほどである。さ

表3　アメリカにおける1955年から1961年までのポリオ報告症例数

年	症例数	10万人あたりの患者数
1955	28,985	17.6
1956	15,140	9.1
1957	5,894	3.5
1958	5, 787	3.3
1959	8,425	4.8
1960	3,190	1.8
1961	1,327	0.7

出典：全米小児麻痺財団『統計報告：ポリオ、先天性欠損症、関節炎』(N.p., June 1962)

らに、ソークワクチンの有益な効果も明らかだった。アメリカのポリオの発生率はこのワクチンによって劇的に低下したのである（表3）。しかも、ソークワクチンは死滅したポリオウイルスを使っているため、ふたたび病毒性をもつことはありえない。したがって免疫不全の患者にも、その家庭内接触者にも安全に投与することができた。

　ところが、アメリカのポリオ発生率の低下傾向は意外にも失速し、なんと一九五九年には上昇に転じた。これを受けて、新聞雑誌はポリオの「反撃」と称し、病毒性の強い新しい株が広まっていると報じた。そして最終的に判明したのが、ソークの不活化ワクチンの大量投与によって、毎年のポリオ流行の性質が変わったのだということだった。死滅ウイルスワクチンによって居場所を追われたポリオウイルスが、ワクチン投与の行き届かない感染しやすい人間が残っているところに後退したのである。こうしてポリオは、何不自由ない清潔な人びとがかかる「新型ポリオ」でいるのをやめて、貧しい人びとや少数民族、あるいは宗教的な理由からワクチン接種に反対する集団（オランダ改革派教会など）がかかる病気になった。

　医療サービスからこぼれ落ちていたり、自らサービスを拒否したりする一部の人びとに、手を差し伸べるための仕組みは整っていなかった。ニューヨーク・タイムズ紙は、スラム街のアフリカ系アメリカ人と居留地のアメリカ先住民のあいだでのポリオ発生率が、全国平均の四倍から六倍にものぼっていると報じた。ポリオはアメリカから消えたのではなく、貧しい「国内第三世界」に退却していたのだ。そのため代表的な撲滅主義者だったラングミュアも、一九六〇年には懐疑論者になっていた。考えに考えた結果として、撲滅は非現実的な目標であるというのが彼の見解だった。

> 五年半前、ソークワクチンが初めて使えるようになったとき、この病気はすぐにも根絶できると期待した疫学者が、ここで話している私も含めて少なからずいました。以来、このワクチンを使用したおかげで発生率は減少をつづけています。しかしながら、ポリオはまだ撲滅には程遠いと見られます。夢に見た目標は、いまだ達成されていません。実際、この問題に取り組んでいる多くの学生が、不活化ワクチンによるポリオ感染症の根絶という概念が科学的に支持しうるものなのか、疑問に感じているほどです。

結局のところ、ラングミュアが嘆いたとおり、「効果の見込めそうなワクチンを接種してもらうことに対して過大評価がありました。国民の大部分はいまだ予防接種を受けていません。……ワクチン接種が行き届いていない人口集団の大きな『島』が存在しています――都市のスラム街にも、民族的に異なる孤立した地域社会にも、そして多くの農村地域にも」。したがって「死滅ウイルスワクチンがこれまでのところ、免疫をもたない合衆国内のかなりの層に届いていない」以上、「なんらかの新しいアプローチ」が必要になっていた。[8]

カッター事件

撲滅の夢をさらにくじいたのが、ソークワクチンを使った最初のキャンペーンが張られていた真っ最中の、一九五五年に起こった「カッター事件」という悲惨な事故だった。カリフォルニア州バークリーのカッター・ラボラトリーズは、このキャンペーンに向けてポリオワクチンの製造を請け負っていた大手製薬企業六社の一つだった（ほかはアライド・ラボラトリーズ、イーライリリー、メルク、パーク・デービス、アメリカン・ホーム・プロダクツ）。臨床試験の審判がくだってわずか二週間、高揚した人びとが躍起になって最初の接種集団に入ろうとしていたときに、悲痛な知らせが届けられた。四月二七日、イリノイ州の保健局長ローランド・クロス博士が声明を発表し、カッター・ラボラトリーズの製造したワクチンが「安全でない可能性がある」と告げた。追って通達するまで医師はカッター製品の使用を控えるように、との警告も出された。合衆国公衆衛生局はこれを受けて、カッター社が製造したすべてのワクチンの出荷を停止させた。そして五月八日、医務総監レナード・A・シーリーにより、政府の調査が終わるまではワクチン接種プログラム全体を停止するとの発表がなされた。

医学誌ニューイングランド・ジャーナル・オブ・メディシンの記事によると、CDCは次のようなことを突きとめていた。

カッター・ラボラトリーズが製造したワクチンの二つの精製プール（十二万回分）に生きたポリオウイルスが含まれていた。これらのプールからワクチンを接種した子供たちのうち、四万人が頓挫性ポリオ（頭痛、首のこり、発熱、筋力低下が特徴）を発症、五一人が麻痺を起こし、五人が死亡した。カッターのワクチンによってポリオの流行も発生した。ワクチン接種した子供の家族や地域社会において一一三人が麻痺を発症、五人が死亡した。これは合衆国史上最悪の薬害事例の一つだった[9]。

この事件についてのCDCの報告書は、汚染の「正確な原因」は調査ではわからなかったと結論していたが、報告書の著者たちは最も有害な原因として、三つの要因を挙げていた。第一は、公衆衛生局の怠慢である。公衆衛生局はワクチン製造に関する詳細な規定を作成せずに、どのような安全対策が適切であるかを各社に勝手に決めさせていた。上院議員ウェイン・モースの辛辣な一言を借りれば、「連邦政府はポリオワクチンよりもよほど慎重に食肉処理場の肉を調べている」[10]。

第二に、この自由放任主義の環境のなかで、カッター社は大量のワクチンを至急生産しなければならないという強いプレッシャーにさらされていた。なんとしても需要を満たそうとして、カッター社は安全性を犠牲にした。具体的にいうと、ウイルスを十分に不活化しなかったため、六ロット分のワクチンが汚染されたのである。感染した被接種者はそこからのワクチンを注射されていた。そして第三に、この大手製薬会社は、最終製品に生きたウイルスが含まれていないかどうかを絶対確実な手順のもとに検査することを怠っていた。

こうして「事件」は起き、マスコミはこれを連邦政府の監督不行き届きと、企業の貪欲さと、人類の悲劇が組み合わさった物語として書き立てた。かつての企業不正も明るみに出されて、衝撃はいっそう深まった。カッター・ラボラトリーズは一九四九年に製品の安全基準違反で告発された前歴があり、一九五五年にもワクチン契約の交渉において価格つり上げと詐欺行為を働いていたのである。これらの不正が派手に暴露されたことで、一般大衆の不信が膨れ上がった。スキャンダルの翌年の一九五六年には、全国の五分の一の家庭がポリオよりもワクチン接種のほうに恐れを抱き、不活化ポリオワクチンの接種を拒否したほどだった。加えて、たくさんの子供に体調不良をもたらし、傷害を負わせ、死にいたらしめたカッターの悲劇は、一九五五年と一九五六年だけにとどまらない波紋を残した。ひとたび生じた疑念はその後何年も消えなかったのである。結果として、アメリカの子供たちは依然として感染にさらされつづけ、ポリオの退場は遅々として進まなくなった。

世界的な根絶に向けての取り組み

落胆が一気に広まったあと、二つの新しい展開――一つは医学的なもの、もう一つは作戦的なもの――があり、これが撲滅主義者の楽観をあらためて沸き立たせた。科学的な突破口となったのは、競合していたセービンの経口ワクチンの一連の大規模試験が成功したことだった。一九五四年から一九五七年にかけて行われた最初の限定的な試験は、オハイオ州チリコシーの連邦矯正センターで、ボランティアを対象に実施された。次いで一九五八年から一九六〇年にかけて、国内外で大規模試験が行われた。国内ではオハイオ州シンシナティとニューヨーク州ロチェスター、海外ではソ連、ハンガリー、チェコスロバキア、シンガポール、メキシコが試験地となった。その結果、「セービンの服薬」は安全で有効であるだけでなく、ソークの注射にくらべて圧倒的に投与が容易であることが実証された。

作戦面では、セービンワクチンの効果を最大限に発揮させられる枠組みを生かした斬新なキャンペーン戦略が採用された。その枠組みとは、地域社会全体で一斉にワクチン接種を行う日を設けたことであり、アメリカでは「セービン経口《オーラル》サンデー」（SOS）、世界的には「全国一斉予防接種デー」と名づけられた。これらの予防接種デーは、ラングミュアが手を焼いたワクチン未接種の人びとの「島」に手を差し伸べるために必要でありながら、かつては欠落していた仕組みを提供するものだった。予防接種デーができたことで、民間の開業医のもとを訪れた子供たちだけが予防接種を受けられるのではなく、誰のもとにもポリオワクチンが届けられることになった。

この戦略をいち早く実施していたのがキューバである。キューバでは一九六二年に、フィデル・カストロの革命を支えた草の根組織――「革命防衛委員会」――が国内のすべての子供の居場所を突きとめるため、一軒一軒をまわっての戸別調査を実施した。この国勢調査のかたちをとった取り組みのあと、委員会はあらためて、存在が確認された子供たち全員の自宅を訪れた。この再訪問で、ワクチン接種員――委員会に採用されて三〇分の訓練を受けただけの要員――がキャンディーや角砂糖に染み込ませた生の弱毒化ポリオウイルスを投与した。最終目標は、キューバ国内の感染しやすい子供全員に予防接種をすることだった。

カストロ発案のワクチン接種デーは、セービンの服薬ワクチンの使用とあいまって、感染を阻止し、キューバをポリオ撲滅の最初の達成国にすることに迅速な成功を収めた。これが成功したことで、この手法は非共産主義国にも適用できるのではないかという考えが出てきた。それに対する肯定の答えを実証したのがアメリカだった。セービン経口サンデーは、アリゾナ州のマリコパ郡とピマ郡ではじまった。代表的な都市はフェニックスとトゥーソンである。この二つの郡は、国全体のモデルとなった。トゥーソンでは、「革命防衛委員会」のかわりに郡の医師会と地元の小児科学会が指揮を執った。医師たちは、地元の薬局や、郡の保健所、看護師、ボーイスカウト、学校教師、聖職者、地元メディア、世帯主などと協力して、ボランティアで活動を行った。ここでの手法はキューバの前例から少し外れてもいて、接種員が一軒一軒を巡回訪問してワクチンを投与するのではなく、学校に設営された常設の予防接種センターに子供たちが連れていかれた。

その結果、これまで見たことがないとメディアで報じられたような、ある種のイベントが成立した。一九六二年の一月と二月の決まった日曜日ごとに開催されたフェスティバルのような集まりに、六〇万を超える人びと——全市民の七五パーセント以上——が参加したのである。たとえばトゥーソンでは、やってきた市民はボーイスカウトとPTAのボランティアに出迎えられたのち、列に並んで二五セントを支払って角砂糖をもらう。とくに子供にとっては、セービンの服薬には注射針が要らないことも嬉しかった。お金を払えない人に対しては、ただで角砂糖が渡された。この日の原則は、誰一人として引き返させないことだったからだ。セービン自身も、計り売りの生地のような商品の感覚で薬を売るのは倫理にもとる、と主張していた。このようなセービン経口サンデーの風景は、各地の地元医師会の賛助のもと、すぐに全国で見られるようになった。

一九六〇年代のポリオ撲滅活動にとって、強い励みとなっていたのが天然痘という前例だった。天然痘に対しても、外見的にはまったく同じ集団予防接種という武器が用いられ、それで成果を上げていたのである。一九六〇年代半ばには、天然痘に対して最後の一押しをしたいという誘惑が抑えがたいところまでいっており、実際にも、もろもろの技術革新によって根絶という目標がいっそう実現可能に見えていた。世界保健機関（WHO）は一九五九年から世界的な天然痘根絶の試みに乗り出しており、すでに見たとおり、このプログラムは一九七七年に成功を収めた。この年をかぎりに、世界のどこにも天然痘の患者は見られなくなった。

史上初めて人間の病気を意図的に根絶したこの経験は、ポリオに対する撲滅運動も同じように成功させられるのではないかという期待を掻き立てた。これに関しては、決定的に重要な三つの要因があると考えられていた。①天然痘と同様に、ポリオのウイルスも人間のほかに病原保有体《リザーバー》をもたないこと、②伝染を断ち切るための有効で投与しやすいワクチンがあること、③感染を検出するための近代的な診断ツールがそろっていること、である。これら根絶を成功させるための必須条件は、一九九七年に公式に成文化されている。この年、ベルリンが主催した研究会――「感染症根絶に関するダーレム・ワークショップ」――において、ある感染症が本当に根絶（eradication）を目ざすにふさわしい候補なのか、それよりも制圧（control）や排除（elimination）といった比較的穏当な目標を掲げるべきではないのかを判断するときの基準が確立されたのである。

アメリカからの吉報も、撲滅主義者の高揚感をさらに盛り上げた。セービンワクチンとセービン経口サンデーが約束どおり、ラングミュアの意気を消沈させたほど数の多かったワクチン未接種者にまで免疫をつけさせたのだ。したがって、アメリカの撲滅運動は一九六〇年代の末までに、感染拡大を止めるという目標を達成したことになる。その一〇年間は、まさにソークワクチンによる進歩が頓挫したことを受けて、悲観が広まりかけていた時代だった。

こうした背景のもと、アメリカでのポリオ根絶と、天然痘に対する世界的勝利の実例からほどなくして、いよいよ世界的なポリオ根絶に向けた一押しがはじまった。まずは一九八四年から一九八八年にかけて、三つの準備段階が進められた。第一段階は、一九八四年三月にジョナス・ソークとロバート・マクナマラ元国防長官の主導ではじまった。二人からの要請を受けて、ユニセフ、WHO、世界銀行、国連開発計画がスポンサーとなり、「子供の生存のためのタスクフォース」が設立された。タスクフォースの事務局長は、子供たちを救うためのあらゆるミッションの柱として、ポリオ撲滅キャンペーンを呼びかけた。

第二段階は、アルバート・セービンの提案が結実したものだった。セービンは国際ロータリー——当時のゲイツ財団のようなもの——に働きかけて、世界的な根絶活動の後援を検討する諮問委員会を設立するよう促した。一九八四年に任命された委員会は、セービンの求めに応じて、子供への予防接種を世界的に進めるよう呼びかけた。「ポリオプラス」という名称のもと、委員会は二〇〇五年をポリオ根絶のターゲットイヤーに選んだ。国際ロータリーの関与の影響は決定的だった。実業、金融、専門職の各分野からの地元名士をそろえた国際ロータリーという組織には、配備できる資源がいくつもあった。資金のみならず、三万二〇〇〇の地域クラブと一二〇万人の会員でつくった国際インフラがあり、各国の政府や保健相へのつてもあり、人道主義的な奉仕精神も備えていた。

そして最後の第三段階は、一九八八年三月に、フランスのタロワールからはじまった。新設された「子供の生存のためのタスクフォース」がここで会議を開き、その最終決議——「タロワール宣言」——が決定的な一手となったのである。タロワール宣言は、二〇〇〇年までのポリオ根絶をはっきりと呼びかけていた。この提言が二か月後の第四一回世界保健総会で取り上げられ、世界一六六の加盟国がタロワール宣言の目標をWHOの作戦目標として承認した。総会は、のちに公衆衛生史上最も野心的なキャンペーンとなる取り組み――世界ポリオ根絶計画（Global Polio Eradication Initiative＝GPEI）――に着手することに合意した。

GPEIは一九八八年の開始当初から、キューバが発案した地域社会ぐるみの予防接種デーという作戦に、セービンワクチンを第一選択ツールとして組み込んだ戦略を採用した。その目標は、人口のなかでも最も感染しやすい人びとに、少なくとも二回の経口投与をすることだった。新生児から六歳児までを対象にした予防接種デーが毎年二回、四週間から六週間の間隔をあけて、それぞれ一日か二日の日程で実施された。接種が行き届いていないと思われるところでは、全国デーに加え、地方や地域ごとの特定日を設けて予防接種を促進した。これらの補足的な接種デーでは、行政の手の届きにくい層、高リスクの層がとくにターゲットとされた。当局は地元の方言で広報活動を行い、地域のリーダーを作戦の立案や運営に参加させ、キューバの前例にならってワクチン接種のチームを一軒ごとに巡回訪問させた。こうした取り組みには、地域社会の深い関与が不可欠だった。そこで教会や、女性団体や、NGOや、地元の著名人などにも積極的に協力してもらった。

加えて、この戦略には天然痘での経験からの教訓も組み込まれていた。それは実験室での調査を行って、進行中の感染拡大に気づくことの重要性だ。資源の乏しい環境でも発生動向調査ができるようにするために、WHOは「世界ポリオ実験室ネットワーク」を設立し、これに属する一四五か所の実験室が、麻痺型ポリオの疑いのあるすべての患者から採取した直腸スワブの分析にあたった。発生動向調査の目標は、キャンペーンの進捗状況の追跡を可能にし、感染拡大が止まらないところがあればただちに一軒一軒の「掃討」作戦に入れるようにすることだった。

これらの対策をまとめたものが、WHOの「四本柱の方法論」をなしていた。定期的な予防接種、補足的な集団予防接種、ポリオウイルスの発生動向調査、そして感染爆発に対する迅速な対応である。最終的な目標は、セービンワクチンの最初の試験のときと同様に、病毒性の強い野生株ポリオウイルスを消滅させて、生きていて感染力もあるが強毒でない、弱毒化した株に置き換えることだった。この目標を達成する過程で、ワクチン未接種の層にも免疫をもたせられるようになる。ワクチンを接種した人びとから発せられる毒性のないウイルスは、やがて地域社会に充満するだろう。これが軽度の感染を引き起こし、そこで免疫も生じるが、麻痺が生じることはないのである。

GPEIはあたえられた使命を完遂すべく、国際ロータリーのほかにも各国政府とユニセフから資金を得て、大規模な作戦を立ち上げた。国際的な研究所にセービンワクチンを製造してもらい、それを低温流通システム《コールドチェーン》の技術を使ってさまざまな地域社会へ届けた。WHOとCDCの技術支援と後方支援を通じて、遠隔地の住民にも手を差し伸べた。WHOのジュネーブ本部をはじめ、さまざまな国際機関、各国政府、地域社会のリーダーから提供してもらった広報資料を配布した。そして大勢のワクチン接種員も派遣した。全国一斉予防接種デーはとくに労働集約的なイベントで、一〇〇〇万人以上の人手を必要とした。たとえばインドでは、全国一斉予防接種デーで一日あたり九〇〇〇万人もの子供にワクチン投与を行った。このような前例のない数で予防接種を実施するにあたっては、セービンの服薬の単純さが存分に生かされた。この経口ワクチンなら熟練した人員も注射器も要らず、担当者に求められる唯一の技能は、数を二つまで数えられることだった。彼らがやることは一人の相手にワクチンを二滴、その口に入れてやることだけだったからである。

目標としていた二〇〇〇年までのポリオ根絶は不可能だったとしても、ポリオとの闘いがはじまってから二〇〇三年までのあいだには、目を見張るほどの進歩が急速に果たされた。一九八八年、WHOは全世界の麻痺型ポリオ――急性弛緩性麻痺と呼ばれるもの――の患者数を三五万人と推定し、ポリオの流行地域を一二五か国と見積もっていた。しかしGPEIは、発足したその年に、早くもヨーロッパでの伝染を食い止めることに成功した。同様の成功がアメリカ大陸では一九九一年までに、太平洋地域では一九九七年までに実現した。二〇〇一年、WHOが発表した全世界の患者数は最少記録となる四八三人、そしてこれらの患者を出した流行地域は、アフガニスタン、パキスタン、インド、ナイジェリアのわずか四か国だった。二〇〇二年、患者数は一九一八人に上昇したが、それを埋めあわせる進歩としてWHOは、三種類のポリオウイルス株の一つである、2型ポリオウイルスの絶滅を報告した。世界がついに最後の勝利を迎えるのは目前であるように見えていた。

二〇〇三年から二〇〇九年までの挫折

しかし二〇〇三年から二〇〇九年のあいだに、キャンペーンは一連の深刻な挫折を経験した。悲観が生まれ、天然痘の根絶は妥当な前例ではなく、誤解を招く特殊な事例だったのではないかとの疑念も浮上した。ラングミュアがいっていたような一九六〇年のアメリカの状況と、二〇〇三年の世界の状況とのあいだには、それこそ縮図と全体図のような示唆的な類似があった。当時のアメリカでは、マイノリティ集団が暮らす都市部のスラム街や、農村部の貧困地域までポリオが後退していた。同様に、二〇〇三年時点の世界でのポリオは、経済的に発展した先進国ではすぐにも征服されそうだったが、地球上で最も不衛生で、最も貧しく、最も治安の悪いいくつかの場所では、あいかわらず地域流行病として定着していた。たとえばそこは、戦争で荒廃したアフガニスタンの片田舎であり、イスラム教徒が支配するナイジェリア北部の諸州であり、パキスタンのシンド州北部であり、インドのビハール州やウッタル・プラデーシュ州である。

ナイジェリアの北部諸州、とりわけカノ州が、顕著な例だった。このあたりは政治的にも宗教的にも錯綜した地域だったため、二〇〇三年から十三か月にわたって根絶キャンペーンが完全に中断された。その結果、ポリオの流行が再燃して、二〇〇六年までの三年間に五〇〇〇人以上の麻痺患者を出した。ポリオはナイジェリアから大きく広まって、一度はポリオがなくなったとWHOから宣言されていた西アフリカと中部アフリカを中心に、十八か国で麻痺患者を発生させた。それまでの進歩のもろさは明白だった。

二〇〇三年から二〇〇九年のあいだに浮上した問題は、複雑で、多面的なものだった。ナイジェリアでは、宗教的な対立と政治的な対立が最も大きな要因だった。カノ州では、少し前からアフガニスタンとイラクでの戦争に乗り出していた西洋の意図をイスラム教徒の指導者たちが疑って、セービンのワクチンは公衆衛生対策などではまったくないと説教した。このワクチンは、生殖能力を奪う毒薬を使ってイスラム教徒の子供たちを不妊にさせようとする、邪悪な陰謀の一部なのだというわけだった。

たしかに彼らからすると、西洋人の動機は謎だった。この国にはもっと切羽詰まったニーズがほかにあるのに、どうして国際社会はナイジェリアからポリオをなくすことにこれほど熱心なのか？　ナイジェリア人には、ポリオ根絶キャンペーンの何がそんなに大事なのかわからなかった。彼らにとっては安全な水、貧困、この地にもっと蔓延しているマラリアや、結核や、ＨＩＶ／エイズなどのほかの病気のほうが、はるかに重大な懸念事項だったのだ。そもそもこのキャンペーンはポリオワクチンなるものを、どうして無料で配布しているのだろうか？

加えて、カノ州の首長には、キリスト教国家が邪悪な意図をもっていると考える別の理由もあった。キリスト教徒の多くの国は、自分のところの国民には仕上げの戦略としてソークの不活化ワクチンの注射を選んでいるのに、ナイジェリアのイスラム教徒には頑として、毒性を取り戻すリスクがあるとわかっているセービンの生きたウイルスのワクチンを飲ませようとしている。実際、ナイジェリアでは「ワクチン由来ポリオ」がところどころで発生して、その危険性を浮き彫りにしていた。そうして最終的に、この国ならではの事情によって、予防接種キャンペーンに対する宗教的、政治的な反対が巻き起こった。ナイジェリア保健省は連邦政府を代表しているが、その連邦政府を支配しているのはキリスト教圏の南部諸州で、そこは比較的恵まれた層だったのだ。したがって、貧しい北部諸州の社会的、政治的、宗教的な不満は、代理人としての保健省に向かった。

その結果、ポリオ根絶キャンペーンに対するボイコット運動が二〇〇三年にはじまって、ようやく二〇〇四年に収まったものの、そのためには一連の安心材料を提供しなくてはならなかった。まず、イスラム教徒が運営するインドの研究所が、西洋からカノ州に供給されたポリオワクチンを分析し、その結果、無害であることを確認した。また、今後ナイジェリア北部に送られるセービンワクチンは、すべてイスラム教徒が監督するインドネシアの製薬研究室から供給されること

表4　世界における2006年から2016年までのポリオ報告症例数

年	症例数
2006	2,233
2007	1,527
2008	1,903
2009	1,947
2010	1,377
2011	758
2012	319
2013	505
2014	458
2015	114
2016	46

に決まった。さらに、世界中の著名なイスラム教指導者たちがナイジェリアの同宗信徒に向けて、ポリオ根絶への国際的な取り組みを支援するよう訴えた。

しかし二〇〇四年の時点で、すでに根絶キャンペーンはかなりのしつこいダメージを負っていた。ワクチン接種員を自宅に迎え入れるようになったからといって、イスラム教徒がどれだけ早く、どれだけ大きく考えを変えてくれるかは定かでなかった。また、保健当局の多くの関係者は、いったんナイジェリアの国境を越えてしまったウイルスの拡散が、収束に向かうかどうかは疑わしいと考えていた。実際、ポリオによる麻痺症例は急増していた。二〇〇一年には最少記録の五六人だった患者数が、二〇〇三年には三五五人、二〇〇五年には八三一人、二〇〇六年には一一四三人と、急上昇を見せている。世界保健総会による二〇〇九年初めのナイジェリアの進捗報告は、楽観をもたせるには程遠かった。それによれば、地域ごとの接種率に大きな差があって、結果的に六〇パーセントの子供が万全な予防接種をされていなかった。しかもナイジェリア北部では、三種類のポリオウイルス血清型がどれも依然として広まっており、ナイジェリアを起源とするウイルスが他国に拡散して、ベナン、ブルキナファソ、チャド、コートディボアール、ガーナ、マリ、ニジェール、トーゴに達していた。しかしさいわいにも、ポリオ対策の成果の向上が反転したのは一時的なことであり、ＧＰＥＩはいっそうの努力をつづけた。表4にあらわれているように、二〇〇六年から二〇一六年のあいだに、全世界の症例数は全般的に下降傾向をたどっている。これは明白な心強い進歩の証しだ。

とはいえ、インドのウッタル・プラデーシュ州とビハール州では、厄介な障害が出てきていた。この二州はインド亜大陸におけるポリオ流行の震源地で、近づきにくさ、治安の悪さ、そして少数派であるイスラム教徒の恐怖感が問題になっていた。加えて、さらに悩ましかったのが、そもそも根絶という概念そのものが熱帯環境において科学的に妥当なのかという疑問を突きつける生物学的な問題だった。それは、アルバート・セービンが半世紀前に提起していた「干渉」の問題である。一九五〇年代にコクサッキーウイルスとエコーウイルスが発見された結果として、ポリオウイルスの三種類の血清型は、人間の消化管に生息するエンテロウイルス属ウイルスの一部にあたることが判明した。これに関してセービンは、不衛生な熱帯環境においてはエンテロウイルスの腸内フローラが非常に密で、多様なため、ワクチンに含まれるポリオウイルスが体内で定着できないのではないかと懸念した。つまりポリオウイルスが「干渉」されてしまい、結果として免疫をもたせるのが不可能になるということだ。

インドでは、セービンの理論上の懸念がまさしく実際問題としてあらわれていた。一部の子供は一〇回もワクチンを投与されたのに、それでも防御免疫がいっさいできていないことが判明したのである。干渉作用は、また別の懸念も生み出した。もしも子供がポリオウイルスを過剰に投与された場合に、どういうことが起こりうるかという問題である。キャンペーンは開始当初、多数回のワクチン投与を想定していなかったが、インドでは一部の子供が生後五年のあいだに二五回もの予防接種を受けていた。それは定期の予防接種のほかに、国や地域の一斉予防接種デーがあり、さらに「掃討」作戦も加わるという、前例のない組み合わせが起こっていたからだった。

二〇〇三年から二〇〇九年までの混乱の時代には、ほかにもさまざまな問題が浮上した。まず、弱毒化してあるとはいえセービンのポリオウイルス株は生きたウイルスなので、突然変異によって毒性と向神経性を取り戻す可能性がつねにあった。それはすなわち、「ワクチン由来の麻痺型ポリオ」がいつアウトブレイクを起こしてもおかしくないということだ。この可能性――ワクチン自体が疫病を解き放つ可能性――は決して理論上だけのものではない。ワクチンに関連したポリオのアウトブレイクは、実際にフィリピンでも（二〇〇一年）、マダガスカルでも（二〇〇二年）、中国でも（二〇〇四年）、インドネシアでも（二〇〇五年）起こっている。ポリオ根絶に向けての進歩を巻き戻させるような、こうしたポリオの発生に、こんな嫌味も飛ばされた――経口生ワクチンがなければポリオは根絶できないが、経口生ワクチンがあるかぎりポリオは根絶できやしない。ワクチン関連のポリオは、根絶キャンペーンに論理的な終点が存在しないことを示唆してもいる。人びとに感染症の予防接種をしても、そのワクチン自体によってまた流行がはじまるのなら、ずっと予防接種をつづけていかなくてはならないからだ。問題をさらにややこしくするのが、免疫不全疾患を抱えた人びとの場合である。こうした人は、ワクチンウイルスを一〇年間も排出しつづける可能性がある。したがって、もしキャンペーンがどこかで終了となり、ワクチン未接種の感染しやすい人が増えていけば、しまいには、免疫のない人びとのあいだで壊滅的な流行が起こりかねない。

ワクチン関連ポリオの発生例のうち、二〇一八年半ば現在、最も重大なのはコンゴ民主共和国で流行中のものである。この国では、セービンの経口生ワクチンを投与するキャンペーンが行われてからほどなくして、2型ポリオウイルスがふたたび毒性をもち、遠く離れた三つの州に三〇人の麻痺患者を出している。不穏なことに、遺伝子解析の結果から、この三つの州でのアウトブレイクは、数年前からひっそり広まっていた別々の株のウイルスによるものであることが判明した。コンゴ民主共和国でのアウトブレイクから考えられることは、おもに四つある。第一に、別々の株が存在しているということは、ワクチン由来の2型ポリオウイルスは検出されないままに、国内のかなりの範囲にわたって広まっていたと考えられる。第二に、アウトブレイクの一つがウガンダとの国境付近で起こったことからして、ポリオの国際的な拡大の脅威が差し迫っている可能性がある。第三に、コンゴ民主共和国にポリオが復活していることは、それ自体に問題がある。この国の治安問題と輸送手段の乏しさが、発生動向調査、症例追跡、ワクチン投与といった作業を難しくしているからである。そして第四に、皮肉なことだが、流行の拡大を食い止めるには2型の一価経口ワクチンをさらに投与するしかなく、しかしそうすると、毒性の復活による新たな流行の危険性を生じさせてしまうのである。

そうしたわけで、世界ポリオ根絶キャンペーンの責任者であるミシェル・ザフランの評価では、コンゴ民主共和国でのポリオの急増は「絶対的に」、根絶活動が直面している最も深刻な危機であり、アフガニスタンとパキスタンとナイジェリアで起こっている「野生」株ポリオウイルスの常在的な地域流行よりも、はるかに深刻度が高いという。ザフランの見るところ、コンゴ民主共和国でのアウトブレイクは世界キャンペーンを大幅な停滞か、ともすると最終的な敗北の危機にさらしている[11]。

見かけの勝利がコンゴ民主共和国でも、ほかの地域流行国でも得られたとしても、不確実性はいつまでも残るだろう。WHOの根絶宣言の方針は、伝播の終了を示すたった一つの指標を待つことになっている。すなわち、急性弛緩性麻痺がなくなることである。ところがポリオは、ひっそりと流行することで悪名高い。感染者の大多数がまったく無症状か、あるいはインフルエンザのような軽度の症状しか示さないためだ。この点で、ポリオは天然痘とは根本的に異なっている。天然痘が根絶できたのは、派手な症状が出るので患者を追跡しやすかったからだともいえるのだ。ポリオの場合、病気が進行して中枢神経系を冒し、麻痺にまでいたるのは、感染者の一パーセント未満である。したがって麻痺の患者がいないからといって、それを伝播の終了の指標とするのはお粗末であり、数年の猶予を見てもなお不十分だろう。一国からポリオがなくなったと時期尚早に宣言するのはあまりにも安易で、そのよい例がアルバニアである。この国では急性麻痺の最後の症例が出てから一〇年近く経って、ふたたび自国発のポリオの患者があらわれた。そして麻痺型ポリオの患者が一人でも出れば、通常、その背後には少なくとも一〇〇人の無症状感染者がいるはずなのである。

さらに問題をややこしくすることに、弛緩性麻痺は、さまざまな非感染性の疾患や異常によっても引き起こされることがある。たとえばギラン・バレー症候群、外傷性神経炎、急性横断性脊髄炎、新生物などである。加えて、セービンも指摘していたように、麻痺型ポリオとまったく同じ病態が、ほかの十七種類のエンテロウイルスによる感染症のあらわれだったということもある。言い換えれば、ポリオを根絶しようとする試みの複雑さの一つは、ポリオウイルスが長期にわたって弛緩性麻痺を生じさせずに広まっていることもある一方で、ポリオウイルスが存在していないのに弛緩性麻痺が生じる場合もあるということなのだ。

ＧＰＥＩの歴史は明らかに、天然痘との比較で生じた無批判な楽観が、見当違いであったことを実証している。天然痘は、攻撃されると弱いという点において例外的であったのだ。天然痘には病原保有体動物がなく、交差免疫の問題を突きつける血清型の多様さもなかった。症状は派手で、すぐにそれと見分けがついた。病気に勝って生存できれば、強固で持続的な免疫がついた。そして攻撃に使われたワクチンは、一回の投与で効果があって、ワクチン関連の疫病を解き放つおそれはいっさいなかった。

それにくらべて、ポリオははるかに手ごわい敵であり、撲滅主義者の最初の展望がいかに幻であったかを思い出させてくれる。病気に対する最終的な勝利は、まれな成功として祝われるべきものであり、段階を踏んでいけば当然のように病原体のいない楽園に着くわけではない。ポリオの征服は、すぐそこまで迫っていながらなかなかたどりつけない目標だが、もしそれが果たされたとしても、根絶がかなったヒトの感染症のようやく二例目にすぎない。このキャンペーンの最終結果がどうなるかは現時点ではどちらともいえないが、いずれにしても、その過程で見えてきたさまざまな困難が明らかに教えてくれていることがある。感染症を根絶するには、適切なツールと、大々的な資金調達と、入念な計画と、持続的な努力と、そして何より幸運が必要なのである。

第19章　ＨＩＶ／エイズ――序論と南アフリカの事例

エイズの起源

エイズのパンデミックは、サルと類人猿を苦しめていたサル免疫不全ウイルス（ＳＩＶ）というものに、突然変異が生じたところからはじまった。その突然変異により、このウイルスは種の壁を越え、動物からヒトへの感染を起こせるようになった。この重大な事態がいつ最初に起こったのかはわかっていないが、現時点での仮説では、すでに一九三〇年代にはいくつかの症例が孤立して出ていたにもかかわらず、ついぞ確認されないままだったのだろうとされている。少なくとも一九五〇年代初頭には、ヒトからヒトへの感染が一定して起こっており、これとともにヒト免疫不全ウイルス（ＨＩＶ）という新興ウイルスの今日の歩みがはじまった。

サルを宿主としていた免疫不全ウイルスは、アフリカの二つの別々の環境で、それぞれに種の壁を越えた。その流れで、ＨＩＶにも二つの異なる生物型《バイオタイプ》が生まれた。中部アフリカのブルンジとルワンダとコンゴ民主共和国が国境を接する地帯では、いまも人間を苦しめつづけているＨＩＶの型が定着した。これがＨＩＶ-1型で、病毒性が強く、現代のＨＩＶ／エイズの世界的な流行の大部分はこちらが原因になっている。ほぼ同じころ、西アフリカでは、ヒトに感染するウイルスとしてＨＩＶ-2型が出現したが、こちらは1型にくらべて作用が遅く、伝染性が低い。

サルや類人猿からヒトへと、種の壁がどういう経緯で越えられたかについては、いまも推測の域を出ていない。よく知られる説は、一九九九年にエドワード・フーパーが著書の『ザ・リバー』で提起したものである。一九五八年にアフリカで広く実施された経口ポリオワクチンの試験がきっかけだった、というのがフーパーの考えだ。フーパーは第三世界の国々で行われた倫理的に問題のある生物医学研究を槍玉に挙げ、研究者のむやみな性急さに対し、エイズを生み出したことでノーベル賞をもらう気か、と批判した。その結論を出すにあたって、フーパーはジョン・スノウの初期のコレラ研究に倣い、広範な疫学的リサーチを行っているが、彼が示した証拠はあくまでも状況証拠にとどまる。もう一つの有名な説は、感染した野生動物の肉、おそらくは中部アフリカのチンパンジーと、西アフリカのサルの肉を食べたことで、ヒトに免疫不全ウイルスがうつったとする考えである。

HIVと人体

ウイルスを生物として分類すべきかどうかについては議論があるが、これはほかではまず見られないような議論である。たしかにHIVは、構造においてはきわめて単純だ。RNA（リボ核酸）を遺伝物質として、そのRNA二本のなかに一〇個の遺伝子が含まれているだけで、表面に二種類の糖タンパク質をもつ膜が、その全体を覆っている。対照的に、細菌に含まれる遺伝子の数は五〇〇〇個から一万個にものぼる。HIVは単独では運動も代謝も成長も繁殖もできず、そのため宿主細胞に侵入して、その細胞をウイルス産生の手段に変えるという過程を経る必要がある。その意味では、ＨＩＶは完全に寄生者であり、生きた細胞を自分に都合よく変えてしまうことによってしか、生命に必須のプロセスを果たせられない。

ひとたびヒトの血流に入り込めたなら、ＨＩＶは膜の表面についている糖タンパク質gp41の働きにより、特定の細胞、とくにＣＤ４細胞（またはヘルパーT細胞）と呼ばれる白血球を標的にして侵入することができる。この細胞は人体の免疫系を調節する働きをしていて、侵入してきた微生物を検出すると同時に免疫系を活性化させる。ＨＩＶに侵入されて宿主細胞となったＣＤ４の内部では、逆転写酵素によってＨＩＶのＲＮＡがＤＮＡ（デオキシリボ核酸）に変換される。この逆転写のプロセスは、一九七〇年代にハワード・マーティン・テミンとデイヴィッド・ボルティモアに別々に発見され、二人に一九七五年のノーベル生理学・医学賞をもう一人の研究者とともに共同受賞させたものだが、これこそＨＩＶのようなウイルスが「レトロウイルス」と呼ばれるゆえんである［「レトロ」は「逆」という意味をもつ］。一九七〇年までは、ＤＮＡがＲＮＡをつくるというのが進化生物学の中心教義だった。ところが、この逆方向のプロセス――ＲＮＡの鋳型からＤＮＡがつくられる流れ――が発見されたことで、初めてＨＩＶ／エイズの生物学的仕組みを理解することが可能になった。

逆転写がきわめて重要である第一の理由は、これが感染した人体におよぼす影響にある。新たに変換されたＤＮＡは、宿主細胞のゲノムにコードされる。これにより、侵入したウイルスが細胞の機構を乗っとり、新しいウイルスを産生する手段に変えて、細胞そのものを破壊することができるようになる。本来は免疫系の調整役であるＣＤ４細胞が、ＨＩＶのウイルス粒子を生産する「ウイルス工場」と化し、できあがったウイルス粒子がふたたび血流に入って、また別のＣＤ

４細胞に侵入し、同じサイクルをくり返す。ここでＣＤ４細胞が破壊されることにより、人体の防衛力を動員するシグナル分子のネットワークが機能しなくなる。これがエイズにおける免疫抑制の根本的な原因であり、付随して生じるさまざまな日和見感染症の遠因でもある。加えて、この逆転写のプロセスは個々の患者の体にとってだけでなく、ＨＩＶ／エイズの疫学にとっても非常に重要なものとなっている。なぜならこのプロセスは、きわめてエラーを起こしやすいからだ。そのため非常に突然変異が起こりやすく、ＨＩＶのさまざまな種類――「分岐群《クレード》」――を生み出して、結果的に薬剤耐性の発達を促してしまう。

ＨＩＶが血流に侵入したあとは、六週間から八週間の潜伏期間を経て、「急性感染」の期間が一か月ほどつづく。多くの場合、急性感染のあいだは無症状で、患者自身も感染しているのに気づかないが、その体内では血清変換《セロコンバージョン》が進んでいる。これはＨＩＶの抗体が検出可能なレベルまで産生されて、患者がＨＩＶ陽性になるということだ。しかし多くの患者が感じる症状は、インフルエンザや単核球症の症状に似ている。発熱、うずきと痛み、倦怠感、リンパ節の腫れ、頭痛、喉の痛み、下痢といったもので、ときに発疹が出ることもある。そうして最初の感染から十二週間ほど経つと、症状は消える。

しかし症状が消えたあとも、病気はひそかに進行しており、この無症候期が何年もつづく。ＨＩＶの生活環は、絶えずＣＤ４細胞に侵入し、ＨＩＶのウイルス粒子を複製し、宿主のリンパ球を破壊し、ウイルス粒子としてふたたび血流に入り、また同じプロセスを開始するという流れになっている。そのあいだにＨＩＶは少しずつＣＤ４細胞の数を減らしながら、「ウイルス負荷」、すなわち血液一立方ミリリットルあたりのウイルス数を増やしていく。ＨＩＶは一日ごとに血流中のＣＤ４細胞の約五パーセントを破壊していくが、新たなＣＤ４細胞がつくられるペースはそれよりも遅い。したがって時間とともに、ウイルスとＴ細胞のバランスは決定的に、かつ不可逆的に、ウイルスに有利な方向に傾いていく。

一方で、この無症候期はエイズの疫学に決定的な役割を果たす。レンチウイルス属に分類されるＨＩＶは、人体を発病させるまでの進行がとくに遅い。そのように無症候期が長々とつづくからには、感染者は自分の異状に気づかずに、見かけ上は健康なまま、何年も性的に活発でいられることになる。

ＷＨＯが認めているＨＩＶ／エイズ〔ＨＩＶ感染症から後天性免疫不全症候群までの一連の病態の総称〕の進行は四段階に分かれ、それぞれの段階は、血液一立方ミリメートルあたりのＣＤ４細胞の数で決まる（保健機関によっては、ＨＩＶ／エイズの進行を三段階としていることもある）。細胞数が八〇〇個から一二〇〇個の範囲であれば、正常と見なされる。急性感染後の最初の二段階は、無症候期にあたる。ＣＤ４細胞数が減少するにつれて、体はますます日和見感染症にかかりやすくなる。一般に第三段階と第四段階であらわれる特徴的な主症状を引き起こし、「発病期」に入らせるのは、根本のＨＩＶ陽性による異状よりも、むしろこの日和見感染のほうである。どういう経緯をたどるかは事例によってさまざまだ。

ステージ１

ＣＤ４細胞数が一〇〇〇個未満、五〇〇個以上。通常、この潜伏段階では主症状はあらわれないが、リンパ節が腫大することはよくある。

ステージ2

CD４細胞数が五〇〇個未満、三五〇個以上。免疫抑制のレベルがこの段階にくると、臨床兆候はさまざまとなる。通常、正確な理学的診断を裏づけるだけの十分な兆候は見えない。無症候期がどれだけつづくか、重度の日和見感染がいつ起こるかは、ＨＩＶ感染の進行度によってだけでなく、患者の全般的な健康状態によっても決まる。十分な栄養を摂取し、定期的に運動し、薬物やアルコールや喫煙を慎んでいれば、エイズの発病は防がれる。しかしステージ２にいたると、多くの患者は、理由もなく体重が減ったり、爪に真菌性の感染症が起こったり、喉が痛んだり、咳き込んだり、口腔内潰瘍が頻発したり、気管支炎や副鼻腔炎などの呼吸器感染症にかかったりする。

ステージ3

CD４細胞数が二〇〇個から三五〇個のあいだ。免疫抑制がここまで進行すると、エイズ発病の兆候があらわれる。よくある兆候や症状は、急激な体重減少、寝汗をともなう発熱（断続的でも持続的でも）、舌縁の両側に生じる斑点、歯のぐらつき、慢性的な下痢、口腔カンジダ症、歯肉炎、肺結核、および肺炎や髄膜炎などの細菌感染症など。

ステージ4

CD４細胞数が二〇〇個未満。臨床兆候が深刻になり、空咳、進行性の息切れ、胸痛、嚥下困難、網膜炎、頭痛、肺結核、ニューモシスティス肺炎、カポジ肉腫、トキソプラズマ症、認知機能不全や運動機能不全、髄膜炎などを発症する。全世界的に、HIV／エイズの主要な合併症は肺結核であり、これが大多数の患者の直接の死因になっている。ステージ4のエイズを治療しなかった場合、通常は三年以内に死にいたる。

感染経路

性的接触感染

HIV感染症は、四つの進行段階のすべてにおいて感染力があり、感染者のあらゆる体液にウイルスが存在している。含まれるウイルスの量が最も少ないのは汗、涙、唾液で、かなり多いのが精液と膣液、最も多いのが血液である。歴史的に見ると、HIV／エイズはほとんど性感染症の一種といってもよかった。研究によれば、これまでの患者の四分の三以上が性交渉によって感染したとされる。

当初のHIV／エイズの理解には、アメリカでの流行からの推測が多分に含まれていた。HIV／エイズが最初に危険視されたのがアメリカで、そのアメリカでは、流行開始からの数十年間に罹患した人の大多数が、同性愛者の男性だった。たしかに同性愛者の男性はさまざまなリスク要因をもっていた。たとえば肛門性交は、ウイルスが血流に直接入り込むための絶好の入り口となる擦過傷をつくりやすい。加えて同性愛者の男性は、サンフランシスコやニューヨークといった都市の中心部に大量に移住して、そこで性感染症の拡散を助長するような文化を育むという点でも、感染機会にさらされやすい。さらに運悪く、既存のヘルペス、梅毒、軟性下疳《げかん》などが、病原体の入り口となりやすい傷口を通じてうつってしまうと、ＨＩＶ感染症の進行が助長されてしまう。とはいえ、最大の危険因子は同性愛ではなく、多数の相手と性交することだった。現在の世界的流行の震源地であるアフリカでは、複数の相手との性行為が新規感染の三分の二の原因となっている。

世界的に見れば、主要な感染経路だったのは異性間の性交で、男性よりも女性のほうが感染機会にさらされやすかった。女性のほうが多く感染しやすかった背景には、生物学的、文化的、社会経済的な理由がある。まず生物学的には、ＨＩＶに感染した精液が長時間にわたって膣内に残るため、女性は男性よりも感染の危険性が高くなる。さらに女性は、暴力的、または虐待的な性交を強要されることも多く、それはすなわち同性愛者の男性の場合と同じように、擦過傷をつくりやすいということでもある。加えて、女性に既存の性病があって潰瘍ができていた場合には、ＨＩＶが人体の防衛の最前線をたやすく回避して侵入することができる――つまり、皮膚に邪魔されないということである。

多くの社会では、女性は男性よりもかなり早い年齢から性行為をする。また、教育を受けられる機会も少ないが、それはあらゆる性感染症において大きな危険因子だ。世界的に見ても、小学校さえ出ていない女性は、それ以上の教育を受けた女性にくらべてエイズにかかる可能性が二倍も高いのである。女性が概して不平等な扱いを受けていることにも大きな問題がある。その場合、女性は男性に対して安全な性行為の実践を要求できなかったり、望まない性的な誘いを拒否できなかったりする状況にしばしば立たされるのだ。平均的に、女性の性行為の相手はその女性よりも年上で、腕力が強く、教育があり、しかもたいてい女性の経済的手段を支配している。さらに、女性が男性よりも貧困に陥りやすいことを利用した性風俗産業がある。そこでは男性よりも圧倒的に女性のほうが多く、したがってＨＩＶ／エイズにかかるリスクも圧倒的に女性のほうが高い。

一部の文化に浸透している男らしさという規範も、女性の健康に悪影響をもたらす。たとえば複数の性的パートナーをもつことは、しばしば男性の名誉の象徴とされ、コンドームを使用したり性的に拒絶されたりするのは、逆に不名誉と見なされる。こうした考え方は、男女平等に性交渉のルールを定める権利を女性から奪うため、結果的に女性がＨＩＶ／エイズにかかるリスクを高めている。

母子感染

ＨＩＶ／エイズの拡散においては性行為が飛び抜けて大きな要因だが、感染経路はほかにもあり、定量化するのは不可能にしても、それらの重要性は決して小さくない。その一つが母親から胎児、もしくは新生児への感染で、こうした垂直感染にもいくつかの経路がある。胎盤を通じて感染することもあれば、出産過程で感染することもあり、さらに、新生児が母乳を通じて感染する可能性もある。いずれにしても、ネビラピンのような抗ＨＩＶ薬を使用することで、リスクの程度は大幅に下げることができる。

血液感染

血液も、多くの面でＨＩＶの重要な感染経路となりうる。輸血を必要とする侵襲的な医療処置はいたるところで行われているため、汚染された血液が輸血されてしまう場合も多々あり、とくに血液提供者を金銭で賄わなければならなかったり、血液貯蔵を慎重な管理のもとで行っていなかったりと、安全性に欠ける行為が許容されていた場合には、その可能性がいっそう高まる。このような状況では誰もが危険にさらされるが、とくに血友病の患者にとっては危険性が高い。

静脈注射薬物の常用者のあいだで注射針が使いまわされている場合も、汚染された血液が感染拡大の原因になりうる。そして社会が深刻な混乱状態にあるときは、このリスクが増大する。共産主義が崩壊したあとの東欧などがその一例で、大混乱と、それにつづく絶望感が社会を覆うなかで、ヘロインの使用が急増し、多数のＨＩＶの犠牲者を出すことになった。あるいは受刑率が高いところも、刑務所内で危険な行為におよぶ人間の数を考えれば、感染問題がひときわ深刻になるかもしれない。アルコールの濫用も、まともな判断と安全な性行為ができなくなることから、病気の広まりを加速させる。薬物常用者向けの注射針交換プログラムを広めようという動きもあるが、えてして一般市民の道徳観が障害になる。この支援策が感染防止に有効であると実証されていても、そうした疫学的な見地からの事実より、薬物使用を許せない気持ちのほうが勝ってしまうのである。

注射針の問題は、わずかながら、医療従事者をもＨＩＶ感染の危険にさらしている。病院、歯科医院、診療所などで働く人が、急いでいたせいで、過労のせいで、あるいは注射器の処分が不適切だったせいで、誤って自分に針を刺してしまうことがあるのだ。資源に乏しいところでは、十分な消毒と安全性の訓練が欠けているせいで、この問題がいっそう大きくなっている。

治療と予防

ＨＩＶ／エイズに決まった治療法はない。一九八七年に初の抗レトロウイルス薬としてＡＺＴ（アジドチミジン、またはジドブジン）が使えることが判明して以来、抗レトロウイルス療法の開発が治療の基本となっている。抗レトロウイルス療法は、病気を治癒させるわけではない。しかしウイルス負荷を徹底的に減らすので、結果的に免疫系の破壊を遅らせて、ＨＩＶ／エイズを慢性疾患に変えることにより、患者の余命を延ばす。

抗レトロウイルス療法は予防戦略としても機能する。ウイルス負荷を減らせるので、ＨＩＶ陽性患者の感染力を大幅に減少させることになるからだ。そのため、たとえば妊娠中の母体から胎児へ、あるいは出産過程での母親から新生児へといった垂直感染の確率は、大幅に低下する。同様に、性的感染のリスクも激減する。この意味で、抗レトロウイルス療法は予防と治療の区別を明確にせず、両者を密接に連動させている。

ＡＺＴによって突破口が開けてからは、六つの分類に大別される各種の抗レトロウイルス薬が開発され、臨床医の使える手段は大幅に広がった。各分類は、ウイルスの生活環の特定の段階をターゲットにしている。臨床的には、治療に使える選択肢が増えたことで、副作用や特定の薬剤に対する耐性、あるいは妊娠しているかどうか、併存症や合併症があるかどうかなど、さまざまな変数に応じて薬剤を選択したり、分類の異なる薬剤を組み合わせたりすることができるようになった。

しかしあいにく、抗レトロウイルス療法の利点は条件付きだ。そもそも現時点で使える抗レトロウイルス薬は、すべて毒性がある。その有害な副作用は、発疹、下痢、貧血、倦怠感、骨粗鬆症、肝臓や腎臓や膵臓の損傷など、多岐にわたる。また、ひとたび抗レトロウイルス薬を投与すると、患者は生涯にわたって複雑で高額な薬物療法をつづけていかなくてはならない。患者がホームレスだったり、認知機能不全だったり、アルコールや薬物の依存症だったり、あるいは貧しかったり読み書きができなかったり移住してきたばかりといった境遇のせいで医療システムからこぼれ落ちたりしていると、この療法遵守が非常に難しくなってくる。

貧困国では、抗レトロウイルス薬を使いたくとも、どうしようもない金銭的な障害に阻まれることがしばしばあった。つまりこれらの薬剤は、格差の問題、資源利用における優先順位の問題、健康にかかわる市場原理の倫理の問題を浮き彫りにしてもいる。加えて、抗レトロウイルス治療はＨＩＶ陽性患者の余命を延ばすことで、彼らの性的活動期間も大幅に延ばしている。それは彼らの感染力が、薬によって弱まっているとはいえ、ずっとつづくということなのだ。この療法の予防面での利点は、他人を感染させられる期間が長くなることによって部分的に相殺されている。

抗レトロウイルス治療をさらに厄介にしているのが、急速に目立ってきた薬剤耐性の問題だ。耐性に打ち勝つために、治療プロトコールでは三種類の薬剤を組み合わせた療法を用いることになっている。製薬会社はウイルスとの軍拡競争に入っているようなものだ。特定の薬剤への耐性が出てくるのと並行して、そのたびに新しい薬剤を開発していくことは可能なのだろうか。それともやはり、いつかは抗レトロウイルス治療が有効でなくなる日が来ると恐れるべきなのだろうか。

ＨＩＶ／エイズに対するその他の薬理学的戦略として、曝露前予防（Pre-Exposure Prophylaxis ＝ ＰｒＥＰ）というのがある。この戦略は、ＨＩＶ陽性の性的パートナーをもつＨＩＶ陰性者に適用される。ウイルスが感染を成立させるのを阻害する薬剤を二種類含んだ錠剤を一日一錠服用するもので、男性のコンドーム使用と併用してもいい。アメリカ疾病予防管理センター（ＣＤＣ）は、曝露前予防を適切に実施すれば九〇パーセントの効果があると見込んでいるが、限られた人にしか使えない方法であるうえに、遵守させるのがかなり難しいという問題もある。

一方で、ワクチン研究もつづけられてはいるが、やはり現時点での予防努力の頼みの綱は、行動変容である。そのための方策として、注射針交換プログラムや、コンドームの使用をはじめとした「安全」な性行為の啓発、さらには、人びとが性的に活発になる年齢をもう少し遅らせる、女性の権限を強化するといった取り組みも行われている。

南アフリカでのパンデミック

二〇世紀半ば前にウイルスが種の壁を越えてから、ＨＩＶ／エイズは二つの異なるパンデミックのパターンをたどった。一つは原発地アフリカでのパターン、もう一つは拡散した先の先進世界でのパターンである。アフリカでは、エイズはおもに異性間性交を通じて感染する一般市民の病気になった。一方、先進世界では、男性同性愛者、静脈注射薬物の常用者、少数民族など、社会的、経済的に疎外された人びとのあいだに犠牲者が出る「集中型」の感染症になっていった。この章では、現在の世界的流行の中心地である南アフリカ共和国の事例を詳しく見ていく。現在のところ、南アフリカのＨＩＶ感染者数は世界最多である。人口およそ四八〇〇万人のうち七〇〇万人がＨＩＶ陽性で、有病率は十二・九パーセント、子供を除外すれば十八パーセントに達する。

加えて南アフリカは、強固な産業基盤と民主的な政体がありながら、病気が深刻に流行しているほぼ唯一の国という点でも、検討に値する特異な事例だ。サブサハラ・アフリカのあらゆる国のなかで、南アフリカはパンデミックに立ち向かうための資源を最も多くもっている。そのため、ほかのアフリカ諸国は南アフリカにリーダーシップを期待し、危機の解決策をいち早く見つけてほしいと思っている。ニューヨーク・タイムズ紙の表現を借りれば、南アフリカは「アフリカを荒廃させてきた病気との闘いにおける最適のリーダー」なのである。[1]この理由から、二〇〇〇年の第十三回国際エイズ会議は南アフリカのダーバンで開催された。この会議が発展途上国で開催されたのは、このときが初めてである。

二〇世紀の半ばごろに出現して以降、ＨＩＶ／エイズは南アフリカで急速に広まった。とはいえ、最初の数十年のあいだは気づかれもしなかった。その理由はいろいろある。脱植民地化、アパルトヘイト、冷戦にともなう政治的緊張、多数派である黒人のための医療制度の欠落、公衆衛生サーベイランスの欠如、および、ほかの病気の高い有病率のせいで、未知の侵入者にまで注意が向かなかったのだ。南アフリカで初めてＨＩＶ／エイズと診断された患者が出て、初めて公式の死者が出たのは、一九八三年のことである。しかし、すでに一九八〇年までに、サブサハラ・アフリカ地域は急速に新しいパンデミックの嵐の中心になっていた。北米では一万八〇〇〇人、ヨーロッパとラテンアメリカではわずか一〇〇〇人ずつという感染者数にくらべ、アフリカでは四万一〇〇〇人もが感染していた。

アメリカの場合と同様に、南アフリカでも、最も早い時期に認められた患者は、同性愛者、血友病患者、静脈注射薬物の常用者のあいだから出ていた。しかし一九八九年までに、南アフリカでは異性愛者のあいだでのＨＩＶ感染が急増し、もはやこれは「集中型」の感染症ではなくなっていた。診療所に通う男性同性愛者の数が横ばいになる一方で、市民全体のあいだでの患者数は指数関数的に増大した。この傾向が最初にあらわれたのは都市の中心部だったが、やがて農村部でも同様となる。しかも、女性の数が男性の数を上まわっていた。このときから、南アフリカのＨＩＶ／エイズはアメリカのそれとは大きく異なる道を歩むことになった。

植民地政策とアパルトヘイトの遺産

南アフリカにＨＩＶ／エイズをそこまで蔓延させた要因の一つは、植民地政策とアパルトヘイトの遺産だった。最初に都市部の同性愛者のあいだに感染を広まらせたあと、ウイルスは地理的な人種間の壁に沿って拡散し、一般黒人層を徹底的に襲った。二〇〇五年の妊産婦診療所での有病率を見ると、ＨＩＶ陽性率が白人では〇・六パーセント、インド系では一・九パーセントにしかならないのに対し、黒人では十三・三パーセントにものぼっている。ＨＩＶ／エイズにいかに人種的な偏りがあるかは、スーザン・ハンターの二〇〇三年の著作につけられた、『黒死病――アフリカにおけるエイズ』という皮肉なタイトルによくあらわれている。

アパルトヘイトといえば、やはり際立っていたのはアフリカ系黒人家族への影響だった。一九四八年から政権を握っていた白人至上主義の国民党は、人種集団それぞれの「分離発展」なるものを目標に掲げた。この目標は、一九七一年にイギリス首相アレック・ダグラス＝ヒュームが記者会見で「平行線に沿って行使される誰にも妨げられない自決の原則」と表現しているものであり、それを正式に法律として具体化したのが一九五〇年の集団地域法と、一九六六年の集団地域改正法だった。これらの法律は、非白人からすべての不動産を取り上げ、指定された地域以外に居住する権利をいっさい奪うことによる、社会の設計管理《ソーシャルエンジニアリング》の完遂を是認するものだった。その指定地域以外の国内の土地は、もちろん南アフリカの主要都市の中心部を含め、すべて白人のために確保された。この地理的な人種別の分離を別方面から支えたのが、雇用面でのアパルトヘイト、すなわち「職種確保」である。一九五六年の産業調停法の定めによって、人種ごとに就業できる職種が決められ、技能を要する高報酬の職種は白人のために「確保」された。

人種間を住む場所の面でも働く場所の面でも分断する明確な一線を引くために、与党は強制移住という手段をとった。最終的に三五〇万人を移住させたこの措置は、アフリカ系、インド系、および「カラード」と呼ばれる混血層ばかりが居住していた建物を打ち壊すことからはじまった。次いで軍隊が動員されて、非白人を二種類の指定地域のどちらかに強制的に移動させた。一方は、大都市に隣接する「ロケーション」、または「タウンシップ」と呼ばれる区画だった。ヨハネスブルグ近郊のソウェト、ダーバン近郊のウムラジ、ケンプトンパーク近郊のテンビサなどが代表的な例である。事前準備もなく、いきなり大量の人口が流入してきたこれらの黒人指定居住区は、必然的に人口密度の高いバラック街となり、水も、下水道も、電気も、交通機関も、衛生的な住居も備えられていなかった。

住むところを奪われた人びとのもう一方の行き先は、国内のあちこちに「集団居住地域」として指定された資源に乏しい小さな一帯で、こちらは「ホームランド」、またはバントゥースタン（「バントゥー族の国」）と呼ばれた。各地のホームランドの総面積は、南アフリカの国土の十四パーセントに相当した。この面積に、南アフリカの人口の七五パーセントを押し込めたということである。ホームランド内では、移住してきた人びとに政治参加も雇用機会も認めない制度になっていた。排除の論理を極限まで推し進めるかのように、政権はホームランドをアフリカ系の民族ごとに区分けした。ズールー人、コサ人、ソト人、ツワナ人、スワジ人が、みなそれぞれ別の居住地に追いやられた。

定められた移住地に定住し、国内通行証によって実質的に移動の自由を奪われてしまうと、もはやアフリカ系黒人は、自分のホームランド以外では市民権を行使できなくなった。すなわち、自分の国にいながらにして外国人扱いの待遇に落とされたのである。国民党は、バントゥースタンを最終的には「独立」国家に発展させるというレトリックを使用した。しかし、その実態は、依然として人びとの生活のあらゆる側面を南アフリカが支配するということでしかなかった。なぜならバントゥースタンはあまりにも規模が小さく、防御できる国境もなく、経済資源もなかったから、独立などできないことは最初から見えていたのである。

当然ながら、国民党から押しつけられた統治体制は、南アフリカの黒人にとっては非合法と映った。したがって、通行証の発行や「流入管理」政策の推進を担当するバントゥー関連事務局が、アパルトヘイト体制の末期を象徴する暴動で最初のターゲットの一つになったのも偶然ではなく、同様に、ホームランドの黒人行政官の官舎が嘲笑的に「アンクル・トムの小屋」と呼ばれていたのも、収益をホームランドの行政に融通していた国営ビヤホールが、つねに群衆の暴力の標的にされていたのも偶然ではなかった。

アパルトヘイトの多様で複雑な制度構造のもとになっていたビジョンは、国民党の指導者P・W・ボータ（一九一六～二〇〇六年）の言葉に明確にあらわれていた。

私は……南アフリカの白人の住む地域に、バントゥー族が永住できる場所、あるいはなんらかの永遠を確保できる場所を、たとえ一区画といえども、存在させてはならないと信じております。言い換えれば、白い南アフリカは、黒人プロレタリアートが経済的未来を掌中にできるような可能性から、徐々に解放されなくてはならないのであります。さもないと、いずれこの都会化した黒人プロレタリアートが、カラードと混じり合うことによって、南アフリカ全体を支配する地位を獲得してしまうからであります。[2]

集団居住地域でどうにかして生きていくために、黒人家族は長期にわたって別居することを余儀なくされた。男性が職を求めて、いまや白人しかいなくなった都市や、農場や、鉱山に、出稼ぎ労働者として向かわなければならなかったからである。黒人の女性、子供、高齢者、障害者は、バントゥースタンに残された。そこは実質的に、白人居住地域にとって必要でない余剰人員を押し込めるごみ捨て場となっていた。南アフリカの鉱山で働く黒人男性の境遇は、この新しい制度での労働を象徴するようなものだった。ほかに雇用の機会もなく、ある種の外国で、臨時雇いとして鉱山労働に従事するしかなかった。彼らはそこで、年間十一か月ものあいだ会社の作業員宿舎で暮らし、「ホーム」には年に一度しか帰れなかった。

大量の移住者が住みついたことにより、ホームランドの生活環境は急速に悪化した。一九五五年から一九六九年のあいだに、人口密度は一平方マイル（約二・五平方キロメートル）あたり六〇人から一〇〇人に増加した。そのためホームランド経済圏では土地をもてなくなった農家の数が年々増えて、それにともないホームランド内での雇用もなくなった。そうなると、若年層はタウンシップや鉱山や、白人が所有する農場に出稼ぎに行くしかなかった。この問題の規模がどれほど大きかったかを如実に示す数字もある。一九七〇年代初頭の南アフリカでは、毎年八万五〇〇〇人のアフリカ系国民が労働市場に参入していたが、そのうち四万人はホームランド出身者だったのである。

こうした制度は、性感染症の広まりにつながる一連の行動パターンを助長した。作業員宿舎やスラム街に住む男性も、ホームランドに押し込められている女性も、あるいは「ロケーション」から白人都市に通勤して家事代行に従事した女性も、複数の相手と同時期に性的な関係をもつようになることが多かったのである。たいていの場合、そうした関係は取り引き上、もしくは公然とした商売上のものであった。

集団地域法によってもくろまれた居住体制は、威圧的で、公衆衛生に有害なものだった。しかしそれ以上に、この体制は時が経つにつれ、病理学的に問題のある副産物をもたらした。それは、アフリカ系の若い男性が家族やお手本になる年長者の影響から切り離されて、男性ばかりの作業員宿舎や都市部の仲間うちや刑務所などで過ごすうち、そうした環境に特有の男らしさの規範を身につけていったことである。その結果、自分が偉いかのような意識を増長させる「男らしい」性的表現や、地位の証しとしての性的征服や、男らしさの特質としての暴力をよしとする文化が育っていった。この傾向は、抑圧的で人種差別的な統治体制のもと、人びとが暴力の文化になじんでしまうにつれて、さらに強くなった。

こうして南アフリカは、アパルトヘイトの時代でもそのあとでも、国民一人あたりのレイプ率が世界で最も高い国になった。推定では年間一七〇万件のレイプが発生しており、性暴力が「常態化」してきている。二〇一五年に南アフリカの法廷にもち込まれた事件の五〇パーセント以上が性的暴行で、その大多数が集団レイプだった。プムラ・ディネオ・グコラの二〇一五年の著書『レイプ――南アフリカの悪夢』、一九九九年の映画『ケープ・オブ・レイプ』（ケープタウンのこと）のタイトルが、この事態を物語っている。医学誌サウス・アフリカン・メディカル・ジャーナルは、この国のレイプという緊急事態に対応するべく行動に出るべきだと呼びかけた。ここで重要なのは、このような女性に対する暴力が、ＨＩＶの広まりを積極的に助長しているということである。加えて、アパルトヘイトにともなう意気阻喪と機会の縮小が、アルコールの過剰摂取を促し、それがこうした行為に火をつけていた面もある。

さらにアパルトヘイトには、男性を長期にわたって一人でタウンシップや作業員宿舎に住まわせることから、そうした男性どうしの性的関係を助長するという面もあった。しかしながら、過度に「男らしさ」が志向される社会では、そうした男性どうしの関係は白い目で見られ、ともすると暴行を加えられた。結果として、同性愛関係は秘密にされ、発病者が出ていても、少なくとも初期の段階では医療者に気づかれないという事態を生んだ。同性愛はＨＩＶ感染拡大の危険因子であったが、おもに異性間性交を通じて広まっていた流行のなかでは表面に出てこない危険因子だった。

女性の健康に関しては、アパルトヘイトはとくにひどい影響をおよぼした。ホームランドやタウンシップに追いやられたアフリカ系女性は、貧困に陥り、教育もろくになされず、医療もなかなか受けられなかった。したがって、安全な性行為を実践するのに必要な知識をほとんどもたなかった。さらに、女性は性的関係の交渉においてもひどく不利な立場にあった。こうした事情から、南アフリカではＨＩＶ／エイズの罹患者が男性よりも女性に多く、そして何より、女性は十代のうちからＨＩＶに感染した。女性の罹患者の年齢群は男性にくらべて五年も若いのだ。南アフリカ政府の二〇一四年の報告によると、十五歳から十九歳までの女子のＨＩＶ陽性率は男子の七倍で、有病率で比較すれば、男子の〇・七パーセントに対し、女子は五・六パーセントにものぼった。

都市化と貧困

ＨＩＶ／エイズの世界的流行の特徴の一つは、大都市の中心部が疫学上の顕著な要因になっていたことである。性感染症は、つねに都市部で大流行する。都市は社交ネットワークを成長させ、多数の若者を呼び込み、ドラッグとアルコールの力も借りた現実逃避の文化を育むからだ。したがって南アフリカでのＨＩＶ／エイズの流行が、この国の経済発展と、その後の出稼ぎ労働者の移動の流れを理由の一つにしていたのも頷ける。

その点で、アパルトヘイトは都市の成長に二重の役割を果たしていた。まず、経済的に持続可能でないホームランドは、そこから労働力が絶えず確実に町に流れてくるように設計されていた。その一方で、住民の移動制限――抑圧を覆い隠すための官僚用語でいえば「流入管理」――によって流れは制御され、町に入ってくるのを許されたのは、工業や家事代行などの低賃金仕事に必要な労働力になる男女だけだった。

一九九四年に白人の覇権が崩壊すると、移動の自由が導入されて、それまでの状況は一変した。

しかし皮肉なことに、雇用に限りがあるなかで急激に多くの人間が移動するようになったため、病気が流行する下地ができてしまった。直後の状況は、それこそダムが決壊したようなもので、とんでもなく大量の人間が都市の中心部になだれ込んできたが、それはちょうどＨＩＶ／エイズがはやりかけていたときだった。二〇一五年に、協調統治・伝統業務副大臣のアンドリーズ・ネルが示した見解はつぎのとおりだ。

南アフリカは急速に都市化が進んでいる。国連の推定では、二〇三〇年までに南アフリカ国民の七一・三パーセントが都市部に住むようになると見られている。……南アフリカの都市人口はいまも増えつづけ、若年化も進んでいる。南アフリカの若者の三分の二は都市部に在住している。……都市部は農村部と連動しており、人の流れ、天然資源の流れ、経済資源の流れを通じて結びついている。今後、輸送手段や通信手段や移住手段の発展を受けて、都市部と農村部はますます統合されていくだろう。[3]

農村部から都市部への連絡線が発達し、自由な人口移動が増えるのと並行して、ＨＩＶも広まっていった。そしてタボ・ムベキが新大統領に就任し、人流が公衆衛生におよぼす影響についての医学界からの結論をあえて無視したところから、ＨＩＶの拡散は加速した。

だが、南アフリカのタウンシップでＨＩＶが広まったのは、アパルトヘイトの遺産、女性の不平等、急速な都市化、輸送網の近代化だけが理由ではなく、それらに加えて貧困も、病気を助長する原因になっていた。南アフリカは国際的には中所得国に分類されるにもかかわらず、大多数の国民は貧困で、それゆえに何百万人もの食事の質が低下して、病気に対する免疫を弱められていたのである。この貧困問題は、資源の絶対的な不足というよりも、むしろ不平等な分配と、失業に根ざしている。不平等の問題は教育機会の切り詰めというかたちでもあらわれていたから、国民の大多数は、自分の身を守るのに必要な知識さえ得られないままでいた。アパルトヘイトの崩壊直後、一九九五年に行われた調査によると、国民の貧困率は――月収三五二ランドを基本とすると――アフリカ系黒人で六一パーセント、カラードで三八パーセント、インド系で五パーセント、白人で一パーセントという結果だった。この黒人の貧困率は、識者からすると「衝撃的」だった。ほかの中所得国の貧困率と比較してみれば、その差は歴然とする。たとえばチリ、メキシコ、インドネシアでは十五パーセント、ジャマイカ、マレーシア、チュニジアでは、わずか五パーセントという数字なのである。[4]

「一人一票」の原則にもとづいた民主主義政権も、この貧困問題を自力で緩和してはこられなかった。一九九四年の総選挙で勝利した当時、与党となったアフリカ民族会議（ＡＮＣ）は、貧困と経済的不公平を解消するための抜本的なプランとして「復興開発計画」を掲げた。この計画で、社会福祉とインフラ構築に大規模な政府支出を投じることにより、「すべての人に、よりよい暮らしを」届けられるというふれ込みだった。しかしながら、世界のビジネス界と国内のエリート層からの圧力を受け、ＡＮＣは経済政策を一八〇度転換し、復興開発計画を放棄して事務局を閉鎖した。これにかわってネルソン・マンデラ政権は、「成長・雇用・再分配」という、まったく別のプランを実施した。こちらは財政保守主義、インフレ抑制、緊縮財政に力点を置き、市場主導の新自由主義的な優先事項を踏まえたもので、富の再分配と貧困の削減は、もはや与党の論じる議題ではなくなっていた。

結果として、貧困はいっこうに緩和されることがなく、南アフリカ統計局の二〇一一年の判定では、世帯が「生存に必要な最低限の金額」を稼ぎ出せないことが貧困の水準とされている。言い換えれば、貧困が最低基準、すなわち生命維持のレベルで定義されているということだ。この指標は「食糧貧困線」といって、一日のエネルギー摂取量二一〇〇キロカロリー分の食料を購入できる一線を指す。この基準だと、人口の二一・七パーセント、換算すれば約一二〇〇万人が、健康を維持するのに必要な栄養所要量を達成できていない[5]。

必然的に、六歳未満の子供の二三パーセントは栄養不足が原因で発育不全に陥っており、とくに農村部ではその割合が突出していた。二〇一一年の調査では、南アフリカの黒人の半数以上が、一日に必要な摂取量を満たすだけの十分な食料を得られていないと感じていた。結論として、「アパルトヘイトにおける人種間の不平等」は、同じように深刻な「市場の不平等」に取ってかわられたにすぎなかった[6]。つまりＨＩＶ／エイズの流行が広がりはじめた一九八〇年代以降、アパルトヘイトに支配され、次いで市場に支配された南アフリカは、一貫して、病気が広まるための必須の前提条件——栄養不良と、それによる免疫低下——を提供してきたのだ。しかも貧困の影響はそればかりではない。南アフリカのＨＩＶ／エイズ罹患者は、ＨＩＶ陽性の状態からエイズ発症までの進行が、ひどく急速にならざるを得なかった。それというのも、抗レトロウイルス療法を受けられるだけの金銭的余裕がなかったからである。ＨＩＶ／エイズと貧困は、それぞれがたがいの原因であり、結果であるという悪循環に陥っている。これは一部では「貧困とエイズのサイクル」とも呼ばれている。

南アフリカ国家――無関心から否認へ

ＨＩＶ／エイズが――最初は都市部の男性同性愛者のあいだで――広まっていたところ、この国の政治指導者は別の優先事項をもっていたということが、結果的には致命的な影響をおよぼした。一九八〇年代、Ｐ・Ｗ・ボータ率いる国民党の政権下でこの病気が発生したのが、南アフリカの不運だった。ボータは冷戦の戦士であり、筋金入りの白人至上主義者であり、徹底した治安保持者だった。彼は共産主義の幽霊――ロシア、キューバ、中国――にとりつかれ、それらが国外から、国内の疎外されたアフリカ系住民からなる「第五列」と同盟を結んで進軍してくるものと思い込んだ。ボータはその妄想上の内通者集団を「黒人プロレタリアート」と呼んだ。

この二重の脅威を未然に防ぐため、ボータはＮＡＴＯにいっそう緊密な連携を迫り、南アフリカ軍への支出の大幅な増額を要求した。彼の目標は、国内だけでなくアフリカ南部のどこで転覆の動きが起こっても、確実に叩きつぶせるだけの力を自国の軍隊につけさせることだった。ボータの脳内では、ロシアはすでに南アフリカ政権に対する「総攻撃」に乗り出していて、黙示録的な最終決戦はすぐそこまで迫っていた。これは白人の覇権を賭けた戦いであり、ソ連は世界征服を目ざす「壮大な計画《グランドデザイン》」の一環として、それをなんとしても覆す気でいるにちがいなかった。

この挑戦を受けて、白人指導者のボータは表向き、アパルトヘイトを改革しようとする態度に出た。「小アパルトヘイト」、すなわちアフリカ系国民をいじめてはいても、白人至上主義をはっきりと強化してはいない比較的たわいない問題については、社会的緊張をやわらげるために譲歩をしようとしたわけである。そして実際に、黒人指導者と対話をしたり、公共施設の隔離を廃止したり、異人種間の性行為を非犯罪化したりと、政権の支持者を呆然とさせるような前代未聞の対処を進めていった。

しかしながら、白人による政治的、経済的な支配権の独占を守ることに関しては、ボータは頑として譲らなかった。ストライキやデモが頻発して社会的緊張が高まると、非常事態を宣言し、それに付随する禁止令や逮捕令の発出、暴力的な弾圧も辞さなかった。そうした状態が一九八〇年代のほとんどを通じてつづき、結局アパルトヘイトの主要な柱は——集団地域法も、政治的代表の白人独占も——力ずくで守られた。

このように、政治的生き残りを賭けて生きるか死ぬかの戦いをやっていた国民党政権は、公衆衛生にはかまっている暇もなかった。ボータのような原理主義者にとって、HIV感染など些細なことだった。ボータはこの病気のことを、二種類の集団だけに対する天罰のあらわれと見なしていた。一つは同性愛者や薬物常用者や性労働者などの「逸脱者」たち、そしてもう一つは、いまや外国人と定義される黒人たちである。したがって、大衆を教育することにも、安全な性行為について教えることにも、新しい療法を見つけることにも、犠牲者を治療することにも、いっさい緊急性はないと考えていた。

HIVを封じ込めるための措置を実施するどころか、ボータはここぞとばかりに同性愛者をソドミーの罪で非難した。一九八五年、ボータは大統領諮問委員会に対し、背徳法で同性愛行為を犯罪化することに勧告を出すよう要求した。諮問委員会は病気の問題を無視して同性愛をあらためて非難し、女性の同性愛者も含めるように禁止令を拡大すべきと進言した。一方、黒人アフリカ人に関しては、ボータはなんの責任も感じていなかった。相手はあくまでも「外国人」なのである。したがって黒人鉱山労働者のあいだにHIV感染者が出た場合、アパルトヘイトの論理にしたがってボータがとるべき解決策は、具合が悪くなって働けなくなった段階で出身ホームランドに帰国させることだった。何よりも優先するべきは、外国人移民によって外側から脅かされ、不道徳な堕落者によって内側から脅かされている、健全な白人国家を守ることなのだ。一九八〇年代を通じて、南アフリカ国家はHIV／エイズについての警告にまったく耳を貸さなかった。時代が変わり、崩れかかった体制をどうにか改革で支えようとしたF・W・デクラーク政権下の最後の数年に、初めて国民党は方針の変更を検討した。だが、時すでに遅く、旧体制は一九九四年に完全に一掃された。

政敵だったネルソン・マンデラ（一九一八～二〇一三年）率いるアフリカ民族会議（ANC）は、HIV／エイズに対する国ぐるみの戦略的な計画を策定することに、大筋では積極的だった。一九九〇年、非合法組織として活動していたANCは、モザンビークで開催された国際会議に出席し、「マプト声明」の起草に参加した。これはHIV／エイズに対抗する強力な公衆衛生政策の実施を呼びかけたもので、当時すでに南アフリカでは、六万人がHIVに感染していた。感染者数が八か月ごとに倍増していたことから、声明は南アフリカ国家の対応が「まったく不十分」であるとして、地域に根ざした組織が経験から得ていた教訓をまるで生かそうとしないことが実証されている、と非難した。

この声明は、HIV／エイズが社会病であると勇ましく宣言し、国家と地域社会の共同での取り組みを呼びかけた。国家に対しては、HIVの広まりを助長する社会的条件――貧困、出稼ぎ労働、人口移動、住居喪失、強制転居、失業、教育の欠如、劣悪な住環境――を是正することが求められた。加えて、国家には、大衆の意識を高めること、差別も偏見もなく誰にでも医療を提供できるようにすること、同性愛者と性労働者に対する抑圧的な法律を廃止すること、コンドームの全方面への配布を促進することも要求した。

同時にマプト声明は、民間機関に対しても行動を呼びかけ、地域に根ざした組織が労働者や若者や女性の代表となり、信仰に根ざした機関が信者たちに行動変容を促して、合意にもとづく安全な性行為を普及させることを要求した。そして最後にマプト声明の署名者たちは、HIV／エイズの流行を監視し、人間の権利としての健康という観点からさらなる勧告を出していくことを務めとする、国家タスクフォースの設置を強く要求した。

理念は立派だったが、実際に取り組むとなると、政権を握ってからのANCの対エイズ政策への積極的な関与は、すっかりしぼんでしまった。一九九四年に行われた南アフリカ初の人種差別のない民主的な選挙で、解放運動とマンデラは勝利をつかんだ。マンデラが大統領に就任したとき、一般人口におけるHIV有病率は一パーセントに達していた。これは「社会全体に広がった深刻な流行」の閾値として、国際的に認められている数字である。ANCは、強力なエイズ撲滅運動を選挙綱領の中心政策の一つに掲げていたが、政権に就いたあとは、もはや公衆衛生を党のプログラムの中心に据えることはなかった。一九九七年になっても、マンデラは一度も演説でエイズに言及したことがなく、初めてこの問題を口に出したときも、その発言は外遊中でのものだった。南アフリカ憲法裁判所の判事で、この病気の犠牲者でもあったエドウィン・キャメロンは、マンデラの当選から一〇年後に覚えた失望を述懐している。彼の見解では、マンデラのエイズに対する考えはほかの優先事項に乗っとられてしまい、エイズに対する行動は起こされないままに終わった。その理由を、キャメロンはこう述べている。

マンデラには一連の緊急課題があり、それがエイズより優先されてしまったからだ。たとえば、前とくらべれば弱くなったが、それでもいまだに力をもっていた人種差別的な白人の少数派に対抗して、軍事的、政治的な安定をはかるにはどうしたらよいかという問題があった。……

マンデラは、経済政策の問題も抱えていた。共産党、ANC、南アフリカ労働組合会議の三者同盟からなる政府に、経済政策を混ぜ込ませなくてはならなかった。

さらに、三〇〇年も前から分離されてきた歴史をもつ、穏健な白人と穏健な黒人とのあいだで和解を果たさせるという問題も抱えていた。加えて、きわめて重大な、国際関係の問題もあった。南アフリカは三〇年以上ものあいだ、世界から信用ならない国と見られてきた。その南アフリカを、マンデラはあらためて世界に紹介する必要があったのだ。……

そのうえで、私はあえてマンデラに関して、ほとんどの人がいってきたことよりも厳しいことをいおうと思う。世界中から称賛を浴びることのしびれるような興奮、魅惑、誘惑に、彼がそそのかされ、すっかり気分をよくしていたことは疑いない。私はいまでも、スパイス・ガールズが南アフリカに来たときのことを覚えている。そのとき私は、辛辣なことを思ったものだ……マンデラはエイズにかかわっている時間より、よっぽど長くスパイス・ガールズと過ごしているじゃないか！[7]

マンデラによって後継者に選ばれたタボ・ムベキは、一九九九年に大統領に就任すると、これまでの動きに大きく逆行する姿勢を見せた。ムベキは科学の信奉者ではなく、むしろイデオロギーの信奉者で、「アフリカン・ルネサンス」の振興を目ざした。その名のもとに、南アフリカは「植民地的」な医療科学より、土着の療法を進めていくべきだというのがムベキの考えだった。そしてＨＩＶ／エイズに関しては、カリフォルニア大学バークリー校のピーター・デューズバーグの見解に光明を見た。デューズバーグはエイズ否認主義者で、この病気に関する世界中の科学界の総意をまったく受け入れていなかった。ムベキがデューズバーグの説に引きつけられたのは、デューズバーグが西洋医学に関する陰謀論を唱えていたからだ。生物医学は、正統から外れる独立した意見をすべて排除する国際的な秘密結社に支配されている、とデューズバーグは信じ込んでいた。エイズの存在は認めていたが、その原因はＨＩＶではないと信じてもいた。エイズはウイルス性疾患ではなく、栄養失調と薬物濫用に根ざした免疫系の障害である、とデューズバーグは主張した。だから「エイズは伝染しない」し、「ＨＩＶはたまたまそこにいただけの、ただのパッセンジャーウイルス」にすぎない。[8] したがって、西洋医学の予防法も治療法も役には立たず、むしろ致命的な影響をおよぼしかねない。ＨＩＶはエイズの原因ではないのだから、セーフセックスもコンドームも予防策としての価値はなく、抗レトロウイルス薬も治療薬にはならず、むしろ毒になる。これがデューズバーグの主張で、インターネットの検索でしか医学知識を得ていなかったムベキは、デューズバーグの似非科学を信奉して、自国の政府の公式政策としてしまった――そして待っていたのは悲劇である。

その最初の影響として、南アフリカは、第三世界におけるＨＩＶ／エイズとの闘いを指揮する「最適のリーダー」という地位から降りることになった。この災厄を封じ込める戦略をいち早く実行して、他国に希望をあたえるはずだった南アフリカが、国際科学界からのけ者にされても仕方のない態度を自らとってしまったのである。世界の代表的な科学者たちは、長らく待望されていたダーバンでの国際エイズ会議をボイコットするとまでいいだした。結局は彼らも出席したが、五〇〇〇人が起草した「ダーバン宣言」は、ＨＩＶ否認主義を非科学的なものと断じ、確実に無数の死者を出すことになると非難した。

だが、もっと重要な影響は、南アフリカそのものの国民におよんだ。二〇〇〇年には、六〇〇万の南アフリカ人、すなわち八人に一人がＨＩＶ陽性者になっており、それに加えて一日ごとに一七〇〇人が新規感染していた。この危機にあって、ムベキ政権は先頭に立ってエイズ撲滅運動を支援するどころか、この病気は二次的な問題であると主張した。二〇〇一年のフォートヘア大学での講演で、南アフリカ大統領本人が、この病気はヨーロッパ中心主義の人種差別者が広めている作り話であり、アフリカ人を「病原菌持ちの、感情を理性にしたがわせることのできない下等な人間」であるかのように見せかけるのが目的なのだと述べたのである。[9] ムベキは二〇〇〇年四月、アメリカ大統領ビル・クリントンらに宛てた五枚におよぶ書簡のなかでも「人種カード」を存分に利用して、西洋の指導者たちが「人種差別的なアパルトヘイトの圧政」にも似た「理知的な脅迫とテロリズムのキャンペーン」をやっていると非難した。[10]

ムベキはあらゆる証拠をすべて無視して、エイズによる死者など一人も知らないと言い募り、死因をエイズとして死亡診断書を発行した検死官を糾弾した。こうした態度に呼応して、南アフリカは抗レトロウイルス薬を配布するのを拒否し、性教育は予防に無関係だと主張した。また、公立の病院や診療所は、政府からの資金が止められてしまうためエイズ患者を追い返さざるを得なかった。保健省の職員がおずおずと異議を唱えでもすれば、「背信行為」のかどで解雇された。

倫理的な面で議論の中心になったのは、小児エイズという痛ましい問題だった。二一世紀に入ってから、南アフリカでは毎年五万人の赤ん坊がこの病気をもって生まれてきた。母体から胎児へ、あるいは出産中に母親から新生児へと、垂直感染が起こったためである。抗レトロウイルス薬は母親のウイルス負荷を大幅に下げることにより、垂直感染率を半減させるので、これを使えば毎年二万五〇〇〇人の新生児を救えるはずだった。ところがムベキ政権は、HIV陽性の妊婦に抗レトロウイルス薬を配布するのを拒否していた。

政府のこのような姿勢から、南アフリカは世界で唯一、入手できないからではなく方針の問題として、妊婦に抗レトロウイルス薬を配らない国となった。これには各所から、深い憤りの反応があった。南アフリカ医学研究評議会の当時の会長マレガプル・マホバ博士は、自国の大統領が「大虐殺《ジェノサイド》」をやっていると非難し、ザンビアの元大統領ケネス・カウンダは、ムベキは「ソフトな核爆弾」に等しいものが自国民に投下されているのを無視していると発言した[11]。国際エイズ学会の会長マーク・ワインバーグも、同じぐらい大胆なことを申し立てた。「HIVがエイズの原因ではないと言い張るのは犯罪的なまでに無責任であり、公衆衛生に脅威をおよぼしているとして投獄されてしかるべきだ。……この世のピーター・デューズバーグたちのせいで、大勢の人びとが死んでいる[12]」。

風向きがムベキに不利になりはじめたのは、二〇〇五年のことだった。マンデラの生存していた唯一の息子がエイズで亡くなったあと、マンデラは公衆衛生の問題に関してムベキと決別し、「HIV／エイズを隠すのはやめて、公表しよう」と呼びかけた[13]。九三歳のマンデラは、これ以降、残りの人生と自らの比類なき権威をエイズ撲滅活動に惜しみなく捧げ、ＡＮＣをこの大義のもとに結集させた。

一方、地域活動家も組織をつくって、この感染症と闘うための戦略的プランを策定するようＡＮＣに迫った。とくに大きな存在だったのが、南アフリカ国家エイズ協議会と、治療行動キャンペーンの二団体である。その結果、ＡＮＣの内部で前代未聞の広範な政治論争が起こった。議論の中心となった医療問題は、抗レトロウイルス療法の有効性についてだった。

加えて、この病気そのものの破壊力からも圧力がかけられた。二〇〇八年の国連合同エイズ計画（ＵＮＡＩＤＳ）の暗澹たる評価によれば、「二〇〇七年の時点で南アフリカには推定五七〇万人のＨＩＶ感染者がおり、これをもって世界最大のＨＩＶ流行と判定できる。……南アフリカでは、一九九七年から二〇〇七年のあいだに総死亡数（全死因による）が八七パーセント増加した。この期間に、二〇歳から三九歳の女性の死亡率は三倍以上、三〇歳から四四歳の男性の死亡率は二倍以上になっている」[14]。

流行は二〇〇六年にピークに達し、この最悪の年には三四万五一八五人の南アフリカ人がエイズ関連の原因により死亡した。これは全死因での死亡数のほぼ半分（四九・二パーセント）を占め、平均寿命は一九九八年の男女合計六八・二歳にくらべて、男性五二・三歳、女性五四・七歳にまで低下した。遡及的評価によると、エイズ否認主義の政策が実施された結果として、約五〇万人もの南アフリカ国民が死亡したと見られている。

最初は無策、次いで否認という不幸な数十年を経て、ついに二〇〇八年、カレマ・モトランテの新政権がＨＩＶ／エイズに対する南アフリカの姿勢を反転させた。保健相のバーバラ・ホーガンは、はっきりとこう宣言した。「南アフリカでの否認主義の時代は完全に終わりました」[15]。二〇一六年にふたたびダーバンで国際エイズ会議が開かれたとき、南アフリカにおけるＨＩＶ／エイズの様相はがらりと変化していた。そのころには、すでに南アフリカは全面的なエイズ撲滅キャンペーンを開始させており、世界最大の治療計画によって三四〇万人に抗レトロウイルス薬を行き渡らせていた。加えて、広範な性教育キャンペーンも展開されていた。

しかしながら、二〇一七年の数字を見ると、南アフリカ人口の十二・六パーセントにあたる七〇六万人がＨＩＶ陽性で、ＨＩＶ／エイズの猛威はいまだ衰えていないことがわかる。その一方で、流行は拡大に向かわずに、明らかに後退していた。この年にエイズ関連の原因によって死亡したのは人口五六五〇万人のうちの十二万六七五五人で、総死亡数の二五・〇三パーセントにとどまる。平均寿命は男性で六一・二歳、女性で六六・七歳まで伸びた。ＨＩＶの新規感染者は、二〇〇五年の五〇万人から、二〇一〇年には三八万人、二〇一六年には二七万人に減少した。人口一〇〇〇人あたりの感染発生率も、二〇〇五年の十一・七八人から、二〇一〇年には八・三七人、二〇一六年には五・五八人に減少した。十分な資金を投じた多面的な取り組みは、確実に成果を上げている。今後の問題は、この積極的な取り組みがこのまま継続されるかどうかだ。ＨＩＶの流行は抑えられてはいるが、いまだ完全に止まってはいないからである。

第20章　ＨＩＶ／エイズ――アメリカの経験

南アフリカでのエイズの流行は、社会全般に広まった「普遍型」流行の極端な例である。そこで今度は、アメリカ合衆国での流行に目を向けよう。こちらでは、「集中型」流行の代表的な例を見ることができる。それは一九八〇年代、社会の周縁部の高リスク集団のあいだではじまった。同性愛者の白人男性、静脈注射薬物の常用者、血友病患者といった人びとである。ＨＩＶ／エイズが初めて確認されたところはアメリカであり、病因学、疫学、兆候学、治療法の各面で、この病気の機序の多くが解明されたのもアメリカだった。その意味でも、このアメリカの例はとくに重要な意味をもつ。

アメリカでの起源

アメリカでエイズの流行がはじまったのは、公式には一九八一年とされている。この年に初めてエイズが認識されて、名前をつけられた。だが、ＨＩＶはその前からひそかに存在していた。一九七六年からあったのはほぼ確実で、おそらく一九六〇年代から存在していただろう。その段階では、これが人びとの命を奪っても、ほかの死因のせいにされていた。

北米に広まったＨＩＶは、もとをたどれば、中部アフリカと西アフリカで生じた感染ネットワークに由来する。グローバリゼーションの結果として、二つの大陸で起こった医学的事象は密接につながっていた。カール・マルクスは『共産党宣言』（一八四九年）で、これについての予言めいたことを書いている。「絶えず市場を拡大する必要」から「いたるところに巣をつくり、いたるところに住みつき、いたるところに関係を結ぶ」のだと。要するに、「この新しい欲望を満足させるためには、遠く離れた土地や気候の生産物が必要となる。昔は地方ごと、民族ごとに隔離され、自足していたのに、いまやそれにかわって、あらゆる方面との取り引き、民族間でのあらゆる面にわたる相互依存が生じている」のだ。[1]このマルクスのパンフレットはゴシック調の怪奇物語のように仕立てられており、そこで描かれている新しいグローバル世界は意図せぬ展開を生んだだけでなく、その結果のいくつかは、制御不能であったことが判明する。産業化された先進世界の比喩であるところの「かくも巨大な生産手段を出現させた社会」とは、「自分が呪文によって呼び出した冥界の魔物たちをもはや使いこなせなくなった」魔法使いの世界だった。[2]そして飛行機とクルーズ船が、マルクスの頭のなかにあったプロセスを完成させた。

中部アフリカと南北アメリカとのつながりは、一九六〇年にベルギー領コンゴが独立したときに築かれた。中米のハイチから、各分野の専門職が何千人とコンゴに行って仕事をした。そして、その多くが帰国したときには、そのうちの何人かの血流に新興感染症のウイルスが保持されていた。ハイチはつぎに、アメリカ合衆国と多様なつながりをもった。その一つは、当時のハイチ大統領フランソワ・デュヴァリエ、通称「パパ・ドク」と、その配下の悪名高い準軍事的組織トントン・マクートによる暴虐な独裁体制からの政治的保護を求めて、何千人とアメリカに流れ込んだ難民たちがもたらしたものだった。デュヴァリエは一九五七年に権力を掌握し、自分の後継には息子のジャン＝クロード・デュヴァリエ、通称「べべ（ベイビー）・ドク」を就かせたが、この息子もまた、父に劣らないほど圧政的だった。このデュヴァリエ親子が支配していた三〇年のあいだに、毎年七〇〇〇人のハイチ人が永住移民としてアメリカに入り、さらに二万人以上が一時滞在ビザをもって入ってきた。加えて、正確な数はわからないながらも相当な人数にのぼる死に物狂いの「ボートピープル」が、フロリダの海岸から上陸した。それと同時に、アメリカからも行楽客の波がポルトープランスに押し寄せた。このハイチの首都は、「買春ツアー」の主要な目的地としてたいへんに悪名高いところだった。このようなコンゴとハイチ間、ハイチとアメリカ間のあらゆる人の移動は、致死的な、しかし誰もまだ知らなかった性感染症が広まるのにうってつけの経路だった。

よく知られる俗説で「患者第一号《ペイシエントゼロ》」と名指しされたのが、ガエタン・デュガというフランス系カナダ人の旅客機客室乗務員である。彼はしばらくのあいだ、北米でのエイズの流行を開始させた張本人として中傷を浴びせられることになった。デュガが目をつけられたのは、彼のライフスタイルに理由があった。それは挑戦的なまでに派手だったのである。大陸間を空路で縦横に行き来し、年に何百人もの相手とセックスしていると自慢する。わかっていながら他人に深刻なリスクをおよぼしていると保健当局に注意されると、おまえらには関係ないと言い放ち、自分の体で好きなことをするのは自分の権利だと主張した、というのは有名な話だ。たしかにデュガは、エイズの大流行を多少は助長しただろう。しかし彼の役割は、やたら劇的に誇張されすぎてきた。彼はただ、じわじわと見えてきた大惨事のちょっとした端役を務めただけだ。

最初に認められた症例

アメリカでエイズの流行がはじまった日は、一般的には一九八一年六月五日とされている。これは、アメリカ疾病予防管理センター（CDC）が広報誌の『週刊罹病率・死亡率報告』（MMWR）に厄介な通知を掲載した日である。CDCが発表したのは、通常ならめったに起こらない日和見感染の連続発生だった。具体的にはニューモシスティス肺炎とカポジ肉腫の発症で、これらは本来、体が免疫抑制状態になっている希少な場合にしか発症しないのである。そのどちらもが、ロサンゼルスの五人の若い男性同性愛者のネットワークで起こっていたというのも衝撃的だったが、ほどなくして、さらに同じような連続発生がニューヨーク市とサンフランシスコからも報告された。七月までに、この二つの都市のゲイ・コミュニティで四〇例のカポジ肉腫が発生し、その年の終わりまでに一二一人の男性が、この新しい病気で死亡していた。

HIVは、アフリカでは少なくとも一九五〇年代から存在し、そしてアメリカでも、ほぼ確実に一九七〇年代には存在していたと思われる。しかし、その存在を初めて公式に認めたのが一九八一年のMMWRで、このウイルスの公衆衛生に対する破壊的な潜在能力も、このとき初めて認識された。MMWRによって提示された疫学的パターンを見て、CDCの疫学者ドン・フランシスなど、何人かの公衆衛生の専門家は、ニューモシスティス肺炎とカポジ肉腫の連続発生の原因がなんらかの免疫抑制ウイルスであることをただちに察し、公衆衛生を脅かす大きな危機が、もうすでに進行しているのではないかと恐れた。当時のフランシスは肝炎ワクチンの開発に取り組んでおり、レトロウイルスには昔から研究的興味をもっていた。MMWRの記事を読んで、彼はすぐにその意味するところを理解した。まだ誰も知らないレトロウイルスが、めったに生じない癌や日和見感染に人をかかりやすくさせる、免疫抑制を引き起こしているのだ。実際、そのわずか一年前の一九八〇年に、国立癌研究所のロバート・ギャロ博士が、日本でよく見られる種類の白血病を引き起こしているのがある種のレトロウイルスであることを証明し、そのウイルスをヒトTリンパ好性ウイルス（HTLV）と命名していた。このHTLVは伝染性をもち、潜伏期間が恐ろしく長かった。フランシスはただちに問題の病原体を分離する研究を呼びかけた。

一方、ゲイ・コミュニティの人びとも一連の事象に注目しているうちに、それらが何を意味しているかを理解した。ニューヨーク在住で、すでに体調を崩していたマイケル・カレンとリチャード・バーコウィッツは、一九八二年に『感染症の流行中にセックスをするには――あるアプローチ』と題したパンフレットを発行した。コンドームの使用を推奨したこの冊子は、おそらく、わかっているかぎり最初のセーフセックスの呼びかけである。

生物医学技術

皮肉にも、アメリカでのHIV／エイズの広まりを助長したもう一つの要因は、生物医学そのものだった。医療に付随する皮下注射針、血液バンク、侵襲的な外科技術が、感染経路の一つになっていたということである。さかのぼってエイズと診断された最初の患者の一群に、グレーテ・ラスクというデンマーク人の外科医がいた。彼女は一九六四年から、コンゴで医療活動に従事していた。田舎の病院で何年も働いたが、そこには外科用の手袋がなかったので、素手で手術をしていた。やがて一九七六年に体調を崩し、危篤状態に近くなって本国に送り返され、一九七七年にニューモシスティス肺炎で死亡した。友人たちの話によると、彼女の感染経路は外科手術以外にありえなかった。彼女は独身を誓っていて、人生のすべてを仕事に捧げていたからである。

ＨＩＶ感染のもう一つの医原性（医療行為に起因する）経路は、適正に管理されていない血液バンクだった。この新しい病気に最初にかかったと報告されている一群に、血友病患者たちがいたが、これは彼らが第Ⅷ因子という、出血を防ぐための血液凝固タンパク質を必要としていたためだった。当時、第Ⅷ因子はプールされた血清から濃縮されていたが、そのもとになっていた多くの血液の一部は売血されたもので、スクリーニングもされていなかったのである。その結果、一九八四年には、アメリカの血友病患者の五〇パーセントがＨＩＶ陽性になっていた。

そしてもう一点、当然ながら、現代医学の道具はすべて病院や診療所で安全に保管されているわけではない。一部の注射器は街に流れていって、静脈注射薬物の常習者に使われる。そうした層はすぐにＨＩＶ感染の高リスク集団の一つになった。

初期の検査と命名

ＣＤＣのドン・フランシスが鳴らした警報に耳を傾けた人はほとんどいなかったが、少数ながら、それに関心を払った科学者もいた。とくに国立癌研究所のロバート・ギャロは、フランシスの見方が正しいと確信し、研究室を挙げて新しい病原体の探索に専念した。同様に、フランスのパスツール研究所のリュック・モンタニエと、カリフォルニア大学サンフランシスコ校のジェイ・レヴィも、謎の免疫抑制に陥った患者からウイルスを分離する試みに着手した。

最初の突破口は、史上最速に近い速さで、二つの別々の研究室で開かれた。一九八四年、ギャロとモンタニエがそれぞれほぼ同時に、原因となるウイルスを特定したと発表し、その翌年に、HIVの検査をする酵素結合免疫吸着法（ＥＬＩＳＡ《エライザ》）の特許を申請したのである。その結果、ギャロとモンタニエのあいだに、おなじみの、あまり感心しない国家ぐるみの科学者間ライバル関係が生まれた。かつてパスツールとコッホのあいだや、マラリアの件でロナルド・ロスとジョヴァンニ・グラッシのあいだに生じた敵対と同種のものである。しかし一九八七年に和解が成立し、二人は共同発見者として正式に認められ、血液検査の特許料も分け合った。ただし二〇〇八年のノーベル賞は、モンタニエだけに贈られた。

ギャロとモンタニエが開発したＥＬＩＳＡは、抗体検出によってHIVを確定する最初の診断検査法で、現在でもHIV感染スクリーニングの最も一般的な手段である。医師や保健当局が高リスク集団をスクリーニングして感染者を特定できるようにしたという点で、ＥＬＩＳＡの開発は画期的な出来事だった。この結果、ウイルス保有者とその接触者を特定して感染経路を断つことで、被害の拡大を封じ込める手段が得られたのである。さらにＥＬＩＳＡのおかげで、血液バンクを安全に管理することもできるようになった。供血者をスクリーニングしておけば、血友病患者や輸血の受血者が感染してしまうこともない。

病気の進行を追うには、CD４細胞数検査という別の検査を使うことができる。前章で見たように、HIVは血液中のCD４細胞をターゲットにする。研究の結果、そのCD４細胞の数をかぞえ、細胞破壊の経過をたどっていけば、病気の進行を追跡できることが判明した。CD４細胞数が一立方ミリメートルあたり二〇〇個未満になると、患者は免疫不全に陥って、日和見感染を撃退することができなくなると考えられている。

一九八二年に、この新しい病気はゲイ関連免疫不全（gay-related immune deficiency＝ＧＲＩＤ）と名づけられ、嘲笑的に「ゲイのペスト」とも呼ばれた。だが、この病気のアフリカでの疫学パターンを考えれば、どちらの呼び名も明らかに不正確だった。アフリカではこの病気が一般人口に広まっていたうえに、おもに異性愛者間で伝染していたからである。しかしアメリカでも、すでに保健当局は、感染者の約半数がゲイではないことを知っていた。北米では血友病患者（hemophiliacs）、ヘロイン常用者（heroin users）、ハイチ移民（Haitian immigrants）、同性愛者（homosexuals）がこの病気にかかっていたので、かわって「４Ｈ病」という呼称が生まれた。そして一九八四年、この病気の原因となる病原体にあらためて名がつけられた。それがＨＩＶ、ヒト免疫不全ウイルスである。

スティグマ

北米での流行にはあと二つ、さほど明白ではないが、決定的に重要な特徴があった。一つめは、この病気がスティグマを負わされたことである。ここで思い出してほしいのが、二〇世紀半ばを顕著に覆った偏狭と抑圧の風潮だ。世界を見回せば、ナチスドイツなどは最たる例で、ドイツの同性愛者はピンクの三角形を身につけさせられ、国家を破壊する者としてユダヤ人や共産主義者、障害者、「ジプシー」とともに強制収容所に送られた。イギリスでのアラン・チューリングの痛ましい例も、広く浸透した同性愛嫌悪の有害性をあらためて突きつける。チューリングは数学の天才で、第二次世界大戦中にはナチの暗号機エニグマのコードの解読に携わり、それによって連合軍の無数の兵士の命を救うのに貢献した。にもかかわらず、国から称えられるどころか、一九五二年に逮捕され、裁判にかけられ、有罪を宣告された。イギリスの反同性愛的な「公然わいせつ」法に背くとされたからである。一九五四年、チューリングは自殺した。

冷戦期のアメリカには、いうまでもなく猛烈な反共産主義の波が押し寄せていて、これが上院議員ジョゼフ・マッカーシー（一九〇八～一九五七年）、FBI長官J・エドガー・フーヴァー（一八九五～一九七二年）、および地方警察内の「赤狩り班」による、徹底的な捜索と糾弾を生み出す肥沃な土壌をもたらした。だが、その「赤狩り」にも並ぶほどだったのが、同性愛者を標的にした「薄紫狩り《ラベンダー》」である。実際、マッカーシーとフーヴァーは、共産主義者と同性愛者がともに絡みあってアメリカの安全保障を脅かしていると考えていた。アメリカの政治的右派の世界観では、同性愛者は共産主義者に似ていた。どちらも隠し事をもっていて、信用に値せず、やたらと人を転向させたがるくせに、脅迫で操られるような弱みをもっている。しかも、この二つの脅威はしばしば同じ人物が兼ねていた。のちに悔い改めたウィテカー・チェンバーズを含め、共産主義運動の主要人物や過去の指導者は同性愛関係をもっていることが多かったし、一九五〇年代から六〇年代の代表的なゲイ権利団体だったマタシン協会を創設したのは、共産主義者のハリー・ヘイだったのである。こうした不安をさらに煽ったのがキンゼイ報告で、科学者のアルフレッド・キンゼイ（一八九四～一九五六年）が男女の性行動についての調査結果を発表したところ、アメリカ社会のいたるところで想像以上に同性愛行為が蔓延していたことが判明した。これを受けて赤狩り派は警戒をあらわにし、もはや同性愛者はすっかり公務の世界にもぐりこんでいて、共産主義インターナショナルと結託して活動している怪しげな「同性愛インターナショナル」に忠誠を誓っている、と言い立てた。

こうした恐怖に突き動かされ、主要都市では風紀犯罪取締班が赤狩り班といっしょになって男性同性愛者をおとり捜査で逮捕して、同性愛を全州で違法とするソドミー法を適用した。通常、その罰は投獄ではなく、公衆の面前で恥辱をあたえ、職を失わせることだった。連邦政府も同じように同性愛者の男女を公職から追放し、同性愛者のアメリカへの移住も認めなかった。さらに同性愛を公表していた人たちは、一般大衆からの暴力的な攻撃にもさらされた。

このような威嚇的な空気のなかで、同性愛者は自分たちを受け入れてくれそうなところ、少なくとも許容はしてくれるだろうと思われたところに移住した。その意味で、多くの人が向かった先が、匿名性の高い都市部だった。とくにニューヨーク、ワシントンDC、サンフランシスコでは、ゲイのコミュニティが広がった。作家のランディ・シルツはこう書いている。「同性愛の自由が約束されたおかげで、ゴールドラッシュ以来という大量の人びとがサンフランシスコに流入した。一九六九年から七三年までに少なくとも九〇〇〇人のゲイがサンフランシスコに移住し、一九七四年から七八年までには二万人がやってきた。一九八〇年まで、一年に約五〇〇〇人の同性愛者がゴールデンゲートに移住した。この移住のために、いまや市は成人男性の五人に二人が公然たるゲイで占められるようになった[3]」(『そしてエイズは蔓延した』曽田能宗訳)。

これら同性愛者の中心地で、ゲイ・コミュニティは活発に社会活動を行い、政治的にも結束した。移住してきた同性愛者たちは、震えるような興奮を覚えながらカミングアウトして、ゲイ専用の教会、バー、浴場、コミュニティセンター、診療所、聖歌隊などをつくって参加した。一九七七年には、ハーヴェイ・ミルクがサンフランシスコの市会議員に当選した。同性愛を公表していた人物がカリフォルニア州で選挙に勝って公職に就いたのは、これが初めてのことだった。しかし、憎悪の反動はあった。彼はその後、市庁舎で同僚議員のダン・ホワイトに暗殺された。

伝播

だが、都市のゲイカルチャーのある一面は、性感染症にとって完璧な進路を提供していた。同性愛者の男性は長いこと、自分の性衝動をこっそりと匿名で表現することに慣らされていたが、その多くにとって、ゲイ浴場はこれまでにない非常に大きな性的自由をもたらしてくれた。一方で、不特定多数を相手にした性行為は、さまざまな性感染症にかかる機会を増大させた。B型肝炎、ジアルジア症、淋病、梅毒、そして新たなＨＩＶ感染症などである。実際、すでになんらかの性感染症にかかっていると、性交中にＨＩＶに感染する確率は格段に上がった。既存の疾患に関連する損傷のせいで体の最も外側の防御――皮膚――が破られているために、感染している相手からＨＩＶが自分の血流に直接入ってきてしまうからである。

ＨＩＶ感染の二番目のアメリカならではの特徴は、ランディ・シルツの一九八七年の著作『そしてエイズは蔓延した』に示されている。シルツがいうように、アメリカでのＨＩＶ流行の疫学を説明するためには、感染症例が最初に確認された一九八一年よりもずっと前からＨＩＶは一般人口のあいだに存在していたと考える必要がある。シルツの考えでは、一九七六年七月の建国二〇〇年記念祭が、この病気に重要な機会をあたえたのではないかという。世界中から大型船がニューヨークにやってきて、街は狂騒的なパーティーに明け暮れた。のちの公衆衛生調査が明らかにしたところでは、生まれつきＨＩＶ／エイズに罹患している赤ん坊がアメリカで初めて生まれたのは、その九か月後のことだった。

要するに、一九八〇年代のアメリカにＨＩＶ／エイズの流行を出現させた前提条件は、グローバリゼーションと、侵襲的な現代医療技術と、同性愛嫌悪から生じたもろもろの影響だった。そして、その流行を勢いづかせた追加の要因が、南アフリカの場合とちょうど同じく、この国の政治指導者が長きにわたり、深刻になりつつある公衆衛生上の緊急事態にしっかり向き合おうとしなかったことだった。

「怒れる神の復讐」とエイズ教育

ＨＩＶ感染症は、あらわれはじめたころに同性愛者のかかる「ゲイのペスト」と見なされたせいで、これを病気ではなく罪であるとする見方をされるようになった。それに関して積極的な役割を果たしたのが、保守的なプロテスタントの福音派とカトリックの多くの信者で、同性愛者を大逆罪に結びつけ、同性愛は精神疾患であると信じ込み、同性愛行為を全州で違法とする法律に賛成した。冷戦の恐怖にすっかり取りつかれていた人びとからすると、人に転向を勧める同性愛者の秘密組織がひそかに自国をソビエトに売り渡そうと画策している、という恐ろしい想像は、じつに真に迫っていた。彼らの目には、同性愛者が共産主義者と結託して、いまにも国家を転覆させようとしているように見えていた。

この背景のもとに「ゲイのペスト」が発生したことで、疫病に対する最古の解釈が復活した。すなわち疫病は、怒れる神によってあたえられる「罪の報酬」［新約聖書「ローマ人への手紙」より］なのだという見方である。「ソドムの住人」の悪行を非難する聖書の記述さながらに、一部の保守的な宗教指導者が、率先してこの見解を提示した。保守的宗教団体モラル・マジョリティの創設者であるジェリー・フォールウェルは、エイズは同性愛者に対してだけでなく、同性愛を許容している社会全体に対してもくだされている天罰であるという有名な発言をして、瞬く間に悪名を馳せたが、同じような見解は、最も著名な伝道師のビリー・グレアムや、テレビ伝道師のパット・ロバートソンからも示された。

一九八〇年代にこの病気を取り上げた過激な一般宗教書も、やはり科学と憐れみを無視してまで病気の犠牲者を徹底的に非難して、その苦しみは天罰であると定義した。宗教学者のアンソニー・ペトロが二〇一五年の著作『神の復讐のあとで――エイズ、性、アメリカの宗教』で説明しているように、これらの宗教書を著したキリスト教徒はＨＩＶ感染症を生物医学的な理解に即してウイルスによる病気ととらえるのではなく、ただ自分の個人的な信念を突きつけて、これを倫理的な罰と決めつけていた。このような見方からすると必然的に、感染症に対する公衆衛生上の措置も一時しのぎでしかないという結論になる。したがって、この病気を克服するための真の手段は、その著者の好む道徳的な態度を実践すること――すなわち、結婚するまでは禁欲的に、そして結婚したあとは異性の相手と一夫一妻の関係を忠実に守る、ということなのだった。

しかし、それらとは別のキリスト教的な見方もあった。サンフランシスコ、ロサンゼルス、シカゴ、ニューヨークなど、この病気が初めて多くの犠牲者を出した都市では、聖職者たちの前に当の病人と、「罪人」にも奉仕をなすキリスト教徒としての聖職者の務めが突きつけられた。この病気に対してそのような見方をするならば、施しと憐れみを実践するのが必然だった。プロテスタントの聖職者ウィリアム・スローン・コフィンは、この姿勢を積極的に呼びかけたことで知られる。だが、そうした分析をする人は少数派であって、それらの声が広まることはなかった。HIV／エイズの流行初期に主流キリスト教が貫いていた深い沈黙に押しつぶされ、さらにはキリスト教右派による、エイズについての見方を勝手に決めて、宗教的、倫理的な対応を押し通そうとする大音量での主張にかき消された。

これほど多くの人がHIV／エイズを倫理的な病として理解していた以上、エイズがアメリカに定着しかけていた一九八〇年代初頭というきわめて重要な時期にあっても、大統領のロナルド・レーガンとその共和党政権が、HIVにかかわる緊急事態に確固とした公衆衛生対策をとくに講じようとしなかったのも不思議のないことだった。南アフリカのP・W・ボータと同様に、レーガンの頭も別のこと、すなわち冷戦を勝ち抜いて、ソビエトの「悪の帝国」からアメリカ国民を守ることでいっぱいだったのだ。レーガンにしてみれば、社会の周縁部にいる軽蔑された集団しかかからない病気に関心を払っている暇などなかった。

しかも、「罪深い行動」がこの感染症の原因であるという理屈からすれば、論理的な結論として、この病気を治すのにふさわしいのは医療ではなく、行動療法であると考えられた。責任は「ソドムの住人」にあるのだから、この病気の流行を終わらせるには、彼らがアメリカの正しい価値観に立ち返ればよいのだ。レーガン政権は、科学的な公衆衛生では問題の根を断つことにならず、それよりも道徳的な姿勢を正すほうが重要である――そして効果的でもある――と考えていた。

エイズに対する生物医学的解釈と道徳的解釈との対立が最も明白なかたちであらわれたのが、いわゆる一九八七年のヘルムズ修正案である。あるとき漫画本で二人の男性がセーフセックスをしている場面を見た上院議員のジェシー・ヘルムズは、その後、上院の議場に立ってこう熱弁をふるった。「この題材は、あまりにも卑猥で、ぞっとするものなので、ここに立って話すのも苦しいほどなのですが……吐きそうなのをこらえて、上院議員として言いましょう。私は殊勝な善人を気取ったりはしません。これまで長いこと生きてきましたが……あらゆるキリスト教の倫理からして、私はここで行動に出るしかありません。ありのままに言いますが、変質的な人間は何がどうあろうと変質的な人間です」[4]。そしてヘルムズは、ＨＩＶ／エイズの予防と教育の支援に連邦政府の資金を使うことを禁止する旨の修正案を提出した。その根拠は、「安全なセックス」とコンドームの使用を教えるということは同性愛行為を奨励しているも同然であり、ソドミー法と道徳的価値観に違反することになるからである、というものだった。これをもって、連邦政府が公衆衛生を守る行動をとるのは不可能になった。

公式にアメリカでＨＩＶ／エイズの流行がはじまったとされる一九八一年は、ちょうどレーガンが大統領に就任した年で、それから六年、この致死的な病気についての沈黙は破られることなくつづいた。強力なリーダーシップをもって公衆衛生の危機を食い止めなければならなかった時期に、レーガンはあえて、これ以上の患者と死者を出してはならないというＣＤＣとゲイの権利団体からくり返し発せられていた警告を無視した。エイズ撲滅に向けて積極的に行動するどころか、連邦予算を削減した。そして一九八七年五月三一日――二万八四九人のアメリカ国民がエイズで死亡し、この病気が五〇州すべてとプエルトリコ自治連邦区、コロンビア特別区（ワシントンＤＣ）、アメリカ領ヴァージン諸島まで広がってから――初めてレーガンは公の場でエイズについて言及し、さらにしぶしぶながらも激しい圧力のもと、合衆国医務総監のＣ・エヴェレット・クープ博士に、この病気に関する報告書を作成するよう要求した。

大統領が思ってもみなかったことに、クープはそれに答えるにあたって、この感染症についての徹底的で、明確で、偏見をいっさい排した分析を行った。その結果をまとめた一九八八年発行のパンフレット『エイズを理解する』は、一般大衆にこの危機を把握させるのに大きく貢献した。それというのも、クープの英断によって国内一億七〇〇〇万の全世帯にこのパンフレットが送付されたからである。アメリカ史上、公衆衛生の配布物がここまで大規模に郵送されたことはかつてなかった。噂によると、レーガン自身、自宅の郵便受けにパンフレットが届いて初めてこの郵送のことを知ったという。

残念ながら、クープはその後、政権から口を封じられた。クープはパンフレットを作成するほかにも、ＨＩＶ感染について明確に論じた教材を作成するようＣＤＣと保健福祉省に訴えかけていた。肛門性交のような感染リスクを高める行為を単刀直入に指摘し、そのリスクを低下させるコンドーム使用のような方策もはっきりと表現するべきだというのがクープの主張だった。だが、クープの宿敵で、公職上の地位が上だった教育長官のウィリアム・Ｊ・ベネットが、この公衆衛生上のきわめて重要な問題にイデオロギーをぶつけてきた。ベネットの見方からすると、あからさまで率直な表現をとるような方針は、道徳的に見てけしからぬものだった。男色行為やコンドーム使用に明確に言及するような教材を連邦政府がつくるとなれば、それはそうした行為を道徳的に認められるものとして是認しているも同様だ、とベネットは主張した。下院議員バーニー・フランクの見るところでは（彼自身も一九八七年にカミングアウトした同性愛者だった）、ベネット「をはじめとする一部の人びと」は、ただ一定の価値観を――「ありていにいえば、ベネット氏の価値観を」――説き聞かせ、「ベネット氏が認めない」行為を勧めるような教育は「まちがっている」と信じ込んでいるようだった。[5]

結局、連邦政府が作成した情報資料は、おきれいな、あえてぼかした表現をとった、誤解されやすい、役に立たないものとなった。連邦議会が一九八七年の公聴会で学んだように、「親密な性的活動」や「体液の交換」に関する無難な警告では、「肛門と膣を用いた性交という潜在的に危険な行為と、たとえば相互マスターベーションのような安全と見られる行為を区別する」ことはまったくできなかった。[6]「汚い」言葉と「汚い」行為は、明示を許されなかったのだ。

流行初期の数年間は、一般市民への啓蒙キャンペーンの性質がとくに重要だった（図20－1）。全米科学アカデミーが一九八七年の春に指摘したように、ＨＩＶに対しては予防ワクチンもなく、患者を治療する有効な薬もなかった。流行を食い止めるのに使えた手段は教育と、願わくば、その結果として生じる行動変容しかなかったのだ。残念ながら、実際の状況はアカデミーが議会に説明したとおりだった。「エイズ関連教育の現在のレベルは情けないほど不十分です。これをぜひとも大幅に拡張し、多様化しなくてはなりません」。まずは「連邦政府の取り組みの空白部分を埋めること」が急務だった。[7]科学アカデミーの代表は、こう強調した。

遠慮なくセックスについて……そしてＨＩＶ感染の防止となる行動について、論じられる環境をつくりましょう。それを先頭に立って進められるのが連邦政府だと思います。……

図 20-1 1987 年から 1996 年までつづけられたキャンペーン「America Responds to AIDS（アメリカはエイズに対処する）」では、ゲイの白人男性や静脈注射薬物の常用者だけが HIV／エイズにかかるのではなく、誰にもその危険性があり、この感染症をしっかりと見据えて教育と予防に努めることがきわめて重要であるというメッセージを伝えるために、さまざまなポスターが掲示された。CDC 発行［米国国立医学図書館］

ある種の活動を禁止することはできませんし、ある種の人びとをいなかったかのようにすることもできません。人それぞれ性行動に違いがあり、性的指向にも違いがあることを認めたうえで、リスクの高い人びとすべてに教育を施さなければなりません。ある種の行動を非難するのではなく、私たちが仕えている……市民のたすけになることをしなくてはなりません。[8]

勢いを増す流行に対して政治が先頭に立てなかったのは、国や共和党だけの話ではなかった。ニューヨーク市では、戯曲『ノーマル・ハート』の作者で、活動団体「アクト・アップ」の創設者であるゲイ活動家のラリー・クレイマーが、市の公衆衛生キャンペーンをいっこうに主催しようとしない市長のエドワード・コッチと、その民主党市政を、くり返し辛辣に非難した。クレイマーの見るところ、コッチが無視を決め込んでいる動機は、レーガンやフォールウェルやヘルムズのそれとは違っていた。クレイマーはコッチ市長を、同性愛嫌悪《ホモフォビア》の犠牲者と見ていた——つまり、コッチは隠れ同性愛者で、自己嫌悪と、もしゲイ人口の擁護にまわったら「ばれて」しまうという病的なまでの恐怖によって、動くに動けなくなっているとにらんだのだ。コッチは多くの面で進歩的な市長だったが、HIV／エイズに関しては沈黙と無為を選んだ。彼のその選択が、まさに流行の中心地でなされたことが悲劇だった。

スワースモア大学の学長で、米国医学研究所の一員でもあった医師のデイヴィッド・フレイザーの見解では、一般市民を教育するための十分な措置がとられ、その結果として適切な行動変容——コンドームを使用する、性交渉相手の人数を減らすなど——が実現されている唯一の都市が、サンフランシスコだった。だが、これらの進歩の功績は、連邦政府にあるのではなかった。地元での集中的な啓蒙キャンペーンに携わったのは、ダイアン・ファインスタイン市長とその配下にある市の監督委員会であり、市の取り組みに補助金を出したカリフォルニア州議会であり、赤十字などのNGOであり、この都市のきわめて統制のとれたゲイ・コミュニティだった。

トップからの政治的主導がないなかで、二人の有名人に起こった痛ましい出来事が、遅まきながら全国的な議論を喚起した。まずは一九八五年七月二五日、映画スターのロック・ハドソンの広報担当者から、ハドソンがエイズを患っていることが公表された。ハリウッド映画で恋人役を演じる代表的な主演男優の一人だっただけに、この知らせは衝撃的な波紋を呼んだ。それからわずか二か月あまりの十月初旬、ハドソンは五九歳で亡くなった。世の中の誰もが知るなかでエイズに倒れた初めての有名人だった。ハドソンの死を受けて、メディアも一般大衆も、エイズの意味するところと、エイズに結びつけられているスティグマの性質を、痛切な思いで見直すことになった。俳優出身のレーガン自身、ハドソンとは友人であり、この友の窮状をきっかけに自身のそれまでの同性愛に対する道徳的非難を再考するようになったと、のちに認めている。

そして今度は一九九一年、アメリカのスポーツ界の寵児であり、史上最高のバスケットボール選手の一人であるアーヴィン・「マジック」・ジョンソンが、HIV陽性であることを公表した。ジョンソンは、NBA（全米プロバスケットボール協会）のロサンゼルス・レイカーズでポイントガードとしてプレーし、NBAのオールスター戦に十二回出場、NBAのMVPを三回受賞した人物だ。また、一九九二年のオリンピックには「ドリームチーム」の一員として参加し、アメリカに金メダルをもたらした。二〇〇二年にはバスケットボール殿堂入りを果たしている。そんな彼が一九九一年十一月七日に開いた記者会見は全国にテレビ放送されて、その後の一連の公の場への登場とあわせて、アメリカのメディアと一般大衆を愕然とさせた。

二〇〇四年、スポーツ専門チャンネルのESPNは、このときのジョンソンの発言を、過去四半世紀のメディアにおいて最も影響力をおよぼした七つの出来事の一つに選んだ。ジョンソンが話したことは、HIVについての当時の一般的な認識に照らせば、とても信じがたい内容だった。彼は全国に向けて、自分は完全に異性愛者で、静脈注射薬物も一回も使用したことがないと明言したのだ。さらにジョンソンは、従来のもう一つの固定観念も打ち砕いた。彼はアフリカ系アメリカ人だが、それまでエイズはゲイの白人男性がかかる病気だと誰もが思っていたのである。ジョンソンはくり返しいった。「これは誰にでも、私にでも起こりうることなのです」。さらに彼はこの発表ののちも、HIV／エイズについての別の見方を伝えるスポークスマンの役割を担ってくれた。その影響力は絶大だった。

複合流行

決定的に重要なＨＩＶの流行初期に、連邦政府とニューヨーク市が無為と沈黙を選んでいた一方で、この病気の疫学パターンは大きく変化した。一九八〇年代初頭のＨＩＶは、もっぱら社会の周縁部にいる高リスク集団のあいだで「集中型」の流行として広まった。しかし八〇年代半ばになるころは、その集中型の流行と最初は並ぶようにして、のちには完全に上まわるような勢いで、第二の疫学パターンがあらわれた。ＨＩＶがアフリカ系アメリカ人の一般人口のあいだで異性愛行為を通じて伝染するようになったのである。つまり一九八〇年代のあいだに、アメリカでは二つの異なるパターンを示す「複合」流行が広まった。一方は、高リスクの社会集団のなかで広まる集中型の流行、そしてもう一方は、アフリカ系アメリカ人を筆頭に、ラテンアメリカ系やネイティブアメリカンも含めた少数民族のあいだに広まる普遍型の流行である。

一九九三年までには、アフリカ系アメリカ人に起こっている悲惨な状況の悪化が、はっきりと記録にあらわれるようになってきた。流行の開始以来、累積およそ三六万人のエイズ患者が報告されていたが、そのうち三二パーセントは、人口のわずか十二パーセントにしかならないアフリカ系アメリカ人だった。アフリカ系アメリカ人女性のエイズ発症率は白人女性より十五倍も高く、黒人男性は白人男性より五倍高かった。しかも流行が勢いを増すにつれ、犠牲者のなかで黒人人口が不釣り合いに多くの割合を占めていた傾向は、ますます顕著になっていった。二〇〇二年には、四万二〇〇〇人のアメリカ人がＨＩＶ感染症と診断されたが、そのうちの二万一〇〇〇人、すなわち五〇パーセントはアフリカ系アメリカ人だった。アフリカ系アメリカ人の人口学的特徴に照らすと、一般黒人人口のあいだでの流行には地理的に顕著な偏りがあった。おもに流行は、北東部、南部、西海岸の都市で発生していたのだ。

二〇〇三年までに、アフリカ系アメリカ人全体のあいだでのＨＩＶ有病率は五パーセントに達したが、「一般社会に広まった深刻な流行」の標準的な指標は一パーセントなのである。アフリカ系アメリカ人のあいだでのＨＩＶ流行は、サブサハラ・アフリカ地域での流行に匹敵するレベルになっていた。

このように黒人と白人とに差が生じたのはどうしたわけなのか。公衆衛生当局は、考えなくても答えられた。ＣＤＣのワシントンＤＣ支部の副所長の言葉を借りれば、「人種や民族がＨＩＶ感染の危険因子そのものでないことは誰もが十分に承知していますが、それでも人種や民族は、おおもとで健康に影響をあたえる社会的、経済的、文化的な要因の標識《マーカー》です[9]」。それらの要因とは、どんなものだったのだろうか。

貧困

ＣＤＣは二〇〇三年にこう報告している。「エイズ発生率の高さと所得の低さのあいだに直接的な関係があることは、調査から明らかになっている。貧困に関連するさまざまな社会経済的問題が、直接間接に、ＨＩＶ感染のリスクを増大させている。たとえば質の高い医療やＨＩＶ予防教育を受ける機会がかぎられていることも、そうした問題の一つだ[10]」。経済的不利は、アフリカ系アメリカ人人口の大きな特徴だった。ＣＤＣの報告でも、黒人の四人に一人は貧しい暮らしを送っているとされていた。このアフリカ系アメリカ人の生活の特徴が、ＨＩＶ感染を誘う大きな要因だったのだが、それは栄養不良が総じて抵抗力を弱めるからというだけでなく、性感染症の特定のリスクを高めるからでもあった。CDCは二〇〇九年の報告書において、「都市の貧困区域におけるHIV有病率は、世帯年収と逆比例の関係にあった。すなわち所得が低いほど、HIV有病率が高い」と結論づけている。「このHIV有病率と社会経済的地位（SES）との逆比例関係は、調査されたSES指標のすべて（教育、世帯年収、貧困レベル、雇用、住居の有無）において見られた[11]」。

これほど目に見えるかたちには直結しないが、貧困には別の影響もあった。ニューヨークとサンフランシスコの白人ゲイ・コミュニティの重要な特徴は、教育があって、経済的にも豊かな人が多く、きわめて統制がとれているということだった。結果として、彼らを代表する組織はコミュニティ内に正しい医学知識や性教育をうまく広めることができ、それによって感染拡大を遅らせることができた。対照的に、アフリカ系アメリカ人のコミュニティは比較的貧しく、教育も不十分で、統制もとれていなかった。連邦議会がHIVの流行を調査した際に、アフリカ系アメリカ人コミュニティの代表者たちはくり返し、コミュニティ内の教会も国会議員も指導的権威も、HIV／エイズについては沈黙を守ったままだと指摘した。

そしてもう一つ重要な点として、貧困は、HIVに感染するリスクを高めているだけではなかった。HIV陽性の状態からエイズ発症までの進行の速さとも相関関係にあったのである。三年以内に活動性エイズに進行した感染者のうち、社会経済的地位の低いアフリカ系アメリカ人の割合は不釣り合いなまでに高かった。

家族の崩壊

いまに残る重大な奴隷制度の遺産は、それがアフリカ系アメリカ人家族におよぼした影響である。彼らはたいてい奴隷制度によってばらばらにされ、家族の誰かを売られた。したがって歴史的に、黒人の家族は女性が家長となる傾向が生まれ、奴隷解放以降の世代も、その傾向を反転させる力にはほとんどなりえなかった。むしろ逆に、移住や失業や投獄といった要素がさらに家族のあいだに亀裂と不在をつくり、黒人男性の立場をいっそう不安定にした。ＨＩＶの流行がはじまったころには、子供のいるアフリカ系アメリカ人家庭のまるまる三分の一が、母親だけで維持されていた。

ここでの問題に関して最も明白な影響があったのは、投獄だった。その決定的な要因が「麻薬との闘い」で、これにより麻薬の所持と使用を犯罪と見なして実刑判決を必須とする厳しい政策が導入された。この「犯罪を断固として取り締まる」政策にもとづいて、アメリカの囚人数は一九八〇年から二〇〇八年のあいだに五〇万人から二三〇万人へと四倍以上に増加し、アメリカは世界最大の監獄になった。アメリカの人口は世界人口のわずか五パーセントにすぎないが、全世界の囚人の二五パーセントはアメリカの囚人だった。

この徹底的な締めつけにおいて、不公平なまでに影響を被ったのがアフリカ系アメリカ人だった。アメリカ人口の十二パーセントにしかならないにもかかわらず、麻薬犯罪で逮捕されたアフリカ系アメリカ人は、逮捕者全体の四八パーセントを占めた。投獄率も白人の六倍にのぼり、全国二三〇万の囚人のうちの一〇〇万人がアフリカ系アメリカ人だった。全米黒人地位向上協会（ＮＡＡＣＰ）によると、「現在の傾向がつづけば、いま生まれているアフリカ系アメリカ人男性の三人に一人は、生涯を獄中で過ごすことになる」という。[12] 麻薬との闘いは、民族間や人種間の格差を大幅に広げた。アフリカ系アメリカ人は麻薬犯罪で投獄される率が白人より一〇倍も高く、さらに刑期もずっと長かったからだ。

ＨＩＶ／エイズの流行の観点で見ると、こうした高い――異例ともいえる――率での投獄は、流行の大きな要因になっていた。まず何よりも明らかな点として、若い男性がこのように多数投獄されていれば、同時期に複数の相手と性的な関係を結ぶことが多々生じるようになる。そしてそれは、その性的ネットワークに含まれる全員にとっての大きな危険因子だった。さらに同時並行の性的関係は、硬性下疳、淋病、ヘルペス、梅毒といった、ほかの性感染症を広まりやすくさせることで、間接的にもＨＩＶ感染を助長した。すでにアフリカ系アメリカ人のあいだでは、それらの性感染症がひときわ広く蔓延していたが、これらによって皮膚に傷ができているとＨＩＶの感染が起こりやすくなるのである。二〇〇三年に、ＣＤＣはこんな見解を出している。

> アフリカ系アメリカ人は……性感染症の罹患率が全国で最も高くなっている。白人にくらべて、アフリカ系アメリカ人は淋病にかかる見込みが二四倍、梅毒にかかる見込みが八倍にのぼる。……すでにある種の性感染症にかかっていると、ＨＩＶに感染する可能性は三倍から五倍ほど高まる。同様に、ＨＩＶとほかの性感染症との重感染は、概してＨＩＶの排出量を増大させるため、重感染している人は他人にＨＩＶを広げる可能性も高い。[13]

さらに、投獄されたアフリカ系アメリカ人男性は、同性愛行為におよんだり、薬物注射や入れ墨のために針などの鋭利な物体を使いまわしたりする可能性が高くなる。しかも獄中での性行為は、セーフセックスになりようがなかった。同性愛行為は不道徳であるとの高邁な宗教的見地から、矯正施設ではコンドームが配布されなかったからである。そして最終的に、投獄が家族関係の解体をいっそう推し進め、すでに黒人コミュニティに蔓延していた貧困と失業の問題をさらに悪化させる悪循環に陥っていった。

このような家族崩壊が最終段階にいたって、もはや住む家もなくなるのが、都市のスラム街に生きるアフリカ系アメリカ人の何よりもの問題である。ホームレスはさまざまな理由から、HIVに感染する率が高い。住むところもないような人は、セックスと引き換えに泊まるところや薬物や食べものを得る、性教育がなされていない、医療を受ける機会がかぎられている、栄養が不足している、薬物やアルコールで自己流の治療をして危険な性行為におよぶ傾向があるなど、リスクの高いさまざまな行動や状況に陥りやすいのだ。

文化的要因

アフリカ系アメリカ人がHIVに感染しやすいのには、文化も大きく関わっている。彼らに対する抑圧と社会的等閑視の長きにわたる歴史の遺産が、黒人たちにCDCと保健福祉省からのメッセージを信じられなくさせていた。国や州や地域の役人がいきなり彼らの健康に関心をもつようになったのだといわれても、それをそのまま受け取るのは困難だった。むしろ一九九九年の調査結果では、黒人人口の半数が、政府は厄介な余剰人口を処分する手段としてエイズの流行を歓迎している可能性が「大いにある」、もしくは「ありうる」という見方をとっていた。黒人の生活保護受給者や薬物常用者の命など、どうせ消耗品なのだろうという考えだ。半ば陰謀論的な見方ではあるにせよ、一九三二年から一九七二年までつづけられた「タスキーギー梅毒実験」という実例があった以上、この見方が信憑性をもつのも無理からぬことだった。タスキーギーでは、大勢の貧しい黒人梅毒患者の信頼が冷徹に裏切られたのである。

しかも、行政機関からの教育的なメッセージは、たいてい黒人コミュニティにとって理解のしがたい、したがって深刻な逆効果を生む表現で伝えられていた。一九九三年の連邦議会での宣誓証言において、全米小児HIV資源センターで政策アナリストを務める二二歳のアフリカ系アメリカ人女性、ラケル・ホワイティングが、この点を丁寧に説明している。若いアフリカ系アメリカ人と仕事をしてきた経験から彼女が学んできたことは、彼らが性交中に自分の身を守らないこと、そしてそれはある部分、教材が誤解を招くメッセージを伝えているからだということだった。ポスター、雑誌記事、パンフレット、テレビ広告――それらすべてが、HIV／エイズの一般に知られる社会的構造、すなわち、HIV／エイズが教育のある中産階級の白人同性愛者と、静脈注射薬物の常用者の病気であるというイメージを伝えていた。ホワイティングの言葉を借りれば、HIV／エイズはおもに黒人の病気になっていたにもかかわらず、「メディアや一般社会はあいかわらず、ゲイの白人男性の姿をHIVの顔として描いています。有色人種はいかなる性的指向であれ、その構図からいっさい抜け落ちているのです」[14]。そのため黒人の若者は、自分は別に危険ではないと結論づけてしまうのだった。

ホワイティングが報告したもう一つの問題は、エイズ撲滅のための啓蒙キャンペーンが、「ハイになって、馬鹿なことをやっていると、エイズになる」といったスローガンに代表される、脅し作戦に頼っていたことだった。暴行や麻薬や銃撃が日常生活のありふれた一部になっている都心部のアフリカ系アメリカ人の住む界隈では、そのようなスローガンはまったく説得力をもたず、行動変容を促すどころか、むしろいっそうの馬鹿騒ぎを助長した。

そして最後にもう一点、ホワイティングの分析では、エイズ撲滅キャンペーンが黒人コミュニティ全体はもちろん、とくに重要な、最も危うい若年層のあいだで失敗した理由は、発せられたメッセージが学校に集中していたことにあった。中退者や不登校者が格段に多いコミュニティの場合、そうしたアプローチでは、たいていメッセージが最も必要とされている層に届かない。ホワイティングもあけすけに、「予防メッセージはこの集団に届いていません」と述べていた。メッセージがいかに不発に終わっていたかは、ホワイティングがフィラデルフィアのスラム街に暮らす非行少女の一人から学んだことに、明白にあらわれていた。そこではHIV陽性であるとわかっている非行グループの男性リーダーと寝ることを、グループの若い娘たちが誰もいとわなかった。むしろそれは、最高に強い、最高の適者である女なら病気がうつらないことを実証し、仲間内での尊敬を得るための行為なのだった。メッセージと、そのメッセージの伝え方と、伝える場所が変わるまで、「アフリカ系アメリカ人の若者が自分の身を守ろうとすることはないでしょう」とホワイティングは証言した。[15]

まとめ

二〇一八年六月十五日発行のサイエンス誌は、HIV／エイズの現状を評価した記事を、その内容を端的にあらわした「根絶には程遠く」というタイトルのもとにまとめている。この病気が圧倒的にアフリカ系アメリカ人とラテン系アメリカ人の病気になるのと並行して、また別の地理的なパターンも顕著になってきた。最も重い疾病負担が、南部とワシントンDCに集中してきたのである。とくに、最も悩ましい場所がフロリダ州で、サイエンス誌によれば「驚愕するほど高いHIV感染率」を示しており、なかでもマイアミが「アメリカのHIV／エイズの震源地で、新規感染率が一〇万人あたり四七人と、国内の全都市のなかで最も高く……サンフランシスコ、ニューヨーク、ロサンゼルスの倍以上に相当」していた。[16]

マイアミ、フォートローダーデール、ジャクソンビル、オーランドといったフロリダ州の各都市の状況は、エイズ撲滅キャンペーンの当事者に、いまのアメリカのエイズ流行を加速させている要因をすべてまとめて突きつけている。絶えず入ってくる多数の移民。医療を受ける機会がかぎられているために抗レトロウイルス療法の成功もほとんど望めない、相当数にのぼるアフリカ系アメリカ人の集団。買春ツアー産業の隆盛。深刻な数のホームレス。格差の蔓延と都市部の分厚い底辺層。最も高リスクの集団に診断を受けさせず、したがってHIV感染の有無を知ることもできなくさせている、広く浸透したスティグマ。HIV／エイズへの「援助疲れ」に陥って、ほかの健康問題を優先する州議会。深刻なヘロイン中毒の問題。そしてCDCの言葉を借りれば、「同性愛嫌悪、トランスジェンダー嫌悪、人種差別主義、および性的な話題を公の場で議論することへの全般的な不快感が蔓延している」バイブルベルト（キリスト教篤信地帯）文化。[17]これを書いている現在、ドナルド・トランプ政権のもとで連邦政府はリーダーシップをとろうともせず、問題に対処するための戦略を練ることも、HIV／エイズ撲滅の既存のプログラムに資金を提供することも断っている。

第21章　新興感染症と再興感染症

不遜の時代

人間と微生物との長きにわたる闘いにおいて、二〇世紀半ばから一九九二年までは、ほかと明らかに異なる様相を呈していた時代だった。この高揚感に包まれた数十年間には、いよいよ決戦がはじまっている、病気に対する最終的な勝利を宣言する瞬間はもうすぐそこだ、と誰もが思っている気配があった。一九四八年、新しい時代の到来を告げるかのように、アメリカ国務長官ジョージ・マーシャルが、いまや世界は感染症を地球上から一掃する手段をもっていると宣言した。そのマーシャルの見解は、何も特別なものではなかった。すでに何人かは、戦後すぐのころから、そうした勝利のイメージをおもに、ある一つの病気にあてはめていた。夢のようなゴールがいち早く見えていたのはマラリア学の分野で、ロックフェラー財団の科学者フレッド・ソーパーとポール・ラッセルは、古代からの人類の苦しみを永久に世界から排除できるようにする比類なき力をもった武器をＤＤＴに見いだしたと考えていた。一九五五年、ラッセルは早計な確信のもとで『人類のマラリア征服』という本を出版し、そのなかで、世界規模のＤＤＴ散布キャンペーンが人類をマラリアから安価に、迅速に、難なく解放する未来を思い描いた。ラッセルの楽観に賛同して、世界保健機関（ＷＨＯ）はＤＤＴを第一の武器とした世界的なマラリア撲滅キャンペーンを計画した。キャンペーンの責任者エミリオ・パンパナは、「準備、攻撃、強化、維持」の四段階を基本とする、教科書的で画一的なプログラムを策定した。戦後のイタリアでの撲滅運動を主導したアルベルト・ミッシローリと、定量的疫学の創始者であるジョージ・マクドナルドは、ともにラッセルの支持者で、蚊に対する勝利がこれほど明白であるからには、ほかのあらゆるベクター媒介性熱帯疾患もすぐに根絶できるようになると結論づけた。そうなればミッシローリいうところの「病原体のいない楽園」もすぐそこで、医学が人類に健康だけでなく、幸福ももたらすことになる。

世界の公衆衛生界の先頭に立ったマラリア学者は、感染症の完全征服という構想を掲げたが、その発想はすぐにあらゆる分野の正統派的な信念へと発展した。胸部専門家は、二つの技術革新——すなわちBCG（カルメット・ゲラン桿菌）ワクチンと、ストレプトマイシンやイソニアジドなどの「特効薬《ワンダードラッグ》」——を組み合わせれば結核を根絶できるとの揺るぎない確信をもち、アメリカで二〇一〇年、全世界で二〇二五年という目標期日まで設定した。テネシー川流域開発公社の首席マラリア研究者で、WHOマラリア専門家委員会の一員でもあったE・ハロルド・ヒンマンは、世界に大きな影響をあたえた一九六六年の著作『感染症の世界的な根絶』で、マラリアが征服できたならどんな伝染病にも勝利できるはずだと訴えた。

ジョンズ・ホプキンズ大学の著名な疫学者で、WHOの顧問でもあったエイダン・コックバーンは、この新しい信条を自著の『感染症の進化と根絶』（一九六三年）というタイトルに込めた。コックバーンが述べているように、「感染症の『根絶』という公衆衛生上の概念は、まだ生まれてから二〇年ほどしか経っていないが、それが早くも目標として従来の『制圧』に取ってかわりつつ」あった。[1]この本が書かれた一九六〇年代初頭までに、実際に撲滅されていた病気はまだ一つもなかったが、それでもコックバーンは、根絶という目標は「完全に現実的」で、しかも個々の病気に対してだけでなく、伝染病というカテゴリー全体に対してあてはめられると信じていた。実際、「たとえば一〇〇年など、ある程度の期間内にあらゆる主要な感染症がこの世から消滅していると期待しても、そうおかしなことではないと思われる」[2]。そのころには、そういう病気があったという「記録だけが教科書に残り、一部の標本が博物館に保存されているだけ」になる、ともコックバーンは述べている。「科学がこれほど急速に進歩しているからには……そうした終着点にいたるのはほぼ必然で、当面の重要な問題は、そのために必要な行動をいつ、どのようにして起こすべきかということである」[3]。

全面的な根絶が二〇六〇年までに実現するとコックバーンは言及したが、それでも遅すぎると見る人もいた。それからわずか一〇年後の一九七三年に、オーストラリアのウイルス学者でノーベル賞受賞者のフランク・マクファーレン・バーネットは、同僚のデイヴィッド・ホワイトとともに、「少なくとも豊かな欧米では」大目標はすでに達成されているとまで宣言した。「人類の存続を脅かす太古よりの危険の一つは、すでにない」と彼はいった。なぜなら「今日、深刻な感染症はほぼ存在していないも同然」だからだという。[4]WHOも、二〇世紀末までには全世界が新しい時代を目前とするのではないかとの見方をしていた。一九七八年にアルマ・アタ（現カザフスタンのアルマトイ）で開催された世界保健総会では、「二〇〇〇年までにすべての人に健康を」という目標が採択された。

それにしても、科学、技術、文明の力をもってすれば伝染病を打ち破れるという、ここまで過剰な自信はどこから生まれたのだろう。一つの要因は、歴史的なものだった。西洋先進社会では十九世紀後半から、感染症による死亡数と罹患数が急激に減りはじめた。それはおもに、賃金、住宅、食事、教育において劇的な進歩があったという、「社会的向上」の結果だった。同時に、先進諸国では公衆衛生を守る強固な砦が確立された。すでに見てきたように、コレラと腸チフスに対する防御としては、下水道や排水溝が整備され、砂の濾過、水の塩素殺菌も行われた。ペストには、防疫線、検疫、隔離の対策がとられ、天然痘には予防対策としてワクチン接種がなされた。そしてマラリアに対しては、世界初の「特効薬《マジックブリット》」、キニーネが処方された。一方で、食品の取り扱いにも進歩があって、低温殺菌、滅菌のための缶詰処理、海産物養殖場の衛生管理などが普及した結果、ウシ型結核菌やボツリヌス菌の感染など、食品由来のさまざまな病気も防がれるようになった。

したがって、すでに二〇世紀初頭には、過去に最も恐れられていた疫病の多くが激減していたが、それはもともと科学を適用した結果というよりも、経験上の知識が生かされた結果だった。だが、間もなくそこに新しい強力な武器を追加したのが科学だった。ルイ・パスツールとロベルト・コッホが確立した生物医学的な疾病モデルは、かつてないレベルの理解を促し、つぎつぎに科学的な発見と、新しい副次的な専門分野（微生物学、免疫学、寄生虫学、熱帯医学）を生み出した。一方、ペニシリンとストレプトマイシンによって抗生物質時代が到来し、梅毒、ブドウ球菌感染症、結核が治療できるようになった。ワクチンの開発も、天然痘、百日咳、ジフテリア、破傷風、風疹、麻疹、流行性耳下腺炎（おたふくかぜ）、ポリオの発生率を劇的に低下させた。そしてＤＤＴは、マラリア原虫をはじめとする昆虫媒介の病原体をいまにも一掃できそうに見えていた。こうして一九五〇年代には、過去に蔓延していた感染症の多くに対する有効な手段が科学的発見によってもたらされていた。これほどの劇的な発展から考えて、今後も伝染病は一つずつ根絶されて、いずれ消滅点に達するものと期待するのが妥当だろうと、多くの人が結論づけた。実際、世界規模での天然痘撲滅運動は、まさにそうした例を提供した。WHOは一九八〇年に、天然痘が史上初めて、人間の意図的な行動によって根絶されたと発表したのである。

感染症の征服という信条を力説した人びとは、微生物の世界をほぼ静的な、あるいはそうでなくとも非常にゆっくりとしか進化しない世界だと見なしていた。そのため、いくら既存の感染症に勝利を収めていても、まだ人類が経験したことのない、免疫を働かせられない新規の病気が出てくるかもしれないという懸念をほとんどもたなかった。歴史に対する健忘症に陥って、西洋では過去五〇〇年、新しい病気が周期的に出現して大惨事をもたらしてきたことを都合よく無視した。しかし実際、たとえば一三四七年にはペストが、一四九〇年代には梅毒が、一八三〇年にはコレラが、一九一八年から一九一九年にかけてはスペイン風邪が発生していたのである。

バーネットは、その典型的な一人だった。彼は進化医学の創始者で、突然変異の結果として新しい病気が生じうる可能性を、理論上ではわかっていた。しかし実際には、そんなことはめったに起こるものでないので気にする必要はほとんどないと思っていた。「新しい危険な感染症がまったく予想外に出現する可能性もあるにはあるが、この五〇年間にそのようなことは一度も生じていない」と彼は書いている。[5]「病原菌の不変性」——現在ある病気が、今後も出てくる病気である——という考え方は、一九六九年に世界中で採用された国際保健規則の土台にまでなっており、この規則によって「通報」が必須と定められた病気は、十九世紀の三大疫病であるペスト、黄熱、コレラしかなかった。通報とは、ある病気が診断されたときに、国内外の公衆衛生の関係各所に報告することを求める法規定である。その通報対象に、既知の三つの病気しか含められていなかったということは、もしも未知の、しかし感染力の強い致死的な病原体が新たに出現したときにどういう行動が求められるかを、この規則は何も考えていなかったということだ。

微生物世界は不変であるという確信が、撲滅主義者の展望を支えていた信条の一つだったとすれば、進化に関するもう一つの誤った考えも、やはり大きな役割を果たしていた。それは、自然は基本的に善である、なぜなら自然選択の圧力により、あらゆる伝染病は時間とともに弱毒化するからである、という定説だった。原則として、過度に致死性の高い感染症は、宿主を早々に殺すことによって自ら伝播経路を断つことになる。したがって長期的に見れば、その感染症は片利共生と平衡に向かっていくはずだ、と勝利派は主張した。新しい疫病がたまたま強毒だったとしても、それは一時的な不適応であるから、いずれ穏やかなものに進化して、最終的には治療の容易な小児疾患になる。よい例が、大痘瘡から小痘瘡に進化した天然痘や、十六世紀の劇症型の「大痘」から今日の遅効性の疾患に変容した梅毒や、古典型からはるかに穏やかなエルトール型に変容したコレラである、というわけだった。

同様に、この見方はとくに証拠もないまま、ヒトがかかる四種類のマラリアのうちで最も毒性の強い熱帯熱マラリアは、それより致死性の低い三日熱マラリア、卵形マラリア、四日熱マラリアよりも遅れて進化した病気であると見なし、ほかの三つは片利共生の方向に進化してきたのだと推論していた。そうした背景から、撲滅主義の時代の標準的な内科医学の教科書——一九七四年発行の『ハリソン内科学』第七版——では、「一つの分類として、ほかのどの主要な疾患群よりも予防が容易で、治療も容易」なのが感染症の特徴であると断定されていた。[6]

新時代の理論のうちでも最も綿密に構成され、最も多く引用されたのが、ジョンズ・ホプキンズ大学の疫学教授アブデル・オムランらによって提唱された「疫学転換」、もしくは「健康転換」の概念である。一九七一年から一九八三年のあいだに発表され、影響力をもった一連の研究で、オムランらは近現代における人間社会と病気との遭遇を分析した。彼らと、彼らが出していた専門誌ヘルス・トランジション・レビューによれば、人類は健康と疾病に関して三つの近代性の時代を経てきた。その最初の時代——いわく「疫病と飢饉の時代」——が具体的にどの年代にあたるのかをオムランは明確に示していないが、ともあれ、それが西洋では十八世紀までつづき、マルサス主義でいうところの積極的な人口抑制因、すなわち疫病と飢饉と戦争を特徴としていたことは明らかである。

つづく「パンデミックの後退の時代」は、十八世紀半ばからはじまって、西洋の先進諸国では二〇世紀初頭まで、非西洋諸国ではそのあとまでつづいた。この期間に、感染症による死亡数はしだいに減少した。そこで先頭を切っていたのは結核であったと見られる。

そして最後に、西洋では第一次世界大戦後、それ以外では第二次世界大戦後に、人類は「変性疾患と人為的な疾患の時代」に入った。疾病の時間的発展の初期段階では、社会的、経済的な条件が健康状態と感染リスクを左右するのに支配的な役割を果たしていたのに対し、この最終段階では、医療技術と科学が手綱を握った。その影響下で、感染症による死亡数と罹患数はしだいに減少し、かわって別の死因が増えてくるようになった。それが心血管疾患や、癌、糖尿病、代謝性疾患などの変性疾患と、職業病や環境病などの人為的な疾患、および事故である。一九七九年に合衆国医務総監ジュリアス・B・リッチモンドがいったように、「健康転換」理論の観点で見れば、感染症は、のちにそれに取ってかわる変性疾患の「前身」にすぎず、この入れ替わりは一定方向にしか進まない単純なプロセスの結果として生じると考えられる。[7]

公衆衛生と科学の力についての鮮烈な記憶が転換理論支持者の過剰な自信の一因だったのは確かだが、忘却もまた、かなりの影響をおよぼしていた。一九六九年に医務総監のウィリアム・H・スチュワートが示したような、ついに「感染症についての本を閉じる」ときが来たという考えは、どこまでもヨーロッパ中心主義的な考えだった。いくらヨーロッパと北米の医療専門家が勝利を宣言していても、世界的に見れば感染症はあいかわらず主要な死因のままであり、とくにアフリカ、アジア、ラテンアメリカの最も貧しい、最も脆弱な国々においては第一位の死因になっていた。顕著な例が、結核である。北半球の先進諸国ではサナトリウムがつぎつぎと閉鎖されていたが、南半球では依然として結核が猛威をふるっていた。そして北半球でも、ホームレス、囚人、静脈注射薬物常用者、移民、人種的マイノリティなど、社会の周縁部にいる人びとのあいだでは結核が犠牲者を出しつづけていた。医療人類学者のポール・ファーマーが二〇〇一年の著作『感染症と不平等――現代の疫病』で論じているように、結核は消滅してなどいなかった。そのような幻想がしつこく残っていたのは、ひとえに罹患者の姿が遠くにあるか、視界に入っていないからだったにすぎない。実際、WHOの控えめな見積もりでも、二〇一四年時点での結核患者数は、人類史上のどのときとくらべても大差ない数だったと推定される。さらにWHOの報告によると、二〇一六年の結核患者数は一〇四〇万人、結核による死亡者数は一七〇万人で、結核は全世界の死因の第九位、感染症としてはHIV／エイズを上まわっての第一位になっている。

警鐘

一九九〇年代初頭には、すでに撲滅主義者の立場は通用しなくなっていた。科学技術によって感染症がまるごと世界から駆逐されるという予測がすみやかに達成されるどころか、西洋の先進世界はいまだ自分たちが脆弱で、しかも、それがつい最近まで想像もできなかったほどの脆弱さだったことに気づいたのである。決定的な一撃は、もちろん、HIV／エイズの登場だった。一九八一年に初めて新しい病気としてその存在を認識されたあと、一九八〇年代末までには、撲滅主義者が考えられないと思っていたすべてのことが、この病気に体現されているのが明らかになっていた。まず、それは治療法のない新しい感染症だった。発展途上国だけでなく先進国にまで到達した。感染の結果としてめったに発生しない一連の日和見感染症をあわせて発症させた。そしてそれは、死者数や感染者数の面においてだけでなく、社会、経済、安全保障におよぼす深い影響という面でも、史上最悪のパンデミックになる可能性を秘めていた。

一九八〇年代、エイズとの闘いの最前線からは、この新たな脅威の深刻さに警鐘を鳴らす声があいついだ。最もよく知られるのは、合衆国医務総監C・エヴェレット・クープが発した警告である。すでに見たように、クープは一九八八年、「エイズを理解する」と題したパンフレットをアメリカの全世帯に郵送した。のちに国連エイズ合同計画（UNAIDS）の事務局長となるピーター・ピオットは、サブサハラ・アフリカ地域で活動していた一九八三年に、アフリカでのエイズは「ゲイのペスト」などではなく、異性間性交によっても伝播する感染症として一般市民に広まっており、しかも男性より女性のほうが感染しやすい病気であると警告した。

だが、これら一九八〇年代の警告は、HIV／エイズに限定されたものだった。もっと大きな撲滅主義の問題に直接的に向き合うものではなく、医学と公衆衛生の新時代を告げるものでもなかった。かわりにこの課題を引き受けたのは、全米科学アカデミーの医学研究所（IOM）と、同研究所が一九九二年の『新興感染症――アメリカにおける微生物による健康への脅威』を皮切りに発行しはじめた、新興疾患に関する一連の画期的な出版物だった。ひとたび医学研究所から警報が発せられると、あちこちから、ほぼ即座に反応が起こった。アメリカ疾病予防管理センター（CDC）は一九九四年、この危機に際して独自の対応策を打ち出し、この問題に特化した新雑誌『新興感染症』を創刊した。一九九五年には国家科学技術会議が動き出し、世界の主要な医学雑誌三六誌も前例のない協力行動に乗り出して、一九九六年一月を「新興疾患月間」と称し、各誌が新興疾患をテーマにした特集号を発行した。同年、ビル・クリントン大統領は「新興感染症の脅威への対処」と題した概況報告書を出し、そのなかで新興感染症を「国際社会が直面している最も重大な健康と安全保障上の課題の一つ」と宣言した。[8] 連邦議会でも、上院労働・人的資源委員会で新興感染症に関する公聴会が行われ、委員長のナンシー・カッセバウム上院議員がこう述べた。「未来に向けての新たな戦略は、すでに征服したと思っていた敵を打ち負かすべく、この国と世界を再武装させなければならないとの意識を高めるところからはじまります。この十五年のエイズでの経験から学んできたように、そうした闘いは容易ではなく、安価でもなく、早急に解決されるものでもありません」[9]。そして国際レベルでも関心を集めるために、毎年四月七日を世界保健デーと定めていたWHOは、一九九七年のテーマを「新興感染症――グローバルな警報、グローバルな反応」とすると宣言し、免疫のついている国は「地球村」に一つもないという教訓を掲げた。

科学者、代議士、公衆衛生界の声に加えて、マスメディアも、この予想外の新たな危険を大々的に取り上げはじめた。とくに一九九〇年代に世界中の関心を集めた三つの出来事により、その教訓が深々と理解されてからは、報道もいっそう熱を帯びた。第一の事件は、南米と中米でアジアコレラの大規模流行がはじまったことだった。これは一九九一年にペルーではじまり、急速に大陸全体に広まって、最終的に十六の国で四〇万人の患者と四〇〇〇人の死者が報告された（第13章を参照）。アメリカ大陸ではもう一世紀ものあいだコレラが発生していなかったから、この歓迎されざる客の到来は、公衆衛生の進歩のもろさを全世界に再認識させた。コレラは糞便による食品と水の汚染を通じて伝播するので、いわば「貧苦の温度計」であり、社会の怠慢と標準以下の生活水準の絶対的な指標である。したがって、二〇世紀末の西洋でコレラのアウトブレイクが起こったという事実は衝撃をもたらし、自分たちがいかに脆弱であるかを突如として気づかせた。実際、ニューヨーク・タイムズ紙が読者に伝えたのは「ラテンアメリカのディケンズ的スラム街」だった。リマなどの都市の住民は、「汚水で詰まったリマック川」や、同じように汚染された水源から飲料水を直接汲み上げていたのである[10]。

メディアをにぎわせた流行問題の第二の事件は、一九九四年九月と十月にインドのグジャラート州とマハーラーシュトラ州で起こったペストのアウトブレイクである。最終的な犠牲はある程度までに抑えられた――報告された症例は七〇〇件、死者は五六人だった――が、腺ペストと肺ペストの両方の病型でこの疫病が発生したというニュースを受け、それこそ聖書を思わせるような大脱出が起こり、グジャラート州の工業都市スラトから何十万人という人びとが逃げ出した。この一件で、インドは貿易と観光の面で推定十八億ドルの損失を被り、恐慌の波は世界中に広まった。ニューヨーク・タイムズ紙の説によれば、この必要以上に膨れ上がった恐怖は、「ペスト」という言葉にともなう独特の情緒的な響きによるものだったという。その一言はどうしても、かつてヨーロッパの人口の四分の一を死亡させ、以後五〇〇年にわたって災厄を生んだ黒死病を想起させたのだ。同紙はこのときのインドでのペストについて、「すっかり征服したと思っていた古い疫病が、じつはいつでもどこでも、不意に襲ってくることがありうるのだと、あらためてまざまざと思い知らせてくれる」ものだったと書いている。[11]

そして一九九〇年代に発生した衝撃的な流行の第三の事例が、一九九五年にザイール（現コンゴ民主共和国）の都市キクウィトで起こった、エボラ出血熱（のちにエボラウイルス病、もしくはただエボラと呼ばれるようになる）のアウトブレイクだった。この突発的な流行が恐怖をもよおさせたのは、大流行を呼び起こしたからではなく――事実、一月から七月までの感染者は三一八人にとどまった――まったく心の準備をしていなかった国際社会に、世界的な健康危機に直面する可能性をいきなり劇的に突きつけたからであり、ジャングルなどの手つかずの自然に対する西洋人の原初的な恐怖を呼び覚ましたからであり、「最も黒い」アフリカに対する人種差別的な不安を煽ったからだった。結果として、このキクウィトでのアウトブレイクは、学術誌のジャーナル・オブ・インフェクシャス・ディジーズが「異常」で「前代未聞」とまで表現した大々的な報道を呼び、その過熱ぶりは、ときに人間の不幸と「全国的な強迫観念」を商業的に「搾取」するレベルにまで達した。[12] キクウィトを流れるクウィル川の土手に世界中のタブロイド紙の記者が舞い降りて、大げさな修辞を駆使した強烈な表現で、炭焼き職人や狩人がサルに遭遇した結果としてアフリカのジャングルから直接エボラが広がっており、いまやそれが西洋を脅かしている、と書き立てた。たとえばシドニー（オーストラリア）のデイリー・テレグラフ紙などは、「ジャングルからモンスター現る」といういかにも扇情的な見出しを掲げたものだ。しかし、まともな研究者でも、エボラが十二週間ものあいだ公衆衛生当局の目をかいくぐっていたと知ったときには狼狽した。発端患者が死亡したのが一月六日で、そのあともこのウイルスのせいで重症化し、死にかけている患者が何人も出ていたのに、国際社会に通達が出されたのは四月十日のことだったのである。このように監視網が穴だらけだったのでは、すでにエボラウイルスは気づかれないままキクウィトから広がって、五〇〇キロメートル離れた首都のキンシャサまで達し、そこの国際空港を経由して世界中に拡散しているかもしれなかった。だとすれば、ニューヨーク・デイリーニューズ紙が見出しに掲げたように、機内には「チクタクと音を立てる、空気に浮遊した時限爆弾」が乗っているも同然だった。

だが、キクウィトでのアウトブレイクにここまでの注目が集まった何よりもの理由は、エボラウイルスがきわめて強毒で、ひとたびこれが人体に入ると、ペストとほとんど変わらないほどの激痛と、人間性を奪い去るような劇的な症状をもたらすからだった。作家のリチャード・プレストンは、自身がザイールで見た光景を、まさに不安を掻き立てるような鮮烈な表現で伝えた。出演したテレビ番組で、この感染症の致死率が九〇パーセントであること、現時点では治療法も予防法もわかっていないことを説明したうえで、彼はこうつづけた。

犠牲者はやがて、完全なる生物学的なメルトダウンの状態を呈します。……エボラで死ぬときは、このように大量の出血を起こし、たいていそれに、のたうちまわるような、癲癇のような発作がともないます。そして最後に、猛烈なショックを起こして、体のありとあらゆる穴から血を噴き出して死んでいきます。いまアフリカでは、まさにこのアウトブレイクが進行中ですが、医療設備は決して万全ではありません。信頼のおける情報によると、医師たちは……文字どおり、肘まで血にまみれながら必死に闘っているそうです。血と、どす黒い吐物と、トマトスープのような血性の下痢便にまみれたなかで、自分たちがいつ死んでもおかしくないとわかっているそうです。[13]

こうした感染症の新たなパンデミックが世界を襲いつつあるという科学者の発言とあいまって、これらラテンアメリカ、インド、ザイールで起こった実例は、さまざまな扇情的な見出しを生み出した。「世に放たれた殺人鬼」「ばい菌戦争」「滅亡をもたらすウイルスの恐怖」「ホットゾーンから迫り来る熱」「微生物の復讐」。そこから想起されたのは、噴火する火山のふもとに広がった文明社会、目に見えないものの群れに包囲された西洋世界、人間の思い上がりに復讐する自然といった、黙示録的なイメージだった。一九九五年二月にＡＢＣのニュースキャスター、フォレスト・ソイヤーが報じたように、西洋世界はついこのあいだまで、文明はこのような目に見えない殺人鬼とは無縁であると思っていたが、いまや明確に気がついていた。現在の文明は、寄生虫、細菌、ウイルス、とりわけエボラウイルスに対して「依然として脆弱」だったのだ。

加えて、パンデミックによる惨事をテーマにした映画や本も、あふれ出るように登場した。ヴォルフガング・ペーターゼン監督のスリラー映画『アウトブレイク』(一九九五年)、ラース・フォン・トリアー監督の恐怖映画『エピデミック——伝染病』(一九八七年)、スティーヴン・ソダーバーグ監督の後年の映画『コンテイジョン』(二〇一一年)、リチャード・プレストンのベストセラー本『ホットゾーン』(一九九四年)、ローリー・ギャレットのノンフィクション書籍『カミング・プレイグ——迫りくる病原体の恐怖』(一九九四年)、そして外科医ウィリアム・T・クローズによる一九九五年の報告の書『エボラ——殺人ウイルスが初めて人類を襲った日』。これらの結果として生じたのが、CDC所長デイヴィッド・サッチャーのいう「CNN効果」だった。たとえ実際の危険は少なかったとしても、一般大衆は、危険がすぐそこに迫っているかのような認識をもつようになったのである。

もっと危険な時代

このような不穏な空気のなかで、ノーベル生理学・医学賞の受賞者であるジョシュア・レーダーバーグが、新しい時代の象徴となる「新興・再興感染症」という用語をつくった。「新興感染症」とは、彼の定義によれば、「この二〇年以内にヒトに初めて発生し、増加してきた感染症、もしくは近い将来に増加するおそれのある感染症」である。[14] エイズやエボラのように、これまでヒトの病気として認められていなかったものが新興感染症で、一方、コレラやペストのように、昔から知られていた病気だが、その発生率が高くなってきていたり、発生の地理的範囲が拡大していたりするのが再興感染症であるとされた。

レーダーバーグが病気の新しい分類を考案した目的は、撲滅主義者の高揚の時代が終わったことを告げるためだった。彼にいわせれば、伝染病は一方的に後退して消滅点にいたるどころか、「依然として全世界での主要な死因であり、私たちが生きているあいだに征服されることもない。……そして同時に、これから数々の新しい病気が出てくることも確信できる。ただ、その個々の出現がいつ、どこで起こるかを予測するのは不可能だが[15]」。たしかに人間と微生物との闘いは、微生物のほうに有利なダーウィン的闘争だった。米国医学研究所（ＩＯＭ）が出した容赦ないメッセージは、アメリカと西洋は安全どころか、かつてないほど大きな感染症のリスクにさらされているということだった。

この新たな脆弱性をもたらした大きな要因は、撲滅主義そのものの遺産にあった。感染症についての本を閉じるときが来たという思い込みが、批判者に「自己満足」「楽観主義」「自信過剰」「傲慢」などとさまざまに呼ばせた風潮を蔓延させてきた。そして勝利は目前であるという確信が、先進国に時期尚早な一方的武装解除をさせるにいたった。危険は過ぎ去ったという医学界の権威のコンセンサスに五〇年ものあいだ安穏として、アメリカの連邦政府と州政府は伝染病に関する公衆衛生プログラムを廃止し、支出を削減してしまった。民間企業は新しいワクチンや各種の抗生物質の開発に投資するのをすっかりやめてしまい、医療従事者には新しい知識を取りこぼした教育がなされ、ワクチンの開発と製造は少数の研究室だけに集中し、もはや感染症という分野には相応の研究資金が割り振られず、優秀な人材も集まらなくなった。一九九二年のどん底の時期には、感染症の監視に連邦政府から七四〇〇万ドルしか配分されず、公衆衛生当局も、慢性疾患、喫煙、老年医学、環境劣化といった、命にかかわる別の重要な問題を優先した。こうした理由から、新興の伝染病が不意に襲ってきたときにアメリカにどれだけ準備ができているかに関して、専門家がくだした評価は暗澹たるものだった。たとえば一九九四年、ＣＤＣはこんな恐ろしいことをいっている。

この国の公衆衛生インフラは、急速に変化する世界の一大問題である新興疾患に対して、ほとんど備えができていない。国内外の感染症を監視する現行のシステムでは、新興感染症が突きつける現今と今後の課題にとても対処しきれない。食品媒介性、水媒介性の感染症のアウトブレイクが、多くのところで認識されないまま進んでいるか、もしくは遅れて発見されている。抗菌薬への耐性の問題もどれほどの規模かわかっておらず、世界的なサーベイランスも細切れの状態だ[16]。

ミネソタ州の疫学者、マイケル・オスターホルムも同じように、しかしもっとあけすけに、連邦議会に対して一九九六年にこう告げた。「これからみなさんに、ぞっとするような、残念な知らせをお伝えします。現在この国では、健康に対する感染症の脅威を検出し、監視する能力が、深刻な危機にあります。……十二の州や準州では、食品媒介性や水媒介性の感染症の監視を担当する責任者が一人もいません。そこの裏庭はもうタイタニック号だって沈められる状態なのに、そこに水があったことさえわかっていないようなものなのです[17]」。

レーダーバーグを筆頭に、新興・再興感染症という見方をとるようになった人びとは、撲滅主義者の不遜さに対する批判を展開したが、それはたんに、警戒がゆるんでいることへの抗議にとどまらないものだった。彼らの主張によれば、撲滅主義者が気づかないうちに、第二次世界大戦以降の社会は感染症を積極的に助長する方向への変化を果たしてきた。その代表的な特徴の一つとして最もよく引用されたのが、商品や人間の高速かつ大規模な移動というかたちであらわれた、グローバリゼーションの効果である。ウィリアム・マクニールが『疫病と世界史』（一九七六年）で指摘したように、過去の歴史を通じて、人間の移住はつねに微生物と人間との均衡に影響をおよぼす動的な要因だった。人間は永続的に微生物との闘いのなかにおり、そこでは人間がつくりだす社会的、生態的な条件が、微生物に対して強力な進化圧をかけている。その点でグローバリゼーションは、微生物が繁栄しやすい条件のもとで、遺伝子プールを混ぜ合わせ、免疫をもたない人口集団への接触機会をあたえることで、微生物を大いに有利にしているのだ。

二〇世紀の末の数十年間に、グローバリゼーションの速さと規模は飛躍的に増大し、飛行機の乗客数だけでも年間二〇億人を超えるようになった。だが、自ら選べる飛行機移動などは、もっとはるかに大きな現象の一端にすぎなかった。それに加えて無数の人びとが、戦争や飢饉、あるいは宗教的、民族的、政治的な迫害から逃れるために、半強制的に住むところを追われて新たな土地に移住した。レーダーバーグとＩＯＭから見ると、こうした短期間での大量移動は、形勢を微生物に有利なほうに決定的に傾けた。「いまや人類は、一〇〇〇年前とはまったく異なる種になっていると考えていい。現在われわれは、さまざまなテクノロジーによって増強されているのです。しかし、各種のワクチン、抗生物質、診断ツールなど、多くの潜在的な防御手段があるにもかかわらず、われわれは本質的に、以前より脆弱になっている――少なくともパンデミックと伝染病に関しては」[18]。

グローバリゼーションに次いで、最もよく強調される第二の要因は、人口成長である。その最大の理由は、この成長が、微生物やそれを媒介する昆虫の喜びそうな状況下で起こっている場合が非常に多いためである。戦後、人口がどこよりも急増したのは、世界で最も貧しく、最も脆弱な地域と、流入人口を収容しきれるだけのインフラが整っていない都市だった。現在、世界の都市人口は農村人口の四倍のペースで急増しており、その結果、行政サービスも行き届かないまま野放図に広がった、一〇〇〇万人以上もの住民を抱えるメガシティが生まれている。二〇一七年までには、インドのムンバイ、アフリカのラゴスやカイロ、パキスタンのカラチなど、拡大発展した連接都市《コナベーション》が四七もできていた。総じてこうした都市の特徴は、ごみごみした、衛生や教育などの設備が欠如したスラム街が、都心部とその周辺部にたくさん生まれていることだ。

そのように、下水道も排水路もなく、安全な飲料水の供給も、適切な廃棄物管理もなされていないところに何百万もの人間が住んでいるような状況は、それこそ病気に伝染してくれといっているようなものである。歴史的にも、すでに見てきたとおり、十九世紀の病気はヨーロッパと北米での無秩序な都市化が生んだ状況のもとで広まった。そして、この二〇世紀の終わりから二一世紀の初めにかけての何十年かのあいだに、かつてよりはるかに大規模な、世界規模での都市化のプロセスが、同じように異常な衛生状態をふたたび生み出している。リマ、メキシコシティ、リオデジャネイロ、ムンバイのような都市の貧民窟では、まさにそうした状況が蔓延しているのだ。

デング熱とコレラの教訓

このような都市の貧困が、デング熱の世界的な流行を生む社会的な決定因の一つとなった。このパンデミックは一九五〇年にはじまってから、収まることなくつづいており、毎年二五億人が危険にさらされ、五〇〇〇万人から一億人が感染している。デング熱は、典型的な再興感染症だ。アルボウイルス（節足動物媒介性ウィルス）の一種であるデングウイルスは、おもにネッタイシマカという都市の人家周辺に生息する昼行性の蚊によって伝播され、熱帯や亜熱帯のごみごみしたスラム街など、よどんだ水のあるところならどこでも増殖する。これを媒介するネッタイシマカは、道路の側溝、覆いのない貯水槽、装着されていないタイヤ、よどんだ水たまり、プラスチック容器などで旺盛に繁殖し、社会の怠慢全般と、媒介生物《ベクター》駆除プログラムの欠如や停止を存分に利用する。

新興・再興疾患論者からすると、このデング熱のとくに重要なところは、感染症はかならずや片利共生と弱毒化に向かって進化するという楽観的な決めつけの空疎さを、この病気が実証していることだった。デングウイルスには四つの密接に関連した血清型があり、いずれも人間に感染することが十八世紀から知られていた。しかし一九五〇年までは、世界のどこの地域でも、デングウイルス感染はその地域に固有の単一の血清型によってしか引き起こされていなかった。ただ一つの血清型に起因する「古典的」なデング熱にかかると、発熱、発疹、眼窩痛を主とする頭痛、嘔吐、下痢、極度の疲労などを特徴とする、つらい症状があらわれる。また、ひどい関節痛も生じるので、デング熱は別名「骨折熱」と呼ばれることもある。とはいえ、古典的なデング熱の経過は定型的で、回復したあとは終生免疫がつく。

ところが、世界規模での移動が増えたことにより、この四つの血清型のすべてが世界中に無差別に拡散したために、デング熱の危険にさらされる地域が拡大しただけでなく、複数の血清型の相互作用を特徴とした流行が発生することにもなった。異なる血清型のあいだに交差免疫はないため、古典的なデング熱（四つの血清型のどれか一つに感染した結果）から回復した人でも、その後、残り三つの血清型のどれか一つ以上に感染する可能性がある。詳細な機序はまだ完全には解明されていないが、デング熱の場合、このように異なる血清型のウイルスに引き続き再感染した患者は、総じて症状がはるかに重くなる。したがって、デング熱は穏やかな方向に進むどころか、いまや以前よりはるかに深刻化して、ますます危険性を増しており、デング熱が重症化したデング出血熱（ＤＨＦ）や、その致死的な合併症であるデングショック症候群（ＤＳＳ）の突然の流行を引き起こすことも少なくない。

アメリカ大陸では、複数の血清型が組み合わさったデング熱の初めての流行が、一九八三年にキューバで起こった。このアウトブレイクで合計三四万四〇〇〇人が罹患し、そのうち二万四〇〇〇人がデング出血熱、一万人がデングショック症候群と診断された。デングウイルスを媒介するネッタイシマカとヒトスジシマカは合衆国内にも存在するため、アメリカ国立アレルギー・感染症研究所の科学者たちは、所長のアンソニー・Ｓ・ファウチも含め、デング熱とデング出血熱がこのまま世界的に拡大していくなかで、いずれ合衆国本土にも波及してくるだろうと予測している。

このように、デング熱は、以下の重要な進化の教訓を証明する実例となっている。①宿主の移動性に伝播を依存しない感染症（媒介生物、水、食品によって伝播するため）は、弱毒化に向かう選択圧を受けない。②都市や都市周辺部の過密で無計画なスラム街は、微生物とそれを媒介する節足動物に理想的な生息環境を提供する。③現代の輸送機関と、観光客、移民、難民、巡礼者の移動は、微生物と媒介生物がそうした生態的地位に到達する過程を助長する。

アジアコレラに関する近年の研究は、微生物の病毒性をめぐる議論に新たな次元を加えている。一見すると、第13章で見たように、「古典型」のコレラ菌からエルトール型O1コレラ菌への進化は、片利共生に向かう本質的な進化傾向があるという楽観的な結論を裏づけているように見える。たしかに古典型のコレラ菌が高い致死率と重い症状を生じさせるのに対し、エルトール型のコレラ菌は低い致死率と比較的穏やかな症状を生じさせる。しかし一方で、エルトール型のその後の歴史と進化は、これが突然変異によって病毒性を取り戻し、楽観論からの予想をはるかに上まわる深刻で猛烈な流行を引き起こす可能性を実証している。ハイチ、パキスタン、バングラデシュで、二〇〇一年に異様なほど猛威をふるったアウトブレイクがよい例だ。こうなった理由は、エルトール型が自然環境を病原保有体《リザーバー》として残存することにも適応を果たし、そこで長時間にわたって生存と複製ができるようになったからではないかと推測される。結果として、このコレラ菌は生存と増殖を人から人への感染に頼らなくなっている。本来のヒト―ヒト感染での流行ならば、コレラ菌が人間集団に飛び火するのを促すような、とくに有利な気候条件や社会的条件が周期的に働いた場合にしか起こらない。しかし病原体が人間以外の環境どころか、生物でもない環境にまで適応したとなると、これが人間集団に入ってきたときに弱毒化するかについて、進化圧はもはや決定因とはなりえない。したがって、今後はコレラのアウトブレイクが不愉快な驚きとともに生じるかもしれない。

院内感染と薬剤耐性

一見すると矛盾するようだが、現代医学は成功すればするほど、新規の感染症が生じる余地を広げるという面がある。医学によって寿命が延びると、免疫系の機能が低下した高齢者の人口がますます増えるようになる。また、この過程の一環として、医療介入はもっと若い層にも免疫不全の患者群を増やすことになる。化学療法を受けている糖尿病患者や癌患者や臓器移植患者、あるいは抗レトロウイルス治療によって、病気の性質が慢性疾患に変わっているエイズの患者などがそれにあたる。しかも、こうした免疫のない人たちは、微生物の人体から人体への伝播が拡大しやすい環境、つまり病院や高齢者施設や刑務所などに集中している。加えて、侵襲的な医療処置が普及してきたことも、微生物が人体に侵入するための入り口を増やすことにつながった。これらの条件がそろった結果、かつてはめったになかった、もしくは知られていなかった、病院での院内感染が生じてきており、公衆衛生上の大きな問題になっているとともに、経済的負荷を増大させる一方となっている。なかでも、いわゆる「超強力細菌《スーパーバグ》」の黄色ブドウ球菌は、院内肺炎、手術部位感染、院内血流感染の主要な原因となる、最も重要かつ一般的な病原体だ。最近の研究が示すところでは、アメリカでは二〇〇八年の段階で「入院から院内感染につながったケースが毎年約二〇〇万件も起きており、ある大きな大学病院の重症患者を対象とした調査では、院内細菌による重症化が集中治療室の滞在日数を八日、入院日数を十四日延ばし、死亡率を三五パーセント上げている。それより前の調査でも、術後の創感染が入院日数を平均七・四日延ばしていることが明らかにされている[19]」。

医学の進歩のさらに剣呑な副産物は、抗微生物薬耐性をますます強くした微生物が出現することだ。アレグザンダー・フレミングは一九四五年のノーベル賞受賞スピーチで、早くも予言的な警告をしていた。ペニシリンの投与は注意して行う必要がある、と彼は説き、なぜならペニシリンに感受性のある細菌が耐性を発現させるからである、と説明した。強力な薬剤が選択圧をかけていく以上、それが必然のなりゆきなのである。

フレミングの警告にならって、新興疾患論者たちも、抗生物質は効力の持続期間が生物学的にかぎられた「再利用不能な資源」であると主張する。二〇世紀の末ごろには、この予言が現実になりつつあった。新種の抗菌薬の発見がしだいに途切れていくのと並行して、製薬市場もその傾向を決定的にした。利鞘の低くなりそうな医薬品に関しては、研究が推奨されなくなったのである。競争と、費用のかかる大規模臨床試験を求める規制と、規制当局のリスク許容度の低さがあいまって、この問題をさらに悪化させている。

だが、抗微生物薬の開発が停滞する一方で、微生物は耐性を広範に進化させてきた。結果として、いまや世界はポスト抗生物質時代に入ろうとしている。新たに薬剤耐性をもって出現した微生物株のなかでも、とりわけ厄介なものの一例が、あらゆる合成抗マラリア薬に耐性をもつマラリア原虫であり、ペニシリンとメチシリンの両方に耐性をもつ黄色ブドウ球菌（ＭＲＳＡ）であり、結核の第一選択薬に耐性をもつ菌株（ＭＤＲ－ＴＢ＝多剤耐性結核菌）や第二選択薬にも耐性をもつ菌株（ＸＤＲ－ＴＢ＝超多剤耐性結核菌）である。抗微生物薬耐性は世界的な危機を生み出しかねず、多くの科学者は、今後、現行のどの療法でも効かないＨＩＶや結核菌や黄色ブドウ球菌やマラリア原虫の変種が出てくると予想している。

抗微生物薬耐性の発現は、ある意味では、ダーウィン的進化の単純な帰結である。人間に感染できることがわかっているウイルスは何万種とあり、細菌だと三〇万種にのぼる。そしてその多くは、人間の一世代のあいだに何十億回と複製し、進化していく。このような状況下では、進化圧は長期的にどうしても人間に不利に働く。しかも、人間が過剰な行動をとることで、この過程は劇的に早まる。農家は作物に殺虫剤を、果樹に抗生物質を噴霧する。また、畜産農家は鶏や豚や牛の病気を予防し、成長を促進し、生産性を上げるために、飼料に治療用以下の用量で抗生物質を添加する。実際、抗微生物薬の世界生産高の全トン数の半分は、農業で使われているのだ。

同時に、微生物は化学薬品を大量に浴びせれば死ぬと一般的に信じられていることから、家庭環境でも大量の抗微生物薬が無益に使用されている。臨床現場でも、人類の長期的な利益よりも目の前の患者の当面のリスクを優先し、患者の期待に沿わなければならない事情から、医者はしばしば、抗生物質が無意味で無用な非細菌性の疾患にさえ抗生物質を投与するような処方方針を採用する。その典型的な例が、小児科での中耳炎の治療であって、一九九〇年代には圧倒的多数の医師が中耳炎に抗生物質を処方していたが、処方された子供の三分の二は、抗生物質からなんの恩恵も受けていなかった。規制の少ない国では自己治療用の市販薬が普通に手に入り、そうでなくてもインターネットによって勝手に薬を入手できる機会が生まれたことで、この問題はさらに大きくなっている。一方、マラリアや結核のように、長期にわたる複雑な治療法を必要とする疾患の場合、一部の患者は病気が根治するまで我慢せず、症状が緩和されると治療をやめてしまうことがある。こちらの問題は、抗生物質の使用が過剰なことでなく、足りていないことである。

もう一つの問題は、撲滅主義者たちによって病気の概念化が過度に厳密にされ、慢性病と伝染病があまりにも線引きされすぎたことである。一九九〇年代に明らかになったように、感染症はかつて科学者が思っていたよりも広範なカテゴリーで、長らく感染性ではないと考えられてきた多くの病気も、じつは感染が発端にあったのである。このような因果関係を実証するうえで決定的な役割を果たしたのが、のちにノーベル賞を受賞することになるオーストラリアの二人の研究者、バリー・J・マーシャルとロビン・ウォレンによる、消化性潰瘍に関する一九八〇年代の研究だった。

消化性潰瘍は、アメリカ人の一〇人に一人が生涯に一度は発症する病気で、大きな苦痛と、多額の支出と、さらには多数の死亡者さえ生じさせる原因になっている。毎年一〇〇万人以上が潰瘍で入院し、六〇〇〇人が死亡する。しかし、マーシャルとウォーレンの研究が世に出るまでは、消化性潰瘍の病因は慢性的なものであるという考えが、じつは誤りであるにもかかわらず、科学的な真実として広く受け入れられていた。マーシャルの言葉を借りれば、「潰瘍性疾患についての医学的理解は、宗教のようなものだと実感しました。どんなに論理を尽くして説明しても、人が心の底から真実であると思っていることは覆せませんでした。潰瘍の原因は、ストレス、乱れた食生活、喫煙、飲酒、そして素因のある遺伝子。細菌が原因だなんてありえない、というわけです」[20]。しかしマーシャルとウォーレンは、ある種の自動実験のおかげで、ヘリコバクター・ピロリ菌の感染がこの病気の原因であって、適切な治療法は食事療法でも生活習慣の改善でも手術でもなく、抗生物質の投与であることを実証した。これがまさしく、医学上の重大な分岐点だった。

この発見を機に、ある種の癌や、慢性肝疾患、神経障害など、ほかの多くの非急性疾患も、感染に原因があったことがわかってきた。たとえばヒトパピローマウイルス（HPV）は子宮頸癌、B型とC型の肝炎ウイルスは慢性肝疾患、カンピロバクター・ジェジュニという細菌はギラン・バレー症候群、ある種の大腸菌は腎疾患を引き起こすと考えられている。また、感染がアテローム性動脈硬化と関節炎の重要なきっかけになる可能性も指摘されているほか、感染症とそれにともなう恐怖心が、心的外傷後ストレスなどの精神的な後遺症を残すという見方も強まっている。こうした過程に対するこのような理解は、一部で「非感染性疾患の感染性」についての新たな認識などとも呼ばれている。

そして最後に、最も強調したいのが、「新興・再興疾患」という概念は、人類が直面する病気の範囲がかつてない速さで広がっているという、何より重要な脅威に気づかせるのを目的としていたということだ。一九七〇年以降、人類がかかる病気として新たに浮上してきた、これまで知られていなかった病気の数は四〇を超える。平均して一年に一度以上は新しい病気や病原体が発見されてきたということだ。そのリストには、HIV、ハンタウイルス、ラッサ熱、マールブルグ病、レジオネラ症、C型肝炎、ライム病、リフトバレー熱、エボラ、ニパウイルス、ウエストナイルウイルス、SARS、牛海綿状脳症、鳥インフルエンザ、チクングニアウイルス、ノロウイルス、ジカウイルス、A群溶血性レンサ球菌（いわゆる人食いバクテリア）などが含まれる。懐疑論者は、新たな病気が加速度的に出現しているという印象は誤解を招くと主張する。むしろ、それは監視が強化され、診断技術が向上したゆえの人為的結果である面が大きいというわけだ。しかしWHOは、その見解に反論を示している。新たな病気が記録的な速さで出現してきたことは、世界の社会的、経済的な状況が戦後に大きく変わったことからも予想されたとおりだが、しかしそれだけでなく、新たな病気は二〇〇二年から二〇〇七年のあいだに、一一〇〇件という記録的な数の世界的な流行「事象」を生んでもいるという。この問題を入念に検討した論文が、二〇〇八年にネイチャー誌に発表されている。一九四〇年から二〇〇四年のあいだに発生した三三五件の新興感染症の流行を、効率の高まった診断法と徹底性の高まった監視による報告努力を統制したうえで調査した結果が伝えられていた。その調査の結論は以下のとおりだ。「新興感染症の流行の発生率は一九四〇年から上昇して、一九八〇年代に最高に達している。……報告努力を統制してもなお、新興感染症の流行事象の数は時間ときわめて有意な関係を示している。これは、全世界の健康に対する新興感染症の脅威が増大しているという以前の見解を初めて分析的に裏づけるものである[21]」。

最終的に公衆衛生界は、このの ち新たな病気が出現したときに、それがＨＩＶや一九一八年から一九一九年のスペイン風邪のような毒性の強い、伝染性の高いものにならないと考える合理的な根拠はないと結論づけた。これをもって、議論の中身は劇的に変わった。新しい病気が出てくるのか否か、古い病気がよみがえるのか否かという問題から、そうした病気が実際に出てきたときに、国際社会はそれにどう立ち向かうのかという問題に移っていったのである。アメリカ国防総省の厳しい言葉を借りるなら、「次の千年紀の歴史家は、感染症が根絶に近づいていると信じたことこそ二〇世紀最大の誤謬だったと見なすかもしれない。その確信の結果として生じた自己満足が、結局は脅威を増大させてしまったのである[22]」。

第22章　二一世紀のためのリハーサル——SARSとエボラ

再武装

新興・再興感染症という緊急課題に対する公的機関の反応において、とくに重要だったのは、微生物が国家安全保障と国際秩序への脅威だと認識されたことである。ついに公衆衛生当局だけでなく、情報機関と保守的なシンクタンクまでが、初めて感染症を国家ならびに世界の安全保障に対する「非伝統的な脅威」に分類したのだ。転機が訪れたのは二〇〇〇年のことで、この年のＣＩＡの国家情報評価が、疫病の危険性の問題を取り上げた。いまやこの問題が安全保障上の主要な課題と見なされている証拠だった。

報告書の冒頭にあたる「考えうる複数のシナリオ」の項で、ＣＩＡは今後二〇年間に世界が感染症に関してたどりうる三つのシナリオの概略を示した。①伝染病との闘いに着実な進歩を果たしていくという楽観的な見込み。②微生物の側にも人間の側にも決め手がない、膠着状態に陥るという予想。③人間の立場が危うくなるという最も悲観的な展望——とくに世界人口がこのまま増加をつづけ、メガシティが人口過密、乏しい衛生設備、飲料水の安全性の不備といった付帯的な問題をそのままにして成長をつづけた場合、人間の側はますます不利になると思われる。ＣＩＡの見立てでは、あいにく最初の楽観的なシナリオは、きわめて可能性が低いとされていた。

これを背景として、報告書の次項にあたる「影響」と「帰結」では、疾病負担が増えつづける新しい時代にどのような経済的、社会的、政治的な影響が生じると見込まれるかが概説されている。アフリカのサブサハラ地域など、世界で最も感染症の被害が大きい地域では、「経済の衰退、社会の分断、政情の不安定化」が起こるだろうと報告書は予測した。このような展開は国際社会にも影響をおよぼし、ますます乏しくなる資源の支配権をめぐって争いが増大し、それにともなって、犯罪や強制退去が増え、家族の絆がますます壊されていく。要するに、病気が国際間の緊張を高めるということだ。さらに報告書は、発展途上世界では伝染病の負荷が増大する結果、経済発展が確実に阻害されるので、民主主義も危機に陥り、内戦や緊急事態がぞくぞくと勃発し、南北間の緊張がいっそう高まるだろうとも予測した。[1]

三年後、ＣＩＡの報告書に触発されたアメリカの有力なシンクタンク、ランド研究所が、疾病と安全保障との交点に目を向け、「疾病と安全保障の両方を包含した、過去最高に包括的な分析」を提供する試みに乗り出した。[2] その成果である『新興・再興感染症の世界的脅威』では、新しいグローバル環境のなかで起こりうる事象について、ＣＩＡが示したよりもさらに陰鬱な展望が描かれていた。この情報報告は二つの主題からなっており、第一の主題では、戦後、安全保障に対する直接的な軍事的脅威の重要性は急激に低下していること、そして第二の主題では、それに呼応して「非伝統的な緊急問題」の影響力が増しており、その大きな部分を疾病が占めていることが論述された。この新興・再興疾患の時代は、国家の機能する能力、および社会秩序を維持する能力に、感染症が深く影響する時代の幕開けを告げるものだった。

アメリカ疾病予防管理センター（ＣＤＣ）、国立アレルギー・感染症研究所、ホワイトハウスが構想した新興疾患対策の出発点は、米国医学研究所（ＩＯＭ）が指摘していた、人間と微生物とのあいだで進行中のダーウィン的闘争だった。ＩＯＭの分析では、微生物が圧倒的に優位にあった。微生物は数で人間を一〇億倍も上まわり、変異のしやすさも桁違いで、さらに人間の一〇億倍の速さで複製する。進化的適応という点で、この闘争に勝てそうなのは、遺伝的には微生物のほうなのだ。ジョシュア・レーダーバーグはこれに関して、「微生物の遺伝子に立ちはだかられたとき、われわれはおもに知力に頼るしかない」といっている。[3] ＩＯＭの分析を出発点として、アメリカがこの新たな挑戦を受けるべくとった方策とは、まさにその人間の知力を結集し、新たに調達した財源を支えとして、微生物からの挑戦を知力で迎え撃とうとすることだったというのが最も妥当な見方だろう。

一九九六年にホワイトハウスが発表した、新興感染症の脅威についての「概況報告書」では、すでにはっきりとした警鐘が鳴らされていた。「感染症の監視と予防と対応にあたる国内外のシステムは、アメリカ国民の健康を守るには不十分である」。この状況を改善するために、ホワイトハウスは六つの政策目標を策定した。

1　民間部門、公衆衛生界、医療界と協力して、感染症の監視と対応にあたる国内システムを、連邦、州、地域の各階層と入国港において強化する。

2　感染症の監視と対応にあたる世界規模のシステムを構築し、地域ごとに置いたハブを基盤として、それらを最先端の通信網で連結する。

3　診断法、治療法、予防法を向上させ、感染症の病原体についての生物学的理解を深めることを目的として、研究活動を強化する。

4　官民の協力を通じて、感染症と、感染症による緊急事態に対処するのに必要な、医薬品、ワクチン、診断検査を確実に入手できるようにする。

5　感染症の監視と予防と対応にあたる世界的ネットワークに貢献するため、合衆国政府の関連機関の任務を拡大し、権限を確立する。

6　非政府組織や民間部門との協力を通じて、新興感染症に対する一般国民の意識を高める。[4]

二番目、三番目、四番目の目標を追求するにあたっては、国立アレルギー・感染症研究所が感染症との闘いにおける新たな武器を開発するべく研究課題を設定し、その結果として爆発的に知識が深まった。一九九五年からの一〇年間で、研究予算は一九九四年の五〇〇〇万ドルから二〇〇五年の一〇億ドル以上へと二〇倍に増加し、感染症に関する出版物も急増した。実際、研究所の所長アンソニー・S・ファウチは二〇〇八年に、とりわけHIV／エイズが人類史上最も広範に研究された疾患になったと述べている。しかも、こうした連邦政府機関の研究を補完するように、ビル・アンド・メリンダ・ゲイツ財団をはじめとする民間組織、大学や製薬業界の研究所でも、活発に研究が進められてきた。

IOMが基礎研究を強調したのと同時に、CDCもホワイトハウスが指令した一番目の目標にしたがって、新興病原体に対する防御戦略を策定した。一九九四年と一九九八年に出版され、のちのちまで影響をあたえた二つの重要な論説で、CDCはその目的を四つの主要な分野にまとめた。サーベイランス、応用研究、予防と制圧、および、連邦、州、地域、国際の各階層での診断検査施設に必要とされるインフラの強化と人材の育成である。さらにＣＤＣは、世界各国の公衆衛生界や、食品医薬品局、国防総省など、国内のほかのサーベイランス機関との連携を強化し、感染のアウトブレイクへの自らの対応能力を高め、伝染病に関する情報を共有するためのフォーラムとして雑誌『新興感染症』を創刊し、新興・再興疾患をテーマにした一連の主要な国際会議を主催した。

大統領のジョージ・Ｗ・ブッシュは国際情報会議との協議を経て、さらにもう一歩踏み込み、単一の病気に対する闘いとしては史上最大の資金を注ぎ込んだ二つの取り組みを開始させた。一つは二〇〇三年に創設され、この二〇一八年にも更新されている「大統領エイズ救済緊急計画（ＰＥＰＦＡＲ）」で、国務省の世界エイズ対策調整官が監督にあたった。この計画では、サブサハラ・アフリカ地域の十二か国と、ベトナム、ハイチ、ガイアナを中心に、数十億ドルを支出して予防措置や抗レトロウイルス療法を提供しているほか、保健インフラの構築、エイズ遺児の支援、医療従事者の育成などの活動も行ってきた。また、エイズ対策調査官の指示のもと、国際開発庁、保健福祉省、国務省、国防総省、商務省、労働省、平和部隊など、関係する一連の連邦政府機関の取り組みも監督している。

特定の感染症を対象とした二番目の主要プログラムは、ブッシュ大統領が二〇〇五年に海軍少将ティモシー・を指揮官として創設した「大統領マラリア・イニシアチブ（ＰＭＩ）」である。エイズ救済緊急計画と同様に、この取り組みも、人道主義と「賢明な利己主義」を両立させている。その目的は、サブサハラ・アフリカ地域におけるマラリアの猛威を撃退することで、現地の保健インフラを整備し、アルテミシニンをベースとした混合療法、殺虫剤処理をした蚊帳、健康教育、媒介《ベクター》生物駆除などのマラリア対策ツールの配備を支援するために、潤沢な資金が提供された。

世界レベルでは、じわじわと包囲を固める微生物病原体に対して国際的な備えを強化するために、世界保健機関（ＷＨＯ）も積極的な措置に出た。その最初の一歩が、一九九六年に創設された、エイズに特化した国連合同エイズ計画（ＵＮＡＩＤＳ）で、人びとの意識を高め、資源を動員し、世界的な流行を監視することを、その目的とした。このエイズとの闘いに投じられた資金は、一九九六年の三億ドルから、一〇年後には九〇億ドル近くにまで増加した。次の前進は、アメリカと同じく国連も、感染症を国際安全保障上の脅威と見なすと公言したことだった。世界の新たな動きを認識した国連安全保障理事会が、二〇〇一年六月に、ＨＩＶ／エイズの危機に対する国連特別総会を開催するという前代未聞の措置をとったのである。この特別総会では、「ＨＩＶ／エイズに関する誓約《コミットメント》宣言――グローバルな危機、グローバルな行動」が採択され、この病気の世界的な流行が「グローバルな緊急事態を構成し、かつ、人間の生命と尊厳に対する最も恐るべき挑戦の一つとなる」ものと位置づけられた。[5] そして五年後の二〇〇六年六月、国連総会は、このキャンペーンに対する誓約を再確認し、「二〇〇六年ＨＩＶ／エイズに関する政治宣言」を採択して、治療やケアを受ける機会を拡充するための全国キャンペーンの確立を主要な目標に掲げた。

三歩めの前進は、時代遅れになっていた一九六九年の国際保健規則が二〇〇五年に改正されて、一連の新たな規則（ＩＨＲ２００５）として確立されたことである。かつての枠組みでは、ペスト、黄熱、コレラの三疾患しか通報義務の対象になっていなかったが、この改正によって、未知の病原体や新興感染症も含め、国際的に懸念される公衆衛生上の緊急事態はすべて通報することが義務となった。二〇〇五年版の規則では、国際的な懸念を誘発すると見なされる事象の性質が細かく規定され、ＷＨＯに加盟する一九三か国のすべてに、監視と対応の能力を向上させることが要請された。加えて、微生物は政治的な境界線を意識しないという前提のもと、各国は国境での防疫措置だけに専念するのではなく、リアルタイムの疫学的証拠にもとづいて、アウトブレイクを封じ込めるために必要とされる場合はどこにおいても有効な対応をとることを求められた。

そして最後に、ＷＨＯは迅速な対応をとれる体制を組織化した。それが二〇〇〇年に創設された世界的アウトブレイク警戒対応ネットワーク（Global Outbreak Alert and Response Network = ＧＯＡＲＮ）で、その目的は、流行発生の緊急事態に際して、最も資源の乏しい国でも確実に専門家や必要な対応手段にアクセスできるようにすることである。この目的を達するために、ＧＯＡＲＮは世界六〇か国の資源をプールし、当該分野の専門家五〇〇人を組織化した。あわせて、ワクチンや医薬品の備蓄、それらを流行発生中に配布する際の監督といった活動も担っている。

重症急性呼吸器症候群――ＳＡＲＳ

こうした新しい体制が初めて実地に試されたのは、二一世紀初の大きな新興感染症の脅威として、二〇〇二年から二〇〇三年にＳＡＲＳの世界的流行が起こったときである。二〇〇二年十一月に中国の広東省で発生したＳＡＲＳは、二〇〇三年三月には、国際的な健康上の脅威に膨れ上がっていた。三月に通報を受けたＷＨＯは、全世界に向けて渡航延期勧告を宣言した。この三月から、終息宣言が出された七月五日までのあいだに、ＳＡＲＳは八〇九八人の感染者と七七四人の死亡者を出し、世界の全域で国際移動を停止させた。アジア諸国だけでも総支出と事業損失は六〇〇億ドルにのぼった。

後ろ向き調査の結果、SARSには、グローバルな対策システムの脆弱性を最も深刻に露呈させる多くの特徴が備わっていたことが明らかになった。まずSARSは、媒介生物を必要とせずに人から人へと広まっていける呼吸器疾患である。さらに無症状の潜伏期間が一週間以上ある。発症しても、その症状はほかの疾患の症状と非常によく似ている。発症すれば介護者や病院スタッフに大きな負担をかける。飛行機移動によって簡単に、ひっそりと拡散する。そして致死率が一〇パーセントもある。しかも、これが初めて出現したとき、その原因となる病原体（SARS関連コロナウイルス）はまだ知られておらず、診断検査もできなければ特定の治療法もなかった。これらの理由から、SARSは一九九二年のIOMの予測、すなわち、世界中のすべての国はこれまで以上に新興感染症に対して脆弱になっているという見方を劇的に裏づけることになった。SARSには明らかに、世界の特定の地域に対する偏った好みもなく、豊かさや教育やテクノロジーや医療の充実を敬して遠ざける姿勢もなかった。実際、中国でのアウトブレイクのあと、SARSはおもに旅客機を介してシンガポール、香港、トロントなどの裕福な都市に広がって、そこでも貧困層や社会の周辺層を襲うより、むしろ比較的豊かな旅行者や、その接触者、病院の医療従事者、患者、面会者などを襲った。認識されている症例の半数以上は、香港のプリンス・オブ・ウェールズ病院や、トロントのスカボロー病院、シンガポールのタントクセン病院など、設備の整った、技術的にも進んでいた病院環境で発生した。

危機対応という点では、国内レベルでも国際レベルでもなされていた改善が正しかったことを、このSARSのアウトブレイクが証明するかたちになった。流行がはじまった当初、それを隠そうとした中国のもくろみが大失敗に終わると、各国政府は一九六九年版の国際保健規則に全面的に協力した。世界で最も設備の整った研究所と第一線の疫学者が、インターネットを通じてリアルタイムで協力しながら、わずか二週間という異例の速さでＳＡＲＳコロナウイルスを同定することに成功した。同時に、新たに創設されたＧＯＡＲＮが、カナダ公衆衛生庁、ＣＤＣ、ＷＨＯの世界インフルエンザサーベイランスネットワークといった各国の連携機関と協力して、全世界に警報を発する、感染の進行状況を監視する、これが地域流行病として定着する前に封じ込める戦略を監督するなどの迅速な行動をとった。皮肉なことに、診断と監視には最先端の科学技術が駆使されていたものの、封じ込めの方策そのものは、十七世紀のペストに対する公衆衛生戦略や、十九世紀の疫学確立の時代にさかのぼる、伝統的な手法にもとづいていた。すなわち、症例追跡、隔離、検疫、大人数での集会の中止、旅行者の監視、個人の衛生努力の推奨、マスク、ガウン、手袋、眼鏡などのバリアによる保護である。ＳＡＲＳは五つの大陸の二九の国で発生したが、封じ込め作戦はうまく功を奏し、アウトブレイクを主として病院環境内に押しとどめ、ところどころの集団にしか感染させなかった。そして二〇〇三年七月五日には、ＷＨＯがパンデミックの終息を宣言できた。

全世界での衛生防衛はＳＡＲＳの脅威をしのいだが、これを機に、深刻な疑念も浮上した。二〇〇二年十一月から二〇〇三年三月までの中国の隠蔽方針は、世界の健康を危険にさらしたと同時に、対応ネットワークに一つでも穴があれば国際緊急対応システムが土台から崩れかねないことを明らかにしたのである。十一月に広東省でＳＡＲＳが発生し、次いで北京に広がってからの四か月間、中国当局は隠蔽とごまかしの方針を貫いた。だが、中国と香港、台湾との――貿易、投資、家族の絆、観光を通じての――密接なつながりからして、新しい病気の存在を外の世界に知られないようにしておくのは不可能だった。とくにインターネットとソーシャルメディアの時代、しかもちょうど二月の旧正月で、中国の国内旅行のピークの時期だったとなれば、完全な報道管制を敷くのも難しかった。とはいえ一党支配国家の中国には、自国民に対しても外界に対しても、支配と統御のイメージを頑として打ち出さなければならない事情があった。さらに共産党は、情報が行き届きすぎると自国の現実――生活水準の低さ、医療制度の不備、公衆衛生上の緊急事態に対する備えの欠如――が露呈してしまうことを恐れてもいた。

こうした理由から、温家宝首相率いる政権は二〇〇三年三月まで、正確でタイムリーな情報を求める国際的な圧力に抵抗しつづけた。そして危機の規模を最小限に評価して、公開する数字を操作し、望ましくない知らせは報道させず、WHOのチームが国内の感染地域に立ち入ることも拒否した。しかし三月に、WHOが内部告発者の役割を引き受けて、もっていた断片的な情報を公表すると、ようやく中国は方針を転換した。四月十七日、政治局は一転して、SARSの症例をすみやかに報告することを約束し、WHOに広東省と北京への立ち入りを許可し、呉儀副首相の指揮のもとにSARS対策本部を設置した。同時に、党の機関紙の人民日報は中国の備えが不十分だったことを認め、中国CDCの所長も謝罪した。

政権がこのように透明性を高めたとしても、圧政や権威主義が薄まったわけではなかった。実際、党は準軍事的な手法で強制的に検疫や隔離を行い、それを守らせるために極刑にまでいたる制裁と、違反者を進んで当局に告発する通報者への報償を使い分けた。

したがって、中国のやり方から明らかに見えてきたのは、SARSを封じ込められた大きな要因が、ある種の幸運だったということだ。世界にとってさいわいだったことに、空気に乗って伝わりやすいインフルエンザや天然痘のような感染症とは違って、SARSは飛沫感染によって広がるため、伝播するにはある程度の接触を必要とする。そうすぐには人から人へと伝染しないので、封じ込めは比較的容易だ。ただし、まだ理解が十分に進んではいないものの、いわゆるスーパースプレッダーという例外はある。ほとんどのＳＡＲＳ感染者は、めったに二次感染を起こさない。疫学的にも、すべての感染者は多かれ少なかれ同等の感染力をもっているという前提があり、従来これについてはほとんど異論が出ていなかった。ところがＳＡＲＳの場合、流行に規格外の大きな役割を果たした感染者がごく一部いて、異様に多くの接触者に影響をおよぼしていたのである。そのため、こうした人びとは超感染拡大者《スーパースプレッダー》と呼ばれる。このように、感染者のごく一部に伝播を依存していたことが、ＳＡＲＳの拡散を抑える重要な要因となった。

だが、伝播力が弱かったとはいえ、ＳＡＲＳはこの病気に襲われた裕福で資源の豊かな国の病院や医療体制に「大波を受け入れるキャパシティ」がなかったことを露呈させた。したがって、この二〇〇三年の事件を機に、もしこれがインフルエンザのパンデミックだったなら、そしてもしこれが、親切にも設備と人材の整った近代的な病院や公衆衛生システムのある都市を来訪したのではなく、最初から資源の乏しい国に向かっていたなら、いったいどんなことになっていたかという大問題がもち上がった。しかも、ＳＡＲＳが発生したのは平時であって、戦争や自然災害による荒廃と混乱の真っ只中ではなかった。その点で、これは一九一八年から一九一九年にかけてのスペイン風邪の再来ではなかった。第一次世界大戦中に軍隊の移動にともなって広範囲に拡散した、俗に「スペインの貴婦人」とも呼ばれて恐れられたインフルエンザの世界的流行とは違っていたということである。また、ＳＡＲＳは東南アジアに発生した呼吸器疾患だが、ちょうど東南アジアでは、ＷＨＯがまさにそうした緊急事態の監視と対応にあたるため、監視システムを創設していたところだった。いずれにしても問題に対する懸念は残り、トロントのスカボロー病院でＳＡＲＳの流行と最前線で闘った医師のポール・コールフォードもそれを訴えた。緊急事態が過ぎ去ったあとの二〇〇三年十二月、彼はこうふり返っている。

> ＳＡＲＳを機に、われわれは変わらなくてはならない。この地球に対する扱い方を、そして医療のあり方を、永久に変えなくてはならない。われわれはＳＡＲＳの再来に備えられているだろうか。ＳＡＲＳはものの数週間で、世界で最も優れた公的医療システムの一つを屈服させた。われわれの資源と技術がなかったら、この病気のせいで地域社会がどんなことになっていたかと考えると、私はうろたえずにいられない。地域規模でも世界規模でも、現在の医療の提供の仕方を大幅に変えなければ、このウイルスか、あるいは次のウイルスによって、死ななくてもよい何百万もの人が全滅してしまうおそれさえある。[6]

ＳＡＲＳとの闘いが勝利に終わっても、このような疑問は消えなかった。一九九二年以来、感染症に対する再武装のためにめざましい努力が重ねられてきたが、それでも現在、国際社会は今後の新興疾患にどれだけ備えができているだろう。私たちは「永久に変わる」ことができたのだろうか。

エボラとの闘い

二〇一三年十二月、ギニア南東部の森に囲まれた村に住んでいたエミール・オウアモウノという幼い子供が、エボラで死亡した。彼の家は、ギニア、リベリア、シエラレオネという西アフリカ三か国の国境が交差するマノ川流域にあった。数か月後、エミールの死亡した場所が明らかになると、世界の公衆衛生界は混乱に陥った。一九七六年以来、長らくエボラは小規模なアウトブレイクがつづいていたが、そのすべては中部アフリカ、とくにコンゴ民主共和国で起こっていたのである。コンゴは「エボラ」という名の由来にもかかわっていた。一九七六年にこの病気が発生した一帯を流れるエボラ川にちなんで、その名がつけられたのだ。

きわめて強毒な感染症で、最初に出現したときは世界中をパニックに陥らせたエボラだが、その後は一定の安心できるパターンに落ち着いていたように見えた。コンゴとウガンダで起こっていた過去のエボラの急増は、国際メディアでも無味乾燥に報じられるだけだった。この病気はいつも突然「ジャングルから」出現しては、出てきたときと同じように急速に消えていった。二〇一三年以前の知られているかぎりのアウトブレイクでの罹患者数と死亡者数は、すべて合わせても、前者が二四二七人、後者が一五九七人である。単一のアウトブレイクで最も大規模だったのは、二〇〇〇年十月から二〇〇一年一月にかけてウガンダで発生したもので、四二五人の罹患者と二二六人の死亡者を出した。

ゆえに、中部アフリカに焦点を絞っていた局地的、国際的な監視システムは、不意を突かれた。予想もしなかったことに、エボラはギニアの森林地帯からマノ川に沿って流域一帯に広がった。そして二〇一四年三月までには、三つの国の人口過密な首都や都心部で、人から人へと伝播していく大規模な国際的流行になっていた。さらに、短期間ではあったが近隣国のマリ、ナイジェリア、セネガルにも飛び火して、そこで感染者の小さなクラスターを生んだ。最も被害が大きかったのがセネガルで、二〇人がエボラに感染した。あらゆる制御をかいくぐりそうな勢いで、流行は二年にわたってつづいた。そしてようやく二〇一六年十二月に、WHOが終息を宣言した。この災厄の規模をひどく控えめに見積もっている公式の統計にもとづいても、このときの流行は二万八六五二人の罹患者と、一万一三二五人の死亡者（四〇パーセント）を出すにいたった。

この公衆衛生上の緊急事態は、エボラについての従来の医学的、疫学的な理解を一変させた。また、SARSの流行で不備が露呈したのを受けて、新興感染症に的確に対処できるようになろうとしていた緊急対応システムも、試練にさらされた。前述したように、二〇〇三年当時、トロントのコールフォード博士は、世界が「永久に変わる」必要があると訴えていた。彼の願いは、国際的な公衆衛生システムがまったく準備できていなかったという事態になるようなアウトブレイクが、二度と起こらないことだった。たしかに決議は可決され、改革は約束された。しかし残念ながら、二〇一三年から二〇一六年までの西アフリカが実証したように、こと病気と健康の問題に関しては、近視眼的なものの見方とコスト削減のほうが上まわっていた。ギニアとリベリアとシエラレオネの現場で実際にとられていた政策は、不気味なほどに、黒死病のときの付け焼刃の対処とそっくりだった。

症状

エボラウイルスはフィロウイルス科に分類されるウイルスで、これが引き起こす病気は、当初によく見られた主症状が出血で、それが主要な死因となっていたことから、出血熱に分類されていた。しかし、多数の症例が取り扱われた結果、当初の「エボラ出血熱」という病名は、「エボラウイルス病」に改名された。これは病気の経過において、出血がまったく起こらないことがしばしばあると判明したからである。出血が起こる場合でも、大量に出血することはめったになく、せいぜい歯肉や鼻孔から出血する、注射部位から出血する、嘔吐物や下痢便に血が混じるといった程度にとどまる。また、そのような出血があったとしても、予後不良とは相関がなく、危険性がとくに高い妊婦をのぞき、大量出血に進行することはほとんどない。

潜伏期間は最短二日、最長二一日と幅があるが、それを過ぎると、この病気の「乾性段階」がはじまる。この段階に入ると、具合が悪くなると同時に他人への感染力ももつようになるが、この病気に特有の症状というものはなく、発熱、頭痛、筋肉痛、倦怠感、喉の痛みなど、季節性インフルエンザに似たまぎらわしい症状を示す。そして数日が経過すると、エボラならではの危険な症状が発現する。これが「湿性段階」であり、嘔吐、下痢、および場合によっては人体の開口部からの出血により、体液の流出が止まらなくなることを特徴とする。加えて患者は、胸部や腹部の痛み、激しいしゃっくり、結膜炎などの症状にも苦しめられる。大多数の症例では、体液の喪失がさまざまな死因につながっていく。脱水症、腎不全、呼吸困難、窒息、重度の心不整脈、心不全などである。また、この流出する体液にはウイルスが含まれているため、湿性段階にある患者と死亡直後の患者はきわめて強い感染力をもつ。いずれの症例にしろ、予後は総じて思わしくなく、ウイルスの株によって、あるいは支持療法や看護を受けられるかどうかによって差はあるものの、エボラの致死率は六〇パーセントから九〇パーセントにのぼる。大多数の患者は発症から一週間後には昏睡状態に陥り、そのまま死亡する。しかし少数ながら、徐々に回復に向かう患者もいる。少しずつ痛みがやわらぎ、体液の流出が止まっていって、かわりに元気が出てくる。

しかし命をとりとめても、その後には長期にわたる試練が待っている。健康を取り戻すまでには時間がかかり、たいていはエボラ後症候群と呼ばれる、ひどい関節痛、頭痛、記憶障害、聴覚障害、耳鳴り、鬱、暴力的な夢や幻覚をともなう心的外傷後ストレスなど、日常生活に支障をきたすほどの一連の症状に悩まされる。しかし最も一般的なのは、ぶどう膜炎という眼症状で、視界がぼやけたり、光をまぶしく感じたりするだけでなく、ことによっては完全に失明する。また、回復後も数か月間はウイルスが体内に潜んでいるので、この期間は生存者もなんらかの体液――母乳、精液、膣分泌物、涙、髄液――を通じて他人を感染させる可能性がある。そのため、回復したエボラ患者の多くは身体的苦痛に悩まされるだけでなく、怯えた地域社会側によるスティグマにも苦しめられることになる。多くの生存者は職を失い、友人や家族から遠ざけられ、パートナーから捨てられる。

二〇一四年から二〇一六年にかけては、効果的な予防法や治療法がわかっていなかったことから、このエボラに対する恐怖がいっそう強くなっていた。十分に設備の整った病院では、「二次救命療法」と呼ばれるたぐいの、人工呼吸器の装着、血液透析、点滴による水分補給などが標準的な処置とされ、それに加えて下痢や痛みを緩和する薬も用いられた。西アフリカでは、破れかぶれの実験的な治療法も採用されたが、いずれも残念な結果に終わった。そうした療法には、①エボラウイルスの複製を阻害すると期待された抗ウイルス薬のＺＭａｐｐ（ジーマップ）と抗レトロウイルス薬のラミブジン、②感染後の免疫系を「落ち着かせる」と期待されたリピトールなどのスタチン系薬剤、③機序は不明ながら効くかもしれないとされた抗マラリア薬のアモジアキン、④ドナーの抗体がレシピエントの免疫反応を高めることを期待しての、回復期の患者の血液の輸血などがあった。残念ながら、これらの戦略は救命にも延命にも失敗したが、いずれにしても、多数の患者を治療するには供給がまったく足りなかった。

人間への波及

いまでは、エボラは人獣共通感染症であることがわかっている。エボラウイルスの自然宿主はオオコウモリ科のコウモリで、その体内ではウイルスは容易に複製しても、病気を引き起こすことはない。病原保有体《リザーバー》であるコウモリからエボラウイルスが人間集団に波及してくることはめったになく、あるとすれば、それには森林の土地利用と、人間と野生動物との交わりがかかわっている。原則として、ヒトへの異種間伝播が起こるのは汚染された野生動物の肉が原因であり、森林に住む人びとがウイルスに感染していたコウモリなどの動物を狩り、解体して、食べることによって発生する。少数ながら、そのような伝播の事例は実際に記録されていた。しかしながら西アフリカの事例では、アフリカ人の習慣に関して、思い込みにもとづくさまざまな半植民地的な言説がメディアで流れた。いわく、土着のアフリカ人には奇異な習慣があり、ジャングルで奇妙な行動をするうえに、焼いたコウモリの翼やコウモリのシチューを食べるのが大好きなのだ、といったたぐいの話である。感染の拡大がおよんだ国の保健省でさえ、流行がはじまったときにはこの見方をとっていた。したがって流行初期の数か月間には、公衆衛生の名のもとに、村人に食習慣を変えさせようと説得するキャンペーンに多大な精力と資源が費やされた。この危機のときの緊急対応にかかわっていた人類学者で医者でもあるポール・ファーマーは、医療緊急事態に関する連邦議会への宣誓証言において、この点を力強く訴えた。「ぜひとも明確にしておかなければばならないのは、このエボラの急速な拡大は、一万五〇〇〇もの狂乱的な与太話でいわれているような、野生動物の肉を食べることが原因ではないということです[7]」。

実際、エミール・オウアモウノを犠牲者にした今回のヒトへの異種間伝播は、それよりもずっと複雑な過程を経ていた。それを理解するには、西アフリカで本当に起こったことを覆い隠しているもう一つの流説を払拭する必要がある。報道記事を調べてみると、このときの「グラウンド・ゼロ」だった森林地帯を指すのに最も多く使われていた単語は、「遠く離れた」と「近づけない」の二つである。それはつまり、その一帯がほとんど原生林のような、都心部ともその周辺地域とも切り離された地帯だと見なされていたということだ。この見方にしたがえば、ギニアの首都コナクリ、シエラレオネの首都フリータウン、リベリアの首都モンロビアにエボラが伝播したのは、現地のキッシ族の部族移動という観点から理解できる。彼らが故郷とする森はその三つの国すべてにまたがっているため、キッシ族の村人が「血縁訪問をした」、つまり日常用語でいえば、親戚に会いに立ち寄ったときに、エボラもいっしょに移動したのだろうと解釈されたわけである。

しかし現実には、この三か国にまたがる森林地帯は、いかなる意味においてもまったく「遠く離れた」ところなどではない。この三か国は二〇世紀の終わりごろから、貿易、投資、鉱業、林業、農業関連産業が重なりあって織りなす濃密なネットワークを通じて世界市場に深く統合されてきた。したがって必然的に、このエボラに襲われた三か国は、森の資源に対する国際的な需要を満たすために尋常でないペースでの森林伐採と土地開墾を進めざるを得なかった。最も明白で、最もわかりやすい例が、パーム油産業である。アブラヤシの果実を原料とするパーム油は、一九九〇年代以降、生産量が三倍になるほどに、世界の農業のなかで最も急成長した部門で、その重要な中心地が西アフリカと中部アフリカの森林だった。二〇一六年に出版されたある本では、このパーム油の急成長が、大豆のそれと並んで「世界最新の農業革命」と呼ばれている。[8]

アブラヤシは西アフリカ原産で、その学名——*Elaeis guineensis*——が示すとおり、起源はギニア地域にある。そこでは昔から森の住人が、伝統療法で使われるさまざまな薬をアブラヤシからつくっていた。アブラヤシはそのほかにも、切り落とした葉を屋根や垣の材料にしたり、貴重な果実の核を収穫して食用にしたり、調味料にしたりと、さまざまに利用されていた。しかし二〇世紀の終わり近くになって新しく出てきたのが、森林を皆伐して、アブラヤシを単一栽培する大規模なプランテーションを設営しようという計画だった。このプロジェクトの資本は、世界銀行、アフリカ開発銀行、国際通貨基金、および、これらの「パートナー」である関連三か国の地方自治体から提供された。そして、この新規事業を潤わせた重要な「外部経済」の一つが、土地をもっていた自給自足の小規模農民から、西アフリカの各国がその土地を取り上げにかかったことだった。村人たちが法的に認められた権利ではなく、慣習にもとづいて土地を所有していたのを利用されたのである。資料によっては「土地の強奪」とも表現されている、この大々的な囲い込みで、プランテーションの所有者に広大な土地が安価で提供された。大規模な土地収奪に対する地元の抵抗には軍隊が差し向けられ、力ずくで企業の要求を押し通した。土地を追われ、移住するか、低賃金でプランテーションに雇われるかの選択を迫られた農民たちは、怒濤の「開発」に頑として反対する姿勢に出た。

各地の自治体にとって、アブラヤシの魅力は非常に大きかった。換金作物としてのパーム油はもっぱら輸出市場をターゲットにしていたから、これによって対外債務を減らし、外貨を獲得することができた。関連企業にもかなりの収益が生まれるので、取り引きを仲介し、企業の利益を誘導する役所には、そうした企業が惜しみなく見返りをもたらしてくれた。さらに業界は、各種のパンフレットや理念声明や報告書を通じて、環境に配慮しながら原産の樹木を売り込んでいくこと、積極的に雇用を創出して経済を発展させること、「現代的」なテクノロジーと経営慣行を実践していくことをアピールしていた。いかなる懸念に対しても、企業文書のどこかに答えが載っていた。雇用も、インフラも、職業訓練も、教育も、すべてプランテーションが世話してくれるという。この産業の推進者たちの威勢のいい言葉を借りるなら、パーム油はまさに国の発展をたすける「液体の黄金」にほかならなかった。

この単一栽培計画を実際に遂行したのは、ギニアの首都コナクリを本拠として一九八七年に創立された半官半民のギニア・アブラヤシ・パラゴムノキ会社（Société Guinéenne de Palmier à huile et d' Hévéa＝SOGUIPAH）をはじめとする、大企業だった。農業関連産業にとって、工業用の原料にも消費者向けの製品にも幅広く加工できるパーム油は、大いに魅力的だった。アブラヤシの果実の核から採れる油は、バイオディーゼル燃料の成分となるほかに、化粧品、石鹸、ろうそく、洗剤、潤滑油の原料にもなる。また、果肉から採れる油は食用として、マーガリン、アイスクリーム、クッキー、ピザ、その他さまざまな加工食品の原料にできるため、食品業界からの需要がきわめて高い。さらに一般家庭でも、パーム油は料理用の油として広く使われている。現代のスーパーマーケットで売られている商品の半分は、パーム油を重要な成分として含んでいると見積もられるほどだ。そして油を搾り取ったあとの核のかすでさえ、高タンパクな家畜用飼料として利用される。

西アフリカでは、資本の面でも労働力の面でも土地の面でも、さらには政府に取り入って近づきになる面でも、農業関連産業が国からさまざまな助成を得られていた。こうした西アフリカのおいしい政治的条件が、SOGUIPAHのようなプランテーション事業者を引きつけた。同時に、同じぐらい決定的だったのが、まさにマノ川流域に広がっていたような熱帯林が、アブラヤシの生育に最適な環境条件を提供しているということだった。ギニアアブラヤシは、熱帯雨林に見られるような温度、湿度、風、土壌の条件がそろっているときに最もすくすくと成長し、最も豊富に実をつけるのである。これらの事情が組み合わさった結果、パーム油業界は必然的に、その一帯の原生林をターゲットにした。

パーム油業界は、目をつけた土地の風景を全面的に変えていったが、そこに地元住民の健康や環境に対する配慮はまったくなかった。彼らはまず既存の原生林を焼き払ったり、ブルドーザーでなぎ倒したりして破壊した。次いで、その土地を開墾し、アブラヤシ単一栽培の大規模プランテーションを開設した。いまでは、この新たなアブラヤシ単一栽培が社会、経済、環境におよぼす悪影響を指摘する文献がつぎつぎと出てきており、いわゆる「グリーン」派のNGO——世界熱帯雨林運動、憂慮する科学者同盟、グリーンピースなど——も、やかましいほどに反対を訴えている。そこで指摘されている好ましからざる事態とは、たとえば生物多様性の喪失であり、森林破壊から生じる温室効果と地球温暖化であり、地元住民の強制退去であり、プランテーション労働者の低賃金と苛酷な労働条件であり、原料生産を基盤にして発展する国の世界市場での位置どりは長期的に見ると不利でしかないことであり、アブラヤシのような多年生作物は市場変動に対応できないことなどである。

これらに加えて、森林破壊が健康と病気にも直接的な影響をおよぼすことを実証したのが、エボラの出現である。一九七六年以降にエボラのアウトブレイクが発生した地域は、中部アフリカと西アフリカの森林破壊の地図とぴったり重なる。エボラと森林破壊がなぜ関連するかといえば、アフリカの森林の分断化により、果実食のオオコウモリの生息地が破壊されてしまっているからだ。農業関連産業が進出してくる前は、通常オオコウモリは人間の活動とはまったく無縁に、森林の高木の樹冠をねぐらとして棲んでいた。ところが開墾が進むにつれて、「空飛ぶキツネ」と地元で呼ばれるオオコウモリたちは、しだいに餌を求めて人間の集落に近づいてくるようになり、樹木や作物のある人家の庭への依存をますます高めていった。一九九〇年以降、マノ川流域の原生林の四分の三以上が破壊されてしまうと、コウモリはいっそう村に接近し、コウモリが村人と接触する機会もいっそう増えた。二〇〇九年のある報道によれば、「三か国がそれぞれの国土の七五パーセント以上にあたる森林を破壊した結果、エボラウイルスを保有するコウモリと人間との交わりは避けられないものとなった[9]」。

この森林破壊による変化を受けて、西アフリカでエボラウイルスがコウモリから人間へと「波及」する下地が生まれた。そして実際に、その可能性がエミール・オウアモウノの死によって実証されてしまった。この幼い子供は、先進国の子供が近所のリンゴの木に登ろうとするのと同じように、ただ自宅のすぐそばにあった果樹のうろで遊んでいただけである。彼にとって悲劇的な不運だったのは、その木が彼の住むメリアンドウの村のはずれに立っていて、そこはすでに森林地帯ではなく、「プランテーションによってすっかり様変わりさせられた風景に取り巻かれていた」ことだった[10]。このように森林からパーム油のプランテーションへと環境が変わっていた結果、たまたまエミールが遊び場にした木のうろ――彼の家から五〇メートル弱のところ――は、何千もの果実食のコウモリのねぐらになっていた。ほぼまちがいなく、それらのコウモリの糞がエミールの感染源だったのだろう。

　いまでは高解像度の衛星データを利用して、二〇〇四年以降に発生したことがわかっているエボラウイルス病のアウトブレイクすべての発端症例と、同時期に起こっていた土地利用パターンの変化との相関関係を証明することもできるようになっている。その結果は、エミールの不運が全体的な傾向の一端にすぎず、中部アフリカと西アフリカでは、その傾向が大々的に広がっていることを示していた。二〇〇四年から二〇一六年までに起こった確認済みのエボラのアウトブレイク十二件において、発端症例は一貫して、その二年前から進んでいた森林の伐採と分断化の周縁部で発生していた。確認された発端患者十二人のうち八人は、感染場所を追跡すると、まさに「分断のホットスポット」にたどりついた。また、明らかな例外三例のうちの一例は、激しく分断が進んだ地域のすぐ近くで感染しており、もう一例は、森林での狩猟や密猟と関連していた。正真正銘の外れ値は、十二例のうちのわずか一例だけだったのだ。

　そして、森林分断のもう一つの結果も明らかになった。原生林の林冠に生息するコウモリ群と比較して、森林が分断されている地域のコウモリのあいだでは、エボラウイルスの病原保有体である果実食のコウモリの種の比率が異様に高い。これは、この病気をうつさない昆虫食のコウモリが、その新しい生息環境には寄ってこないからだ。この傾向は、森林伐採によって昆虫の生息環境が破壊された結果なのかもしれない。したがって森林の分断化は、ただ人間とコウモリとの接触機会を高めるだけでなく、病原体をもったコウモリがまさにその接触にかかわってくるようにしているのだともいえる。二〇一七年のある報告の概要には、こう記されている。

われわれの研究結果は、野生の病原保有体動物からヒトへのエボラウイルスの異種間伝播がとくに多く起こっているところが、比較的人口が多く、かつ森林も残ってはいるが、森林伐採によって森林の分断化が進み、森林の境界線が変わってきている一帯であることを示している。……森林分断化の程度が高く、しかも、その程度が時とともに高まっているということが、人間と野生生物との接触機会が増えていることを示す良好な指標になるとともに……おそらくは、ウイルスを保有する一部の種の生息環境が広がっていることを示す指標にもなると考えられる。[11]

ヒト－ヒト感染

エボラはヒトからヒトへの感染力が強いが、健康な人と感染者の体液との直接の接触を通じてしか感染しない。それでも発症中の患者が占めている環境には、ウイルスが無数に存在している。患者がふれた表面にも、寝具やリネン類にも、乗り物の内部にも、身の回りの品にもだ。症状がまだそれほど深刻でなく、インフルエンザに似た症状を示している感染初期の段階から患者には感染力があり、それがこの感染症の広まる機会を増やしている。その段階の患者はたいてい危険の大きさを認識していないため、床に就かずに依然として動きまわる可能性が高いからだ。また、回復したあとも数か月間は性行為を通じての感染や授乳を通じての母子感染が起こりうる。これらの伝播様式からして、二〇一三年から二〇一六年のエボラの流行では、ある特定の節点を介しての感染が最も多かった。なかでもとくに重要なのが、家庭、埋葬地、病院の三つだった。

自宅にいる患者は、家族や友人をはじめ、その患者の世話をした人、汚染された病室に入ってきた人すべてを致死的な危険にさらした。エボラの広まりはいきなりどこかに飛び火してはじまるのではなく、このように患者と親密な家庭内空間を共有する家族や介護者の緊密なネットワークを介してはじまった。エミール・オウアモウノの場合もまさしくそれで、エミールが死んだすぐあとに、その母親が死亡し、三歳の姉が死亡し、祖母が死亡し、村の看護師と、助産師もそのあとにつづいた。祖母の葬儀の参列者と、祖母の世話をしていた人たちも、やはりその後にエボラに感染した。

図 22-1　墓堀り人のサイドゥ・タラワリー。2015 年 3 月、シエラレオネのボンバリ墓地にて。ここはエボラ流行の震源地に位置していた。感染者が有するウイルス量は死亡直後が最も多くなるため、葬儀屋や墓堀り人は発症する危険がとくに高いとされていた。［Daniel Stowell, MPH 撮影、CDC Public Health Images Library］

同様の理由から、葬儀と埋葬も、二〇一三年から二〇一六年の流行における二番目に主要な感染源となった（図22－1）。エボラの犠牲者がウイルス粒子を最も大量に排出する時期は、死亡直後である。だがそれは、地元の慣習により、親戚や共同体の仲間がひどく汚染された病室にぞろぞろとやってくるときでもあった。ギニアのキッシ族のあいだでは伝統的に、死に際して一連の宗教的な儀式が執り行われることになっている。だが、それはエボラのアウトブレイクが広がっているさなかにはきわめて危険なことだった。共同体の一員が亡くなると、遺体は何日か自宅に安置され、そのあいだに人びとが弔問に訪れて、死者の頭にふれたり接吻したりして最後の敬意を示す。その後、儀式の一環として家族が遺体を清め、埋葬用の布にくるんだのち、集まった共同体の人びとともに故人を墓地まで運んでいく。

これらの慣習を守らないと、死者の魂は安らかにあの世に行けず、苦しんだままの霊魂がこの世に残って生者に取りつくと考えられている。エボラの感染機序が広く知られるようになったあとでも、人びとは時としてこの病気を恐れるよりも、むしろ死者から受けるかもしれない報復や、亡くなった友人、隣人、親戚に無礼を働いたと思われることに対する良心のとがめのほうを恐れた。実際、安全な埋葬習慣を確立することの難しさは、この病気を封じ込めようとするにあたっての大きな悩みの一つだった。初期対応にあたった医師のヒルデ・デクラークは、こんな見解を述べている。「たいていの場合、家族の一人を納得させるだけでは十分ではありません。感染の連鎖を制御するためには、患者が出た家のほぼ全員の信頼を得なければならないでしょう。これは非常にたいへんな仕事です。だから宗教的、政治的な権威のある人に、この病気についての意識を高めるよう、もっと深くかかわってもらうことが肝要なのです[12]」。この理由から、人類学者や言語学者をコンサルタントとして引き入れることが、公衆衛生活動には非常に重要だった。

エボラの伝播における第三の主要な感染源は、医療センターや病院だった。エボラ流行中の西アフリカにおいて、雑役係だろうが看護師だろうが医師だろうが、医療従事者として働くことほど危険な仕事はなかった。流行の最前線で働くスタッフは献身的にエボラの対応にあたったが、自らの命と健康までもエボラに捧げることになった。マノ川流域の三か国でのエボラ犠牲者のうち、およそ二〇パーセントは医療従事者だったと見積もられている。同時に彼らは、深刻な恐怖、過労、士気の喪失とも闘わなければならなかった。その理由はいろいろあったが、この病気の純然たる感染力の強さ、致死性の高さが含まれていたのはまちがいない。患者との直接の接触は、すべてが危険だった。

だが、西アフリカ特有の医療体制の状況も、そうした内在的な危険を大いに増幅させていた。ギニア、リベリア、シエラレオネは、いずれも世界最貧国の一角だった。国連開発計画による人間開発報告書の二〇一六年版を見ると、経済的な豊かさ全体をいくつかの行列で評価した「人間開発指数」において、ギニアは一八八の加盟国のうち一八三位に位置していた。所得だけで見ると、ギニア国民一人あたりの年間国民総所得は一〇五八USドルだった。年間国民総所得が六八三ドルのリベリアは一七七位、一五二九ドルのシエラレオネは一七九位である。生活水準が「重度の多次元貧困」にあるとされる人口の割合は、それぞれ四九・八パーセント、三五・四パーセント、四三・九パーセントだった。[13]

このような重度の貧困は、西アフリカの医療インフラ構築能力を深刻に蝕んでいた。この問題をさらに厄介にしたのが、当該地域の三か国がいずれも別の優先事項をもっていたという事情である。二〇〇一年にナイジェリアの首都アブジャで開催されたアフリカ保健相サミットでは、すべての参加国がGNP（国民総生産）の十五パーセントを保健部門に充当することを支出目標として、それに向けて迅速に行動することを誓約するという、広く称賛された決議が採択された。しかし二〇一四年の段階で、シエラレオネ、ギニア、リベリアは、いずれも目標から大きく後れをとり、それぞれ一・九パーセント、二・七パーセント、三・二パーセントしか支出を果たしていなかった。教育、福祉、住宅、交通機関も同じぐらい軽視されており、比較的資金が投入されていた唯一の機関は、それぞれの国の軍隊だった。アブジャ宣言の目標に近づくどころか、ギニアとシエラレオネは会議の翌年から数年にわたって保健省への予算を削減までした。国全体は貧しくてもパーム油やその他の産業の拡大によってまがりなりにも経済成長がもたらされ、それなりの富が生み出されていたにもかかわらずである。エボラの流行の背景には貧困の問題だけでなく、不均衡な資源配分と、倫理的にどうかと思われる優先順位づけの横行という問題もあったのだ。

いざエボラの流行が勢いを増しても、三か国はまったく準備ができていなかった。たとえば医療従事者にしても、ほぼ皆無に等しかった。西アフリカは、訓練を受けた医師、看護師、助産師の住民一人あたりの数が、世界で最も少ない地域だった。リベリアは国民一万人あたりの医師の数が〇・一人で、シエラレオネとギニアにしても、それぞれ〇・二人、一・〇人という少なさだ。たとえばフランスの三一・九人、アメリカの二四・五人とくらべると、その差は歴然とする。カナダの大病院にはリベリア一国よりも多くの医師がいて、もともと医師不足だったリベリアでは、二一世紀の変わり目の内戦の影響で深刻度がさらに増していた。最初から少なかったリベリアでは、医師の大多数が内戦によって国を追われたため、エボラの流行がはじまったときには、リベリア人医師よりもアメリカに住んでいるリベリア人医師のほうが多いぐらいだった。リベリアでは、残った二一八人の医師と五二三四人の看護師で、四三〇万の人口を相手にすることになった。しかも、医療従事者のほとんどは首都のモンロビアに集中しており、全国それ以外の地域には、祈禱を含めた伝統的な療法以外に医療の供給がまったくなかった。

病院も同様にひどい状態だった。ほとんどの病院には隔離病棟もなく、電気も水道も通っておらず、診断設備もなければ職員の身を守るための防護具もなく、公衆衛生上の緊急事態に対応する訓練もなされていなかった。収容定員もすでに超えていたから、緊急事態が起こって患者が押し寄せても受け入れようがなかった。このような状況では士気が上がるはずもなく、当然ながら緊急時には、恐怖と低報酬と過労に耐えかねた病院スタッフが大量に離脱した。医療従事者はそれ以外にも、患者をたすけられない絶望感や、病院を死ぬ場所と見なしている一般大衆からの不信の空気に打ちのめされた。こうした事情から、エボラウイルスが出現したときのニューヨーク・タイムズ紙の記事では、当該三か国の医療制度が「目に入ってこない」と表現された[14]。

こうした環境下では、持ち場にとどまった医療従事者の多くがエボラに感染するのも必然だった。地域医療のスタッフは丸腰で、自分の身を守るための道具も施設も設備もなければ、訓練もされていなかった。こうした人びとが高い確率でエボラに感染すると、それがまた、すでに崩壊しかけている医療体制をいっそう悪化させた。

だが、もしもエボラが森林地帯に封じ込められていたなら、エボラのどの危険因子にしろ、大々的な流行を引き起こすまでの力はもたなかっただろう。エボラの疫学史が一変した原因は、いまや西アフリカの森林が都市の中心部と密接につなげられているという事情にある。最初に発病した幼児とその家族が住んでいたメリアンドウの村を原発地として、エボラウイルスはギニア全体と、一歳半のエミールが発病した県に隣接する、あとの二か国に広がるのに好適の場所にいた。この二〇一三年には、すでにパーム油産業が森林地帯と外の世界とのあいだに広範なつながりを確立していた。土地を奪われた農民とプランテーション労働者は職を求めて移住する。首都のコナクリからは企業の役員や政府の官僚が出張し、軍隊も出動する。川の上流と下流のあいだでは物資の行き来が頻繁になる。そして未舗装道路のネットワークも開通する。これらすべての要因が、国境を越えて都市へと流れる人間、物品、資材の移動を、マノ川流域全体を統合するグローバリゼーションの網の恒常的な特徴にした。

さらに、西アフリカの森林と都市部との相互連結は、パーム油産業だけではなく、ほかのいくつかの産業によっても確立されていた。二〇一三年のアウトブレイクに先立つ数十年のあいだに、複数の事業がギニア、リベリア、シエラレオネの森林に侵入した。木材会社やゴム栽培会社は土地を求めて進出し、鉱業会社はダイヤモンド、金、ボーキサイト、鉄の鉱床に引き寄せられた。建設会社も、大規模移住と都市成長を受けての木材需要の急増を満たすべく、樹木の取り分を確保した。これらすべての力が、森林地帯の県域内でも、森林と外の世界とのあいだでも、人間、品物、交易を動かしはじめた。野生動物の肉を狩る部族が住んでいる遠く離れたジャングルというおなじみの俗説とは対照的に、アイリッシュ・タイムズ紙は、エボラの爆発がまさに正反対のことを明かしていると報じた。「実際のところ……広大な高地ギニアの熱帯雨林帯のうち、ここ数十年でかなり加速した森林伐採を経て、なお開発されずに残っているのはほんの一部だけだ。この大々的な森林破壊がコウモリの個体群に重大な変動をもたらし、アウトブレイクの前提条件を生み出したものと思われる」[15]。

森林地帯のエボラの最前線にボランティアとしてやってきたアイルランドのウイルス学者クリストファー・ローグは、そこが自分の予想していたような手つかずの牧歌的な森ではなかったことに気がついた。それどころか、彼が見た風景には、さかんな活動と商業のざわめきを感じさせるものばかりがそろっていた。ローグの報告によれば、この一帯は「鮮やかな緑の植生と、あとで道路なのだとわかったテラコッタ色の土の小道とがつぎはぎになった広大なパッチワークで、その道路が森林地帯にうねうねと入り込んでいるほか、森林の周囲もぐるりと取り巻いて、小さな村々のあいだをつなぎ、さらにその村々を河口域と河川のネットワークにもつなげている」[16]。そして何より、人の移動行動をまざまざと教えてくれるのが鉱山だった。採鉱場が森の奥深くまで進出するにしたがって、職を求めて積極的に移動する若者の巨大なうねりが生じはじめたのだ。

二〇一三年十二月にエミール・オウアモウノが死亡してから十二週間、エボラは森林地帯でひっそりと広まっていた。この一帯には保健体制が存在していなかったから、当然、その異変が見つけられることもなかった。首都の保健当局は死亡数の増加に気づいてはいたが、この地域の風土病になっている胃腸炎とコレラのせいだと考えていた。そうして正しい診断をくだされないまま、エボラはコナクリ、モンロビア、フリータウンにまで到達した。後ろ向き調査の結果から、エボラは二〇一四年二月一日には、メリアンドウの村から約四〇〇キロメートル離れた人口二〇〇万の都市コナクリに到達したと推定されている。このエボラウイルスがとった経路――エミールの拡大家族の一人が感染して、その感染者がウイルスとともに首都に移動した――は、森林と都市とのつながりを如実に物語る一例だ。その後、エボラは都市のスラム街で爆発的に流行した。市内の病院と同じく、当然ながらそこにも衛生設備はなく、十分な空間もなく、あらゆ指数関数的な感染拡大を可能にしたのは、西アフリカの都市の劣悪で過密な人工環境だった。森林環境の変容がエボラの発生を許したのだとすれば、エボラの繁殖を可能にしたのは、都市の劣悪な環境であった。ではなく、西アフリカにある種類の設備が欠落していた。

初期の緊急対応

エボラ対応がようやくはじまったのは二〇一四年三月、最初にエボラと診断されたコナクリの患者に注意が向けられたときだったが、これに反応したのは公的機関ではなかった。三月に介入したのは民間機関で、アメリカ拠点の慈善団体サマリタンズ・パース、そして何より、国際的NGOの国境なき医師団（Médecins Sans Frontières ＝ＭＳＦ）だった。ギニアの保健省から報告された「謎の症例」の正体がエボラであると検査室確認ではっきりしたところで、ＭＳＦはただちに行動に出た。三月二五日、パリを拠点とするＭＳＦから六〇名の医療従事者がすぐさま派遣され、そのサポートのために大量の医療機器と物資も急送された。

この流行が終わるころまでに、ＭＳＦは使える資源を極限まで投入することになった。二〇一四年の初めの時点で、ＭＳＦの最優先事項はスーダン、シリア、中央アフリカ共和国での人道危機に対応することだった。そこへ突然、公衆衛生上の緊急事態がかつてない規模で発生し、これを急いで制圧する必要が出てきた。ＭＳＦはただちに西アフリカでの四つの主要タスクに全力を傾けた。①エボラ治療センターのネットワークを開設し、設備を整える。②そこに海外から参集した医療ボランティアを配置する。③感染者を治療する。④感染拡大を封じ込めつつ、ＷＨＯや各国政府の介入を喚起するために警報を鳴らす。しかし患者数の多さはとても対処しきれるものでなく、ＭＳＦは真夏までに、前例のない追加の対応に踏み出した。西アフリカに病院がないことを「緊急事態中の緊急事態」と見なして、大規模な治療センターを設営し、そこでボランティアのスタッフが患者の受け入れとトリアージから、検査室診断、隔離病棟での治療、術後回復室での経過観察までを受けもった。これらすべての病院機能が、フェンスで囲った木造の小屋とテントに詰め込まれていた。

ＭＳＦの医師たちは早々に、エボラの脅威を制圧するのは手遅れであることに気づいた。すでに西アフリカ三か国のそれぞれの首都に到達している時点で、この強毒かつ治療不可能な病気は、差し迫った危険をもたらしていた。最初に広まってしまった三か国はもとより、その一帯の国際空港を経由して、アフリカ全土や海外にまで飛び火する可能性があったのである。ＭＳＦは、この緊急事態に単独で対応することになるとは想像もしておらず、目の前で拡大していく災害が自分たちの資源と経験を超えるものであることもわかっていた。もともとＭＳＦは、公式サイトで明記しているとおり、「武力紛争、疫病、保健医療からの疎外、天災・人災などに苦しむ人びとに緊急援助」を届ける目的で一九七一年に設立された機関である。その使命は、人道危機の第一対応者として活動しつつ、地元政府やＷＨＯ、先進諸国の注意を喚起して、主要な責任を担ってもらうようにすることだった。

だが、西アフリカでの状況は、とうていそれではすまされなかった。マノ川流域のエボラに対応した最初の年の報告書のタイトルに掲げたとおり、ＭＳＦは「限界まで、そしてその先まで」追い込まれた。最終的に任務を終えるまでに、ＭＳＦは五〇〇〇人以上のエボラ患者を治療したが、これはＷＨＯが報告した患者総数の四分の一に相当した。ＭＳＦ側にとって運営的に悩ましかったのは、この危機にかかわった直後から、たちまち身動きもとれないほど忙殺されるようになっていたにもかかわらず、実行可能な「出口戦略」がまるで見えないことだった。それというのも、ＭＳＦがいくら警鐘を鳴らしても、国際社会の反応が嘆かわしいほど薄く、遅く、ばらばらだったからだ。

本来、エボラを封じ込め、撲滅するためのキャンペーンを主導する責任を負うのはＷＨＯであるはずだった。しかし現実には、ＷＨＯがその立場にふさわしい働きをすることはなかった。アウトブレイクが起こってから三か月後の二〇一四年三月三一日、ＭＳＦは西アフリカの危機が「未曽有の緊急事態」であると宣言し、国際社会が早急に協調して対処する必要があると訴えた。だが、ＷＨＯは行動を起こすどころか、聞きたくない凶報を伝えてきた伝令との舌戦をはじめた。ＷＨＯ報道官のグレゴリー・ハートルは、深刻度を増していた災厄をこれ以上ないほどに見くびった。ジュネーブの本部のデスクにのほほんと座ったまま、ＭＳＦによる評価と専門家の総意をきっぱりと否定し、こう明言したのだ。「さいわい、エボラはきわめて伝染しにくい病気だ。誰かに接触しなければ感染しない。したがって大多数の人にとっては、ありがたいことにリスクは非常に小さい」[17]。さらにＷＨＯは五月下旬、あらゆる証拠を無視して、エボラはシエラレオネの都市部に到達してはいないから、同国に国際的な医療スタッフを配備する理由はないと報告した。

ハートルの信じがたい発言と、それにつづく黙殺の背景には、ＷＨＯがＳＡＲＳ危機をまったく教訓にできていないという事情があった。あの危機から学ぶどころか、ＷＨＯは先進世界の姿勢そのままに、今後はもう感染症を重視しないことにしたのである。したがって感染症の監視と対応に費やす予算は大幅に削減され、感染症分野の経験豊かな上級専門家も解雇された。そのためエボラが発生しても、WHOにはそれに対応するだけの能力も、人員も、意志もなかった。加えて、ジュネーブにある本部とコンゴの首都ブラザビルにあるアフリカ地域事務局との官僚的な縄張り争いが、WHOを機能不全に陥らせていた。スイスの本部と同様に、アフリカの地域事務局も感染症の広がりに備えるための予算を二〇一〇～二〇一一年度の二六〇〇万ドルから、二〇一四～二〇一五年度には一一〇〇万ドルへと、半分以下に減らしていた。もはや助言をくれる経験豊富な専門家もいなくなっていたブラザビルの事務局が、西アフリカでの流行もせいぜい過去のコンゴでのアウトブレイクと同じぐらいの深刻度で、じきに自然鎮火するだろうと楽観することに決めると、ジュネーブの本部は調査もせずにその見解にしたがった。

三か国で一〇〇〇人単位の死者が出つづけ、感染拡大が止まらないなかでも、にらみあいは依然としてつづいた。二〇一四年六月、MSFはエボラ感染の多発地点《ホットスポット》が六〇を超え、もはや流行は「制御不能」に陥っているとの公式見解を発表し、すでに三月に批判していた「世界中が結託しての放置」の姿勢をあらためて非難した。[18] これを受けて、WHOはガーナの首都アクラで西アフリカ諸国の保健相会議を開催したが、そこで提示されたのは口先ばかりの安心の保証だった。不運にも代弁者を務めさせられた国連広報官は公式見解として、さしたる証拠もないままに、「これは特異な状況ではなく、われわれが過去に何度も直面してきたようなことだから、今回もしっかり対処できるものと確信する」と述べた。[19] MSFの関係者は愕然とした。MSFの運営責任者であるブリース・ド・ラ・ヴィーニュ医師は呆然としたように、「国際社会の反応はほぼゼロだ」というほかなかった。[20] こうなると、MSFの外からも声があがりはじめた。たとえばニューヨーク・タイムズ紙は、七月から八月にかけてエボラが深刻化するなかでのWHOの「リーダーシップ」を酷評する論説を載せた。「（WHOは）もう何か月も場外で居眠りしている」ばかりで、その対応は「恥ずかしいほど遅く」、WHOのアフリカ地域事務局も「役立たずで、政治的なしがらみにとらわれ、そのお粗末な運営にあたるスタッフは概して能力がともなっていない」[21]。

同様に、流行地域の政府も海外の政府も、積極的な姿勢は見せなかった。エボラに襲われていた三か国では、当局がWHOに相談して心配がないことを確認し、コンゴでのエボラがどうだったかも確かめていたが、それはあくまで経済がらみの理由からであって、科学にもとづいてのことでもなければ、国民の健康を心配してのことでもなかった。現地にとって何よりも恐ろしかったのは、西アフリカでおぞましい病気が発生したせいで、投資家が進行中の開発計画への関与を見直すのではないか、国際航空会社がこの地域への便を欠航させるようになって観光業が打撃を被るのではないか、鉱業会社や農業関連企業からの実入りのよいリベートが断たれてしまうのではないか、そしてこの病気が流行国に、部族慣習の残る後進国というスティグマを残してしまうのではないかということだった。したがって、適当に言いつくろいながら実情を隠蔽するというのが一番の戦略となった。

この発想のもと、ギニア大統領アルファ・コンデは、鉱業会社やパーム油会社に警戒させないように、事態をいたって楽観的に見せることを選択した。ギニア政府は確定症例と疑い症例のごく一部だけを報告するにとどめたのである。そして実情を直視するよりも、村人に調理習慣を変えるよう奨励するキャンペーンを優先して、野生動物の肉の販売と消費を禁止した。こうしてコンデは表向きの緊急度を下げてみせたが、それと同時に、接触者追跡という標準的な公衆衛生戦略をきっぱり捨ててしまい、病院や治療センターに新たな人員を補充するための協力もいっさいしなかった。それどころか流行の初期の数か月のあいだ、ウイルスを隔離するのではなく、ウイルスの襲来を報じるジャーナリストを隔離するという「代替戦略」を採用した。ギニア警察が検閲にあたり、記者が医療問題を正直に描きでもすれば警告を受けた。コンデはWHOと同じくらい断固として、明るい楽天的な姿勢を崩さなかった。MSFが世界的な緊急事態を宣言していた四月末、ジュネーブを訪問したコンデは報道陣に対し、自らの平然とした見解を披露した。「状況は十分に制御されています。うまくいけば、もうこれ以上の患者は出ないと思いますよ」[22]。

遠方でも、先進国の医学的権威や政治指導者たちが自由放任政策を採用していた。たとえば欧州連合（EU）、ロシア、中国などは、ただ腕組みをしたまま、悲惨な統計値が積み上がり、前線の医師がたすけを求めて訴えるのを眺めていた。そしてあらゆるところの政治家が、アメリカを注視していた。アメリカは現存する唯一の超大国であり、マノ川流域が必要としている資源をふんだんにもっている国だったからだ。しかもアトランタに拠点を置くCDCは、医学的サーベイランスと感染拡大への緊急対応を実施しようとする全組織にとっての国際標準となっていた。

アメリカが行動を起こしていなかったのは、一種の公衆衛生上の孤立主義をとっていたためだった。アメリカが知りたがっていたのは、西アフリカで流行中の病気が大西洋を越えてアメリカにも直接の脅威をもたらし、モンロビアやコナクリではなく、ニューヨークやヒューストンやロサンゼルスで死者を出させるのかどうかだった。二〇一四年七月まで、この問いに対する答えは明らかな「否！」であると誰もが見ていた。まず西アフリカの空港で検疫があり、アメリカ側でも疾病監視によって確認される。医師や看護師が十分にそろっているのも安心材料だ。加えてアメリカの堅固な衛生インフラが、この国に無敵感をあたえていた。アメリカの近代性、科学、文明の防波堤の後ろに収まっているかぎりは安全だと感じていた人びとを代弁するかのように、作家のデビッド・クアメンはニューヨーク・タイムズ紙に「エボラは次のパンデミックではない」というお気楽なタイトルの記事を寄稿した。クアメンは、エボラが犠牲者に激痛をあたえる恐ろしい病気であると認識していたが、アメリカには関係のない病気であると確信してもいた。つまり率直にいって、エボラとは、「選択肢の乏しさにより、やむなくコウモリやサルなどの野生動物を、その死骸を拾って、あるいは生きたまま捕獲して食べなくてはならない」ような少数のアフリカ人が置かれている「厳しい局地的な困窮」によって引き起こされる、稀有な病気なのだというわけだった。[23]

こうした考えが完全に引っくり返されたのは、二〇一四年七月のことだった。ケント・ブラントリーとナンシー・ライトボルという二人のアメリカ人医療ボランティアがエボラに感染したことがわかると、アフリカの病気などとは無縁であるというアメリカ人の自信は粉々に打ち砕かれた。この二人はエボラを発症した最初の外国人であり、すぐさまアトランタのエモリー大学病院に送られて、テクノロジーが完備した医療センターでしか受けられない「高度支持療法」を適用された。あわせて、急速に発展してはいたが当時はまだ実験段階だった抗ウイルス薬の投与と、熱を下げ、痛みを抑え、嘔吐や下痢をやわらげる対症療法も実施された。二人とも命はとりとめたが、その苦しみようは、果てしなく国際的な関心を集めた。彼らはこの病気を文字どおりアメリカにもち帰ることで、アメリカに真実を痛感させた。この致死的な病気に対しては、白人もまた無敵ではいられなかったのである。

ブラントリーとライトボルの発病により、アメリカにもエボラの危険がおよんでいるかもしれないとの認識のもと、全国に恐怖が広がったことで、政治的にも大きな変化がもたらされた。MSFインターナショナル会長のジョアンヌ・リュー医師がいったように、「アフリカで非アフリカ人が感染したということで、この一件は多くの関心を集めました。突如として、人びとがこういうようになったのです。『なんてこった、うちの戸口まで迫ってきているということか』。突如として、人びとが注意を払うようになりました」[24]。八月中旬に実施された世論調査でも、態度に大きな変化があらわれていた。このときまでに、調査に回答したアメリカ人の三九パーセントが国内で大規模なアウトブレイクが起こると確信するようになっており、二五パーセントは、自分か家族が感染すると考えていたのだ。夏から秋を通して、このメッセージはさらに強められた。九月と十月に、西アフリカでボランティアをしていた医療従事者がもう八人、エボラに感染した。そして二〇一四年九月、全アメリカ人の最悪の恐怖が現実になった。患者のケアに携わってもいない、ただのリベリア人旅行者のトマス・エリック・ダンカンが、西アフリカから空路でダラスにやってきた。そこで彼は体調を崩し、副鼻腔炎と誤って診断され、テキサス・ヘルス・プレスビテリアン病院から帰された。そして再入院したのち十月八日に死亡したが、その前に彼の世話をした二人の看護師を感染させていた（この二人はともに回復した）。さらにヨーロッパ人の医療ボランティア三〇人も感染して、スペイン、イギリス、フランス、ドイツ、イタリアに搬送されて治療を受けた。

CDCのトマス・フリーデン所長も、介入を支持する方向へと世論を変えるのに貢献した。八月末、彼はリベリアの状況を評価するために現地の視察に出かけた。その報告は、衝撃的だった。状況は完全な緊急事態で、外部から早急に大規模な援助を送らないかぎり、大惨事を防ぐことはできないだろうとフリーデンは証言した。

海外援助

一八〇度の大転換が起こったのは二〇一四年八月、エボラ発生から八か月後のことだった。八月一日、当時のＷＨＯ事務局長マーガレット・チャンは、ギニア、リベリア、シエラレオネの大統領と会談した。チャンはそこで、封じ込める努力がとても間に合わない勢いでエボラの拡大が進んでいることを告げ、このままでは「壊滅的」な結果になると警告した。次いでＷＨＯは、史上三度目となる「国際的に懸念される公衆衛生上の緊急事態」（Public Health Emergency of International Concern＝ＰＨＥＩＣ）を宣言し、このＷＨＯ最高レベルの警報をもって各国に行動を呼びかけた。さらに六週間の準備期間を経て、ＷＨＯは「国連エボラ緊急対応ミッション」を立ち上げ、エボラに打ち勝つための政策の調整とキャンペーンの運営を託した。ここにきて、少なくとも公式にはＷＨＯが責任を引き受けるかたちになった。

各国もこの流れにならった。西アフリカでは、当該三か国の大統領がこれまでの姿勢を翻して非常事態を宣言し、外国にも支援を訴えた。リベリア大統領のエレン・ジョンソン・サーリーフは、アメリカ大統領バラク・オバマにじかに援助を請うた。オバマが唖然としたことに、連邦議会とメディアからは政権に対して「リーダー不在」だの「不適格」だのといった批判が相次いだ[25]。ワシントン・ポスト紙は九月初旬に、アメリカの対応が「微弱」で「無責任」であるとして非難した。ただちに有効なキャンペーンを展開できるだけの資源と組織をもつ唯一の国として、アメリカには行動を起こす道義的責務がある、と同紙は主張した[26]。

オバマ大統領のほうでも、この感染症がアメリカにとって危険なものになることはわかっていた。第一には、純粋に医学的な脅威として、これがアメリカに上陸するおそれがあった――そして実際にもそうなった――からである。加えて、この流行が長引けば西アフリカ三か国の政治的破綻が誘発され、ひいては近隣諸国にも同様の影響がおよぶと推察された。そうなれば、外交、医療、安全保障の面で、非常に面倒な問題が生じてくる。もはやエボラは遠い国の人道危機どころではなく、国家の安全保障にかかわる問題になっていた。九月の第一週が終わったところで、オバマ大統領はエボラの流行を国家安全保障上の危機であると宣言し、国防総省に指令を出して、ユナイテッドアシスタンス作戦という名のもとに米兵三〇〇〇名をリベリアでの技術支援と後方支援の任務に差し向けた。米軍はアウトブレイクの震源地への安全な医薬品輸送と、現地での大規模医療施設の建設と整備を担うことになった。

図 22-2 CDC の訓練のもと、医師や看護師らは個人用防護具の使用方法を習得して、エボラ患者と安全に接することができるようにした。［Nahid Bhadelia, M.D. 撮影、CDC Public Health Images Library］

一方、CDCもアラバマ州で、医療ボランティアに個人用防護具（PPE）の使用方法を身につけさせるための訓練コースを開始した。手袋、ゴーグル、フェイスシールド、ゴム製ガウン、バイオハザード用オーバーオール、ゴム長靴などからなるPPEの装備一式は、かつて黒死病に立ち向かった医師たちが着用していたペスト用装束の現代版ともいえるものだ（図22―2）。こうした防護具の着脱は決して容易ではないので、その使用法については集中的に指導する必要があった。医療ボランティアに加わったCDC職員のカレン・ウォンは、防護服を着用しての仕事をスキューバダイビングにたとえた。どちらの場合も、実際に飛び込む前の慎重な計画立案が必要なのだということだ。厳密な順序にしたがって正しく装備を着脱するのは、ウイルスへの曝露を予防するうえで必要不可欠なことだった。さらに、防護具に身を包んでいると耐えがたいほどに熱がこもるため、脱水症状、極度の疲労、酸素不足が差し迫った危険になることもわかっていた。現代版のペスト用装束を着用していて安全でいられるのは、一回につきわずか十五分間なのである。この装具のもう一つの厄介な点は、これに身を包むと音が消えてしまうことで、そのため患者や同僚とコミュニケーションをとることも、人や器具とぶつかるのを避けることも難しくなる。CDCの訓練コースでは、こうした防護具の使い方を徹底的に教えられるとともに、エボラ患者の診断と治療についても指導された。

同時に、世界銀行、国際通貨基金、ユニセフも、救援活動の支援資金を用意した。そして国防総省ほど派手にではないが、CDCも西アフリカに直接介入し、感染症に対する史上最大の規模での闘いを開始した。対応チームを動員して現地に配備し、診断と監視の施設を設置し、疫学者を派遣して統計データの収集と分析にあたらせ、医療スタッフと公衆衛生スタッフを対象にエボラに関する研修コースを開設した。また、後方支援の提供や、西アフリカの各空港での出国時検疫も実施した。

ほかの国々も同様の介入を行った。フランスは対応チームをギニアに展開させ、イギリスはシエラレオネに展開させた。カナダは物資と医療従事者を提供し、キューバ、エチオピア、中国は、医師と看護師のチームを派遣した。地理的に見ると、こうした西洋諸国の救援が、植民地時代のつながりや現在の国益をそのままなぞっていたのは一目瞭然だった。アメリカが介入したリベリアは、アメリカの元奴隷によって建国された国であり、イギリスが救援に向かったシエラレオネはかつてのイギリスの植民地で、フランスもかつて領有していたギニアに対して同じことをした。それに対してキューバは、資源に乏しい国ながら、これらの大国と同等に介入を果たし、しかも国境にかかわりなく救援を――四六五一名の訓練を受けた医師と看護師を――送った。二〇一五年の初頭までには、合計一七六の組織が、この国際的な活動に参加していた。

海外援助が到着するまでにこれほど時間がかかったことを別にすると、これらの援助に関して向けられた主要な批判は、援助が西アフリカの現場で着実に得られていた経験と調和しておらず、むしろワシントン、ロンドン、ジュネーブ、パリで決定された優先事項に沿って行われていたことに対してだった。どんな組織よりも長くエボラと向き合ってきた経歴をもつMSFは、アメリカの介入がトップダウン式で、MSFがこの流行のさまざまな段階で学んできたことや必要としてきたことをほとんど考慮していないと感じていた。たとえば二〇一四年の春、MSFがおもに心配していたのは、西アフリカの不十分な病院制度が負荷に耐えられずに崩壊してしまうことだった。そのため当時のMSFは、自ら臨時の病院施設の建設まで担ったのである。シエラレオネの流行の震源地近くに建てられたカイラフン・エボラ治療センターもその一つだった。

しかし同年の夏から秋にかけて、MSFの優先順位は変わっていた。そのころMSFが何より警戒していたのは、流行のホットスポットが複数の場所で増殖していることだった。また、距離の遠さ、不信感、コミュニケーション不足などが邪魔をして、患者が治療施設に寄りつかない例が非常に多いこと、あるいは来るとしても、病気がかなり進行してからで、その過程ですでに他人を感染させてしまっていることもわかってきていた。そのためMSFは、カイラフンのような疑似病院的な大規模センターよりも、高度な診断検査室と電子的にリンクして迅速に対応がとれる医療チームをいくつも稼働させるほうが必要であると感じていた。そのようなチームこそ、流行が発生した時点ですぐさまその病巣地を鎮火させ、さらなる伝播が起こるのを食い止めるための最良の手段となるというのがMSFの考えだった。そこでMSFはアメリカの介入に対し、そのやり方では手際が悪い、時々刻々と変化する現場の状況に対応できていないから、十月に開始したばかりなのに早くも時代遅れになっている、と抗議した。将軍は一つ前の戦争を戦いたがるという格言は、医療においても正しかった。まさに当時のアメリカは、ナイフを構えて銃撃戦に臨んでいたようなものだった。

エボラ撲滅作戦

この流れを受けて、西アフリカの行政府も本格的にエボラ撲滅作戦を進めることになり、その年の秋、三か国がほぼ同様の経緯をたどって行動を開始した。どういう対策をとるかにおいて一番の決め手となったのは、すぐに使える手もちの手段のなかで、それなりに使いものになるのは何かということだった。そこで三か国が採用した資源の一つが、コミュニケーション手段である。ギニア、リベリア、シエラレオネでは、いずれも政府が放送電波や新聞雑誌、大型広告版、チラシ、拡声器、メガホンなどを利用して、大勢の人びとが集まる市場や街の大通りでメッセージを伝えられる立場にあった。春にもそれらの手段によってメッセージが発せられていたが、そのときのメッセージは高圧的で、大げさで、西アフリカの現実に即したものというよりも、むしろ先進国の認識に合わせられたものだった。

要するに、初期の医療プロパガンダはエボラが実在の危険であることを国民に知らしめて、納得させることを目的としていたが、残念ながら、そのメッセージが第一に喚起したのは恐怖だった。初期のプラカードは「エボラはすぐに広がって、人を殺す！」と宣言していたため、エボラに対する病的なまでの恐怖が広がって、それはかえって逆効果を生んだ。人びとはエボラを恐れるあまり、治療センターに寄りつかないといった、有益どころか有害な行動に出たのである。患者や回復した感染者、医療従事者に対するスティグマも、恐怖によって助長された。また、いまやすっかり悪者扱いされるようになっていた野生動物の肉を食べる習慣に関しても、これをやめる必要があると国のメッセージは強く訴えていた。こうした公的な通告からは、真に有益な情報はほとんど伝わらず、住民たちは勝手に自衛手段を考えて、他人と握手をしない、できるかぎり手袋をはめる、漂白剤の小瓶をつねにもち歩くといった対策を講じていた。

さらに国は、軍にも頼った。この危機に対処するのに何より信頼できる、手っとり早い手段は医療制度ではなく、軍隊であると多くの関係者が見ていたのである。したがって当然ながら、開始された当初の撲滅作戦は、徹底的に軍主導だった。採用された多くの対策は、それこそ近代初期ヨーロッパのペスト対策を思わせる、防疫線、隔離、夜間外出の禁止、封鎖《ロックダウン》といった、緊急行政権を行使した威圧的なものとなった。軍隊に取り囲まれた強制治療施設は、さながら近代初期の隔離病院のようだった。ダニエル・デフォーなら、この対応をおなじみのものだと感じただろう。

特筆すべきは、ギニアのコンデ大統領、リベリアのジョンソン・サーリーフ大統領、シエラレオネのアーネスト・バイ・コロマ大統領が、自国の保健省の助言やエボラ専門家の総意に逆らってこれらの政策を実施したことである。保健大臣やエボラの知識をもった医師たちは、かつてペストやコレラに対処した医師たちと同様に、威圧は病気の流行を広めるだけだと提言していた。そしてその根拠として、威圧は①住民と国とのコミュニケーションを断絶させ、家族を守ろうとする人びとを隠匿に向かわせる、②住民の逃亡を助長する、③内乱や暴動を誘発する、④地域社会と医療従事者とのあいだの信頼関係を壊す、といった点を指摘していた。しかしながら、窮地に追い込まれていた国家元首からすると、このウイルスという脅威の特別さを考えれば、強力な対抗策をとるのも正当化されると思えた。それによって国が事態をしっかり掌握しているとの印象をあたえられるからだ。そもそも、ほかに何ができるのだという当然の疑念もあった。そんなときに、部隊を出動させれば事態を収拾させられると将軍たちが大統領に請け合ったのだ。シエラレオネを取材したニューヨーク・タイムズ紙の記者の言葉を借りれば、「この国の政府は、自在に使える唯一の手段を貫くしかなくなっている。すなわち威圧だ」[27]。

リベリアのジョンソン・サーリーフ大統領は、八月初旬にマーガレット・チャンが恐ろしい警告を発し、WHOがPHEIC（「国際的に懸念される公衆衛生上の緊急事態」）を宣言した直後から、いち早く軍を出動させた。PHEICはWHOの最高レベルの警報だが、この頭字語が何を意味するかをほとんどの人はわかっておらず、とにかく緊急事態を告げているのだという認識しかなかったことが、人びとをいっそううろたえさせた。ともあれジョンソン・サーリーフは、これに沿って最高レベルの緊急事態を宣言し、武装した警察と軍隊を広範に配備した。次いで、国民の自由権を削減し、学校を休校させ、集会を禁止し、就業を週三日と定め、報道の自由を制限し、リベリアの国境を封鎖すると発表した。これが大統領の「行動計画」の実施内容だったが、二人の記者による記事に書かれていたように、それは「エボラの最悪のアウトブレイクを食い止めるために西アフリカの政府が課した措置としては、かつてなく厳しいもの」だった。[28]

さらにリベリアは、戦略上の重要な都市共同体を隔離したことでも知られる。とくに有名なのが、首都モンロビアの西端の、海に突き出た砂地の半島に位置していることからウエストポイント地区と名づけられていたスラム街の隔離である。現地では、ベニヤ板の壁にトタン屋根をかぶせた掘っ立て小屋に密集して暮らす七万の住民のあいだにエボラウイルスが蔓延していた。それらの小屋には水道や水洗トイレのような衛生設備は何もなく、すぐ外の未舗装の通りにはあらゆる種類のごみが溜まっていた。

偶然にもウエストポイントは、ジョンソン・サーリーフの属する政党の反対派の拠点でもあった。八月二〇日に軍隊によりウエストポイントに非常線が張られ、水域のパトロールに沿岸警備艇が派遣されて、地区全体が外界から遮断されると、地区内には恐怖と抵抗が沸き起こった。誰かにとっては、これで政治的な恨みが晴らされることになったのかもしれないが、こんな措置がとられれば物資不足が起こり、生活必需品の値段が急騰し、飢餓が生じるのは必至だった。しかも大統領府は非常線を九〇日間は解除しないという。この措置はあまりにもひどいと感じられた。そして隔離につづき、地区内に「収容施設」という名の実質的な隔離病院が開設されて、モンロビアのほかの地域からの患者が搬送されてくるにいたって、住民の不満は限界に達した。これではウエストポイントは捨て駒にされたも同然ではないか。加えて、事態の緊張をさらに高めたのが権力の腐敗だった。賄賂しだいで、あるいは縁故によって、住民はいくらでも非常線を通過できたのである。

このような状況は、ペストとコレラの歴史にも似たような例があったことを思い起こさせる。十九世紀後半から二〇世紀初頭にかけてのインドでも、やはり公衆衛生対策が軍事的に強行されて、その結果、暴力が呼び起こされた。かつてコレラが発生したモスクワやナポリでも、軍事力で制圧しようとすればつねに大規模な動乱が発生した。したがって二〇一四年の夏、恐怖と飢えに苦しむ住民が軍に包囲されていたウエストポイントで、暴力が勃発したのも驚くにはあたらない。

とくに危険な引火点は、軍のトラックがウエストポイントに運んでくる緊急食料の配給エリアだった。暑さのなかで、集まった群衆の熱気も最高潮に達し、人びとは押しあいながら、用意された分がなくなる前にいち早く食料品を手に入れようと物資に向かって殺到した。その一方で、正しい知識を得ていない群衆は、他人に接触することの目に見えない危険を恐れてもいた。しかし、そうして詰めかけた人びとを、いきなり衝撃が襲った。見れば米の値段がなぜか一袋〇・三〇ドルから〇・九〇ドルへと三倍にも上がっており、しかも貴重な必需品の供給は、じつのところまったく足りていなかったのである。群衆のなかから、誰かが兵士に石や瓶を投げつけはじめた。拳銃の発砲音が鳴り響いた。衝突は本格的な乱闘に発展し、若い男たちは軍が自分たちを苦しめている敵だと見定めて、投げつけられるものを手あたりしだい、怒りにまかせて兵士たちに投げつけた。さらに住民たちは収容施設も襲撃した。患者を逃がし、器具を壊し、汚染されたマットレスやリネンや器具を強奪して周りに配った。こうしてエボラは新たな伝播経路を見つけた。治安部隊は事態を収拾するために警棒を振るい、催涙ガスを撒き、ライフルまで発射した。撃たれた人びとが血を流しながら地面に転がった。

緊張が走ったのはウエストポイントだけでなく、モンロビア全体だけでもなかった。先にMSFが懸念していたように、流行のホットスポットが増殖することを恐れた政府は、まだ当局に報告されていない感染の疑いのある患者を根こそぎ見つけ出し、隔離することを決断した。この計画を実行するために、ジョンソン・サーリーフは九月十九日からの全国的なロックダウンを宣言し、夕暮れから夜明けまでの外出禁止を発令した。行動計画の実施にあたり、軍用車隊の長い列が全国に散開して、道路に検問所を設置し、通行人をもれなく停止させて体温を測定し、三七度以上あれば拘束した。武装した小隊が通りを巡回し、ロックダウンに違反して外出している者が見つかれば、ただちに拘留した。そのあとは、「健康増感剤」と揶揄された保健職員と民生委員からなる七〇〇〇のチームの出番となった。彼らは警察官をともなって一軒一軒を訪ね歩き、報告されていない患者が隠されていないかを突きとめにまわった。一方、治療センターには軍の警備隊が駐在して、収容されている患者や強制的な観察下に置かれている人びとが逃げないように監視した。

地方の農村部では、抵抗の規模は比較的小さく、モンロビアのスラム街で起きた暴動ほど大きく報道されることもなかったが、抵抗のしつこさは都市部のそれに劣るものでなかった。概して国際メディアはこの対立の図を、無学な大衆が近代的な医学や科学に後ろ向きな抵抗を示し、古代の儀式や部族の慣習に先祖返り的に固執しているものとして描きたがった。だが、そこに生まれていた緊張は、首都から送り込まれた武装した兵士の一団が、一帯を囲い込んだことに起因するものだった。役人との不幸な邂逅を重ねてきた長い歴史と、つい最近まで起こっていた内戦の痛烈な記憶を思えば、部外者、とくに武装したよそ者は、大いに疑ってしかるべき相手だったのだ。ウエストポイントと同様に、田舎にも、とくに引火しやすい局面があった。なかでも最も重大だったのが埋葬である。国家の新しい法令には、不敬にも、死者を消毒したのち二重の遺体袋に詰めて、即座に埋葬すべしとの条項が含まれていた。しかもその埋葬をするのは国から任命された、防護具に身を包んだ墓掘り人で、死者はたいてい墓標も何もない穴に埋められる。この新しい規定のおかげで、家族や友人は故人を大切に弔うこともできず、宗教儀礼を遵守することも否定された。したがって捜索隊に遺体を発見されようものなら、暴力的な衝突が起こっても何もおかしくなかった。ちょうど一八九七年から一八九八年にペストに襲われたボンベイで、同様の法令により衝突が誘発されたのと同じことである。

　この緊迫していた空気をさらに煽ったのが、各種の陰謀論だ。あるカナダ人記者の報告によれば、現地の人びとのあいだでは「魔女の妖術の話、エボラを発射する魔の銃の話、狂った看護師が隣人にエボラを注射しているという話、政府の陰謀の話」が流れていた。[29] 黒死病の時代に作家のアレッサンドロ・マンゾーニが描いた「ペスト塗り」――疫病を蔓延させる者――と同じようなものが暗躍しているのだともささやかれた。医療従事者のことを人食い人種だとか、人間の臓器を売買する闇市場に流すために遺体を利用しているのだとか見なす者もいた。また、国家がひそかに貧困層を一掃する策謀に乗り出したのだという噂も流れた。だとするとエボラは病気ではなく、謎の致死性化学物質なのではないか。あるいは現在進められている土地の収奪が、新しい巧妙な手段を見つけたということなのかもしれない。おそらく白人は黒人アフリカ人を皆殺しにする計画を練っている。さもなくば、鉱山所有者が近くの地中深くに鉱床を見つけたから、その周囲一帯の住民を消したがっているのだろう。

こうした背景から、抵抗はさまざまなかたちで燃え上がった。ウエストポイントのように全面対決が生じたわけではなかったが、地方のあちこちの小さな共同体でゲリラ攻撃が展開された。村人たちは軍の車両が入ってこないようにバリケードを築き、誰かが近づいてこようものならすかさず発砲した。あるところでは、恐怖に駆られた農民がなたで武装して治療センターを襲撃し、収容されていた親族を奪い返した。それを止めようとしたスタッフらのあいだには死傷者も出た。また別のところでは、死者の霊よりも自分が隔離されることを恐れた人びとが、家から遺体を運び出して路上に放置した。そうすれば死んだ患者の接触者として自分が突きとめられることもないというわけだった。多くの村では、住民が埋葬班を襲撃して遺体袋を取り落とさせ、そのまま追い払った。どこの村でも人びとは医療を受けたがらず、たとえ具合が悪くてもひたすら隠して、絶対に拘束されないようにした。

結局のところ、この問題は二つの面から、民衆の抵抗が勝ったと見なせるだろう。第一に、国家がこの「行動計画」を実施したところで、エボラがどこまで広がっているかの実情は依然としてよくわからなかったというのが明らかだ。そして第二に、この行動計画は九〇日間の予定を終えることなく、十月の時点で放棄された。効果がないどころか逆効果だとわかったためである。威圧的なやり方は国の統治を脅かしかねなかったうえに、感染症の封じ込めに明白に役立っているとも言えなかった。九月と十月にはエボラの流行が収まるどころか頂点に達して、死亡数と罹患数が急上昇した。

だが、おそらく何より決定的だったのは、十月以降、威圧が存在意義を失ったことだろう。遅ればせながら大々的な国際支援の波がついにやってきて、崩壊していた現地の医療体制にぎりぎりのところで取ってかわったのである。八月と九月の時点で、西アフリカのエボラ流行を評価する各機関の見解は一致していた。すでに流行は転換点に達し、このままいけば制御不能なまでにエスカレートして、西アフリカにとどまらないパンデミックに発展するだろう。実際、もはや各地の治療センターは収容能力を超過する患者を抱え、新規感染者を受け入れられなくなっていた。MSFのジョアンヌ・リューは声明を発した。「施設に運び込まれる感染者の数にとても対応しきれません。シエラレオネでは、亡くなった感染者の遺体が路上で腐るにまかされています。リベリアでは新たな治療センターを建設するよりも、火葬場を建設しなければならなくなっている状況です[30]」。

そこで一転、世界の大国が介入を果たした。訓練された医療従事者が派遣され、診断設備や防護具も届けられ、備品と人員が十分にそろった治療センターが各地に整えられると、状況は一変した。十月には威圧的なやり方を捨て、迅速な診断、接触者追跡、感染者隔離という科学にもとづいた戦略に転換できるようになっていた。加えて、「安全かつ厳粛な埋葬」をするためにも、埋葬は専門班に任せるのが賢いということを地域社会に納得させるのが重要であることもわかった。これを承知してもらったうえで、個人用防護具を身につけた専門班が遺体を消毒し、袋に詰めた。MSFは当初からその役割を担っていたが、MSFの資源では、とてもこの規模の緊急事態には対応しきれなかった。

結果はすぐにあらわれた。二〇一四年十一月には、国際的な努力が明らかに感染の連鎖を断ち切りはじめていた。新規感染者の発生数は初めて減少に向かい、それにともなって死亡者数も低下した。この減少傾向は、途切れることなくつづいた。二〇一五年の春には、作戦はもはや感染拡大の封じ込めを目ざすものではなくなって、残った病巣地をつぶしていくことに主眼が移った。五月には、リベリアが西アフリカで初めてエボラを撲滅した国になったかに思えた。残念ながら、その終息宣言は時期尚早で、その後にいくつかのクラスターが再燃し、年末になってようやくエボラの完全な消滅が果たされた。二〇一六年一月十四日、リベリアは勝利を宣言した。あとの二か国もそれにつづいた。シエラレオネは三月七日に、ギニアは六月に、勝利を宣言した。一つの節目は三月二九日、WHOがPHEICを解除したことで越えられた。そして二〇一六年十二月、国連は公式に流行の終息を宣言した。

流行の影響

一九七六年から二〇一四年までのあいだに、エボラは西アフリカと中部アフリカのさまざまな地域で発生してきた（図22-3）。だが、二〇一四年の西アフリカでの流行が各方面におよぼした影響は、ひときわ甚大だった。最も明白なかたちであらわれた影響は、エボラの猛襲を受けた三か国が被った死亡と闘病の負荷である。かろうじて命をとりとめても、患者の多くはいまだしつこい後遺症に苦しんでいる。そして何千何万という人が、夫や、妻や、親などの家族を失った。しかし、それよりはるかに大きいと思われるのが、エボラとは直接関係しない医療コストだ。もともと不十分だった三か国の医療体制が、このエボラの流行によって壊滅的な打撃を受けたからである。

マノ川流域にエボラが発生したことで、わずかに存在していた地元の病院や診療所も閉鎖を余儀なくされ、地域の数少ない熟練した医療従事者も命を落とした。そして残った医療従事者の時間と精力は、すべてエボラが奪っていった。その結果、エボラ対応以外の医療サービスはことごとく停止された。小児予防接種も行われなくなり、数理モデルによれば、そのせいで一万六〇〇〇人もの子供が死亡した可能性があるという。また、交通事故や労災事故で外傷を負っても治療は受けられず、妊婦の出産前、分娩時、出産後の診療もかなわなくなり、ほかの感染症に対する撲滅運動――とくに、対マラリア、結核、HIV／エイズ――も中断された。すでに西アフリカに蔓延していたこれらの重大な感染症は、この二年間のエボラ流行期に、恐ろしいほど罹患数を急上昇させた。エボラの流行と、それを食い止めるための威圧的な措置の両方のせいで農民が農業をつづけられなくなり、もともと世界最貧国に属していた三か国の実質賃金も急落した結果、飢えと栄養失調が蔓延して、人びとの免疫系をひどく弱らせ、幼児期の正常な発育も阻害した。これらのコストを正確に測定することはできないが、保健当局は一様に、エボラ対応の直接的なコストの何倍にものぼるだろうと見なしている。医療が行き届かなかったための妊産婦死亡だけでも、エボラそのものによる死亡より何倍も多かったと考えられるのだ。

もちろん、損失が生じるのは医療面だけではない。エボラの流行による経済的な影響も、やはり深刻だった。経済専門家の推定では、二〇一三年から二〇一六年の流行を封じ込め、終息させるための直接的なコストは、米ドルで約四三億にのぼった。だが、この数字は重要な副次的影響を勘定に入れていない。経済のいくつかの部門は壊滅的な被害を受けており、その最も明らかな例が観光業だった。この流行期、英国航空、エミレーツ航空、ケニア航空をはじめとする多くの航空会社は一時的に便を欠航させ、旅行者も自国政府の勧告と常識にしたがって渡航を控えた。同様に、投資も引き上げられて、雇用と成長と為替に重大な影響をおよぼした。企業は従業員を守るために事業を停止し、小売業者は顧客を失った。農業も二〇一五年の生産レベルが例年の

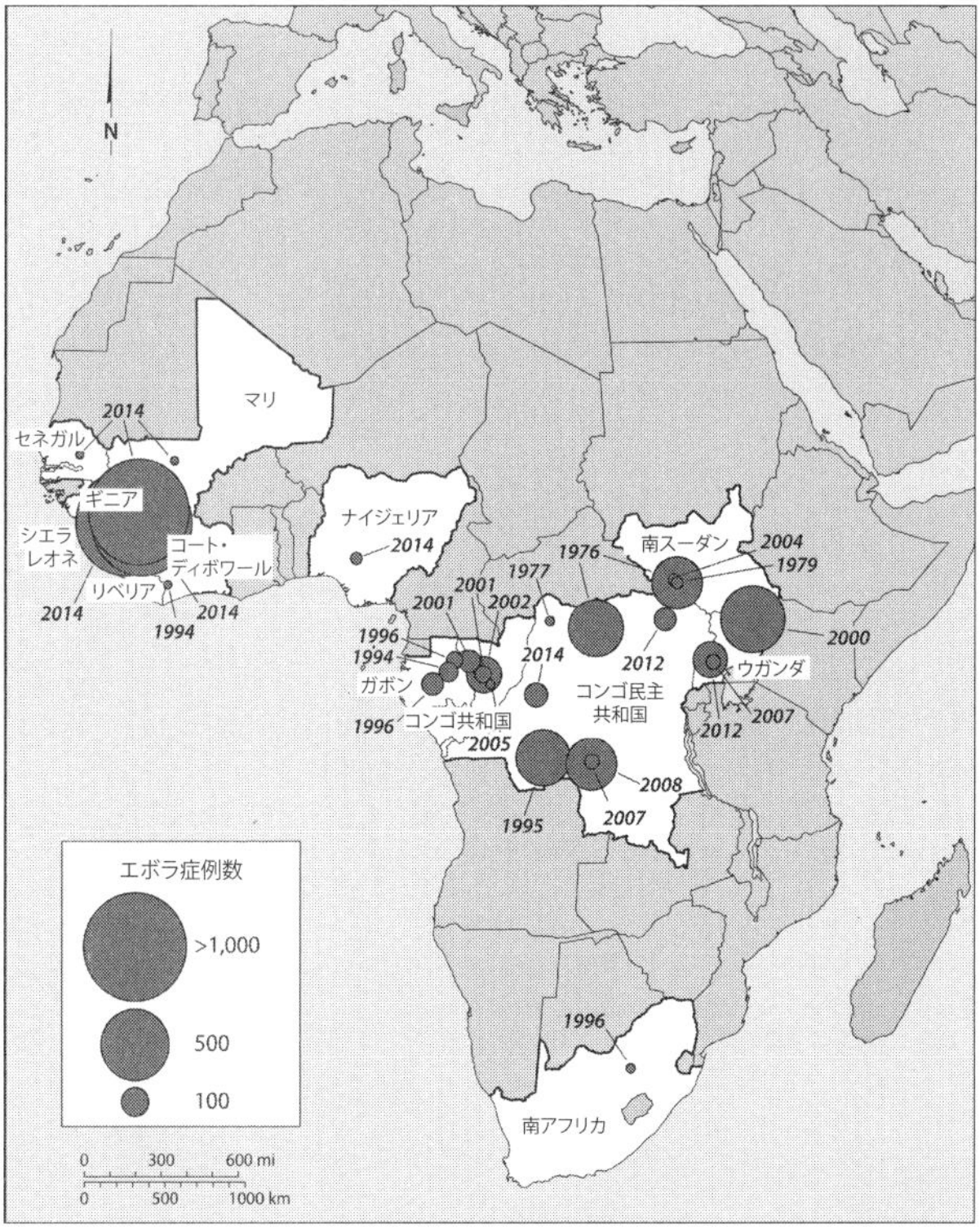

図 22-3 1976 年から 2014 年までのアフリカでのエボラ流行。［Bill Nelson 改変］

半分に落ち込むほどの痛手を被り、失業者が急増して、貧困と格差も増大した。また、この流行で既存の医療インフラが崩壊したため、国はこれから病院を再建し、亡くなったり逃亡したりした医療従事者にかわる新たな人員を教育し、いっそう貧しくなった国民が栄養不良や各種の感染症に苦しむことになる事態に備えなくてはならず、それらの費用を捻出す

る必要にも迫られている。加えて、三か国では学校が一年にわたって閉鎖されていたから、政府は教育の欠損を補うための支出も見込んでいかなくてはならない。

今後に関しては、各国の政治が安定するか、市民社会が発達するか、内戦や絶えず襲ってくる各種の感染症に対して国がどれだけ耐えられるかなど、さまざまな要件が考えられるが、それらについての長期的な展望を予測するのは時期尚早だ。いずれにしても、二〇一八年に起こったエボラの再流行があらためて突きつけたように、とくにこうした最貧国では、今後も苦難がつづくのは避けられない。実際、その意味で、二〇一三年から二〇一六年の危機が示した最も苦々しい皮肉の一つは、この流行との闘いにかかった費用が、堅固な医療インフラを構築するコストの三倍と見積もられていることである。そうしたインフラが最初から機能していれば、爆発的な流行を未然に防げただけでなく、ほかの病気に対する診療も並行して提供できていただろう。すでに燃え盛っている火事を消し止めようとする緊急対応は、どうしても費用のかさむ、効率の悪い、非人道的なものになってしまうのである。

まとめ

SARSという警告があったにもかかわらず、世界がいかに感染症の脅威に対する備えを怠っていたかを、エボラは痛烈なまでに明らかにした。だが、西アフリカが苛烈な苦しみを負わされたとはいえ、世界はある意味では幸運だった。この災厄はもっとひどくなっていてもおかしくなかったのである。事情に精通した専門家の一致した見解によると、エボラは手の打ちようがなくなるほど広まる寸前に達していた。アフリカ大陸全体どころか海の向こうにまで伝わって、世界中に計り知れない影響をもたらす瀬戸際にあったのだ。

このとんでもない準備不足にはいくつかの複合的な原因があり、それらは現在もなお解消されていない。まず一つは、健康が人間の権利と見なされず、市場で取り引きされる商品と同列に扱われていることである。エボラが発生するずっと前から、西アフリカは市場のなすがまま、緊急事態に対応する手段を持てなくされていた。製薬会社は儲けが約束されている先進国の慢性疾患治療を優先し、貧困国の感染症に対処する薬やワクチンの開発をおろそかにする。結果として、エボラのような病気に対処する手段は大きく後回しにされることになる。

健康を商売にしようとすることのもう一つの弊害は、二〇一三年から二〇一六年に痛いほど明らかになった。それは、誰もがアクセスできる健全な医療制度の欠落である。エボラが何か月にもわたって西アフリカでひっそり蔓延できたのは、監視手段がまったく機能していなかったためだった。公衆衛生インフラと、それに確実にアクセスできる体制が整っていなければ、警報を発することも、タイムリーに情報を伝えることも、感染者を隔離することも、治療を施すこともできない。ギニア、リベリア、シエラレオネでは、見張りがまったく配備されていなかった。だからエボラが何か月も気づかれず、自由に広まってしまったのである。

健康が商品として扱われれば、数百万人の命と健康にかかわる決定が、開発と貿易を通じて儲けを出すことで権力を守る政治家の手に委ねられることになる。建前上、西アフリカの各国は、国民全員の健康という高邁な目標を高々と掲げ、その表明として二〇〇〇年のミレニアム開発目標のような理想主義的な宣言にも賛同し、二〇〇一年のアブジャ会議で医療インフラを構築することも誓約した。これらの目標は、公衆衛生界にとっては非常に重要なものであり、医療や人道支援の関係者にとっても同様だった。しかし政治指導者からすると、世界銀行や国際通貨基金やG8加盟国が打ち出している、まったく別の原則――公共投資よりも経済成長、民営化、自由市場――のほうが大切だった。したがって実際には、公衆衛生は放置された。そこに軍事費という誘惑の言葉も加わって、堅固な医療インフラの構築からは完全に資源が流出していった。結果として、西アフリカは危険なほどに脆弱になった。

そしてエボラが流行できた最後の要因は、医療を取り巻く環境がグローバル化している時代にも、いまだ国境に期待する幻想が浸透していたことだった。「遠く離れた」マノ川流域で疫病が噴出したときも、先進国はのんびりと、アフリカでの病気などせいぜい人道的に心配される程度の問題で、全世界の人間の命が直接危険にさらされるなどという悲観的な見通しをもたせるものではないと思い込んでいた。しかし疫病は、人間が人間として生きているかぎり避けられないものであり、しかも現代においては、膨大な人口、活気ある都市、そして都市間を迅速に結ぶ輸送手段といった条件が、ある国に起こった感染症のあらゆる国への伝播をいつでも現実にできるのである。西アフリカの公衆衛生の大失敗の原因は、健康にかかわる政策決定を人類全体の持続可能な幸福の観点からくださずに、個々の国家の持続不可能な利益の観点からくだしてしまったことにある。これからの人類が疫病という脅威から生き残るには、国際主義者の視点をもって、誰もが避けがたく相互に結びついているのだと認識することが必要だ。

この分析を突き詰めると、不穏な結論にいたらざるを得ない。中部アフリカと西アフリカで進行中の乱暴な熱帯林開発は、一九七六年にエボラが初めて出現して以来、その発生がますます頻繁になり、流行がますます大規模になっていることの妥当な理由であると考えられる。その状況に歯止めがかかりそうな気配もない。実際、二〇一八年の秋にこの本を書き終えた時点で、コンゴ民主共和国でまた新たなアウトブレイクが発生し、急速に拡大して、コンゴ史上最も大規模な流行になりつつあった。感染者が急増しはじめたのは二〇一八年八月一日で、このときの震源地は北東部の北キブ州だった。コンゴとルワンダ、ブルンジ、ウガンダが国境を接する一帯である。

緊急エボラ対応にも好材料はある。期待のもてる試験ワクチンができていて、医療従事者や深刻なリスクにさらされている一般人への接種が進んでいることだ。しかし残念ながら、こうした有益な手段となりうるものが開発されていても、それを無効にするぐらいの強い懸念が残っており、森林破壊もあいかわらずつづいていて、コンゴは依然、人道にかかわる緊急事態に対しての備えが薄い。たとえばキブ州には、内戦から逃れてきた一〇〇万人の難民がいる。この一大人口はあちらこちらに移動していて、感染症に非常にかかりやすいにもかかわらず、いまにも崩壊しそうな脆弱な医療体制は、その動きをまったく監視できていない。さらなる悪材料は、キブ州が敵対する民兵組織間の抗争に引き裂かれた紛争地域であるために、医療を提供しようとしても危険が大きすぎ、現実には提供がほぼ不可能になっていることだ。実際、CDCは派遣した緊急対応要員が銃火にさらされている現状から、彼らの安全を保証できないとして引き上げを余儀なくされている。こうした事情に鑑みて、二〇一八年現在CDCの所長を務めるウイルス学者のロバート・レッドフィールドは今後に関し、除外できない二つの可能性があるとの懸念を示してきた。一つは、あらゆる制圧策をかいくぐったエボラがついに初めて、中部アフリカで風土病として根づいてしまうということで、もしそうなったら、どんな結果になるかは誰にもわからない。

レッドフィールドが示した第二の不安は、エボラの流行がコンゴの国境を越えて広まって、深刻な国際的影響をおよぼすということだ。人類のエボラウイルス病とのつきあいは、まだ当分つづいていきそうな気配である。

これらを踏まえ、エボラの経験から明らかに見えてくるのは、至急、今後に向けて三段階の事前準備を進めていかねばならないということだ。それがエボラウイルスからなのか、別の微生物からなのかはわからないが、ふたたび何かしらによる健康上の脅威が――しかも、はるかに大きいかもしれない脅威が――突きつけられるのは必至である。それまでに、ぜひとも備えを固めておく必要がある。第一には、しっかり機能する医療体制をあらゆるところに確立することだ。元CDC所長のウィリアム・フェイギーが主張するように、公衆衛生は万人の健康を守るものであり、そうであるからには、社会正義に準じていなくてはならない。第二に、主導と調整はかならず国際主義的な観点から行うことが肝心で、そのためにも、十分な資金と有能なスタッフに支えられたWHOがつねに目を配り、つねに仲介に入れるようにしておかなくてはならない。西アフリカでのエボラ流行では、どちらの対策もできていなかったことが露呈した。そして同時に、その対策ができていない場合には、避けられるはずの悲劇的な事態に苦しめられる深刻なリスクを全世界が負うことも明らかになったのだ。

そして第三に、全世界にまたがる国際体制と、公衆衛生との関係を無視してはならない。経済学者が婉曲的に「負の外部性」と呼ぶものを無視した経済体制は、最終的には公衆衛生の面で多大な損失を出すことになる。そうした外部性のなかでもとくに重要なのが、人間とそのまわりの自然環境や社会環境との関係に、ある種の開発モデルがおよぼす負の効果である。西アフリカと中部アフリカに見られるアブラヤシの単一栽培の確立と、無秩序で無計画な都市化は、そうした無数の開発モデルの代表的な二例にすぎない。疫病はでたらめに発生する事象ではない。本書を通じて見てきたように、疫病は、環境劣化、人口過剰、貧困などによって生じた亀裂に沿って広まっていく。したがって、もしも壊滅的な疫病を発生させたくないのなら、公衆衛生が犠牲にされる可能性を十分に考慮した経済的判断をくだすことが必須になるし、同時にその判断をくだした当人に、十分に予期しうる健康への影響についての責任をきっちり負ってもらわなくてはならないだろう。古代ローマのキケロによる格言に、「民の安寧が至高の法であらねばならない」―― salus populi suprema lex esto ――というのがあるが、この「民の安寧」は「公衆衛生」とも読み換えられる。古いながらも、いまもって妥当な教えである。そして当然ながら、この「至高の法」は、市場の法より上に置かれなくてはならないのである。

終章　ＣＯＶＩＤ-19の震源地——ロンバルディアの二〇二〇年一月から五月まで

　本書が二〇一九年十月に出版されたあと、私はまったく違うテーマを研究する目的で、アメリカを発ってイタリアに向かった。そのテーマとは、冷戦の起源についてである。私がこれに関心をもった最大のきっかけは、バチカンがローマ教皇ピウス十二世の関連文書を公開すると発表していたことだった。ピウス十二世といえば、ちょうど第二次世界大戦中と、それにつづく冷戦の初めの数年間に在位していた教皇である。西側の冷戦政策の主要な設計者の一人について調査するにあたり、バチカンの保管資料はきっと興味深いものになるはずだった。

　だが、私がイタリアに着いたのは二〇二〇年一月で、ちょうど武漢でＣＯＶＩＤ-19が猛威をふるいはじめていたときであり、じつはイタリアでもひそかにこの病気の最初の流行が広まりつつあった。イタリアで初めて公式に診断された患者が出たのが二月の後半で、それから流行は爆発的に拡大し、すぐにイタリアは中国にかわって世界中の関心の的になった。皮肉なことに、疫病の研究を四〇年もやってきたところで、気がつけば私はあれよあれよというまにパンデミックの震源地に立たされていたのだ。世界中のほぼすべての人と同様に、私もこの事態によって予定をすっかり引っくり返された。そこで当初の研究計画をひとまず脇に置き、いまイタリアで展開されている医学的事象をつぶさに検分できる願ってもない立場を利用して、かわりにＣＯＶＩＤ－19に全神経を傾けることにした。そこで起こったことには、格別の意味があった。イタリアは中国に次いで、コロナウイルスの大流行を経験した二番目の国になったからである。世界各国の報道陣と公衆衛生当局が、これから何が待ち構えているかを世界に伝える恐ろしい警告として、イタリアの苦闘を凝視した。

事情が事情なだけに、私がじかに観察できたのはローマの一区域にかぎられたが、ものを読んだり人に話を聞いたりして、さまざまな経験談を集めることはできた。実際、これをいったら私の信用も上がろうかというものだが、私自身もこの病気に感染して、イタリアの確認症例数の統計にわずかながらも貢献したのである。この終章では、二〇二〇年の冬と春にイタリアがＣＯＶＩＤ－19に関して経験したことを、私の見聞を通じて報告したい。また、このパンデミックの性質と、パンデミックへの迅速かつ一貫した対応の重要性について何が学べるかもお伝えしたい。ただし、同時に覚えておいてほしいのは、この病気がまだ新しく、したがって完全な理解には程遠いということだ。だからこそアンソニー・ファウチ博士がつねづねいっているように、結論を導くことには「謙虚」でいる必要がある。

おそらくイタリアでの流行の最も目立つ意外な特徴は、その地理的な分布である。一般に感染症は、貧富の断層線に沿うようにして社会に広まることが多いため、ＣＯＶＩＤ－19もイタリア南部、およびシチリア島とサルデーニャ島を中心に猛威をふるったのだろうと思うのが普通かもしれない。なにしろイタリアには「南部問題」と呼ばれる昔からの有名な地域格差問題がある。要するに南イタリアは、この国のほかの地域にくらべて経済的、社会的な不利をずっと被ってきたのである。その不公平さは、南部における貧困率や失業率の高さ、学歴の低さ、保健インフラの弱さ、寿命の短さといった指標にあらわれている。コレラやマラリアなど、過去のさまざまな疫病の流行時にも、南部はつねにイタリア全体にくらべて不釣り合いに高い死亡数と罹患数を示してきた。

ところがCOVID-19は、ほかのどこよりも、豊かな北部のロンバルディア州を襲った。その猛威が最高に達したところは州都のミラノと、地方都市のクレモナ、そして――どこにもまして――ベルガモだった。近郊を含めた一帯に三〇〇万人以上の住民を擁するミラノは、イタリアで最も豊かな都市で、国を代表する産業と金融とファッションの拠点であり、イタリアの一部サッカーリーグ「セリエA」に属するチームを二つももっているスポーツの中心地でもある。織物、化学製品、電子機器、医薬品、食品、工学、出版などの各分野で名を馳せる大手企業も、市内とその周辺に社屋を構えている。ミラノは盛況なサービス部門が集まるイタリア証券取引所――「ボルサ」――の所在地でもあり、イタリアの主要日刊紙コリエーレ・デラ・セラや、ピレリ、エジソン、アルファロメオ、グッチ、プラダといった国際ブランドの本拠地でもある。市内のモンテナポレオーネ通りは、二〇一八年のヨーロッパ高級ショッピング街ランキングで第一位に選ばれた。

ロンバルディア州はただ豊かなだけでなく、感染症の襲来に対しても強力な防御を備えている。ここにはヨーロッパ最高の部類と広く認められている、自慢の医療制度と教育制度があるのだ。サッコやポリクリニコといった公立の大学付属病院のレベルも、医師のレベルも、科学研究の実績も、すべてがワールドクラスである。実際、二〇一九年にはイタリア全体が世界第二位の長寿国となっており、その上をいくのは日本だけだ。しかも、中国で起こっていた感染症の流行は、なんの心配も要らないほど遠くの出来事と思われた。北京は八〇〇〇キロメートルの彼方であり、飛行機でも片道十二時間かかる。二月に中国が武漢にロックダウンを課したときも、政治家と専門家はともに自信たっぷりに、イタリアに脅威がおよんでくることはありえないと断言した。

しかし思い返せば、中国がコロナウイルスにやられた時点で、その後たちまちロンバルディアが大きな医療問題に見舞われることになるのはほぼ確実だったのだ。感染症はでたらめには生じない。社会がつくりだした経路に沿って移動する。そして昨今、武漢とミラノを直接結ぶルートはますます数が増え、ますますにぎわいを増していた。もちろん、感染症の伝播にそうした特徴があるからといって、病原体の広まりから偶然という要素が消えるわけではない。たまたま誰かが運悪く、まずいタイミングでまずい場所にいる可能性はつねにある。しかし重要なのは、病原体が——総体的には——その社会特有の統計学的確率のロジックにしたがうということだ。この決定的な特徴があるからこそ、防疫も、疫学という科学も成立できる。その意味で、中国と北イタリアの近年の歴史の決定的な側面は、この二つの社会が経済面、文化面、ヒトとモノの移動の面で、密接に絡みあうようになっていたことだ。言い換えれば二〇二〇年には、グローバリゼーションが中国とロンバルディアを、経済面だけでなく、医療面でも一蓮托生にしていたのである。それは当然、飛沫とエアロゾルを通じて感染する肺疾患ウイルスに直面したときも同じだった。その結果が知ってのとおり、COVID-19の出現だ。グローバリゼーションの時代の初の大きなパンデミックが、来るべくして来たのである。

グローバリゼーション

中華人民共和国とイタリア共和国の外交上の相互承認がなされてから五〇年の節目となった二〇一七年二月、習近平国家主席とセルジョ・マッタレッラ大統領が、北京で会談を行った。両首脳は、二国の経済を単一の協力・貿易・開発計画に統合する二国間協定に署名した。どちらにとっても、見込まれる利益は莫大だった。野心を隠さない中国の目標は、経済とインフラの近代化を果たすこと——二〇一三年から開始した壮大な「一帯一路」構想——であり、それを達成するには中国の経済的、政治的な孤立を打破することが必要だった。この中国の計画は全世界を視野に入れていたが、その重要な一部に含まれるのがイタリアだった。イタリアのデザイン、テクノロジー、研究、および経営管理の専門知識に、直接アクセスできるようにすることが中国のねらいだった。加えて習近平は、グリーン経済を立案する——そして最終的には構築する——過程での助言をイタリアに求めてもいた。一方、イタリア側にとっての大きなねらいは、急成長している中国の消費者市場に参入する特権を得ることだった。ミラノ市長のジュゼッペ・サーラは、中国の市場では手に入らないミラノ製の高級品を輸出すること、そして何百万という中国人観光客をロンバルディアに呼び込んでお金を落としてもらうことに、この都市の将来の発展がかかっていると訴えた。

両者間の合意はただちに実行に移されて、首脳レベルだけでなく、独自の双務協定に達した議会、政党、省庁、大学、研究機関、企業どうしを通じても、包括的な協力・交換関係が深められた。その関係の調整機関として発足したのが「イタリア中国財団」で、語学の指導——イタリアでは中国語習得、中国ではイタリア語習得——を推進したり、相手国での事業から法的に派生する問題について起業家や投資家を指導したり、投資やマーケティング機会への関心を喚起するための専門家会議を定期的に主催したり、プロデューサーやアーティストが相手国に出向いて自国の文化や科学や商品を紹介できるように見本市を開いたり、学生や研究者や企業重役の交換プログラムを奨励したりした。また、財団の後援によって四川省の成都市には中国とイタリアの文化公園が建設され、そこでイタリア人が芸術作品を展示したり、オペラを上演したり、ファッションショーを開いたりした。同じように、ミラノでは中国とイタリア共同の科学・テクノロジー・イノベーション週間が催され、人工知能、ロボット工学、航空宇宙、芸術品保存、持続可能エネルギーなど、さまざまな分野の技師や科学研究員が意見交換を行った。

同時に、航空会社六社はミラノのマルペンサ空港、ローマのフィウミチーノ空港と、中国の北京、上海、南京などの各都市のあいだに毎日の直行便を就航させた。二国間を結ぶ週に一度の貨物列車の運行もはじまって、片道につき、機械類や消費財の輸出入品を積載した四〇台の平型トレーラーを輸送した。ミラノの観光業界は、中国のメッセンジャーアプリ「WeChat（ウィーチャット）」に「YesMilano（イエスミラノ）」という公式チャンネルを開設し、ミラノを唯一無二の魅力ある訪問先として中国人に宣伝する手段にした。いわく、ここロンバルディア州の州都であるミラノには、外国からのお客様を引きつけるさまざまな伝統的なものがあふれています。十四世紀の大聖堂《ドゥオモ》や、オペラの劇場や、美術館といった壮麗な建築物も立ち並びます。しかし同時に、ミラノ側はこうも強調した――ここはイタリアのなかでもベネツィアやフィレンツェやローマとは異なる、必見の都市です。このサーラ市長の街でなら、中国からのお客様も、上海にいるのと変わらないぐらいに安心してくつろげるでしょう。つまりミラノは何よりも、近代性の象徴なのです。きらきらしたモダンな建物と最新のファッションがあり、地下鉄が充実していて、イノベーションで評判を得ています。さらにミラノには、二万五〇〇〇人の住民がいるチャイナタウンもあります――。このメッセージは効いた。二〇一九年には、三五〇万人の中国人観光客がミラノを訪れて、そこでの買い物に平均一五〇〇ユーロ近くを消費した。二〇二〇年に向けてミラノは目標数字をさらに上げ、イタリアのほかの観光地をはるかに上まわる、六〇〇万人の中国人観光客の誘致を目ざした。そして、その目標を達成するための一助として、二〇二〇年を「中国とイタリアの文化と観光の推進年」と位置づけた。

このように、COVID‐19はさまざまな面で、武漢からミラノへ、そしてベルガモへとやってくる複数の経路を確保した。その意味でCOVID‐19は、よく比較される一九一八年から一九一九年に大流行したインフルエンザとは明確に一線を画している。この「スペイン風邪」と呼ばれるインフルエンザは、たしかに世界中を席巻したが、これが流行したのは大西洋を横断する旅客機が初めて就航するよりずっと前のことであり、これを広めた主たる要因は全面戦争と、それによる大々的な軍隊の動員および配備だった。対照的に、今回のコロナウイルスは、密接に連動した社会と社会とのあいだで伝播した。それらの社会を結びつけていたのがヒトとモノと投資の大規模移動であり、その不可欠な一部としての大量航空輸送である。一九一八年から一九一九年の時代から一〇〇年を経て、世界各国の結びつきは飛躍的に強まった。COVID‐19は、この異なる時代の産物である。ロンバルディアは経済的に発展していたにもかかわらず、この感染症の発生を許したのではない。経済的に発展していたゆえに、この感染症のアウトブレイクを引き起こしてしまったのである。

人口統計

これらの経路を通じて運ばれたＳＡＲＳ－ＣｏＶ－２――この新しい感染症の病原体であるウイルス――は、おそらく無症状感染者に便乗し、早くも二〇一九年の十二月にロンバルディアに到達していた可能性がある。いずれにしても、二〇二〇年二月の初旬よりあとでないのは確実だ。ミラノの下水から採取したサンプルは、このウイルスが二〇一九年のクリスマスよりかなり前から存在していたことを示唆している。やってきたＳＡＲＳ－ＣｏＶ－２からすると、そこはありがたい環境だった。病気の伝播を助長した大きな要因の一つには、人口成長があった。二〇二〇年の初めの時点で、世界の人口は八〇億人に近づいていた。同時期にイタリアの人口は六〇〇〇万を超えており、そのうち一〇〇〇万人以上がロンバルディア州に住んでいた。これらの絶対数が、コロナウイルスにとっては重要だった。この人口の多さによって土地利用のパターンが変わり、都市膨張、車両交通、スモッグなど、環境への一連の影響が起こっていたからだ。これらすべてが、ＣＯＶＩＤ－19の疫学にかかわっている。

だが、何より一目瞭然なのは、人口密度――一平方キロメートルあたりの住人数――が果たしている決定的な役割だ。最小閾値の過密度があることは飛沫核感染の必要条件であり、その閾値を超えるごとに共同体でのウイルスの拡散のしやすさが高まっていく。ロンバルディア州の人口統計の重要な特徴は、人口の集中度が高いことである。イタリアの二〇州のうち、ロンバルディア州は一平方キロメートルあたりの人口が四二〇人で、人口密度が二番目に高い。これを上まわるのはカンパニア州だけだが、そのカンパニア州にはナポリという大都市があるため、数字

表1　イタリアの州別人口密度

州	1km² あたりの住人数
アブルッツォ	121.1
バジリカータ	55.9
カラブリア	127.9
カンパニア	424.2
エミリア＝ロマーニャ	198.7
フリウリ＝ベネツィア・ジュリア	153.2
ラツィオ	341.0
リグリア	290.0
ロンバルディア	420.5
マルケ	162.2
モリーゼ	68.5
ピエモンテ	171.6
プーリア	206.2
サルデーニャ	68.0
シチリア	193.6
トスカナ	162.2
トレンティノ＝アルト・アデジェ	78.8
ウンブリア	104.2
バッレ・ダオスタ	38.5
ベネト	267.4

出典 : https://ugeo.urbistat.com/AdminStat/en/it/demografia/dati-sintesi/italy/380/1

が実情をゆがめている面がある。イタリアの州ごとの人口密度を示したのが、表1だ。ロンバルディアの州都ミラノは、それ自体も人口密度が高い。ミラノの一平方キロメートルあたりの住人数は七五一九人で、ヨーロッパの主要都市とくらべても十分に高い。たとえばアムステルダムは五一三五人、マドリードは五四九〇人、ダブリンは四八一一人、ベルリンは四〇九〇人、パレルモは四一六四人、コペンハーゲンは六七一一人だ。

人口数と人口密度の高さに加え、ロンバルディアの人口統計にはもう一つ、この一帯をとりわけCOVID－19に襲われやすくする特徴があった。それは、人口の年齢構成である。この新型コロナウイルスのはっきりわかっている特徴の一つに、高齢者、とくに六五歳以上を好むというものがある。世界のどこにおいても、死亡数と罹患数をひときわ大きく押し上げているのが六五歳以上の高齢者なのだ。これにはいくつかの理由が考えられる。高齢者は心身が衰えていること、糖尿病や高血圧症や心血管疾患などの既往歴が蓄積していること、あるいは、癌や関節リウマチなどの治療のために免疫抑制療法を受けている人の割合が高いということもある。いずれの面でも、イタリアはとくにその被害を受けやすい。医療制度が充実しているおかげで、二〇一八年の時点でのイタリア国民の平均寿命は八三・三歳と、日本に次ぐ世界第二位の長さを誇っていた。皮肉なことに、このみごとな実績の負の面が、この国の有名な「高齢化」である。国民の年齢構成において高齢者群の占める割合が非常に大きいのだ。そして、この年齢層は、第一にＣＯＶＩＤ－19に最もかかりやすく、第二に最も重症化しやすい。ロンバルディア州では二三〇万五〇〇〇人、つまり総人口の二二・八パーセントがこの層に属する。この数字をたとえばアメリカとくらべると、二〇一六年のアメリカでは六五歳以上の人口が全体の一五・二パーセントである。

イタリアのもう一つの皮肉な点は、フィナンシャル・タイムズ紙の記事でも指摘されているように、家族構成と家族の強いつながりが、ヨーロッパのどこの国より高齢者をこのウイルスに感染させて、重症化させる危険性を高めているということだ。イタリアでは数世代の家族が同じ家に同居している割合が、一般的なヨーロッパの基準にくらべて高いのである。たとえば欧州連合では、十八歳から三四歳までの子供世代が親と同居している割合は平均四八パーセントだが、イタリアではそれが六六パーセントにものぼる。したがって、ウイルスに感染しても重症化しにくく、死亡にもつながりにくい子供や若者から、その危険の大きい父母や祖父母にウイルスがうつされる確率も高まってしまうのである。

さらに厄介なことに、ロンバルディア州では高齢者施設に入所している人も二万四〇〇〇人ときわめて多く、イタリア全体の入所者数の二〇パーセントを占めている。この要素が注目されるのは、ＣＯＶＩＤ－19の疫学的な理由による。先進世界全体を通じて、高齢者施設は死亡者数を押し上げる最大の要因となっており、アメリカ、イギリス、スウェーデン、オーストラリア、フランスのいずれにおいても施設での死亡がCOVID関連死の四〇パーセントから五〇パーセントを占めている。これはイタリア全体においても同様で、ロンバルディアではとくにその割合が高い。免疫機能の弱まった高齢者が集団で生活している状況では、ソーシャルディスタンスを実践するのも不可能に近いほど難しく、そのため長期介護施設では、コロナウイルスが野火のように広がった。ちなみに同じ理由から、刑務所、ホームレス施設、および緊急事態に対応していなかった病棟も、やはり悲惨な目にあわされた。

大気汚染

グローバリゼーションがロンバルディアにこの感染症のパンデミックをもたらし、ロンバルディアの人口構成がその拡散を促したとするなら、もう一つの要因——環境劣化——は、その重症化率と致死率を大きく高めた。ロンバルディア州は、これが位置するポー川流域の大部分と同じく、イタリアの工業化、都市開発、農業の商業化の中心地である。それらの貪欲なプロセスは、放っておくと、微粒子と有毒な温室効果ガス——とくにオゾン、二酸化硫黄、二酸化窒素——をあわせて大気中に放出する。それらが風に乗って上層大気中に撒き散らされれば、地球温暖化と気候変動の原因となり、長期的には健康にも大きな影響がおよぶ。しかし、このガスがもっと低い対流圏に閉じ込められていると、それを人間が吸い込むことによって、もっと差し迫った深刻な医学的影響が生じることになる。実際、まだCOVID-19が影もかたちもないころから、科学者は大気汚染と一連の疾病の罹患率――喘息、心血管疾患、癌、脳卒中、認知症――に強い相関関係があることを実証してきた。世界保健機関（WHO）も、大気汚染が全世界の死亡数に大きくかかわっており、年間九〇〇万人を早死にさせていると推定する。この数字は、事故、戦争、結核、HIV／エイズ、マラリアでの死亡をすべて合わせた数よりも多い。

粒子状物質と温室効果ガスは、分かちがたく重なりあって都市スモッグを発生させる。だが、それぞれの成り立ちは同じではない。粒子状物質の場合は、大きさを考える必要がある。最も重要なのは最も小さなもので、砂粒の大きさの四〇分の一、もしくは人間の毛髪の直径の三パーセントという微細粒子だ。このような粒子は、火災、火山の噴火、化石燃料の燃焼、未舗装道路や農業からの粉塵の飛散、ビルの建設と解体、製造業や工業の特定の過程、タイヤの劣化、家庭暖房などを通じて放出される。とりわけ危険なのは、直径二・五マイクロメートル以下で、そのためPM2・5と呼ばれている微粒子だ。これを人間が吸い込むと、気道を通って呼吸器系の最も深いところにある気管支と、肺胞という微小な空気の袋にまで到達する。ここは呼吸器系が血管系と酸素のガス交換をするところだ。そこまで入り込んだ微粒子は、肺の組織に炎症を起こさせ、不可逆的な損傷を負わせる。さらには毛細血管にまで入り込める大きさなので、血管系を通じて全身に運ばれて、心血管疾患や、血液凝固や、重度の臓器障害を引き起こすこともある。しかも、この微粒子は水銀や鉛など、金属性の強毒を運ぶこともできる。一個の微小な粒子が運べる金属の量はごくわずかでも、長期にわたってそれらの粒子にさらされれば全体としての影響は甚大で、命にかかわる深刻な健康問題が生じかねない。

一方、温室効果ガス――二酸化炭素、二酸化硫黄、オゾン、二酸化窒素――は、さまざまな発生源から大気に流入する。製油所、道路交通、発電所、工業工程から排出されるのはよく知られるところである。農業でも、窒素に富んだ肥料や動物の排泄物が重大な発生源になっている。農業要因は、とくにポー川流域の大気質に関係がある。この一帯は、有名なパルメザンチーズとパルマ産生ハムからもおわかりのように、集約農業と畜産業の一大拠点なのである。大気汚染に関しては、欧州連合がディーゼル燃料を受け入れてきた結果として、ヨーロッパ諸国が大きな健康上のつけを払うことにもなっている。ディーゼル燃料は燃焼時に、高濃度の二酸化炭素と地上オゾンを発生させるのだ。

近年では、道路や私道や屋根の舗装材として、いたるところに使われているアスファルトからも、温室効果ガスが発生することがわかっている。典型的な大都市では、土地利用のパターンとして、都心部の地面が四五パーセントも舗装されている。晴天時の日射によって熱せられたアスファルトは、車両交通よりも大量に、二酸化窒素とオゾンを都市の大気に放出できる。そのガスを肺に直接吸い込めば、気道に炎症が起こって咳き込んだり息が詰まったり、最悪の場合は窒息死にもいたる。しかも、このガスは大気中に浮遊していると、日光や熱を受けて複雑な化学反応を起こしたすえに、微小粒子状物質に変わってしまう。

この二〇二〇年の春と夏のあいだに、環境問題の研究者たちは、こうした粒子状物質と温室効果ガスがＣＯＶＩＤ‐19へのかかりやすさと相関していないかどうかを探った。彼らがとった手法は、十九世紀半ばにジョン・スノウによって初めて考え出された古典的な疫学に沿ったものだった。スノウはロンドン市内のコレラ罹患の多発地点《ホットスポット》を、市内で営業する複数の水道会社の給水網の地図と照らし合わせた。その水道会社のどこかが「微小動物《アニマルクル》」に汚染された水を流しているのではないか、とスノウは強く疑っていた。そして最終的にはその「アニマルクル」が、あまりに小さすぎて当時の顕微鏡では見えないとしても、コレラの原因であることが実証されるだろうと確信してもいた。同じように現代の疫学者たちも、COVID-19の伝播の「ホットスポット」を、大気汚染のひどいエリアと照らし合わせた。その結果、根拠となる分子機構はいまだ不明ながら、COVID-19の伝播と重症者数と死亡者数と、大気汚染への曝露のパターンとのあいだに相関関係があることの確かな証拠を示すことができた。民族性や貧困度、都市住民か地方住民かといった、ほかの関連する変数を統制したあとでも、相関関係はなお有効だった。

これらの研究を支持する材料として、欧州委員会がヨーロッパ各地の六六の行政区域に関して行った大気汚染調査がある。調査の実施にあたって使われたのは、大気モニタリング装置を搭載した人工衛星からの画像だった。委員会の科学者がそれらを調べた結果、ヨーロッパ大陸で最も悪い大気条件に結びつけられた五つの行政区のうち、四つはポー川流域に位置していた。また、最も被害を受けている四つの区域のうちの一つが、ロンバルディアであることもわかった。ただし、ロンバルディアが特別にひどく汚染物資を排出しているということではない。

ロンバルディアがCOVID-19と遭遇するにあたっての大きな危険要因は、ロンバルディアが位置しているポー川流域の地勢にあった。この一帯は、北側と西側をアルプス山脈、南側をアペニン山脈と、三方を山に囲まれた広大な盆地になっているため、西からの卓越風が汚染物質を消散させて空気をきれいにしてくれるというわけにはなかなかいかない。また、この地勢によって、ここでは対流圏中の暖かい空気の層が冷たい空気の層より上にできてしまうという「気温の逆転」現象もくり返し起こりやすくなっている。このような逆転層があると、低いところを浮遊しているスモッグがそこに閉じ込められて上昇できなくなる。こうした環境条件の結果として、ロンバルディア上空のスモッグは、そこでよどんでしまっていることが多い。NASAの衛星画像を見ると、しばしばポー川流域全体の上空に、汚染物質の充満した巨大な茶色い雲が動きもせずに浮かんでいるのがよくわかる。この汚い有毒な塊が、しばしばイタリアの西側の国境から東側のアドリア海沿岸までの、まるまる六五二キロメートルを覆っているのだ。

また、同じぐらい気になるのが、下降気流が汚染物質におよぼす影響を調査した結果だ。上昇気流に乗って大気の上層に運ばれてしまえば、汚染物質はたいてい消散する。ポー川流域の上空によどんでいるような場合でも、対流圏中のある程度まで高いところにあるかぎりは、それを人間が吸い込んで病気になるようなことはない。それに対して、頻繁な下降気流は逆の効果を生む。スモッグを地表近くに閉じ込めることで、大気汚染が住民におよぼす影響を最大限にしてしまうのだ。不運なことに二〇二〇年の一月と二月は、下降気流の発生がしつこくつづいたせいで、住民が「長期曝露」させられたといってよいほどの期間になってしまった。この二か月間――ちょうどCOVID-19がひそかにこの一帯に広まりはじめたころ――に、下降気流は粒子状物質とガスの両方を地表面近くに追いやって、公衆衛生に深刻な影響をあたえた。汚染度が法定基準を超えた日が一月には二三日あり、二月にも十一日あった。

二〇二〇年の初めにロンバルディアの住民が吸い込んだ有害な空気が、住民のCOVID-19罹患と、そして何より重症者数と死亡者数にこの一帯の住民が占める高い割合に、大きくかかわっていたのはほぼ確実だろう。粒子状物質への曝露の影響で、特定のウイルス性疾患に対する免疫応答が抑制される場合があることは科学的に明らかになっており、COVID-19へのかかりやすさに関しても、この抑制が重要な要因になっているのではないかという見解がある。そうだとすれば、すでにスモッグのせいで咳き込んだりむせたりしていた高齢者がひときわ多い人口集団は、呼吸困難を最も一般的な主症状とするウイルス性疾患にとって格好のターゲットだろう。加えて、イタリアの高齢者層にヘビースモーカーが多いという事情も災いした。タバコの煙はそれ自体が粒子状物質の煙を放出しているからだ。ともあれ、統計値を見てもらうのが一番かもしれない。二〇二〇年八月末の時点でイタリアはこのパンデミックにより合計三万五〇〇〇人の死亡者を出したが、そのうち半分近く——一万七〇〇〇人——がロンバルディアの住民だけで占められている。

パンデミックのはじまり

こうして下降気流と気温の逆転がつづいていた一月と二月のロンバルディアに迎えられ、SARS-CoV-2はゆっくりと、おもに無症状感染者を通じて人から人へと伝わっていった。症状が出ていた患者がいても、ほとんど気にされなかった。診察した医師も、新興感染症の可能性など疑いもしていなかったから、誤った診断をくだして終わりだった。保健当局も臨床医も、肺感染症が増加しているのは季節性インフルエンザのせいだと考え、まさか中国から未知のコロナウイルスがやってきているとは思ってもみなかった。

状況を一変させたのは、ずっとくすぶっていたこの感染症を一気に煽って大火事へと燃え上がらせた、まさに「スーパースプレッダー」のような劇的な出来事だった。二月十九日、イタリア最大のスタジアム——有名なミラノのサン・シーロ——で、サッカーのチャンピオンズ・リーグの試合が行われた。スペインのバレンシアと、地元ロンバルディアの、会場から四〇キロほど離れたベルガモを本拠地とするアタランタの対戦だった。アタランタは長らく中位のチームで、さしたる高望みもできない立場にあったから、このチャンピオンズ・リーグでの躍進はそれこそシンデレラ・ストーリーで、イタリアのサッカーファン、とくにホームのベルガモ市民——ベルガマスキ——は、にわかに熱を帯びた。これはチームの歴史において最高に重大な試合だった。

チームを熱烈に応援すべく、四万人のベルガマスキが満員の電車に乗って州都ミラノに向かい、そこからバスや地下鉄に乗り換えてサン・シーロに集結した。会場には同じように熱烈なサッカーファンが大群衆をなして入場待ちをしていた。回転ゲートを通って場内に入ればスタジアムは満員で、観衆は肩を突き合わせて座りながら、たがいにハイタッチをし、チームの応援歌を合唱して、同じ空間を共有した。これらの行動が、スタジアムを巨大なペトリ皿に変えた。イタリアサッカーにとっては喜ばしいことに、アタランタは知名度で断然勝るスペインの敵チームに四対一で圧勝したが、公衆衛生にとっては残念な結果が待っていた。勝利で高揚したファンたちは、試合後に近くのバーやレストランで何時間もどんちゃん騒ぎをした。まさにそこにウイルスがいたことにも、そのウイルスが混雑した屋内空間に急速に蔓延できることにも、まったく気づく余地はなかった。そして楽しい夜が更けると、人びとはまた群れをなしてバスに乗り、電車に乗って、家に帰った。サン・シーロ・スタジアムと、その周辺の一画と、その交通拠点は、パンデミックの「グラウンド・ゼロ」になっていた。この試合がロンバルディアの健康問題におよぼした影響を知ったとき、ベルガモ市長は痛恨の思いで、「あれが伝染を強力に加速した」と嘆いた。

イタリアで初めて公式に認められたCOVID-19の国内感染例——メディアいわく「患者第一号《ペイシェント・ゼロ》」

──が出たのは二月二一日、コドーニョというロンバルディアの小さな町でのことだった。COVID-19の通常の潜伏期間から考えて、この患者の発症はアタランタの試合とは無関係だったと思われる。だが、そもそも彼がどこでコロナウイルスをもらったにしろ、この匿名の三八歳の男性は、あるとき具合が悪くなって、地元の病院の救急外来を訪ねた。しかしインフルエンザだと誤診され、その診断に沿った処置をされて、家に帰された。数日経っても苦しい息切れが治まらないため、ふたたび病院を訪ね、そこで初めてCOVID-19の検査を受けて、隔離されたが、そのときまでに、彼はこの病気を病院内にも地元社会にも広めてしまっていた。患者第一号からは感染者のクラスターが発生した。だが、その後につづいた大爆発はこれと比べものにならなかった。

初期の公衆衛生対策

コドーニョの第一号よりはるかに衝撃的だったのが、ベルガモでの急激な感染者の増加である。三月に入ると、このアウトブレイクを本当に局地的に封じ込められるのかという切迫した疑問が生じてきた。その後の世界各国の経験を見るに、COVID-19に対しては、広まりかけた時点で強力かつ早急に公衆衛生上の対応をする必要があるようだ。その点で、国際的なモデルとなるのが韓国の対応である。ウォール・ストリート・ジャーナル紙の評価によれば、韓国は「コロナウイルスの扱いについての暗号を解読した」[2]。韓国でも、ロンバルディアでのアウトブレイクとほぼ同時にCOVID-19の爆発的拡大が起こったようで、二月二〇日に最初の死者が出ていた。韓国の対応が成功した大きな要因は、この国が二〇一五年、中東を除くと最大規模となるME

RS（中東呼吸器症候群）のアウトブレイクを経験していたことだった。この経験に鍛えられたおかげで、当局は新興感染症の危険性をよくわかっており、SARS－CoV－2に対してもただちに強力な封じ込め対策をとった。広範な検査と接触者追跡、ソーシャルディスタンス、疑い症例の隔離、無差別の無料診療、各市民の現在いる地理的領域に感染者が存在することをテキストメッセージで通知するシステムなど、いずれの措置も成功した。これらの対策を確実に全員に理解してもらうため、当局が公衆衛生の専門家とウイルス学者のサポートを受けながら、毎日二度の記者会見も開いた。こうした一貫したメッセージ発信と、適切な公衆衛生対策の迅速な実施を進めた結果、韓国は数週間でCOVID－19を封じ込めることができた。感染拡大は抑えられ、経済への影響も最小限で済み、五月三〇日時点での合計死亡者数は二六九人にとどまった。これ以上の強権的な方策は、もう必要なかった。

しかしイタリアは、同じような緊急事態にあったにもかかわらず、三つの根本的な理由から緊急対応をしなかった。まずイタリアの当局は、地域レベルでも国家レベルでも、パンデミックが遅れてやってきたところの政策決定者がもてる利点、すなわち、よその経験に学べるという立場を得られなかった。三月初旬の段階で、先にCOVID－19を経験していたのは中国だけであり、その中国の惨状はいまだ正しく伝わってきていなかった。しかも有症状者と重症者が出はじめたころには、すでに市中感染が広まって何週間も経っていた。無症状感染者とインフルエンザにまちがわれた有症状感染者が病気を広めていたのを、誰も見きわめられなかったからである。したがって気づいたときには、誰もが驚くほど危険な状態が広まっていた。ある解説者の言葉を借りれば、「それはもうずいぶん前からそこにあった……人びとはそれを病院から市内にもち出し、都市から田舎にもち出した。若者から父母と祖父母にうつった。ビンゴ大会で広まって、コーヒーカップ越しにも広まった」[3]。

だが、問題はそれにとどまらなかった。三月には、少なくともこれだけはわかっていた――ワクチンも治療薬もない以上、医療当局がいますぐ頼れる手段は、感染者隔離、接触者追跡、ソーシャルディスタンス、そしてマスク着用、これしかない。これらの手段については、武漢でも使われているのを見たし、イタリアの専門家も論じているし、ロンバルディアでも加盟者の身の安全を危惧する労働組合が早く実行しろと急かしていた。だが、これらは厳格な措置ではあった。そして、経済を脅かす措置でもあった。結果として、強力な利益団体に真っ向から反論をぶつけられることになった。イタリアの経済界は、コンフィドゥストリア（イタリア産業総連盟）という企業代表団体に主導されていた。これはアメリカの全米製造業者協会や、イギリスの産業連盟にほぼ相当する組織だ。この強力なロビー団体が、生産停滞や工場閉鎖の可能性を高めるような対策はいっさい認めないという断固とした拒絶を示した。ミラノ市長のジュゼッペ・サーラも、それと同じ姿勢を表明し、中国・湖北省で行われたようなロックダウンにつながる行動方針はいっさい採用せず、挑むようにこう宣言した。「ミラノは止まらない」。

同じように、コンフィドゥストリアのベルガモ県支部代表ステファノ・スカッリャも、二月二九日にいたってなお楽観的な姿勢を崩さなかった。この日、組織は英語で「ベルガモは走りつづける」と題したメッセージを発した。本文では、「感染のリスクは低い」という見当違いの確信が表明されていた。さらにスカッリャは不安な読者を元気づけるように、「当局は十分に事態を制御している」と請け合っていた[4]。

加えて、政治指導者は医学の傲慢に目をくらまされていた。ヨーロッパには文明、富、衛生、科学という揺るぎない城壁があるのだから、ヨーロッパ人が感染症なんぞにやられることはない。これまでのところ、いまだ発展途上の遠い中国しか苦しめていないウイルスが、仮にもEU国を荒らせるなんて考えられるだろうか――。アメリカのABCニュースでもこう伝えていた。「北イタリアには西洋最高レベルの公衆衛生制度があります。医師も、ほかの医療従事者も、十分に訓練を積んでいます。この教育の行き届いた豊かな地域にコロナウイルスが広まりはじめたときも、彼らはまるで焦っていませんでした」[5]。

対照的に、WHO事務局長のテドロス博士は、ジュネーブで毎日COVID-19に特化した記者会見を行った。この病気はおそらく広まる見込みで、それはどこの誰にとっても深刻な懸念であるとテドロスは力説した。加えて、習近平が断固たる対策をとって時間稼ぎをしてくれているあいだに早く他国は備えを固めよとも警告した。このメッセージを聞き流したイタリアは、テドロスがくり返し訴えていた貴重な「チャンス」を無駄にした。

初動の遅れと優先順位のつけまちがいが、国民の健康を危険にさらしたイタリアの初期対応の二つの特徴だったとするなら、つづく二つの決断は、その危険を決定的に増大させた。傲慢な考えと政治的圧力を背景にして、「社会国家」としての役割を果たすための資金を減らすことにしていたイタリアの政治家は、前々から科学研究への予算と公立病院制度への予算を大幅に削減していた。その結果、ロンバルディアにコロナウイルスが出現したとき、イタリアの病院は当局が十分に予想できるような状況になっていた――いま試練にさらされたら、わが国の病院はとてもこのウイルスからの挑戦に太刀打ちできないことが発覚するだろう。急激な変化に耐えられる能力がなく、ベッドの数も集中治療室（ＩＣＵ）の数も十分でなく、個人用防護具の供給も足りず、スタッフに関連プロトコールの適切な教育もしていない。たとえばイタリアは、国民一人あたりのＩＣＵの数がドイツの四分の一の状態でコロナウイルスに直面した。かつては治療の優秀さと無差別な受け入れで国の自慢となっていたイタリアの病院が、二〇二〇年には、こと感染症に関しては深刻な資金不足に陥っていた。

こうした病院体制の弱点をわかっていた当局は、ＣＯＶＩＤ‐19の患者を自宅で療養させれば病院の負荷を減らせるだろうと結論した。この決断が、コロナウイルスの広まりと、患者が受ける治療の水準の両方に影響をあたえた。まずウイルスの広まりに関していうと、感染患者の世話を自宅でしようとすれば、必然的に家庭内で感染者が増えることになり、ひいては地域社会にも感染が広まるおそれがあった。同時に、こうした措置をとるならば当然ながら、まだ正体のつかめない致死的な感染症で重症になった患者が、救急医や感染症専門医の監視がまったくおよばない非専門家によって診療されるということになる。

第二の致命的な決断は、第一の決断に密接に関連していた。当局は、六五歳以上の高齢者を病院に入院させないことにしたのである。その目的は、やはり、病院の能力にかかる負荷を減らすことだったが、これによって病気が広まるのはもちろん、死亡者数が増大するのも必至だった。この方針に沿えば、最も脆弱な患者に対して最先端の医療がなされなくなる。この医療倫理とトリアージへの新たなアプローチを指して当局が使っていた表現を借りれば、「患者中心のケア」は「地域ケア」に移行しようとしていた。言い換えれば、過度に支援が必要な個人は大義のために犠牲になってもらうということだった。[6]

危機

後手後手の煮えきらない初期対策のおかげもあって、三月初旬、COVID−19は全力を挙げてロンバルディア州全体に猛威をふるった。その勢いはとどまることなく、次いで隣のベネト州も襲った。サン・シーロでの試合から二週間のあいだに、たくさんの人がぞくぞくと体調を壊した。発熱し、咳き込み、息切れにあえぐ患者が、いまやロンバルディア中の救急外来に姿をあらわしていた。医学誌ランセットの報告によれば、この三月から五月の危機のあいだの実際の死亡者数は公式統計をはるかに超え、四割増しに近い数字になっていた。同誌の推定では、この時期の全国のCOVID関連死の総数は実際のところ四万四〇〇〇人以上と見積もられており、たしかに「公式」の数字の三万三三八六人を大きく上まわる。差が生じた理由は、この混沌とした数か月、検査も治療もされずに死亡した人が大勢いたからである。

最も劇的な結果にいたったのはベルガモだった。イタリアで最も多数の感染者と死者を出したこの都市の十二万人の住民は、よそとは比較にならないトラウマに耐えた。三月と四月にベルガモが経験したことは、その当事者からしばしば「戦争」と表現された。敵はもちろん、目に見えないSARS−CoV−2である。感染者がいきなり急増した数日間には、救急車がぞくぞくと患者を地元の聖ヨハネ二三世病院に搬送しはじめた。そのサイレンの甲高い音がひっきりなしに昼も夜も鳴り響き、いたるところに恐怖を広めた。住民は、その音が空襲警報を思い出させたと回想する。その警報が伝えるメッセージは、誰も彼もが命にかかわる危険にあるということだった。年配者は第二次世界大戦との比較を自分の経験から紡ぎ出し、若者は本で読んだり映画で見たり、生き残った祖父母から聞いたりして知った一九四四年と一九四五年の出来事と、いまの事態がどれだけ似ているかを想像した。

ベルガマスキがイタリア現代史の最も暗黒の時期を思い出させられたということ自体、なんとも心の痛む話だ。第二次世界大戦がイタリア戦線で山場を迎えようとしていたころ、ポー川流域は国際戦争の戦場になっていただけでなく、ドイツの占領に抵抗するゲリラ戦の戦場にも、イタリア人どうしの内戦の戦場にもなっていた。二〇二〇年の一般市民もそのときのように、完全武装した強力な侵略者を前にして、自分たちの力ではどうしようもない――なにしろ多くの面で「丸腰」なのだ――と感じていた。普通の生活はすっかり止まり、先が見えず、そこかしこで誰かが倒れて亡くなっている。患者を搬送する救急車でさえ、戦時中との類似をますます痛感させた。それはサイレンの音のせいだけでなく、搬送スタッフが赤十字からのボランティアでまかなわれていたためでもあった。赤十字といえば、戦場で負傷した兵士を介抱するために設立された組織なのである。

また別の痛ましい状況も、これは戦争なのだという思いをいっそう強くさせた。疫病の悲劇ではよくあることだが、死亡数があまりにも高すぎると、死者を埋葬してやれる生きた人間の数が十分に残らなくなる。救急車は需要に追いつかなくなっており、結果として、患者や遺体が長いこと自宅で放置されるようになった。地元の葬儀場も、火葬場も、墓地も、一様に新規の遺体を受け入れられなくなって、どうしようもなくなった当局は、軍隊に頼った。イタリア軍から派遣された運搬車両の長い列が、夜の闇に紛れるようにしてベルガモに向かった。兵士たちはベルガモが埋葬しきれなくなった遺体を引きとって、トラックに載せ、周辺の十二の自治体の火葬場に運んでいった。

　ＣＯＶＩＤ－19の犠牲者の多くは、わびしく永遠の眠りに就かされた。愛する人びとから遠く離れ、宗教儀式も施されることなく、見知らぬ土地に埋葬された。ニューヨーク・タイムズ紙が報じたように、三月二七日までに、ベルガモは「世界で最もひどいコロナウイルスのアウトブレイクの荒涼たる中心地」になっており、同紙によれば、市内の死者数はすでに公式の数字の四倍にもなる、八〇〇〇人に達しようとしていた。[7] この死亡者数をまざまざと伝えていたのが地元の日刊紙レコ・ディ・ベルガモで、あるときから同紙の死亡記事欄はとても一面では収まらず、一〇面、十三面と増えていった。

　一方そのころ、現代的な設備と九五〇床の収容力をもち、高水準の医療で知られた聖ヨハネ二三世病院は、そこで働く医療スタッフが実際にいってもいたように、まさに「戦場」と化していた。病院職員は敵との直接の「戦闘」に入っていたが、敵の包囲の輪がじわじわと縮まっているのを感じていた。一般病室も、ＩＣＵも、手術室も、すべてすみやかにＣＯＶＩＤ－19専用の病室に転用されたが、現場は混沌と絶望に満ちていた。転用された病室まで埋まってしまうと、そこからこぼれた患者と入院待ちの患者が寝かされたストレッチャーが廊下を埋めた。ある医師の表現を借りれば、病院は「完全に飽和状態」で、必要なものがすべて不足していた。ベッドも、個人用防護具も、人工呼吸器も、医療スタッフも看護スタッフも、病院内の二つの遺体安置室の空きも足りなかった。医師の数が絶望的に足りなかったため、ほかの科の医師も緊急対応に駆り出され、癌専門医から心臓専門医、小児科医、眼科医まで、全員がコロナウイルスの犠牲者の治療にあたった。最終学年の医学生と看護学生も現場に出され、引退していた医療従事者も復職を求められた。ロシアからも軍のウイルス学者と看護師のチームが――自前の通訳と個人用防護具と人工呼吸器を装備して――支援に来た。

　このベルガモ市内の最大にして最高に有名な病院という戦場で、医療従事者は完全防護服という熱のこもる、閉所恐怖症を引き起こしそうな装備に身を包まれながら、一日最長十六時間にもなる苛酷なシフトをこなした。それと同時に、自分も命を落とすのではないか、自分がこの病気をもち帰って子供や配偶者や同僚や隣人にうつしてしまうのではないかという恐怖や不安とも闘った。さらに、自分が立ち向かっている相手が治療薬のない、どういう性質のものかもよくわかっていない致死的な病気であることもわかっていた。患者の苦しみをやわらげよう、命を救おうとしても、絶望感ばかりが襲ってきた。あらゆるものが悲痛なほど不足しているなかで、医師たちはとりわけ苦しい責任を負わされた。重症になっているどの患者にＩＣＵのベッドや人工呼吸器を割り当てて、どの患者に緩和ケアだけを施し、どの患者に最初から入院を断るかを決定しなくてはならなかったのだ。その一方、周囲ではいたるところで同業者がＣＯＶＩＤ-19に倒れはじめていた。ベルガモ市内の病院に勤務する医師や看護師の約二五パーセントが、自宅療養の患者を診ていた無数の一般開業医と並んで、ＣＯＶＩＤ-19に罹患した。「ベルガモの大虐殺」と呼ばれるようになった状況のなかで、多くの人が命を落とした。これらの人びとは、いわば「戦場に倒れた兵士」であり、最前線で戦うことの勇気と危険を身をもって教えてくれていた。[8]

　しかし全体として、亡くなった人の大多数は高齢者だった。今回の流行に関して、公式の統計はあてにならない。ベルガモからの報告は総じて公式統計が「氷山の一角」でしかないという見解を伝えているからだ。地元メディアの説明によれば、公式の数字は検査で陽性と確認された患者しか記録していないという。しかし、この流行中は「生きている人間でさえ検査キットにほとんどありつけないのに、死人に割り当てられるはずがない。もうベルガモでは何週間ものあいだ、何が原因で死んだのかもよくわからない死者を埋葬している」。とはいえ、数字がサンプルを提供していると思えば、そこからある程度の推定はできるだろう。ベルガモでこの病気の犠牲になった人の大多数は六五歳以上で、とくに八〇歳以上の高齢者が飛び抜けて高い致死率を示していた[9]。

　正確な数字は不明でも、圧倒的に高齢者がかかりやすいことが今回のパンデミックの大きな特徴であるという結論は、地元住民からジャーナリストに病院の医師まで、あらゆる当事者から示されている見解である。六五歳以上のベルガモ市民の高い死亡数は、ある面では既往歴の蓄積が原因でもあるが、この年齢層の患者に病院での治療を受けさせなかった判断が大きく影響してもいた。聖ヨハネ二三世病院に所属する十六名の医師は、医学誌ニューイングランド・ジャーナル・オブ・メディシンに公開書簡を送り、自分たちが置かれている「人道危機」の現状に警告を発した。医師たちは高齢の重症者の受け入れにあたり、もし断れば多くが孤独に亡くなることも、また、治療どころか緩和ケアさえ受けられずに苦しまなくてもすむ苦しみまで経験するであろうことも知りながら、泣く泣く受け入れを断ったという。そして病院で亡くなった高齢者の家族は往々にして、その患者に一度も接したことのない疲れきった医師からの電話で初めて家族の死を知ることになったという。

　ロンバルディアにおいて高齢者が圧倒的に高い割合で犠牲になったことを示唆するものはもう一つある。それは、介護施設入所者の痛ましい運命である。労働組合組織のイタリア労働総同盟（ＣＧＩＬ）ベルガモ支部が、ロンバルディア州の六五か所の長期介護施設で起こった悲劇について報告している。その推定によると、パンデミックがはじまったときから四月七日までの期間に、介護施設の総人口の二五パーセントにあたる一五〇〇人の入所者が、ＣＯＶＩＤ－19に感染して亡くなった。

心身機能の衰えた高齢者をねらうＣＯＶＩＤ－19そのものの性質と、六五歳以上の高齢者に集中治療を受けさせせないことにした現地当局のトリアージ指令の両方によって引き起こされた、この特定世代の大虐殺を思いながら、ベルガモ出身の人類学者ルイサ・コルテシはこう問いかける。

高齢者のいないイタリアはどうなるのだろう。知恵の保持者であり、第二次世界大戦の生き残りであり、語り部であり、父母であり祖父母である世代がいなくなったら、この国はどうなるのだろう。私たちの先達が一人ひとり亡くなっていく。……数が多すぎて埋葬しきれない棺が、ミラノの記念墓地に、あちこちの教会に、軍の車両に、道端に並んでいる。……そこには私たちの先達が横たわり、灰に帰されるのを待っている。火葬場の火は止まることなく、一日二四時間、煙を吐いている。ぱちぱちと音を立てながら、骨を、レース襟を、口ひげを、記憶を、焼き尽くしていく。棺のなかで、私の出身地の賢者が、消毒薬のたっぷり染み込んだ埋葬布をまとっている。この人たちがいなくなったら、私たちはどうなるのだろう？[10]

今後のためには、社会階級と職業がどの程度まで死亡数と罹患数に相関していたかも知っておきたいところだ。ロンバルディアでのＣＯＶＩＤ－19は、全住民を一様に苦しめる「機会均等」の病気だったのか。それとも社会的弱者や貧困層から不釣り合いに多くの犠牲を出させる「社会病」

だったのか。一般論として、二〇〇二年の春に出現したコロナウイルスの重要な一面は、これがイタリアで最も豊かな地域を荒らしたということだ。しかも、その中心であるベルガモの医師たちが、感染の主要な要因は貧富ではなかったことを示唆している。彼らはこのアウトブレイクを「金持ちのエボラ（l'Ebola dei ricchi）」と呼んだのだ。こうした表現が概して大げさになることを考慮に入れても、なおその見方が正しいのだろうと思わせるような、ある種の裏づけもある。それは、医師そのものが平均以上に多く罹患した社会集団だったという特殊な状況であり、これは現場の声によっても公式報告によっても最も強く強調されていた。残念ながら、現時点で入手できる証拠の範囲では、ロンバルディアの流行の社会的側面についてこれ以上に詳細で正確な分析はできかねる。公式の統計は、この惨事の本当の規模に関して甚だ誤解を呼ぶものであり、年齢別や性別に加えて職業別や住居別のデータを集めようとする努力もなされなかった。しかし報道陣と地元住民の強い印象では、少なくともベルガモにおいて、安全でいられる人はどこにもいなかったという。

全国的なロックダウン

北部で起こった突然の悲劇に驚愕し、コロナウイルスの伝播が全国におよぶ可能性に不安を覚えながらも、そうとは言えないイタリア政府は三月八日、とりあえず北イタリアに地域限定の封鎖を課した。しかし早くも翌日、首相のジュゼッペ・コンテが、明確かつ決然とした対応に出た。三月九日、コンテはイタリア全土に適用される厳格な緊急命令を発出し、これによってイタリアは、ＣＯＶＩＤ-19対策として全国的なロックダウンを宣言した世界最初の国になった。新しい対策を示すために開いた記者会見で、コンテはこう明言した。「もう時間はありません。これらの対策については私が全責任を負います。われわれの未来はわれわれが握っています」[11]。

コンテは声明で、全国が一つの「保護区」であると宣言し、この命令の要諦はたった一文で理解できると国民に強調した――「家にいること」。そしてイタリア国民は、次のことを知らされた。この目的をかなえるために、必要不可欠なサービスを提供していると見なされるエッセンシャルワーカーを除き、ほかの全国民は食料品の買い出しと医薬品の購入という二つの目的以外で家を出てはならず、その外出範囲も自宅から数百メートル以内にかぎられる。また、あえて外に出るときにはマスクの着用とソーシャルディスタンスの保持が命じられる。さらに、認められている二つの活動目的で外出する前に、外出理由と目的地を記載した政府所定の「自己証明書」を印刷して署名しておかなくてはならない。書類に記載されている目的と一致しない場所で当局に見とがめられた場合には、重い罰金が科せられることがある。

この一般原則の具体的な説明として、コンテはつぎつぎと細かな命令をくだした。旅行は禁止、人が集まるのも禁止、したがって大学も含めて学校は休校、教会、美術館、劇場、カフェ、レストランも閉鎖、および必要不可欠と認められない店舗、事業、工場もすべて閉鎖とする。途中、公園の公式な閉鎖など細かな追加がなされたり、四月十四日に一部の業種の再開を認める譲歩がなされたりしながらも、ロックダウンはそのまま五月四日まで継続された。五月四日以降も県をまたいでの旅行は認められず、学校はあいかわらず休校で、バー、レストラン、美容室、理髪店など、リスクの高い一部の業種は引き続き休業を命じられた。

コンテの首相命令のとくに注目すべき特徴は、その発信の性質にあった。法律にもとづいたイタリアの健康政策は、全国で一貫していた。唯一の声が各種の規制を伝え、その規制の根拠を説明した。国と、家族と、友人と、自分自身を守るため、現在とれる唯一の手段の具体策がこれらの規制なのであると。首相声明のあとには、ニュースメディアや、街角のポスター、バス停のプラカード、食料品店や薬局の掲示版がその詳細を一般市民に伝え、さらには病気の症状についても、症状が出たときに連絡をとるべき地元の公的機関についても情報をあたえた。また、一部の自治体では地方政府がスピーカー付きの広報カーを四方八方に走らせて、家にいるのが義務であることを市民に思い出させた。一部の有名人が命令の細かい点を批判したり、効果に疑問を呈したりしたことはあっても、コンテの政策には全政党が賛同し、公衆衛生と医療の従事者からも支持が寄せられた。

これらすべての面で、イタリアの政策はアメリカにおけるメッセージ発信と究極の対照をなしていた。アメリカの健康政策には全国レベルでの方向性がなく、それはアメリカの大統領［当時］がこの病気の重大さを認めようとせず、自らの助言機関のいうことまでしばしば否定するからだった。五〇州の政策決定はばらばらで、それぞれが別々の、場合によっては相反する指針にしたがった。さらに各州の内部でも、郡や自治体や教育委員会がそれぞれに独自の規制を採用していた。音楽にたとえるなら、イタリアは一人の指揮者と楽団員からなるオーケストラが全員で共同プロジェクトに参加して交響曲を奏でていた。一方のアメリカは、オーケストラに指揮者がおらず、一群の楽団員がそれぞれ別の楽譜を演奏していた。それは当然ながら不協和音になる。

こうしたメッセージ発信の流儀の違いは、みごとなまでに対照的な遵守の度合いに明白に反映されていた。アメリカでは、一般市民がいわれたことに混乱し、信用を置かなくなって、その結果、当局に推奨されるマスク着用やソーシャルディスタンスといった公衆衛生対策に抵抗する住民がたくさん出た。そもそもいわれたことを守らないのはホワイトハウスの公人や、共和党の連邦レベルと地方レベル双方の指導者たちからはじまっており、それが伝わって党の支持者たちにまでおよんだのである。

イタリアでは対照的に、遵守が圧倒的に行き渡っていた。ローマの日刊紙イル・メッサッジェロが、この何週にもわたるロックダウンについて、二〇〇〇年におよぶローマの歴史においてローマ人がここまで従順だったのは初めてだ、と書いたほどである。ローマの一区画しか見ていない私のかぎられた経験からいっても、この見解はまさにそのとおりだと賛成する。思えばコンテの声明は明確で、かつ恐ろしかった。我が身を守るため、地域社会を守るためにどうすればよいかという一連の行動指針を市民にあたえてくれていた。そしてはっきりと、国民全員が運命共同体なのだと伝えていた。ひょっとするとロックダウンの厳しさそのものも、国民を心理的に安心させていたのかもしれない——コンテとその医療アドバイザーがこの緊急事態をしっかり引き受けてくれている、彼らはわかってこういうことをしているのだと。

国民の広範な支持を得て実施された全国的なロックダウンは、結果的に、北イタリアの外で感染者の急増が起こるのを阻止するのに有効な方針だった。また、感染が広まる勢いを抑え、ある程度のレベルに封じ込めることにも成功した。三月の終わりには、国から感染拡大がピークを越えたと発表され、今後は新規感染者数も減っていき、死亡数も徐々にではあるが下がるだろうとの見方が示された。そして五月十八日に事業が再開され、六月三日にはイタリア全土での自由な移動が許された。新規感染者も死亡者も増えておらず、これをもって実質的にロックダウンの期間は終了した。コンテの方針は、民主国家が政治的な意志を奮い起こし、一貫したメッセージを発して、科学的な公衆衛生の原則にしたがえば、COVID－19の流行を封じ込めるのに必要な厳しい手段もとれるのだということを実証した。

とはいえ、二〇二〇年の夏の時点で、まだ二つ大きな心配が残っていた。まず、コロナウイルスは封じ込められてはいるが、根絶されたわけではない。ウイルスの伝播はいまだつづいており、ただその勢いが非常に弱いというだけだ。今後、これが急拡大に転じないともかぎらない。それを引き起こす原因もいくつか考えられる。気候が変わったらどうなるか。あるいは人びとの「コロナ疲れ」によって、警戒が緩み、まだ必要とされている人前でのマスク着用やソーシャルディスタンスがおろそかになったらどうなるか。さらに、人びとが経済活動、教育活動、社会活動をすっかり元どおりに再開しようとしたら。これが第一の不安だ。

第二の不安は、COVID－19の長期的な後遺症に十分な注意が払われているだろうかということである。この後遺症には、身体的なものも精神的なものもあると考えられる。まず身体的には、実際に、一部の患者が回復後も長期にわたって経過観察と治療を必要としていることが明らかになっている。とくに重症者の場合は、疲労感や、肺、心臓、腎臓、血管、脳といった主要器官への重い損傷が症状としてしつこく残ることがわかっている。そして身体に害をおよぼす疫病のあとには、概して第二の疫病がつづく。長期の不安、失業、社会的孤立、亡くなった友人や親族を思っての悲嘆などによって引き起こされる、精神的な不調がそれである。身体的な病が癒えてからも、感情面や心理面への深刻な打撃はなかなか癒されないものなのである。

訳者あとがき

本書は疫病と社会の歴史という、大学の講座ではあまり取り上げられることのないテーマについて、イェール大学の名誉教授である著者のフランク・M・スノーデンが学生たちとともに取り組んだ内容を書籍化したものである。執筆の動機や取り上げる感染症の選択基準、内容の概要については第1章の「はじめに」で詳しく述べられている。さらにこの章では感染症と社会というテーマについて考えるべきポイントもまとめられているので、ぜひ最初に目を通すことをお勧めしたい。どんなところに注意を払いながら読み進めればよいかがわかるだろう。

第2章以降は、慎重に選んだ感染症のそれぞれを章ごとに詳しく検討していく。まずその病気の疫学（病因、発病の機序、感染経路、症状、治療法など）が紹介され、その後に考察する社会への影響がなぜ生じたのかが深く理解できるようになっている。ひと口に社会への影響といっても、その範囲は政治、市民生活、宗教、文化と、多方面にわたる。たとえば中世ヨーロッパを恐怖に陥れたペストは、検疫や隔離といった現在も有効な基本的対策の数々が考案されたきっかけになったほか、人びとの死生観にも多大な影響をおよぼし、ペストを主題にした文学作品や絵画を数多く残した。また、黄熱、赤痢、発疹チフスはフランス皇帝ナポレオンの領土拡張の夢を打ち砕いて歴史を大きく変え、コレラの流行は公衆衛生の発達を促した。そして二〇世紀半ばからは、世界的な保健機関が設立されて感染症を撲滅するための大々的な取り組みが進められるようになった。

それと並行して、本書の何章かは感染症に関する医学・医療の歴史と、病気とは何かという概念の変遷を主題にしている。最初の「科学的な医学」である古代ギリシャのヒポクラテスによる体液理論から話を進め、顕微鏡や実験技術の革新を経て、目に見えない病原体の正体が科学者の不断の努力により解明されていく過程を追う。

世界はいままさに新型コロナウイルス感染症の惨禍に巻き込まれている。「いまや世界は感染症を地球上から一掃する手段をもっている」と宣言された二〇世紀の不遜の時代を通り過ぎて、人間は過去の経験から何を学んだだろうか。この新しいウイルスに世界で二億人を超える人が感染してしまったのはなぜだろう？　社会の健忘症が第一の原因だと著者は嘆く。「微生物が闘いを仕掛けてくるたびに、そのあとしばらくは、国内的にも国際的にもあらゆるレベルで狂ったように活発な動きが起こる。しかしやがては、すべてが忘却されて終わりとなる」。つまり、喉元を熱さが過ぎたあとの忘れっぽさだ。わが国では昨年二月に、乗客に感染者のいたことが発覚したダイヤモンド・プリンセス号が横浜港沖で検疫を受けるという騒ぎがあり、そこからコロナ禍がはじまった。感染者数の増減や緊急事態宣言のことばかりが取り沙汰されているように見える昨今、あのときの初動に反省すべき点があったことはもう忘れられているのではないか。そして狂騒のさなかに、誰かに罪をなすりつけたいという人間の本性が今度もまた露わになり、マスクをするしないで暴力がふるわれたり、感染者が中傷されたりする。

現在の疫病はまさに「本番前リハーサル」だといえる。このパンデミックを乗り越え、次に備えるにあたっては、いま一度、歴史の教訓を学ぶ必要があるだろう。そしてその教訓には、医学的な面（発病の機序、病原体の特定、治療法の開発など）と社会学的な面（発病の環境要因、患者への差別偏見、生贄探しなど）がある。前者については明らかに時代を経るごとに進歩しているが、後者については人間の本性が邪魔をしてなかなか変わる気配がない。それこそが未来に向けての教訓なのかもしれない。物理学者で文筆家の寺田寅彦は、「ものを怖がらなさ過ぎたり、怖がり過ぎたりするのはやさしいが、正当に怖がることはなかなか難しい」と述べた。それでも禍に対して冷静に向きあおうと努めることはできるのではないだろうか。

本書はFrank M. Snowden, *Epidemics and Society: From the Black Death to the Present*（Yale University Press, 2020）の全訳である。新型コロナウイルス感染症のパンデミックを受けて、二〇一八年の初版に新版まえがきと終章が加筆された。翻訳にあたっては、上巻第1章から第13章と下巻第16章を桃井が、まえがきと新版まえがき、下巻第14章と第15章、第17章から終章を塩原が担当し、最後に二人で訳語の統一などの調整をはかった。

時間的には古代から現代まで、内容としては疫学から細菌学、社会学まで多分野にわたるこの大著の翻訳作業をサポートし、疑問や問題の解決に力を尽くしてくださった明石書店編集部の赤瀬智彦氏に心より感謝します。コロナ禍の現在地は世界史の尺度のなかでこそ捉える必要があると考えた赤瀬氏のするどい洞察から企画がスタートした本書日本語版の完成には、氏の綿密な仕事が欠かせませんでした。ありがとうございました。

二〇二一年十月

訳者を代表して　桃井緑美子

Ebola Fears in West Africa," *Globe and Mail*, July 3, 2014, p. A6.
20. Lisa O'Carroll, "West Blamed for 'Almost Zero' Response to Ebola Outbreak Crisis in West Africa," *Irish Times*, August 20, 2014, 10.
21. Editorial Board, "A Painfully Slow Ebola Response," *New York Times*, August 16, 2014, p. A18.
22. Borneo Post online, "Ebola Outbreak under Control, Says Guinea President," May 1, 2014, http://www.theborneopost.com/2014/05/01/ebola-outbreak-under-control-says-guinea-president/.
23. David Quammen, "Ebola Is Not the Next Pandemic," *New York Times*, April 10, 2014, p. A25.
24. 出典は以下。Kelly Grant, "Canadian Doctor Describes Heartbreaking Scene of Ebola Outbreak," *Globe and Mail*, August 20, 2014, last updated May 12, 2018, https://www.theglobeandmail.com/life/health-and-fitness/health/canadian-doctor-describes-heart-breaking-scenes-of-ebola-outbreak/article20148033/.
25. Andrew Siddons, "U.S. and Global Efforts to Contain Ebola Draw Criticism at Congressional Hearing," *New York Times*, August 8, 2014, p. A11.
26. "Ebola Demands Urgent US Action," *Washington Post*, September 5, 2014, p. A20.
27. Adam Nossiter, "Ebola Epidemic Worsening: Sierra Leone Expands Quarantine Restrictions," *New York Times*, September 26, 2014, p. A10.
28. David Lewis and Emma Farge, "Liberia Shuts Schools, Considers Quarantine to Curb Ebola," Reuters, July 30, 2014, https://www.reuters.com/article/us-health-ebola-liberia-idUSKBN0FZ22H20140730.
29. Stephen Douglas, "In Sierra Leone, We've Stopped Shaking Hands," *Globe and Mail*, August 5, 2014, p. A9.
30. 出典は以下。Bullard, *Day-by-Day Chronicle*, 82.

終章

1. Miles Johnson and Davide Ghiglione, "Coronavirus hits Italy's social model hard," *Financial Times*, 16 March 2020. 以下より取得。https://www.ft.com/content/a9b2eea2-6791-11ea-800d-da70cff6e4d3. 2020 年 10 月 5 日にアクセス。
2. Timothy W. Martin and Dasl Yoon, "How South Korea Successfully Managed the Coronavirus," *The Wall Street Journal*, September 25, 2020. 以下より取得。https://www.wsj.com/articles/lessons-from-south-korea-on-how-to-manage-covid-11601044329. 2020 年 10 月 7 日にアクセス。
3. Jason Horowitz, "'We Take the Dead from Morning Til Night,'" *New York Times*, March 27, 2020. https://www.nytimes.com/interactive/2020/03/27/world/europe/coronavirus-italy-bergamo.html. 2020 年 8 月 12 日にアクセス。
4. Anna Bonalume, "Devastated by coronavirus, did Bergamo's work ethic count against it?," *The Guardian*, 6 April 2020. 以下より取得。https://www.theguardian.com/world/commentisfree/2020/apr/06/coronavirus-bergamo-workethic-lockdown. 2020 年 10 月 4 日にアクセス。
5. Denise Chow and Emmanuelle Saliba, "Italy has a world-class health system. The coronavirus has pushed it to the breaking point," March 18, 2020. 以下より取得。https://www.nbcnews.com/health/health-news/italy-has-world-class-health-system-coronavirushas-pushed-it-n1162786. 2020 年 10 月 5 日にアクセス。
6. Sharon Begley, "A plea from doctors in Italy: To avoid Covid-19 disaster, treat more patients at home," *Statnews*, March 21, 2020. 以下より取得。https://www.statnews.com/2020/03/21/coronavirus-plea-from-italy-treat-patients-at-home/.
7. "This is the bleak heart of the world's deadliest coronavirus outbreak: Bergamo Italy," *NY Times*, Marchy 27, 2020. 以下より取得。https://www.nytimes.com/interactive/2020/03/27/world/europe/coronavirus-italy-bergamo.html. 2020 年 9 月 27 日にアクセス。
8. "The Massacre of Bergamo & the Questions that Remain." 日付不明。以下より取得。https://www.coronaviruschronicles.com/blog/the-massacre-of-bergamo. 2020 年 9 月 27 日にアクセス。
9. 出典は以下。Benjamin Dodman, "'Never give up': volunteers raise hospital, and spirits, in Italy's virus-wracked Bergamo," *France 24*, April 13, 2020. 以下より取得。https://advance.lexis.com/document/?pdmfid=1516831&crid=1ef66499-7aa7-4407-9f40-dbb9f864b988&pddocfullpath=%2Fshared%2Fdocument%2Fnews%2Furn%3AcontentItem%3A5YN8-VF21-JDJN-629R-00000-00&pdcontentcomponentid=407771&pdteaserkey=sr123&pditab=allpods&ecomp=tzg2k&earg=sr123&prid=87450b7a-be0e-4a42-a3bb-b970f941c364. 2020 年 10 月 5 日にアクセス。
10. Luisa Cortesi, "What Will Italy Become Without Its Elders?" *Sapiens*, 9 April 2020. 以下より取得。https://www.sapiens.org/culture/coronavirus-bergamo/. 2020 年 8 月 12 日にアクセス。
11. Lorenzo Tondo, "Coronavirus Italy: PM extends lockdown to entire country," *The Guardian*, 10 March 2020. 以下より取得。https://www.theguardian.com/world/2020/mar/09/coronavirus-italy-primeminister-country-lockdown. 2020 年 10 月 2 日にアクセス。

1 (1999): x.
13. "Author Richard Preston Discusses the Deadly Outbreak of the Ebola Virus in Zaire," CBS News transcripts, May 15, 1995, *Journal of Infectious Diseases* 179, suppl. 1 (1999): 1.
14. J. R. Davis and J. Lederberg, eds., *Public Health Systems and Emerging Infections: Assessing the Capabilities of the Public and Private Sectors* (Washington, DC: National Academy Press, 2000), 1.
15. Institute of Medicine, *Emerging Infections: Microbial Threats to Health in the United States* (Washington, DC: National Academy Press, 1992), 2.
16. Centers for Disease Control and Prevention, *Addressing Emerging Infectious Disease Threats: A Prevention Strategy for the United States* (Atlanta: CDC, 1994), 3.
17. United States Congress, *Emerging Infections*, 30.
18. Joshua Lederberg, "Infectious Disease as an Evolutionary Paradigm," speech given at the National Conference on Emerging Foodborne Pathogens," Alexandria, VA, March 24–26, 1997; published in *Emerging Infectious Diseases* 3, no. 4 (1997), https://wwwnc.cdc.gov/eid/article/3/4/97-0402_article.
19. R. J. Rubin, C. A. Harrington, A. Poon, K. Dietrich, J. A. Greene, and A. Molduddin, "The Economic Impact of Staphylococcus aureus Infection in New York City Hospitals," *Emerging Infectious Diseases* 5, no. 1 (1999), 9.
20. B. J. Marshall, "Helicobacter Connections," Nobel Lecture, December 8, 2005, http://nobelprize.org/nobel_prizes/medicine/laureates/2005/marshall-lecture.html.
21. Kate E. Jones, Nikkita G. Patel, Marc A. Levy, Adam Storeygard, Deborah Balk, John L. Gittleman, and Peter Daszak, "Global Trends in Emerging Infectious Diseases," *Nature* 451 (2008): 990–993.
22. United States Department of Defense, *Addressing Emerging Infectious Disease Threats: A Strategic Plan for the Department of Defense* (Washington, DC: US Government Printing Office, 1998), 1.

第 22 章

1. Central Intelligence Agency, "The Global Infectious Disease Threat and Its Implications for the United States," NIE 99-17D, January 2000, http://permanent.access.gpo.gov/websites/www.cia.gov/www.cia.gov/cia/reports/nie/report/nie99-17d.html.
2. Jennifer Brower and Peter Chalk, *The Global Threat of New and Reemerging Infectious Diseases: Reconciling U.S. National Security and Public Health Policy* (Santa Monica: RAND Corporation, 2003).
3. J. Lederberg "Infectious Disease–A Threat to Global Health and Security," *Journal of the American Medical Association* 275, no. 5 (1996): 417–419.
4. The White House, Office of Science and Technology Policy, "Fact Sheet: Addressing the Threat of Emerging Infectious Diseases," June 12, 1996, http://www.fas.org/irp/offdocs/pdd_ntsc7.htm.
5. United Nations, "Declaration of Commitment on HIV/AIDS: Global Crisis–Global Action," UN Special Session on HIV/AIDS, June 25–27, 2001, http://un.org/ga/aids/conference.html.
6. P. Caulford "SARS: Aftermath of an Outbreak," *Lancet* 362, suppl. 1 (2003): 2.
7. *The Ebola Epidemic: The Keys to Success for the International Response*, Hearing before the Subcommittee on African Affairs of the Committee on Foreign Relations, US Senate, December 10, 2014, S. Hrg. 113-625, p. 13, https://www.foreign.senate.gov/imo/media/doc/121014_Transcript_The%20Ebola%20Epidemic%20the%20Keys%20to%20Success%20for%20the%20International%20Response.pdf.
8. Derek Byerlee, Walter P. Falcon, and Rosamond L. Naylor, "The Many Dimensions of the Tropical Oil Revolution" *The Tropical Oil Crop Revolution: Food, Feed, Fuel, and Forests* (Oxford: Oxford University Press, 2016), 2.
9. James Grundvig, "The Ebola Bats: How Deforestation Unleashed the Deadly Outbreak," *Epoch Times*, October 23, 2014, p. A17.
10. 同上。
11. Maria Cristina Rulli, Monia Santini, David T. S. Hayman, and Paolo D'Odorico, "The Nexus between Forest Fragmentation in Africa and Ebola Virus Disease Outbreaks," *Scientific Reports* 7, article no. 71613, February 14, 2017, https://doi.org/10.1038/srep41613.
12. 出典は以下。Stephan Gregory Bullard, *A Day-by-Day Chronicle of the 2013–2016 Ebola Outbreak* (Cham: Springer International Publishing AG, 2018), 32.
13. United Nations Development Programme, *UN Human Development Report*, 2016: Human Development for Everyone, Table 6, "Multidimensional Poverty Index: Developing Countries," p. 218, http://hdr.undp.org/sites/default/files/2016_human_development_report.pdf.
14. Adam Nossiter, "Epidemic Worsening, Sierra Leone Expands Quarantine Restrictions," *New York Times*, September 26, 2014, p. A10.
15. Alison Healy, "Cost of Treating Ebola Three Times What It Would Cost to Build a Health Service," *Irish Times*, March 26, 2015, p. 11.
16. Christopher Logue, "Everyone Has Underestimated This Outbreak: Ebola Is Not Going Away," *Irish Times*, September 16, 2014, p. B6.
17. 出典は以下。Adam Nossiter, "Ebola Reaches Guinean Capital, Stirring Fears," *New York Times*, April 2, 2014, p. A4.
18. MSF, "Ebola: Pushed to the Limit and Beyond," March 23, 2015, available at https://www.msf.org/ebola-pushed-limit-and-beyond.
19. 出典は以下。Nana Boakye-Yiadom, "UN Seeks to Calm

第20章

本章は、マーガレット・スノーデン博士が2010年のイェール大学の課程で行った講義にもとづいている。博士のご協力に感謝する。

1. Karl Marx and Frederick Engels, *Manifesto of the Communist Party* (1848), available at https://www.marxists.org/archive/marx/works/download/pdf/Manifesto.pdf, p. 16, accessed June 10, 2016.［『共産党宣言』マルクス、エンゲルス著、大内兵衛、向坂逸郎訳、岩波書店（岩波文庫）、1951年／ほか］
2. 同上。
3. Randy Shilts, *And the Band Played On: Politics, People, and the AIDS Epidemic* (New York: St. Martin' s, 1987), 15.［『そしてエイズは蔓延した』（上・下巻）、ランディ・シルツ著、曽田能宗訳、草思社、1991年］
4. 出典は以下。Marlene Cimons, "Ban on Explicit AIDS Education Materials to End," *Los Angeles Times*, December 15, 1991, http://articles.latimes.com/1991-12-15/news/mn-993_1_aids-educational-materials.
5. *The Federal Response to the AIDS Epidemic: Information and Public Education*, Hearing before a Subcommittee of the Committee on Government Operations, House of Representatives, One Hundredth Congress, First Session, March 16, 1987（第100連邦議会、第1会期、下院政府活動委員会の小委員会の公聴会、1987年3月16日）(Washington, DC: US Government Printing Office, 1987), 18–19.
6. 同上。4.
7. 同上。2.
8. 同上。16, 19.
9. *Hearing before the Human Resources and Intergovernmental Relations Subcommittee of the Committee on Government Operations of the House of Representatives, One Hundred Third Congress, Second Session*, "AIDS and HIV Infection in the African-American Community," September 16, 1994（ 第103連邦議会、第2会期、下院政府活動委員会の人事・政府間関係小委員会の公聴会、1994年9月16日）(Washington, DC: US Government Printing Office, 1995), 14.
10. Centers for Disease Control and Prevention, "HIV/AIDS among African Americans," 2003, http://permanent.access.gpo.gov/lps63544/afam.pdf.
11. Paul Denning and Elizabeth NiNenno, "Communities in Crisis: Is There a Generalized HIV Epidemic in Impoverished Urban Areas of the United States?," Centers for Disease Control and Prevention, last updated August 28, 2017, https://www.cdc.gov/hiv/group/poverty.html.
12. NAACP, "Criminal Justice Fact Sheet," http://www.naacp.org/pages/criminal-justice-fact-sheet, accessed August 16, 2016.
13. Centers for Disease Control and Prevention, "HIV/AIDS among African Americans."
14. *Hearing before the Human Resources and Intergovernmental Relations Subcommittee*, 75.
15. 同上。76, 80.
16. Jon Cohen, "The Sunshine State's Dark Cloud: New Efforts Aim to Curb Florida's Startlingly High HIV Infection Rate," *Science* 360, no. 6394 (June 15, 2018): 1176–1179, http://science.sciencemag.org/content/360/6394/1176.
17. 同上。

第21章

本章の大部分は、著者の過去の論文をもとにしている。"Emerging and Reemerging Diseases: A Historical Perspective," *Immunological Reviews* 225 (2008): 9–26. Copyright ©2008 The Author.

1. Aidan Cockburn, *The Evolution and Eradication of Infectious Diseases* (Baltimore: Johns Hopkins University Press, 1963), 133.
2. 同上。150.
3. A. Cockburn, ed., *Infectious Diseases: Their Evolution and Eradication* (Springfield, IL: C. C. Thomas, 1967), xi–xiii.
4. Frank Macfarlane Burnet, *Natural History of Infectious Disease*, 4th rev. ed. (Cambridge: Cambridge University Press, 1972; 1st ed. 1953), 1.［『伝染病の生態学』F·M·バーネット著、新井浩訳、紀伊国屋書店、1966年（原著第3版の全訳）］
5. 同上。263.
6. Robert G. Petersdorf, "An Approach to Infectious Diseases," in *Harrison's Principles of Internal Medicine*, 7th rev. ed. (New York: McGraw-Hill, 1974), 722.［『ハリソン内科書』（上・中・下）、ハリソン原編、吉利和監訳、広川書店、1975年］
7. US Department of Health, Education, and Welfare, *Healthy People: The Surgeon General's Report on Health Promotion and Disease Prevention, 1979* (Washington, DC: US Public Health Service, 1979).
8. The White House, Office of Science and Technology Policy, "Fact Sheet: Addressing the Threat of Emerging Infectious Diseases," June 12, 1996, http://fas.org/irp/offdocs/pdd_ntsc7.htm.
9. United States Congress, Senate Committee on Labor and Human Resources, *Emerging Infections: A Significant Threat to the Nation's Health* (Washington, DC: US Government Printing Office, 1996), 3.
10. J. Brooke, "Feeding on 19th Century Conditions, Cholera Spreads in Latin America," *New York Times*, April 21, 1991, sec. 4, p. 2.
11. L. K. Altman, "A 30-year Respite Ends: Cases of Plague Reported in India's Largest Cities," *New York Times*, October 2, 1994, sec. 4, p. 2.
12. C. J. Peters and J. W. LeDuc, "An Introduction to Ebola: The Virus and the Disease," *Journal of Infectious Diseases* 179, suppl.

5. Relazione dell'Ufficio Centrale composto dei senatori Pantaleoni, Moleschott, Verga e Torelli, "Bonificamento delle regioni di malaria lungo le ferrovie d'Italia," *Atti parlamentari: Senato del Regno*, sessione del 1880-81-92, documenti, n. 19-A, Appendix 13.（翻訳は著者による）
6. 出典は以下。Tognotti, *Per una storia*, 230–231.
7. "Mosquito Eradication and Malaria Control," excerpt from Trustees' Confidential Report, January 1, 1954, Rockefeller Archive Center, Record Group 1.2, Series 700 Europe, box 12, folder 101, p. 17.
8. Letter of John A. Logan, Sardinia *Anopheles Eradication Project*, August 1948, Rockefeller Archive Center, Record Group 1.2, Series 700 Europe, box 13, folder 113.
9. Letter of Paul Russell to Alberto Missiroli, November 3, 1949, Rockefeller Archive Center, Record Group 1.2, Series 700 Europe, box 14, folder 116.
10. Silvio Sirigu, "Press Digest: UNRRA Assistance to Sardinia," from *Il Nuovo Giornale d'Italia*, December 12, 1946, United Nations Archive, United Nations Relief and Rehabilitation Administration, 1943–1949, PAG-4/3.0.14.0.0.2:1.
11. B. Fantini, "*Unum facere et alterum non omittere*: Antimalarial Strategies in Italy, 1880–1930)," Parassitologia 40, nos. 1–2 (1998): 100.

第 18 章

1. David Oshinsky, *Polio: An American Story* (New York: Oxford University Press, 2005), 53.
2. Paul De Kruif, "Polio Must Go," *Ladies' Home Journal* 52, no. 7 (July 1, 1935): 22.
3. Jonas E. Salk, "Considerations in the Preparation and Use of Poliomyelitis Virus Vaccine," *Journal of the American Medical Association* 158 (August 6, 1955): 1239–1240.
4. De Kruif, "Polio Must Go," 22.
5. Salk, "Considerations," 1239.
6. "Polio Victory May Spell End of All Virus Diseases," *New York Herald Tribune*, April 17, 1955, p. A2.
7. Bonnie Angelo, "Salk, Sabin Debate How to Fight Polio," *Newsday*, March 18, 1961, p. 7.
8. Alexander Langmuir, "Epidemiological Considerations," US Department of Health, Education, and Welfare, "Symposium on Present Status of Poliomyelitis and Poliomyelitis Immunization," Washington, DC, November 30, 1960, Albert Sabin Archives, Series 7, box 7.5, folder 10.
9. Paul A. Offit, "The Cutter Incident, 50 Years Later," *New England Journal of Medicine* 352 (April 7, 2005): 1411–1412.
10. 出典は以下。Alison Day, " 'An American Tragedy': The Cutter Incident and Its Implications for the Salk Polio Vaccine in New Zealand, 1955–1960," *Health and History* 11, no. 2 (2009): 46.
11. Zaffran quoted in Leslie Roberts, "Alarming Polio Outbreak Spreads in Congo, Threatening Global Eradication Efforts," *Science*, July 2, 2018, http://www.sciencemag.org/news/2018/07/polio-outbreaks-congo-threaten-global-eradication.

第 19 章

1. Suzanne Daley, "AIDS in South Africa: A President Misapprehends a Killer," *New York Times*, May 14, 2000, p. WK4.
2. "Parliamentary Speeches of Mr. P. W. Botha," *National Archives*, United Kingdom, FCO 45/2369/73, p. 2.
3. "New Figures Show Staggering Rate of Urbanisation in SA," *Rand Daily Mail*, May 26, 2015.
4. Jeremy Seekings, *Policy, Politics and Poverty in South Africa* (London: Palgrave Macmillan, 2015), 2.
5. Greg Nicolson, "South Africa: Where 12 Million Live in Poverty," *Daily Maverick*, February 3, 2015, http://www.dailymaverick.co.za/article/2015-02-03-south-africa-where-12-million-live-in-extreme-poverty/#.V5zS7I5ErVo.
6. Seekings, *Policy, Politics*, 7.
7. Jason M. Breslow, "Nelson Mandela's Mixed Legacy on HIV/AIDS," *Frontline*, December 6, 2013, http://www.pbs.org/wgbh/frontline/article/nelson-mandelas-mixed-legacy-on-hivaids/.
8. Peter Duesberg, Claus Koehnlein, and David Rasnick, "The Chemical Bases of the Various AIDS Epidemics: Recreational Drugs, Anti-Viral Chemotherapy and Malnutrition," *Journal of Biosciences* 28, no. 4 (June 2003): 383.
9. 出典は以下。Declan Walsh, "Beetroot and Spinach the Cure for AIDS, Say Some in S Africa," *Irish Times*, March 12, 2004, https://www.irishtimes.com/news/beetroot-and-spinach-the-cure-for-aids-say-some-in-s-africa-1.1135185.
10. この書簡は以下で閲覧可能。Frontline, "Thabo Mbeki's Letter," April 3, 2000, https://www.pbs.org/wgbh/pages/frontline/aids/docs/mbeki.html.
11. Makgoba: Chris McGreal, "How Mbeki Stoked South Africa's Aids Catastrophe," *Guardian*, June 11, 2001, https://www.theguardian.com/world/2001/jun/12/aids.chrismcgreal; Kaunda: André Picard, "AIDS Summit Convenes at Ground Zero," Globe and Mail, July 8, 2000, p. A2.
12. 出典は以下。André Picard, "AIDS Deniers Should Be Jailed: Head of AIDS Body Slams Fringe Movement," *Globe and Mail*, May 1, 2000, p. A3.
13. "Mandela's Only Surviving Son Dies of AIDS," *Irish Times*, January 26, 2005, p. 10.
14. UNAIDS, *Report on the Global AIDS Epidemic 2008*, August 2008, http://www.unaids.org/sites/default/files/media_asset/jc1510_2008globalreport_en_0.pdf.
15. 出典は以下。Celia W. Dugger, "Study Cites Toll of AIDS Policy in South Africa," *New York Times*, November 25, 2008, https://www.nytimes.com/2008/11/26/world/africa/26aids.html.

216.

12. Thomas Spees Carrington, *Tuberculosis Hospital and Sanatorium Construction* (New York: National Association for the Study and Prevention of Tuberculosis, 1911), 14.

13. Pottenger, *Diagnosis and Treatment*, 216.

14. Knopf, *Pulmonary Tuberculosis*, 211.

15. F. Rufenacht Walters, *Sanatoria for Consumptives in Various Parts of the World* (London, 1899), 2.

16. A. E. Ellis, *The Rack* (Boston: Little Brown, 1958), 342.

17. 同上。142.

18. *Tuberculosis Dispensary Method and Procedure* (New York: Vail-Ballou, 1916), 10–11.

19. 出典は以下。Cynthia Anne Connolly, *Saving Sickly Children: The Tuberculosis Preventorium in American Life, 1909–1970* (New Brunswick: Rutgers University Press, 2008), 27.

20. 出典は以下。Jeanne E. Abrams, "'Spitting Is Dangerous, Indecent, and against the Law!': Legislating Health Behavior during the American Tuberculosis Crusade," *Journal of the History of Medicine and Allied Sciences* 68, no. 3 (July 2013): 425.

21. *Tuberculosis Commission of the State of Maryland, Report of 1902–1904* (Baltimore: Sun Job Printing Office, 1904), n.p.

22. 出典は以下。*Transactions of the British Congress on Tuberculosis for the Prevention of Consumption, 1901*, vol. 3 (London: William Clowes and Sons, 1902), 2–4.

23. 出典は以下。*Tuberculosis Dispensary*, 59.

24. 出典は以下。Hearing before the Subcommittee on Health and the Environment of the Committee on Energy and Commerce, House of Representatives, One Hundred Third Congress, First Session（第 103 連邦議会、第 1 会期、下院エネルギー・商業委員会、健康・環境小委員会の公聴会）、"The Tuberculosis Epidemic," March 19, 1993 (3), Serial No. 103-36 (Washington, DC: US Government Printing Office, 1993), 1.

25. 同上。

26. 出典は以下。Christian W. McMillen, *Discovering Tuberculosis: A Global History, 1900 to the Present* (New Haven: Yale University Press, 2015), 131.

第 16 章

1. "Concerning Plague in Oporto," *Public Health Reports* 14, no. 39 (September 29, 1899): 1655–1656.

2. Frank G. Carpenter, "The Black Death," *Los Angeles Times*, July 15, 1894.

3. "The 'Black Death' in China," *The Interior* 25, no. 1266 (August 30, 1894): 1095.

4. 同上。

5. *The Bubonic Plague* (Washington, DC: Government Printing Office, 1900), 10.

6. "The Black Death in China," *New York Tribune*, June 26, 1894, p. 6.

7. "Life in Hong Kong," *Austin Daily Statesman*, October 8, 1894, p. 7.

8. "Black Plague," *St. Louis Post-Dispatch*, July 29, 1894, p. 21.

9. "The Plague in Hong Kong," *British Medical Journal* 2, no. 1758 (September 8, 1894): 539–540.

10. 同上。

11. 出典は以下。Christos Lynteris, "A 'Suitable Soil' : Plague' s Urban Breeding Grounds at the Dawn of the Third Pandemic," *Medical History* 61, no. 3 (July 2017): 348.

12. "Fighting the Black Plague," *Globe*, September 12, 1894, p. 6.

13. "Plague Haunts: Why the Poor Die," *Times of India*, May 1, 1903, p. 4.

14. "British Give Up Fight on Plague," *Chicago Daily Tribune*, November 29, 1903, p. 15.

15. "Plague Commission in Bombay," *Times of India*, February 15, 1899, p. 3.

16. "The Bubonic Plague in India," *Chautauquan*, March 26, 1898, p. 6.

17. "The Report of the Indian Plague Commission," *British Medical Journal* 1, no. 2157 (May 3, 1902): 1093.

18. 同上。1094.

19. "A Floating Population: Novel Plague Specific," *Times of India*, June 4, 1903, p. 5.

20. "India' s Fearful Famine," *New York Times*, July 1, 1905, p. 5.

21. "India Like a Volcano: Widespread and Threatening Discontent," *New York Tribune*, July 3, 1897, p. 7.

22. "The Recent Riots in Bombay," *Times of India*, June 8, 1898, p. 5.

第 17 章

本章の内容は、もともと以下の書籍に載せたものだが、出版社の許可を得て本書に加えている。Frank M. Snowden and Richard Bucala, eds., *The Global Challenge of Malaria: Past Lessons and Future Prospects*. Copyright ©2014 World Scientific Publishing Co. Pte. Ltd.

1. Giovanni Verga, "Malaria," in *Little Novels of Sicily*, trans. D. H. Lawrence (New York: Grove Press, 1953), 73–74. [「マラリア」、『カヴァレリーア・ルスティカーナ：他十一篇』所収、G・ヴェルガ作、河島英昭訳、岩波書店（岩波文庫）、1981 年]

2. W. L. Hackett, *Malaria in Europe: An Ecological Study* (Oxford: Oxford University Press, 1937), 15–16, 108;「～原子爆弾」の出典は以下。Margaret Humphreys, *Malaria: Poverty, Race, and Public Health in the United States* (Baltimore: Johns Hopkins University Press, 2001), 147.

3. John Logan, "Estimates 1949, Malaria," October 25, 1948, Rockefeller Archive Center, Record Group 1.2, Series 700 Europe, box 12, folder 101, "Rockefeller Foundation Health Commission—Typus, Malaria, 1944" (February–October).

4. Eugenia Tognotti, *Per una storia della malaria in Italia: Il caso della Sardegna*, 2nd ed. (Milan: Franco Angeli, 2008), 23.

註

第 14 章

1. Maurice Fishberg, *Pulmonary Tuberculosis*, 3rd ed. (Philadelphia: Lea & Febiger, 1922), 68.
2. John Bunyan, *The Life and Death of Mr. Badman* (London, 1808).［『悪太郎の一生』、ジョン・バンヤン著、高村新一訳、新教出版社、1955 年］
3. Fishberg, *Pulmonary Tuberculosis*, 72, 92.
4. 同上。397.
5. Charles L. Minor, "Symptomatology of Pulmonary Tuberculosis," in Arnold C. Klebs, ed., *Tuberculosis* (London: D. Appleton, 1909), 172.
6. Francis Pottenger, *The Diagnosis and Treatment of Pulmonary Tuberculosis* (New York: William Wood, 1908), 77.
7. Addison P. Dutcher, *Pulmonary Tuberculosis: Its Pathology, Nature, Symptoms, Diagnosis, Prognosis, Causes, Hygiene, and Medical Treatment* (Philadelphia, 1875), 168.
8. Fishberg, *Pulmonary Tuberculosis*, 523.
9. Dutcher, *Pulmonary Tuberculosis*, 293.
10. John Keats, "La Belle Dame sans Merci: A Ballad," 以下で閲覧可能。https://www.poetryfoundation.org/poems/ 44475/la-belle-dame-sans-merci-a-ballad. 2018 年 8 月 10 日にアクセス。
11. Carolyn A. Day, *Consumptive Chic: A History of Beauty, Fashion, and Disease* (London: Bloomsbury, 2017), 86.
12. 同上。108.
13. Harriet Beecher Stowe, *Uncle Tom's Cabin, or Life among the Lowly* (New York: Penguin, 1981; 1st ed. 1852), 424.［『新訳 アンクル・トムの小屋』、ハリエット・ビーチャー・ストウ著、小林憲二監訳、明石書店、1998 年／ほか］
14. Arthur C. Jacobson, *Tuberculosis and the Creative Mind* (Brooklyn, NY: Albert T. Huntington, 1909), 3, 5, 38.
15. Dutcher, *Pulmonary Tuberculosis*, 271.
16. 出典は以下。Charles S. Johnson, *The Negro in American Civilization* (New York: Holt, 1930), 16.
17. John Keats, "When I Have Fears that I May Cease to Be," available at https://www.poets.org/poetsorg/poem/when-i-have-fears-i-may-cease-be, accessed September 10, 2017.［「死ぬのではないかと不安になるとき」『キーツ詩集』所収、中村健二訳、岩波書店（岩波文庫）、2016 年／「わが命はや終りはせぬかと……」『対訳　キーツ詩集 ── イギリス詩人選（10）』所収、宮崎雄行訳、岩波書店（岩波文庫）、2005 年］
18. Katherine Ott, *Fevered Lives: Tuberculosis in American Culture since 1870* (Cambridge, MA: Harvard University Press, 1996), 31.
19. Anton Chekov, *The Cherry Orchard*, in Anton Chekov, Five Plays, trans. Marina Brodskaya (Stanford: Stanford University Press, 2011), 236.［『桜の園』、チェーホフ著、小野理子訳、岩波文庫、1998 年／ほか］
20. O. Amrein, "The Physiological Principles of the High Altitude Treatment and Their Importance in Tuberculosis," *Transactions of the British Congress on Tuberculosis for the Prevention of Consumption, 1901*, vol. 3 (London: William Clows and Sons, 1902), 72.

第 15 章

1. André Gide, *The Immoralist*, trans. Richard Howard (New York: Alfred A. Knopf, 1970), 21–22, 24–25.［『背徳者』、アンドレ・ジイド著、川口篤訳、岩波書店（岩波文庫）、改訳版、1992 年／ほか］
2. 出典は以下。Linda Bryder, *Below the Magic Mountain: A Social History of Tuberculosis in Twentieth-Century Britain* (New York: Oxford University Press, 1988), 20.
3. "Disease from Books," *New York Tribune*, February 5, 1906, p. 4.
4. "Vanity, Greed and Hygiene Combine to Banish the Beard," *Atlanta Constitution*, February 23, 1902, p. A4.
5. "Exclusion of Consumptives," *New York Tribune*, December 22, 1901, p. 8.
6. これ以降の記述の出典は以下。National Tuberculosis Association, *A Directory of Sanatoria, Hospitals, Day Camps and Preventoria for the Treatment of Tuberculosis in the United States*, 9th ed. (New York: Livingston, 1931).
7. Sigard Adolphus Knopf, *Pulmonary Tuberculosis* (Philadelphia, 1899), 35–36.
8. 同上。58.
9. 同上。213.
10. Charles Reinhardt and David Thomson, *A Handbook of the Open-Air Treatment* (London: John Bale, Sons & Danielsson, 1902), 19.
11. Francis M. Pottenger, *The Diagnosis and Treatment of Pulmonary Tuberculosis* (New York: William Wood, 1908),

Development Reports, *2016 Human Development Report*, http://hdr.undp.org/en/2016-report.

United States Congress, Senate Committee on Health, Education, Labor and Pensions and Subcommittee on Labor, Health and Human Services, Education and Related Agencies of the Senate Committee on Appropriations, *Joint Hearing Examining Ebola in West Africa, Focusing on a Global Challenge and Public Health Threat, September 2014* (Washington DC: US Government Printing Office, 2017).

United States Congress, *Senate Committee on Labor and Human Resources, Emerging Infections: A Significant Threat to the Nation's Health* (Washington, DC: US Government Printing Office, 1996).

United States Department of Defense, *Addressing Emerging Infectious Disease Threats: A Strategic Plan for the Department of Defense* (Washington, DC: US Government Printing Office, 1998).

Wallace, Robert G., and Rodrick Wallace, eds., *Neoliberal Ebola: Modeling Disease Emergence from Finance to Forest and Farm* (Cham, Switzerland: Springer International, 2016).

Washer, Peter, *Emerging Infectious Diseases and Society* (New York: Palgrave Macmillan, 2010).

World Bank, *The Economic Impact of the 2014 Epidemic: Short and Medium Estimates for West Africa* (Washington, DC: World Bank, 2014).

World Rainforest Movement, "Oil Palm and Rubber Plantations in Western and Central Africa: An Overview," WRM Briefing, December 15, 2008, https://wrm.org.uy/wp-content/uploads/2013/01/Western_Central_Africa.pdf.

Zuckerman, Molly, "The Evolution of Disease: Anthropological Perspectives on Epidemiologic Transitions," *Global Health Action* 7 (2014): 1–8.

Species Transmission (Heidelberg: SpringerVerlag, 2007).
Close, William T., *Ebola: A Documentary Novel of Its First Explosion* (New York: Ivy Books, 1995). [『エボラ —— 殺人ウイルスが初めて人類を襲った日』、ウィリアム・T・クローズ著、羽生真訳、文芸春秋、1995 年]
Cockburn, Aidan, ed., *The Evolution and Eradication of Infectious Diseases* (Baltimore: Johns Hopkins, 1963).
———, ed. *Infectious Diseases: Their Evolution and Eradication* (Springfield, IL: C. C. Thomas, 1967).
Corley, R. H. V., and P. B. H. Tinker, *The Oil Palm*, 5th ed. (Chichester: John Wiley, 2016).
Davis, J. R., and J. Lederberg, eds., *Public Health Systems and Emerging Infections: Assessing the Capabilities of the Public and Private Sectors* (Washington, DC: National Academy Press, 2000).
Evans, Nicholas G., and Tara C. Smith, eds., *Ebola's Message: Public Health and Medicine in the Twenty-First Century* (Cambridge, MA: MIT Press, 2016).
Fidler, David P., *SARS: Governance and the Globalization of Disease* (New York: Palgrave Macmillan, 2004).
Fong, I. W., *Antimicrobial Resistance and Implications for the Twenty-First Century* (Boston: Springer Science and Business Media, 2008).
———, *Emerging Zoonoses: A Worldwide Perspective* (Cham, Switzerland: Springer International, 2017).
Garrett, Laurie, *The Coming Plague: Newly Emerging Diseases in a World Out of Balance* (New York: Hyperion, 2000). [『カミング・プレイグ』、ローリー・ギャレット著、前掲書]
Green, Andrew, "Ebola Outbreak in the DR Congo: Lessons Learned," *Lancet* 391, no. 10135 (May 26, 2018): 2096, https://doi.org/10.1016/S0140-6736(18)31171-1.
Gross, Michael, "Preparing for the Next Ebola Epidemic," *Current Biology* 28, no. 2 (January 22, 2018): R51–R54.
Hinman, E. Harold, *World Eradication of Infectious Diseases* (Springfield, IL: C. C. Thomas, 1966).
Institute of Medicine, *Emerging Infections: Microbial Threats to Health in the United States* (Washington, DC: National Academy Press, 1992).
Knobler, Stacey, Adel Mahmoud, Stanley Lemon, Alison Mack, Laura Sivitz, and Katherine Oberholtzer, eds., *Learning from SARS: Preparing for the Next Disease Outbreak* (Washington, DC: National Academies Press, 2004).
Lo, Terence Q., Barbara J. Marston, Benjamin A. Dahl, and Kevin M. De Cock, "Ebola: Anatomy of an Epidemic," *Annual Review of Medicine* 68 (2017): 359–370.
Loh, Christine, *At the Epicentre: Hong Kong and the SARS Outbreak* (Baltimore: Project MUSE, 2012).
Maconachie, Roy, and Hilson, Gavin, "'The War Whose Bullets You Don't See': Diamond Digging, Resilience and Ebola in Sierra Leone," *Journal of Rural Studies* 61 (July 2018): 110–122, https://doi.org/10.1016/j.jrurstud.2018.03.009.
Malaysian Palm Oil Board, *Going for Liquid Gold: The Achievements of the Malaysian Palm Oil Board* (Kuala Lumpur: Ministry of Plantation Industries and Commodities, 2010).
McLean, Angela, Robert May, John Pattison, and Robin Weiss, eds., *SARS: A Case Study in Emerging Infections* (Oxford: Oxford University Press, 2005).
Médecins Sans Frontières, *Pushed to the Limit and Beyond: A Year into the Largest Ever Ebola Outbreak*, March 23, 2015, https://www.msf.org/ebola-pushed-limit-and-beyond.
Mehlhorn, Heinz, *Arthropods as Vectors of Emerging Diseases* (Berlin: Springer, 2012).
Mol, Hanneke, *The Politics of Palm Oil Harm: A Green Criminological Perspective* (Cham: Springer, 2017).
Monaghan, Karen, *SARS: Down but Still a Threat* (Washington, DC: National Intelligence Council, 2003).
Mooney, Graham, "Infectious Diseases and Epidemiologic Transition in Victorian Britain? Definitely," *Social History of Medicine* 12, no. 3 (December 1, 2007): 595–606.
Nohrstedt, Daniel, and Erik Baekkeskov, "Political Drivers of Epidemic Response: Foreign Healthcare Workers and the 2014 Ebola Outbreak," *Disasters* 42, no. 1 (January 2018): 412–461.
Olsson, Eva-Karin, *SARS from East to West* (Lanham, MD: Lexington Books, 2012).
Omran, Abdel R., "A Century of Epidemiologic Transition in the United States," *Preventive Medicine* 6, no. 1 (March 1977): 30–51.
———, "The Epidemiologic Transition: A Theory of the Epidemiology of Population Change," *Milbank Quarterly* 83, no. 4 (2005): 731–757.
———, "The Epidemiologic Transition Theory: A Preliminary Update," *Journal of Tropical Pediatrics* 29, no. 6 (December 1983): 305–316.
Preston, Richard, *Hot Zone* (New York: Kensington, 1992). [『ホット・ゾーン —— エボラ・ウイルス制圧に命を懸けた人々』、リチャード・プレストン著、高見浩訳、早川書房(ハヤカワ文庫)、2020 年、(『ホット・ゾーン ——「エボラ出血熱」制圧に命を懸けた人々』〔飛鳥新社、2014 年〕を改題・文庫化したもの)]
Qureshi, Adnan I., *Ebola Virus Disease* (London: Academic Press, 2016).
Rulli, Maria Cristina, Monia Santini, David T. S. Hayman, and Paolo D'Odorico, "The Nexus between Forest Fragmentation and Ebola Virus Disease Outbreaks," *Scientific Reports* 7, 41613, doi: 10.1038/srep41613 (2017).
Satcher, David, "Emerging Infections: Getting Ahead of the Curve," *Emerging Infectious Diseases* 1, no. 1 (January–March 1995): 1–6.
United Nations Development Programme, Human

Larson, *Jonathan, Rent* (New York: Rob Weisbach Books, William Morrow, 1997).
McIntyre, James, and Glenda Gray, "Preventing Mother-to-Child Transmission of HIV: African Solutions for an African Crisis," *Southern African Journal of HIV Medicine* 1, no. 1 (July 25, 2000): 30–31.
Naidoo, Kammila, "Rape in South Africa—A Call to Action," *South African Medical Journal* 103, no. 4 (April 2013): 210–211.
Patton, Cindy, *Globalizing AIDS* (Minneapolis: University of Minnesota Press, 2002).
Pépin, Jacques, *Origins of AIDS* (Cambridge: Cambridge University Press, 2011). [『エイズの起源』、ジャック・ペパン著、山本太郎訳、みすず書房、2013 年]
Piot, Peter, *No Time to Lose: A Life in Pursuit of Deadly Viruses* (New York: W. W. Norton, 2012). [『ノー・タイム・トゥ・ルーズ —— ボラとエイズと国際政治』、ピーター・ピオット著、宮田一雄、大村朋子、樽井正義訳、慶應義塾大学出版会、2015 年]
Powers, T., "Institutions, Power and Para-State Alliances: A Critical Reassessment of HIV/AIDS Politics in South Africa, 1999–2008," *Journal of Modern African Studies* 12, no. 4 (December 2013): 605–626.
Rohleder, Poul, *HIV/ADS in South Africa 25 Years On: Psychosocial Perspectives* (New York: Springer-Verlag, 2009).
Sangaramoorthy, Thurka, *Treating AIDS: Politics of Difference, Paradox of Prevention* (New Brunswick: Routledge, 2014).
Shilts, Randy, *And the Band Played On: Politics, People, and the AIDS Epidemic* (New York: St. Martin's, 1987). [『そしてエイズは蔓延した』(上・下巻)、ランディ・シルツ著、曽田能宗訳、草思社、1991 年]
Statistics South Africa, "Statistical Release P0302: Mid-Year Population Estimates, 2017" (Pretoria, South Africa, 2017).
UNAIDS, *Global AIDS Update 2016* (Geneva: Joint United Nations Programme on HIV/AIDS, 2016), http://www.unaids.org/sites/default/files/media_asset/global-AIDS-update-2016_en.pdf.
———, *Report on the Global AIDS Epidemic 2008* (Geneva: Joint United Nations Programme on HIV/AIDS, 2008), http://www.unaids.org/sites/default/files/media_asset/jc1510_2008globalreport_en_0.pdf.
———, *UNAIDS Data 2017* (Geneva: Joint United Nations Programme on HIV/AIDS, 2017), http://www.unaids.org/sites/default/files/media_asset/20170720_Data_book_2017_en.pdf.
Vale, Peter, and Georgina Barrett, "The Curious Career of an African Modernizer: South Africa's Thabo Mbeki," *Contemporary Politics* 15, no. 4 (December 2009): 445–460.
Verghese, Abraham, *My Own Country: A Doctor's Story* (New York: Vintage, 1994).
Weinel, Martin, "Primary Source Knowledge and Technical Decision-Making: Mbeki and the AZT Debate," *Studies in History and Philosophy of Science* 38, no. 4 (2007): 748–760.
Whiteside, Alan, *HIV/AIDS: A Very Short Introduction* (New York: Oxford University Press, 2008).

新興の病 —— SARS とエボラ出血熱

Adams, Lisa V., *Diseases of Poverty: Epidemiology, Infectious Diseases, and Modern Plagues* (Hanover, NH: Dartmouth College Press, 2015).
African Development Fund, Agriculture and Agro-Industry Department, "Republic of Guinea: Completion Report on Diecke Oil Palm and Rubber Project, Phase III, SOGUIPAH III," April 2008, https://www.afdb.org/fileadmin/uploads/afdb/Documents/Project-and-Operations/ADF-BD-IF-2008-123-EN-GUINEA-PCR-SOGUIPAHIII.PDF.
Atlim, George A., and Susan J. Elliott, "The Global Epidemiologic Transition," *Health Education & Behavior* 43, no. 1 suppl. (April 1, 2016): 37S–55S.
Badrun, Muhammad, *Milestone of Change: Developing a Nation through Oil Palm 'PIR'* (Jakarta: Directorate General of Estate Crops, 2011).
Barani, Achmad Mangga, *Palm Oil: A Gold Gift from Indonesia to the World* (Jakarta: Directorate General of Estate Crops, 2009).
Beltz, Lisa A., *Bats and Human Health: Ebola, SARS, Rabies, and Beyond* (Hoboken, NJ: John Wiley & Sons, 2018).
———, *Emerging Infectious Diseases: A Guide to Diseases, Causative Agents, and Surveillance* (San Francisco: Jossey-Bass, 2011).
Brown, J., and P. Chalk, *The Global Threat of New and Reemerging Infectious Diseases: Reconciling U.S. National Security and Public Health Policy* (Santa Monica: RAND, 2003).
Bullard, Stephan Gregory, *A Day-by-Day Chronicle of the 2013–2016 Ebola Outbreak* (Cham: Springer International, 2018).
Burnet, Frank Macfarlane, *Natural History of Infectious Diseases*, 4th rev. ed. (Cambridge: Cambridge University Press, 1972; 1st ed. 1953). [『伝染病の生態学』、F・M・バーネット著、新井浩訳、紀伊国屋書店、1966 年(原著第 3 版の全訳)]
Centers for Disease Control and Prevention, *The Road to Zero: CDC's Response to the West African Ebola Epidemic, 2014–2015* (Atlanta: US Department of Health and Human Services, 2015).
Childs, James E., ed., *Wildlife and Emerging Zoonotic Diseases: The Biology, Circumstances, and Consequences of Cross-*

(Bloomington: Indiana University Press, 2010).

Roberts, Leslie, "Alarming Polio Outbreak Spreads in Congo, Threatening Global Eradication Efforts," *Science* (July 2, 2018), http://www.sciencemag.org/news/2018/07/polio-outbreaks-congo-threaten-global-eradication.

Rogers, Naomi, *Dirt and Disease: Polio before FDR* (New Brunswick: Rutgers University Press, 1992).

Sabin, Albert, "Eradication of Smallpox and Elimination of Poliomyelitis: Contrasts in Strategy," *Japanese Journal of Medical Science and Biology* 34, no. 2 (1981): 111–112.

———, "Field Studies with Live Poliovirus Vaccine and Their Significance for a Program of Ultimate Eradication of the Disease," *Academy of Medicine of New Jersey Bulletin* 6, no. 3 (1960): 168–183.

———, "Present Status of Field Trials with an Oral, Live Attenuated Poliovirus Vaccine," *JAMA* 171 (1959): 864–868.

Salk, Jonas E., "Considerations in the Preparation and Use of Poliomyelitis Virus Vaccine," *Journal of the American Medical Association* 158 (1955): 1239–1248.

———, *Poliomyelitis Vaccine in the Fall of 1955* (New York: National Foundation for Infantile Paralysis, 1956).

Seytre, Bernard, *The Death of a Disease: A History of the Eradication of Poliomyelitis* (New Brunswick: Rutgers University Press, 2005).

Shell, Marc, *Polio and Its Aftermath: The Paralysis of Culture* (Cambridge, MA: Harvard University Press, 2005).

Wilson, Daniel J., *Living with Polio: The Epidemic and Its Survivors* (Chicago: University of Chicago Press, 2005).

Wilson, James Leroy, *The Use of the Respirator in Poliomyelitis* (New York: National Foundation for Infantile Paralysis, 1940).

World Health Organization, Seventy-First World Health Assembly, "Eradication of Poliomyelitis: Report by the Director-General," March 20, 2018, http://apps.who.int/gb/ebwha/pdf_files/WHA71/A71_26-en.pdf.

HIV/AIDS

Antonio, Gene, *The AIDS Cover-Up? The Real and Alarming Facts about AIDS* (San Francisco: Ignatius Press, 1986).

Baxen, Jean, and Anders Breidlid, eds., *HIV/AIDS in Sub-Saharan Africa: Understanding the Implications of Culture and Context* (Claremont: UCT Press, 2013).

Berkowitz, Richard, *Stayin' Alive: The Invention of Safe Sex, a Personal History* (Boulder, CO: Westview, 2003).

Berkowitz, Richard, and Michael Callen, *How to Have Sex in an Epidemic: One Approach* (New York: News from the Front Publications, 1983).

Bishop, Kristina Monroe, "Anglo American Media Representations, Traditional Medicine, and HIV/AIDS in South Africa: From Muti Killings to Garlic Cures," *GeoJournal* 77 (2012): 571–581.

Bonnel, Rene, *Funding Mechanisms for Civil Society: The Experience of the AIDS Response* (Washington, DC: World Bank, 2012).

Buiten, Denise, and Kammila Naidoo, "Framing the Problem of Rape in South Africa: Gender, Race, Class and State Histories," *Current Sociology* 64, no. 4 (2016): 535–550.

Decoteau, Claire Laurier, *Ancestors and Antiretrovirals: The Bio-Politics of HIV/AIDS in Post-Apartheid South Africa* (Chicago: Chicago University Press, 2013).

Dosekun, Simidele, "'We Live in Fear, We Feel Very Unsafe': Imagining and Fearing Rape in South Africa," *Agenda: Empowering Women for Gender Equity*, no. 74 (2007): 89–99.

Duesberg, Peter, Claus Koehnlein, and David Rasnick, "The Chemical Bases of the Various AIDS Epidemics: Recreational Drugs, Anti-Viral Chemotherapy and Malnutrition," *Journal of Biosciences* 28, no. 4 (June 2003): 383–422.

"The Durban Declaration," *Nature* 406, no. 6791 (July 6, 2000): 15–16.

Farmer, Paul, *AIDS and Accusation: Haiti and the Geography of Blame* (Berkeley: University of California Press, 2006).

Fourie, Pieter, *The Political Management of HIV and AIDS in South Africa: One Burden Too Many?* (New York: Palgrave Macmillan, 2006).

Gevisser, Mark, *Thabo Mbeki: The Dream Deferred* (Johannesburg: Jonathan Balo, 2007).

Gqola, Pumla Dineo, *Rape: A South African Nightmare* (Auckland Park: MF Books Joburg, 2015).

Grmek, Mirko, *History of AIDS: Emergence and Origin of a Modern Pandemic* (Princeton: Princeton University Press, 1990). [『エイズの歴史』、ミルコ・D・グルメク著、中島ひかる、中山健夫訳、藤原書店、1993 年]

Gumede, William Mervin, *Thabo Mbeki and the Battle for the Soul of the ANC* (London: Zed Books, 2007).

Holmes, King, *Disease Control Priorities: Major Infectious Diseases* (Washington, DC: World Bank, 2016).

Hunter, Susan, *Black Death: AIDS in Africa* (New York: Palgrave Macmillan, 2003).

Johnson, David K., *The Lavender Scare: The Cold War Persecution of Gays and Lesbians in the Federal Government* (Chicago: University of Chicago Press, 2004).

Karim, S. S. Abdool, and Q. Abdool Karim, *HIV/AIDS in South Africa* (Cambridge: Cambridge University Press, 2010).

Koop, C. Everett, *Understanding AIDS* (Rockville, MD: US Department of Health and Human Services, 1988).

Kramer, Larry, *The Normal Heart and the Destiny of Me* (New York: Grove, 2000).

———, *Reports from the Holocaust: The Story of an AIDS Activist* (New York: St. Martin's, 1994).

マラリア

Carson, Rachel, *Silent Spring* (Greenwich, CT: Fawcett, 1962).［『沈黙の春』、レイチェル・カーソン著、青樹簗一訳、新潮社（新潮文庫）、改版、2004年］

Clyde, David F., *Malaria in Tanzania* (London: Oxford University Press, 1967).

Cueto, Marcos, *Cold War, Deadly Fevers: Malaria Eradication in Mexico, 1955–1975* (Washington, DC: Woodrow Wilson Center Press, 2007).

Desowitz, Robert S., *The Malaria Capers: Tales of Parasites and People* (New York: W. W. Norton, 1993).［『マラリア vs. 人間』、ロバート・S・デソウィッツ著、栗原豪彦訳、晶文社、1996年］

Faid, M. A., "The Malaria Program: From Euphoria to Anarchy," *World Health Forum* 1 (1980): 8–22.

Farley, John A., "Mosquitoes or Malaria? Rockefeller Campaigns in the American South and Sardinia," *Parassitologia* 36 (1994): 165–173.

Hackett, Lewis Wendell, *Malaria in Europe: An Ecological Study* (London: Oxford University Press, 1937).

Harrison, Gordon, *Mosquitoes, Malaria, and Man: A History of the Hostilities since 1880* (New York: E. P. Dutton, 1978).

Humphreys, Margaret, *Malaria: Poverty, Race, and Public Health in the United States* (Baltimore: Johns Hopkins University Press, 2001).

Litsios, Socrates, *The Tomorrow of Malaria* (Karori: Pacific Press, 1996).

Logan, John A., *The Sardinian Project: An Experiment in the Eradication of an Indigenous Malarious Vector* (Baltimore: Johns Hopkins University Press, 1953).

MacDonald, George, *The Epidemiology and Control of Malaria* (London: Oxford University Press, 1957).

Packard, Randall M., *Making of a Tropical Disease: A Short History of Malaria* (Baltimore: Johns Hopkins University Press, 2007).

Pampana, Emilio J., *A Textbook of Malaria Eradication* (London: Oxford University Press, 1963).

Ross, Ronald, *Malarial Fever: Its Cause, Prevention and Treatment* (London: Longmans, Green, 1902).

Russell, Paul, *Man's Mastery of Malaria* (London: Oxford University Press, 1955).

Sallares, Robert, *Malaria and Rome: A History of Malaria in Ancient Italy* (Oxford: Oxford University Press, 2012).

Sherman, Irwin W., *Magic Bullets to Conquer Malaria from Quinine to Qinghaosu* (Washington, DC: ASM, 2011).

Slater, Leo B., *War and Disease: Biomedical Research on Malaria in the Twentieth Century* (New Brunswick: Rutgers University Press, 2009).

Snowden, Frank M., *The Conquest of Malaria: Italy, 1900–1962* (New Haven: Yale University Press, 2006).

Soper, Fred L., and D. Bruce Wilson, *Anopheles Gambiae in Brazil, 1930–1943* (New York: Rockefeller Foundation, 1949).

Tognotti, Eugenia, *La malaria in Sardegna: Per una storia del paludismo nel Mezzogiorno, 1880–1950* (Milan: F. Angeli, 1996).

Verga, Giovanni, *Little Novels of Sicily*, trans. D. H. Lawrence (New York: Grove Press, 1953).［「マラリア」『カヴァレリーア・ルスティカーナ：他十一篇』所収、G・ヴェルガ作、河島英昭訳、岩波書店（岩波文庫）、1981年。訳書はイタリアでの選集 *Cavalleria Rusticana : ed altre novelle* の邦訳］

Webb, James L. A., Jr., *Humanity's Burden: A Global History of Malaria* (Cambridge: Cambridge University Press, 2009).

ポリオ

Aylward, R., "Eradicating Polio: Today's Challenges and Tomorrow's Legacy," *Annals of Tropical Medicine & Parasitology* 100, nos. 5/6 (2006): 1275–1277.

Aylward, R., and J. Linkins, "Polio Eradication: Mobilizing and Managing the Human Resources," *Bulletin of the World Health Organization* 83, no. 4 (2005): 268–273.

Aylward, R., and C. Maher, "Interrupting Poliovirus Transmission: New Solutions to an Old Problem," *Biologicals* 34, no. 2 (2006): 133–139.

Closser, Svea, *Chasing Polio in Pakistan: Why the World's Largest Public Health Initiative May Fail* (Nashville, TN: Vanderbilt University Press, 2010).

Flexner, Simon, *Nature, Manner of Conveyance and Means of Prevention of Infantile Paralysis* (New York: Rockefeller Institute for Medical Research, 1916).

"Global Poliomyelitis Eradication Initiative: Status Report," *Journal of Infectious Diseases* 175, suppl. 1 (February 1997).

Jacobs, Charlotte, *Jonas Salk: A Life* (New York: Oxford University Press, 2015).

National Foundation for Infantile Paralysis, *Infantile Paralysis: A Symposium Delivered at Vanderbilt University, April 1941* (New York: National Foundation for Infantile Paralysis, 1941).

New York Department of Health, *Monograph on the Epidemic of Poliomyelitis* (Infantile Paralysis) in New York City in 1916 (New York: Department of Health, 1917).

Offit, Paul A., *The Cutter Incident: How America's First Polio Vaccine Led to the Growing Vaccine Crisis* (New Haven: Yale University Press, 2005).

Oshinsky, David M., *Polio: An American Story* (New Haven: Yale University Press, 2005).

Paul, John., *History of Poliomyelitis* (New Haven: Yale University Press, 1971).

Renne, Elisha P., *The Politics of Polio in Northern Nigeria*

1992 年／ほか]

Goffman, Erving, *Asylums: Essays on the Social Situation of Mental Patients and Other Inmates* (Chicago: Aldine, 1961). [『アサイラム —— 施設被収容者の日常世界』、E・ゴッフマン著、石黒毅訳、誠信書房、1984 年]

Hearing before the Subcommittee on Health and the Environment of the Committee on Energy and Commerce, House of Representatives, One Hundred Third Congress, First Session, "The Tuberculosis Epidemic," March 9, 1993 (3) (Washington, DC: US Government Printing Office, 1993).

Jacobson, Arthur C., *Tuberculosis and the Creative Mind* (Brooklyn, NY: Albert T. Huntington, 1909).

Johnson, Charles S., *The Negro in American Civilization* (New York: Holt, 1930).

Jones, Thomas Jesse, "Tuberculosis among the Negroes," *American Journal of the Medical Sciences* 132, no. 4 (October 1906): 592–600.

Knopf, Sigard Adolphus, *A History of the National Tuberculosis Association: The Anti-Tuberculosis Movement in the United States* (New York: National Tuberculosis Association, 1922).

———, *Pulmonary Tuberculosis* (Philadelphia, 1899).

Koch, Robert, "Die Atiologie der Tuberkulose," *Berliner Klinische Wochenschrift* 15 (1882): 221–230.

Laennec, René, *A Treatise of the Diseases of the Chest*, trans. John Forbes (London, 1821). [『聴診法原理および肺結核論』、ラエンネック著、柴田進譯解説、創元社、1950 年（抄訳）]

Lawlor, Clark, *Consumption and Literature: The Making of the Romantic Disease* (New York: Palgrave Macmillan, 2006).

Madkour, M. Monir, ed., *Tuberculosis* (Berlin: Springer-Verlag, 2004).

Mann, Thomas, *The Magic Mountain*, trans. H. T. Lowe-Porter (New York: Modern Library, 1992). [『魔の山』（上・下巻）、トーマス・マン著、高橋義孝訳、新潮社（新潮文庫）、改版、2005 年／ほか]

McMillen, Christian W., *Discovering Tuberculosis: A Global History, 1900 to the Present* (New Haven: Yale University Press, 2015).

Muthu, C., *Pulmonary Tuberculosis and Sanatorium Treatment: A Record of Ten Years' Observation and Work in Open-Air Sanatoria* (London: Baillière, Tindall and Cox, 1910).

National Tuberculosis Association, *A Directory of Sanatoria, Hospitals, Day Camps and Preventoria for the Treatment of Tuberculosis in the United States*, 9th ed. (New York: Livingston, 1931).

———, "Report of the Committee on Tuberculosis among Negroes" (New York: National Tuberculosis Association, 1937).

———, *Twenty-five Years of the National Tuberculosis Association* (New York: National Tuberculosis Association, 1929).

New York City Department of Health, *What You Should Know about Tuberculosis* (New York: J. W. Pratt, 1910).

Ott, Katherine, *Fevered Lives: Tuberculosis in American Culture since 1870* (Cambridge, MA: Harvard University Press 1996).

Pope, Alton S., "The Role of the Sanatorium in Tuberculosis Control," *Milbank Memorial Fund Quarterly* 16, no. 4 (October 1938): 327–337.

Pottenger, Francis M., *The Diagnosis and Treatment of Pulmonary Tuberculosis* (New York: William Wood, 1908).

Ransome, Arthur, *Researches on Tuberculosis* (London, 1898).

———, "Tuberculosis and Leprosy: A Parallel and a Prophecy," *Lancet* 148, no. 3802 (July 11, 1896): 99–104.

Reinhardt, Charles, and David Thomson, *A Handbook of the Open-Air Treatment* (London: John Bale, Sons & Danielsson, 1902).

Rothman, Sheila M., *Living in the Shadow of Death; Tuberculosis and the Social Experience of Illness in American History* (New York: Basic, 1994).

Sontag, Susan, *Illness as Metaphor* (New York: Vintage, 1979). [『隠喩としての病い —— エイズとその隠喩』、スーザン・ソンタグ著、富山太佳夫訳、みすず書房、新装版、2006 年]

Stowe, Harriet Beecher, *Uncle Tom's Cabin, or Life among the Lowly* (New York: Penguin, 1981; 1st ed. 1852). [『新訳 アンクル・トムの小屋』、ハリエット・ビーチャー・ストウ著、小林憲二監訳、明石書店、1998 年／ほか]

Trudeau, Edward Livingston, *An Autobiography* (Garden City, NY: Doubleday, Page, 1916). [『療魂記 —— トルードー自傳』、エドワード・リヴィングストン・トルードー著、茂野吉之助、細田藤彌共訳、新潮社、1943 年／『山と風と太陽と泉 —— トルウドオ自叙伝』、トルウドオ著、茂野吉之助訳、四季社、1953 年]

Tuberculosis Commission of the State of Maryland, *Report of 1902–1904* (Baltimore: Sun Job Printing Office, 1904).

Vickery, Heather Styles, "'How Interesting He Looks in Dying': John Keats and Consumption," *Keats-Shelley Review* 32, no. 1 (2018): 58–63.

Villemin, Jean Antoine, *De la propagation de la phthisie* (Paris, 1869).

———, *Études sur la tuberculose* (Paris, 1868).

Walksman, Selman, *The Conquest of Tuberculosis* (Berkeley: University of California Press, 1964).

Walters, F. Rufenacht, *Sanatoria for Consumptives* (London: Swann Sonnenschein, 1902).

World Health Organization, *Global Tuberculosis Control: WHO Report 2010* (Geneva: World Health Organization, 2010).

———, *Global Tuberculosis Report 2015* (Geneva: World Health Organization, 2015).

Rogers, Leonard, *Cholera and Its Treatment* (London: H. Frowde, Oxford University Press, 1911).
Rosenberg, Charles E., *The Cholera Years: The United States in 1832, 1849, and 1866* (Chicago: University of Chicago Press, 1987).
Seas, C., J. Miranda, A. I. Gil, R. Leon-Barua, J. Patz, A. Huq, R. R. Colwell, and R. B. Sack, "New Insights on the Emergence of Cholera in Latin America during 1991: The Peruvian Experience," *American Journal of Tropical Medicine and Hygiene* 62 (2000): 513–517.
Shakespeare, Edward O., *Report on Cholera in Europe and India* (Washington, DC, 1890).
Snow, John, *Snow on Cholera* (New York: The Commonwealth Fund; and London: Oxford University Press, 1936).
Snowden, Frank, *Naples in the Time of Cholera: 1884–1911* (Cambridge: Cambridge University Press, 1995).
Somma, Giuseppe, *Relazione sanitaria sui casi di colera avvenuti nella sezione di Porto durante l'epidemia dell'anno 1884* (Naples, 1884).
Twain, Mark, *Innocents Abroad* (Hartford, CT, 1869).［マーク・トウェイン著「赤毛布外遊記」（抄）、『マーク・トウェイン』所収、柴田元幸訳、集英社（集英社文庫ヘリテージシリーズ ポケットマスターピース）、2016 年／『イノセント・アブロード —— 聖地初巡礼の旅』（上・下巻）、勝浦吉雄、勝浦寿美訳、文化書房博文社、2004 年／ほか］
United States Congress, House Committee on Foreign Affairs, Subcommittee on Western Hemisphere Affairs, The Cholera Epidemic in Latin America. Hearing before the Subcommittee on Western Hemisphere Affairs of the Committee on Foreign Affairs, House of Representatives, One Hundred Second Congress, First Session, May 1, 1991 (Washington, DC: US Government Printing Office, 1991).
Van Heyningen, *William Edward, Cholera: The American Scientific Experience* (Boulder, CO: Westview, 1983).
Vezzulli, Luigi, Carla Pruzzo, Anwar Huq, and Rita R. Colwell, "Environmental Reservoirs of Vibrio cholerae and Their Role in Cholera," *Environmental Microbiology Reports* 2, no. 1 (2010): 27–35.
Wachsmuth, I. K., P. A. Blake, and Ø. Olsvik, eds., *Vibrio cholerae and Cholera: Molecular to Global Perspectives* (Washington, DC: ASM, 1994).
Wall, A. J., *Asiatic Cholera: Its History, Pathology and Modern Treatment* (London, 1893).
World Health Organization, *Guidelines for Cholera Control* (Geneva: World Health Organization, 1993).

結 核

Abel, Emily K., Rima D. Apple, and Janet Golden, *Tuberculosis and the Politics of Exclusion: A History of Public Health and Migration to Los Angeles* (New Brunswick: Rutgers University Press, 2007).
Barnes, David S., *The Making of a Social Disease: Tuberculosis in Nineteenth-Century France* (Berkeley: University of California Press, 1995).
Bryder, Linda, *Below the Magic Mountain: A Social History of Tuberculosis in Twentieth Century Britain* (Oxford: Oxford University Press, 1988).
Bulstrode, H. Timbrell, *Report on Sanatoria for Consumption and Certain Other Aspects of the Tuberculosis Question* (London: His Majesty's Stationery Office, 1908).
Bynum, Helen, *Spitting Blood: The History of Tuberculosis* (Oxford: Oxford University Press, 2012).
Carrington, Thomas Spees, *Tuberculosis Hospital and Sanatorium Construction* (New York: National Association for the Study and Prevention of Tuberculosis, 1911).
Chekov, Anton, *Five Plays*, trans. Marina Brodskaya (Stanford, CA: Stanford University Press, 2011).［「イワーノフ」「かもめ」「ワーニャ伯父さん」「三人姉妹」「桜の園」、『チェーホフ戯曲選』所収、アントン・チェーホフ著、松下裕訳、水声社、2004 年／ほか］
Comstock, George W., "The International Tuberculosis Campaign: A Pioneering Venture in Mass Vaccination and Research," *Clinical Infectious Diseases* 19, no. 3 (September 1, 1994): 528–540.
Condrau, Flurin, and Michael Worboys, *Tuberculosis Then and Now: Perspectives on the History of an Infectious Disease* (Montreal: McGill–Queen's University Press, 2010).
Connolly, Cynthia Anne, *Saving Sickly Children: The Tuberculosis Preventorium in American Life, 1909–1970* (New Brunswick: Rutgers University Press, 2008).
Crowell, F. Elizabeth, *Tuberculosis Dispensary Method and Procedure* (New York: Vail-Ballou, 1916).
Day, Carolyn A., *Consumptive Chic: A History of Beauty, Fashion, and Disease* (London: Bloomsbury, 2017).［『ヴィクトリア朝病が変えた美と歴史 —— 肺結核がもたらした美、文学、ファッション』、キャロリン・A・デイ著、桐谷知未訳、原書房、2021 年］
Dubos, René, and Jean Dubos, *The White Plague: Tuberculosis, Man, and Society* (Boston: Little, Brown, 1952).［『白い疫病 —— 結核と人間と社会』、ルネ・デュボス、ジーン・デュボス著、北鍊平訳、結核予防会、1982 年］
Dutcher, Addison P., *Pulmonary Tuberculosis: Its Pathology, Nature, Symptoms, Diagnosis, Prognosis, Causes, Hygiene, and Medical Treatment* (Philadelphia, 1875).
Ellis, A. E., *The Rack* (Boston: Little Brown, 1958).
Fishbert, Maurice, *Pulmonary Tuberculosis*, 3rd ed. (Philadelphia: Lea & Febiger, 1922).
Gide, André, *The Immoralist*, trans. Richard Howard (New York: Alfred A. Knopf, 1970).［『背徳者』、アンドレ・ジイド著、川口篤訳、岩波書店（岩波文庫）、改訳版、

コレラ

Andrews, Jason R., and Basu Sanjay, "Transmission Dynamics and Control of Cholera in Haiti: An Epidemic Model," *Lancet* 377, no. 9773 (April 2011): 1248–1255.

Belkin, Shimson, and Rita R. Colwell, eds., *Ocean and Health Pathogens in the Marine Environment* (New York: Springer, 2005).

Bilson, Geoffrey, *A Darkened House: Cholera in Nineteenth-Century Canada* (Toronto: University of Toronto, 1980).

Colwell, Rita R., "Global Climate and Infectious Disease: The Cholera Paradigm," *Science* 274, no. 5295 (December 20, 1996): 2025–2031.

Delaporte, François, *Disease and Civilization: The Cholera in Paris, 1832* (Cambridge, MA: MIT Press, 1986).

Durey, Michael, *The Return of the Plague: British Society and the Cholera, 1831–1832* (Dublin: Gill and Macmillan, 1979).

Echenberg, Myron, *Africa in the Time of Cholera: A History of Pandemics from 1817 to the Present* (Cambridge: Cambridge University Press, 2011).

Evans, Richard J., *Death in Hamburg: Society and Politics in the Cholera Years* (New York: Penguin, 2005).

———, "Epidemics and Revolutions: Cholera in Nineteenth-Century Europe," *Past and Present*, no. 120 (August 1988): 123–146.

Eyler, J. M., "The Changing Assessment of John Snow's and William Farr's Cholera Studies," *Soz Praventivmed* 46, no. 4 (2001): 225–232.

Fang, Xiaoping, "The Global Cholera Pandemic Reaches Chinese Villages: Population Mobility, Political Control, and Economic Incentives in Epidemic Prevention, 1962–1964," *Modern Asian Studies* 48, no. 3 (May 2014): 754–790.

Farmer, Paul, *Haiti after the Earthquake* (New York: Public Affairs, 2011). [『復興するハイチ —— 震災から、そして貧困から　医師たちの闘いの記録 2010-11』、ポール・ファーマー著、岩田健太郎訳、みすず書房、2014 年（抄訳）]

Fazio, Eugenio, *L'epidemia colerica e le condizioni sanitarie di Napoli* (Naples, 1885). Giono, Jean, The Horseman on the Roof, trans. Jonathan Griffin (New York: Knopf, 1954).

Hamlin, Christopher, *Cholera: The Biography* (Oxford: Oxford University Press, 2009).

Howard-Jones, Norman, "Cholera Therapy in the Nineteenth Century," *Journal of the History of Medicine* 17 (1972): 373–395.

Hu, Dalong, Bin Liu, Liang Feng, Peng Ding, Xi Guo, Min Wang, Boyang Cao, P. R. Reeves, and Lei Want, "Origins of the Current Seventh Cholera Pandemic," *Proceedings of the National Academy of Sciences of the United States of America* 113, no. 48 (2016): E7730–E7739.

Huq, A., S. A. Huq, D. J. Grimes, M. O'Brien, K. H. Chu, J. M. Capuzzo, and R. R. Colwell, "Colonization of the Gut of the Blue Crab (Callinectes sapidus) by Vibrio cholerae," *Applied Environmental Microbiology* 52 (1986): 586–588.

Ivers, Louise C., "Eliminating Cholera Transmission in Haiti," *New England Journal of Medicine* 376 (January 12, 2017): 101–103.

Jutla, Antarpreet, Rakibul Khan, and Rita Colwell, "Natural Disasters and Cholera Outbreaks: Current Understanding and Future Outlook," *Current Environmental Health Report* 4 (2017): 99–107.

Koch, Robert, *Professor Koch on the Bacteriological Diagnosis of Cholera, Water-Filtration and Cholera, and the Cholera in Germany during the Winter of 1892–93, trans. George Duncan* (Edinburgh, 1894).

Kudlick, Catherine Jean, *Cholera in Post-Revolutionary Paris: A Cultural History* (Berkeley: University of California Press, 1996).

Lam, Connie, Sophie Octavia, Peter Reeves, Lei Wang, and Ruiting Lan, "Evolution of the Seventh Cholera Pandemic and the Origin of the 1991 Epidemic in Latin America," *Emerging Infectious Diseases* 16, no. 7 (July 2010): 1130–1132.

Longmate, Norman, *King Cholera: The Biography of a Disease* (London: H. Hamilton, 1966).

McGrew, Roderick E., *Russia and the Cholera, 1823–1832* (Madison: University of Wisconsin Press, 1965).

Mekalanos, John, *Cholera: A Paradigm for Understanding Emergence, Virulence, and Temporal Patterns of Disease* (London: Henry Stewart Talks, 2009).

Morris, J. Glenn, Jr., "Cholera—Modern Pandemic Disease of Ancient Lineage," *Emerging Infectious Diseases* 17, no. 11 (November 2011): 2099–2104.

Morris, Robert John, *Cholera 1832: The Social Response to an Epidemic* (London: Croom Helm, 1976).

Munthe, Axel, *Letters from a Mourning City*, trans. Maude Valerie White (London, 1887).

Pelling, Margaret, *Cholera, Fever, and English Medicine, 1825–1865* (Oxford: Oxford University Press, 1978).

Pettenkofer, Max von, *Cholera: How to Prevent and Resist It*, trans. Thomas Whiteside Hine (London, 1875).

Piarroux, Renaud, Robert Barrais, Benoît Faucher, Rachel Haus, Martine Piarroux, Jean Gaudart, Roc Magloire, and Didier Raoult, "Understanding the Cholera Epidemic, Haiti," *Emerging Infectious Diseases* 17, no. 7 (July 2011): 1161–1168.

Pollitzer, R., *Cholera* (Geneva: World Health Organization, 1959).

Ramamurthy, T., *Epidemiological and Molecular Aspects of Cholera* (New York: Springer Science and Business, 2011).

Robbins, Anthony, "Lessons from Cholera in Haiti," *Journal of Public Health Policy* 35, no. 2 (May 2014): 135–136.

Movement on Changing Women's Roles in America, 1860–1920," *Journal of American Culture* 22, no. 4 (December 1999): 1–7.
Snowden, Frank, *Naples in the Time of Cholera, 1884–1911* (Cambridge: Cambridge University Press, 1995).
Southwood Smith, Thomas, *A Treatise on Fever* (Philadelphia, 1831).
Tomes, Nancy, *The Gospel of Germs: Men, Women, and the Microbe in American Life* (Cambridge, MA: Harvard University Press, 1988).

細菌病原説

Bertucci, Paola, *Artisanal Enlightenment: Science and the Mechanical Arts in Old Regime France* (New Haven: Yale University Press, 2017).
Brock, Thomas D., *Robert Koch: A Life in Medicine and Bacteriology* (Washington, DC: ASM, 1999).［『ローベルト・コッホ —— 医学の原野を切り拓いた忍耐と信念の人』、トーマス・D・ブロック著、長木大三、添川正夫訳、シュプリンガー・フェアラーク東京、1991 年］
Budd, William, *Typhoid Fever: Its Nature, Mode of Spreading, and Prevention* (London, 1873).
Clark, David P., *How Infectious Diseases Spread* (Upper Saddle River, NJ: FT Press Delivers, 2010).
Conant, James Bryant, *Pasteur's and Tyndall's Study of Spontaneous Generation* (Cambridge, MA: Harvard University Press, 1953).
Dobell, Clifford, *Antony van Leeuwenhoek and His "Little Animals"* (New York: Russell & Russell, 1958).［『レーベンフックの手紙』、クリフォード・ドーベル著、天児和暢訳、九州大学出版会、2004 年］
Dubos, René, *Pasteur and Modern Science* (Garden City, NY: Anchor, 1960).［『パストゥール —— 世紀を超えた生命科学への洞察』、ルネ・デュボス著、トーマス・D・ブロック編、長木大三ほか訳、学会出版センター、1996 年］
———, *Pasteur's Study of Fermentation* (Cambridge, MA: Harvard University Press, 1952).
Cheyne, William Watson, *Lister and His Achievement* (London: Longmans, Green, 1925).
Gaynes, Robert P., *Germ Theory: Medical Pioneers in Infectious Diseases* (Washington, DC: ASM, 2011).
Geison, Gerald, *The Private Science of Louis Pasteur* (Princeton: Princeton University Press, 1995).［『パストゥール —— 実験ノートと未公開の研究』、ジェラルド・L・ギーソン著、長野敬、太田英彦訳、青土社、2000 年］
Guthrie, Douglas, *Lord Lister: His Life and Doctrine* (Edinburgh: Livingstone, 1949).
Harkness, Deborah, *The Jewel House: Elizabethan London and the Scientific Revolution* (New Haven: Yale University Press, 2007).
Kadar, Nicholas, "Rediscovering Ignaz Philipp Semmelweis (1818–1865)," *Journal of Obstetrics and Gynecology* (2018), https://doi.org/10.1016/j.ajog.2018.11.1084.
Knight, David C., *Robert Koch, Father of Bacteriology* (New York: F. Watts, 1961).
Koch, Robert, *Essays of Robert Koch*, trans. K. Codell Carter (New York: Greenwood, 1987).
Laporte, Dominique, *History of Shit* (Cambridge, MA: MIT Press, 2000).
Latour, Bruno, *The Pasteurization of France*, trans. Alan Sheridan and John Law (Cambridge, MA: Harvard University Press, 1988).
Lehoux, Daryn, *Creatures Born of Mud and Slime: The Wonder and Complexity of Spontaneous Generation* (Baltimore: Johns Hopkins University Press, 2017).
Long, Pamela O., *Artisan/Practitioners and the Rise of the New Sciences, 1400–1600* (Corvallis: Oregon State University Press, 2011).
Metchnikoff, Elie, *Founders of Modern Medicine: Pasteur, Koch, Lister* (Delanco, NJ: Gryphon, 2006).
Nakayama, Don K., "Antisepsis and Asepsis and How They Shaped Modern Surgery," *American Surgeon* 84, no. 6 (June 2018): 766–771.
Nuland, Sherwin B., *Doctors: The Biography of Medicine* (New York: Random House, 1988).［『医学をきずいた人びと —— 名医の伝記と近代医学の歴史』（上・下巻）、シャーウィン・B・ヌーランド著、曽田能宗訳、河出書房新社、1991 年］
———, *The Doctors' Plague: Germs, Childbed Fever, and the Strange Story of Ignác Semmelweis* (New York: W. W. Norton, 2004).
Pasteur, Louis, *Germ Theory and Its Applications to Medicine and Surgery* (Hoboken, NJ: BiblioBytes, n.d.).
———, *Physiological Theory of Fermentation* (Hoboken, NJ: BiblioBytes, n.d.).
Radot, René Vallery, *Louis Pasteur: His Life and Labours*, trans. Lady Claud Hamilton (New York, 1885).［『人間パストゥール』、パストゥール・ヴァレリー＝ラド著、持田勲、持田明子訳、みすず書房、1979 年］
Ruestow, Edward G., *The Microscope in the Dutch Republic: The Shaping of Discovery* (Cambridge: Cambridge University Press, 1996).
Schlich, Thomas, "Asepsis and Bacteriology: A Realignment of Surgery and Laboratory Science," *Medical History* 56, no. 3 (July 2012): 308–334.
Semmelweis, Ignác, *The Etiology, the Concept, and the Prophylaxis of Childbed Fever*, trans. F. P. Murphy (Birmingham, AL: Classics of Medicine Library, 1981).
Smith, Pamela H., *The Body of the Artisan: Art and Experience in the Scientific Revolution* (Chicago: University of Chicago Press, 2004).
Tomes, Nancy, *The Gospel of Germs: Men, Women, and the Microbe in American Life* (Cambridge, MA: Harvard University Press, 1998).

Temkin, Owsei, "The Philosophical Background of Magendie's Physiology," *Bulletin of the History of Medicine* 20, no. 1 (January 1946): 10–36.

Warner, John Harley, *Against the Spirit of System: The French Impulse in Nineteenth Century Medicine* (Baltimore: Johns Hopkins University Press, 2003).

衛生改革運動

Barnes, David S., *The Great Stink of Paris and the Nineteenth-Century Struggle against Filth and Germs* (Baltimore: Johns Hopkins University Press, 2006).

Chadwick, Edwin, *Public Health: An Address* (London, 1877).

———, *The Sanitary Condition of the Labouring Population of Great Britain*, ed. M. W. Flinn (Edinburgh: Edinburgh University Press, 1965; 1st ed. 1842).［『大英帝国における労働人口集団の衛生状態に関する報告書』、エドウィン・チャドウィック著、橋本正己訳、日本公衆衛生協会、1990 年］

Chevalier, Louis, *Laboring Classes and Dangerous Classes in Paris during the First Half of the Nineteenth Century*, trans. Frank Jellinek (New York: H. Fertig, 1973).

Cleere, Eileen, *The Sanitary Arts: Aesthetic Culture and the Victorian Cleanliness Campaigns* (Columbus: Ohio State University Press, 2014).

Dickens, Charles, *The Adventures of Oliver Twist* (London: Oxford University Press, 1949).［『オリヴァー・ツイスト』、チャールズ・ディケンズ著、加賀山拓郎訳、新潮社（新潮文庫）、2017 年／ほか］

———, *Dombey and Son* (New York: Heritage, 1957).［チャールズ・ディケンズ著、『ドンビー父子』（上・下巻）、田辺洋子訳、こびあん書房、2000 年／「リトル・ドンビー物語」、『ディケンズ朗読短篇選集 2』所収、小池滋訳編著、開文社出版、2012 年］

———, *Martin Chuzzlewit* (Oxford: Oxford University Press, 2016).［『マーティン・チャズルウィット 新訳』（上・下巻） チャールズ・ディケンズ著、田辺洋子訳、2005 年］

Douglas, Mary, *Purity and Danger: An Analysis of the Concepts of Pollution and Taboo* (London: Routledge & K. Paul, 1966).［『汚穢と禁忌』、メアリ・ダグラス著、塚本利明訳、筑摩書房（ちくま学芸文庫）、2009 年］

Eliot, George, *Middlemarch* (New York: Modern Library, 1984).［『ミドルマーチ』（全 4 巻）、ジョージ・エリオット著、廣野由美子訳、光文社（光文社古典新訳文庫）、2019 年／ほか］

Engels, Friederich, *The Condition of the Working Class in England*, trans. Florence Kelly Wischnewetsky (New York, 1887).

Finer, Samuel Edward, *The Life and Times of Sir Edwin Chadwick* (London: Methuen, 1952).

Foucault, Michel, *Discipline and Punish: The Birth of the Prison*, trans. Alan Sheridan (New York: Vintage, 1979).『監獄の誕生』、ミシェル・フーコー著、前掲書］

Frazer, W. A. *A History of English Public Health, 1834–1939* (London: Baillière, Tindall & Cox, 1950).

Gaskell, Elizabeth Cleghorn, *North and South* (London: Smith, Elder, 1907).［「北と南」、『ギャスケル全集 4』所収、エリザベス・ギャスケル著、朝日千尺訳、日本ギャスケル協会監修、大阪教育図書、2004 年］

Goodlad, Lauren M. E., "'Is There a Pastor in the House?': Sanitary Reform, Professionalism, and Philanthropy in Dickens's Mid-Century Fiction," *Victorian Literature and Culture* 31, no. 2 (2003): 525–553.

Hamlin, Christopher, "Edwin Chadwick and the Engineers, 1842–1854: Systems and Antisystems in the Pipe-and-Brick Sewers War," *Technology and Culture* 33, no. 4 (1992): 680–709.

———, *Public Health and Social Justice in the Age of Chadwick* (Cambridge: Cambridge University Press, 1998).

Hanley, James Gerald, "All Actions Great and Small: English Sanitary Reform, 1840–1865," PhD diss., Yale University, 1998.

Hoy, Sue Ellen, *Chasing Dirt: The American Pursuit of Cleanliness* (New York: Oxford University Press, 1995).

La Berge, Ann F., "Edwin Chadwick and the French Connection," *Bulletin of the History of Medicine* 62, no. 1 (1988): 23–24.

Lewis, Richard Albert, *Edwin Chadwick and the Public Health Movement*, 1832–1954 (London: Longmans, 1952).

Litsios, Socrates, "Charles Dickens and the Movement for Sanitary Reform," *Perspectives in Biology and Medicine* 46, no. 2 (Spring 2003): 183–199.

Mayhew, Henry, *London Labour and the London Poor* (London, 1865).［『ロンドン貧乏物語 —— ヴィクトリア時代呼売商人の生活誌』、ヘンリー・メイヒュー著、植松靖夫訳、悠書館、2013 年（抄訳）］

McKeown, Thomas, *The Modern Rise of Population* (London: Edward Arnold, 1976).

———, *The Role of Medicine: Dream, Mirage or Nemesis?* (Princeton: Princeton University Press, 1976).

Pinkney, David H., *Napoleon III and the Rebuilding of Paris* (Princeton: Princeton University Press, 1958).

Richardson, Benjamin Ward, *Hygeia: A City of Health* (London, 1876).

Rosen, George, *A History of Public Health* (Baltimore: Johns Hopkins University Press, 1993).［『公衆衛生の歴史』、ジョージ・ローゼン著、小栗史朗訳、第一出版、1974 年］

Ruskin, John, *Modern Painters*, 5 vols. (London, 1873).

Sivulka, Juliann, "From Domestic to Municipal Housekeeper: The Influence of the Sanitary Reform

Campaign of 1812, trans. W. Knollys (London, 1852).
Foord, Edward, *Napoleon's Russian Campaign of 1812* (Boston: Little, Brown, 1915).
Hildenbrand, Johann Val de, *A Treatise on the Nature, Cause, and Treatment of Contagious Typhus*, trans. S. D. Gross (New York, 1829).
Larrey, Dominique Jean, *Memoir of Baron Larrey* (London, 1861).
Maceroni, Francis, and Joachim Murat, *Memoirs of the Life and Adventures of Colonel Maceroni*, 2 vols. (London, 1837).
Palmer, Alonzo B., *Diarrhoea and Dysentery: Modern Views of Their Pathology and Treatment* (Detroit, 1887).
Rose, Achilles, *Napoleon's Campaign in Russia Anno 1812: Medico-Historical* (New York: Published by the author, 1913).
Rothenberg, Gunther E., *The Art of Warfare in the Age of Napoleon* (Bloomington: Indiana University Press, 1978).
Ségur, Philippe de, *History of the Expedition to Russia Undertaken by the Emperor Napoleon in the Year 1812*, vol. 1 (London, 1840).
Talty, Stephan, *The Illustrious Dead: The Terrifying Story of How Typhus Killed Napoleon's Greatest Army* (New York: Crown, 2009).
Tarle, Eugene, *Napoleon's Invasion of Russia, 1812* (New York: Oxford University Press, 1942).
Tolstoy, Leo, *The Physiology of War: Napoleon and the Russian Campaign*, trans. Huntington Smith (New York, 1888).［『ナポレオン露国遠征論』、トルストイ著、相馬御風重訳、新潮社、1915 年］
———, *War and Peace*, trans. Orlando Figes (New York: Viking, 2006).［トルストイ著、『戦争と平和』（全 4 巻）、工藤精一郎訳、新潮社（新潮文庫）、改版、2005 年／『戦争と平和』（全 6 巻）、藤沼貴訳、岩波書店（岩波文庫）、2006 年／ほか］
Virchow, Rudolf Carl, *On Famine Fever and Some of the Other Cognate Forms of Typhus* (London, 1868).
———, "Report on the Typhus Epidemic in Upper Silesia, 1848," *American Journal of Public Health* 96, no. 12 (December 2006): 2102–2105 (excerpt from R. C. Virchow, Archiv für pathologische Anatomie und Physiologie und für klinische Medicin, vol. 2 [Berlin, 1848]).
Voltaire, *History of Charles XII, King of Sweden* (Edinburgh, 1776).［『英雄交響曲 —— チャールス十二世』、ヴォルテール著、丸山熊雄訳、白水社、1942 年］
Xavier, Nicolas, Hervé Granier, and Patrick Le Guen, "Shigellose ou dysenterie bacillaire," *Presse Médicale* 36, no. 11, pt. 2 (November 2007): 1606–1618.
Zamoyski, Adam, *1812: Napoleon's Fatal March on Moscow* (London: HarperCollins, 2004).

パリ臨床学派

Ackerknecht, Erwin H., *Medicine at the Paris Hospital, 1794–1848* (Baltimore: Johns Hopkins University Press, 1967).［『パリ、病院医学の誕生 —— 革命暦第三年から二月革命へ』、アーウィン・H・アッカークネヒト著、舘野之男訳、みすず書房（はじまりの本）、2012 年、(「パリ病院 1794-1848」〔思索社 1978 年刊〕の改題、新編集)］
———, "Recurrent Themes in Medical Thought," *Scientific Monthly* 69, no. 2 (August 1949): 80–83.
Cross, John, *Sketches of the Medical Schools of Paris, Including Remarks on the Hospital Practice, Lectures, Anatomical Schools, and Museums, and Exhibiting the Actual State of Medical Instruction in the French Metropolis* (London, 1815).
Foucault, Michel, *The Birth of the Clinic: An Archaeology of Medical Perception*, trans. A. M. Sheridan Smith (New York: Pantheon, 1973).［『臨床医学の誕生』、ミシェル・フーコー著、前掲書］
Hannaway, Caroline, and Ann La Berge, eds., *Constructing Paris Medicine* (Amsterdam: Rodopi, 1998).
Kervran, Roger, *Laennec: His Life and Times* (Oxford: Pergamon, 1960).
Locke, John, *Essay Concerning Human Understanding* (Oxford: Clarendon, 1924).［ジョン・ロック著『人間悟性論』（上・下巻）、加藤卯一郎訳、岩波書店（岩波書店）、1950 年／『人間知性論』（全 4 巻）、大槻春彦訳、岩波書店（岩波文庫）、1972-74 年］
Paracelsus, Theophrastus, *Four Treatises of Theophrastus von Henheim, Called Paracelsus*, trans. Lilian Temkin, George Rosen, Gregory Zilboorg, and Henry E. Sigerist (Baltimore: Johns Hopkins University Press, 1941).
Shakespeare, William, *All's Well That Ends Well* (Raleigh, NC: Alex Catalogue, 2001).［ウィリアム・シェイクスピア著『シェイクスピア全集 25 終わりよければすべてよし』、小田島雄志訳、白水社（白水Uブックス）、2002 年／『シェイクスピア全集 33 終わりよければすべてよし』、松岡和子訳、筑摩書房（ちくま文庫）、2021 年／ほか］
Somerville, Asbury, "Thomas Sydenham as Epidemiologist," *Canadian Public Health Journal* 24, no. 2 (February 1933): 79–82.
Stensgaard, Richard K., "All's Well That Ends Well and the Gelenico-Paraceslian Controversy," *Renaissance Quarterly* 25, no. 2 (Summer 1972): 173–188.
Sue, Eugène, *Mysteries of Paris* (New York, 1887).［『パリの秘密』（全 4 巻）、ウジェーヌ・シュー著、江口清訳、集英社（世界の名作）、1971 年／『パリの秘密』、ユージェーヌ・シュー著、関根秀雄訳、東京創元社（世界大ロマン全集）、1957 年／ほか］)
Sydenham, Thomas, *The Works of Thomas Sydenham*, 2 vols., trans. R. G. Latham (London, 1848–1850).

Gilbert, Nicolas Pierre, *Histoire médicale de l'armée française, à Saint-Domingue, en l'an dix: ou mémoire sur la fièvre jaune, avec un apperçu de la topographie médicale de cette colonie* (Paris, 1803).

Girard, Philippe R., "Caribbean Genocide: Racial War in Haiti, 1802–4," *Patterns of Prejudice* 39, no. 2 (2005): 138–161.

———, "Napoléon Bonaparte and the Emancipation Issue in Saint-Domingue, 1799– 1803," *French Historical Studies* 32, no. 4 (September 2009): 587–618.

———, *The Slaves Who Defeated Napoleon: Toussaint Louverture and the Haitian War of Independence* (Tuscaloosa: University of Alabama Press, 2011).

Herold, J. Christopher, ed., *The Mind of Napoleon: A Selection of His Written and Spoken Words* (New York: Columbia University Press, 1955).

James, Cyril Lionel Robert, *Black Jacobins: Toussaint L'Ouverture and the San Domingo Revolution* (New York: Vintage, 1963).［『ブラック・ジャコバン――トゥサン＝ルヴェルチュールとハイチ革命』、C・L・R・ジェームズ著、青木芳夫監訳、大村書店、増補新版、2002 年］

Kastor, Peter J., *Nation's Crucible: The Louisiana Purchase and the Creation of America* (New Haven: Yale University Press, 2004).

Kastor, Peter J., and François Weil, eds., *Empires of the Imagination: Transatlantic Histories and the Louisiana Purchase* (Charlottesville: University of Virginia Press, 2009).

Lee, Debbi, *Slavery and the Romantic Imagination* (Philadelphia: University of Pennsylvania Press, 2002).

Leroy-Dupré, *Louis Alexandre Hippolyte, ed., Memoir of Baron Larrey, Surgeon-in-chief of the Grande Armée* (London, 1862).

Marr, John S., and Cathey, John T., "The 1802 Saint-Domingue Yellow Fever Epidemic and the Louisiana Purchase," *Journal of Public Health Management Practice* 19, no. 1 (January–February 2013): 77–82.

———, "Yellow Fever, Asia and the East African Slave Trade," *Transactions of the Royal Society of Tropical Medicine and Hygiene* 108, no. 5 (May 1, 2014): 252–257.

McNeill, John Robert, *Mosquito Empires: Ecology and War in the Greater Caribbean, 1620–1914* (New York: Cambridge University Press, 2010).

Rush, Benjamin, *An Account of the Bilious Remitting Yellow Fever as It Appeared in the City of Philadelphia, in the Year 1793* (Philadelphia, 1794).

Scott, James, *Weapons of the Weak: Everyday Forms of Peasant Resistance* (New Haven: Yale University Press, 1985).

Sutherland, Donald G., *Chouans: The Social Origins of Popular Counter-Revolution in Upper Brittany, 1770–1796* (Oxford: Oxford University Press, 1982).

Teelock, Vijaya, *Bitter Sugar: Sugar and Slavery in Nineteenth-Century Mauritius* (Moka, Mauritius: Mahatma Gandhi Institute, 1998).

Tilly, Charles, *The Vendée* (Cambridge, MA: Harvard University Press, 1976).

ナポレオン――発疹チフスと赤痢とロシア遠征

Alekseeva, Galina, "Emerson and Tolstoy's Appraisals of Napoleon," *Tolstoy Studies Journal* 24 (2012): 59–65.

Armstrong, John, *Practical Illustrations of Typhus Fever, of the Common Continued Fever, and of Inflammatory Diseases, &c.* (London, 1819).

Austin, Paul Britten, *1812: Napoleon in Moscow* (South Yorkshire: Frontline, 2012).

Ballingall, George, *Practical Observations on Fever, Dysentery, and Liver Complaints as They Occur among the European Troops in India* (Edinburgh, 1823).

Bell, David Avrom, *The First Total War: Napoleon's Europe and the Birth of Warfare as We Know It* (Boston: Houghton Mifflin, 2007).

Bourgogne, Jean Baptiste François, *Memoirs of Sergeant Bourgogne (1812–1813)*, trans. Paul Cottin and Maurice Henault (London: Constable, 1996).

Burne, John, *A Practical Treatise on the Typhus or Adynamic Fever* (London, 1828).

Campbell, D., *Observations on the Typhus, or Low Contagious Fever, and on the Means of Preventing the Production and Communication of This Disease* (Lancaster, 1785).

Cirillo, Vincent J., "'More Fatal than Powder and Shot': Dysentery in the U.S. Army during the Mexican War, 1846–48," *Perspectives in Biology and Medicine* 52, no. 3 (Summer 2009): 400–413.

Clausewitz, Carl von, *The Campaign of 1812 in Russia* (London: Greenhill, 1992).［『ナポレオンのモスクワ遠征』、カール・フォン・クラウゼヴィッツ著、外山卯三郎訳、原書房、1982 年（『一八一二年のロシヤ戦役』〔みたみ出版、昭和 19 年刊〕の改題複製）］

———, *On War, trans. J. J. Graham* (New York: Barnes and Noble, 1968).［『戦争論』（上・下巻）、クラウゼヴィッツ著、清水多吉訳、中央公論新社（中公文庫）、2001 年ほか］

Collins, Christopher H., and Kennedy, David A., "Gaol and Ship Fevers," *Perspectives in Public Health* 129, no. 4 (July 2009): 163–164.

Esdaile, Charles J., "De-Constructing the French Wars: Napoleon as Anti-Strategist," *Journal of Strategic Studies* 31 (2008): 4, 515–552.

———, *The French Wars, 1792–1815* (London: Routledge, 2001).

———, *Napoleon's Wars: An International History, 1803–1815* (London: Allen Lane, 2007).

Fezensac, Raymond A. P. J. de, *A Journal of the Russian*

Foege, William H., *House on Fire: The Fight to Eradicate Smallpox* (Berkeley: University of California Press, 2011).

Franklin, Benjamin, *Some Account of the Success of Inoculation for the Small-pox in England and America. Together with Plain Instructions, by Which Any Person May Perform the Operation, and Conduct the Patient through the Distemper* (London, 1759).

Glynn, Ian, *The Life and Death of Smallpox* (London: Profile, 2004).

Henderson, Donald A., *Smallpox: The Death of a Disease* (Amherst, NY: Prometheus, 2009).

Herberden, William, *Plain Instructions for Inoculation in the Small-pox; by Which Any Person May Be Enabled to Perform the Operation, and Conduct the Patient through the Distemper* (London, 1769).

Hopkins, Donald R., *The Greatest Killer: Smallpox in History* (Chicago: University of Chicago Press, 2002).

———, *Princes and Peasants: Smallpox in History* (Chicago: University of Chicago Press, 1983).

James, Sydney Price, *Smallpox and Vaccination in British India* (Calcutta: Thacker, Spink, 1909).

Jenner, Edward, *An Inquiry into the Causes and Effects of the Variolae Vaccinae, A Disease Discovered in Some of the Western Counties of England, Particularly Gloucestershire, and Known by the Name of the Cow Pox* (Springfield, MA, 1802; 1st ed. 1799).［『牛痘の原因および作用に関する研究』（2 巻、別冊とも）、エドワード・ジェンナー著、梅田敏郎解説・翻訳、講談社、1983 年／ほか］

———, *On the Origin of the Vaccine Inoculation* (London, 1801).

Koplow, David A., *Smallpox: The Fight to Eradicate a Global Scourge* (Berkeley: University of California Press, 2003).

Langrish, Browne, *Plain Directions in Regard to the Small-pox* (London, 1759).

Mann, Charles C., *1491: New Revelations of the Americas before Columbus* (New York: Knopf, 2005).［『1491 —— 先コロンブス期アメリカ大陸をめぐる新発見』、チャールズ・C・マン著、布施由紀子訳、日本放送出版協会、2007 年］

———, *1493: Uncovering the New World Columbus Created* (New York: Knopf, 2011).［『1493 —— 世界を変えた大陸間の「交換」』、チャールズ・C・マン著、布施由紀子訳、紀伊國屋書店、2016 年（『1491 —— 先コロンブス期アメリカ大陸をめぐる新発見』〔日本放送出版協会、2007 年〕の続編、翻訳は原著初版〔c2011〕を底本とし、その後の大幅な加筆修正を反映させたと訳者あとがきに表示あり）］

Ogden, Horace G., *CDC and the Smallpox Crusade* (Atlanta: US Dept. of Health and Human Services, 1987).

Reinhardt, Bob H., *The End of a Global Pox: America and the Eradication of Smallpox in the Cold War Era* (Chapel Hill: University of North Carolina Press, 2015).

Rogers, Leonard, *Small-pox and Climate in India: Forecasting of Epidemics* (London: HMSO, 1926).

Rowbotham, Arnold Horrex, *The "Philosophes" and the Propaganda for Inoculation of Smallpox in Eighteenth-Century France* (Berkeley: University of California Press, 1935).

Rush, Benjamin, *The New Method of Inoculating for the Small-pox* (Philadelphia, 1792).

Schrick, Livia, Clarissa R. Damaso, José Esparza, and Andreas Nitsche, "An Early American Smallpox Vaccine Based on Horsepox," *New England Journal of Medicine* 377 (2017): 1491–1492.

Shuttleton, David E., *Smallpox and the Literary Imagination, 1660–1820* (Cambridge: Cambridge University Press, 2007).

Thakeray, William Makepeace, *The History of Henry Esmond* (New York: Harper, 1950).［『恋の未亡人 —— ヘンリ・エズモンド』（上・中・下巻）、サッカレー著、村上至孝訳、本の友社（名作翻訳選集）、復刻版、1998 年（原本：新月社昭和 23 年刊）］

Thomson, Adam, *A Discourse on the Preparation of the Body for the Small-pox; And the Manner of Receiving the Infection* (Philadelphia, 1750).

Waterhouse, Benjamin, *A Prospect of Exterminating the Small-pox; Being the History of the Variolae vaccinae, or Kine-Pox, Commonly Called the Cow-Pox, as it Appeared in England; with an Account of a Series of Inoculations Performed for the Kine-pox, in Massachusetts* (Cambridge, MA, 1800).

Winslow, Ola Elizabeth, *A Destroying Angel: The Conquest of Smallpox in Colonial Boston* (Boston: Houghton Mifflin, 1974).

World Health Organization, *The Global Eradication of Smallpox: Final Report of the Global Commission for the Certification of Smallpox Eradication* (Geneva: World Health Organization, 1979).

———, *Handbook for Smallpox Eradication Programmes in Endemic Areas* (Geneva: World Health Organization, 1967).

———, *Smallpox and Its Eradication* (Geneva: World Health Organization, 1988).

ナポレオン —— ハイチと黄熱

Blackburn, Robin, "Haiti, Slavery, and the Age of the Democratic Revolution," *William and Mary Quarterly* 63, no. 4 (October 2006): 643–674.

Dubois, Laurent, *Avengers of the New World: The Story of the Haitian Revolution* (Cambridge, MA: Belknap, 2005).

Dunn, Richard S., *Sugar and Slaves* (Chapel Hill: University of North Carolina Press, 1972).

Geggus, David Patrick, *Haitian Revolutionary Studies* (Bloomington: Indiana University Press, 2002).

Palmer, Darwin L., Alexander L. Kisch, Ralph C. Williams, Jr., and William P. Reed, "Clinical Features of Plague in the United States: The 1969–1970 Epidemic," *Journal of Infectious Diseases* 124, no. 4 (October 1971): 367–371.

Pechous, R. D., V. Sivaraman, N. M. Stasulli, and W. E. Goldman, "Pneumonic Plague: The Darker Side of Yersinia pestis," *Trends in Microbiology* 24, no. 3 (March 2016): 194–196.

Pepys, Samuel, *The Diary of Samuel Pepys*, ed. Robert Latham and William Matthews, 10 vols. (Berkeley: University of California Press, 2000). [『サミュエル・ピープスの日記』(第 1-10 巻)、サミュエル・ピープス著、臼田昭、岡照雄、海保眞夫訳、国文社、1987-1991 年]

Petro, Anthony M., *After the Wrath of God: AIDS, Sexuality, and American Religion* (Oxford: Oxford University Press, 2015).

"The Plague: Special Report on the Plague in Glasgow," *British Medical Journal* 2, no. 2071 (September 8, 1900): 683–688.

Pollitzer, Robert, *Plague* (Geneva: World Health Organization, 1954).

"The Present Pandemic of Plague," *Public Health Reports* (1896–1970) 40, no. 2 (January 9, 1925): 51–54.

The Rat and Its Relation to Public Health (Washington, DC: US Government Printing Office, 1910).

Risse, Guenter B., *Plague, Fear, and Politics in San Francisco's Chinatown* (Baltimore: Johns Hopkins University Press, 2012).

Ruthenberg, Gunther E., "The Austrian Sanitary Cordon, and the Control of the Bubonic Plague, 1710–1871," *Journal of the History of Medicine and the Allied Sciences* 28, no. 1 (January 1973): 15–23.

Scasciamacchia, S., L. Serrecchia, L. Giangrossi, G. Garofolo, A. Balestrucci, G. Sammartino et al., "Plague Epidemic in the Kingdom of Naples, 1656–1658," *Emerging Infectious Diseases* 18, no. 1 (January 2012), http://dx.doi.org/10.3201/eid1801.110597.

Shakespeare, William, *Romeo and Juliet* (London: Bloomsbury Arden Shakespeare, 2017). [ウィリアム・シェイクスピア著、『新訳 ロミオとジュリエット』、河合祥一郎訳、角川書店 (角川文庫)、2005 年/『シェイクスピア全集 10 ロミオとジュリエット』、小田島雄志訳、白水社 (白水Uブックス) 2007 年/ほか]

Shrewsbury, John Findlay Drew, *A History of Bubonic Plague in the British Isles* (Cambridge: Cambridge University Press, 1970).

Slack, Paul, *The Impact of Plague on Tudor and Stuart England* (Oxford: Clarendon, 1985).

Steel, D., "Plague Writing: From Boccaccio to Camus," *Journal of European Studies* 11 (1981): 88–110.

Taylor, Jeremy, *Holy Living and Holy Dying: A Contemporary Version by Marvin D. Hinten* (Nashville, TN: National Baptist Publishing Board, 1990).

Twigg, G., *The Black Death: A Biological Reappraisal* (New York: Schocken, 1985).

Velimirovic, Boris, and Helga Velimirovic, "Plague in Vienna," *Reviews of Infectious Diseases* 11, no. 5 (September–October 1989): 808–826.

Verjbitski, D. T., W. B. Bannerman, and R. T. Kapadia, "Reports on Plague Investigations in India," *Journal of Hygiene* 8, no. 2, Reports on Plague Investigations in India (May 1908): 161–308.

Vincent, Catherine, "Discipline du corps et de l'esprit chez les Flagellants au Moyen Age," *Revue Historique* 302, no. 3 (July–September 2000): 593–614.

Wheeler, Margaret M., "Nursing of Tropical Diseases: Plague," *American Journal of Nursing* 16, no. 6 (March 1916): 489–495.

Wyman, Walter, *The Bubonic Plague* (Washington, DC: US Government Printing Office, 1900).

Ziegler, Philip, *The Black Death* (New York: Harper & Row, 1969).

天然痘

Artenstein, Andrew W., "Bifurcated Vaccination Needle," *Vaccine* 32, no. 7 (February 7, 2014): 895.

Basu, Rabindra Nath, *The Eradication of Smallpox from India* (New Delhi: World Health Organization, 1979).

Bazin, H., *The Eradication of Smallpox: Edward Jenner and the First and Only Eradication of a Human Infectious Disease* (San Diego: Academic Press, 2000).

Carrell, Jennifer Lee, *The Speckled Monster: A Historical Tale of Battling Smallpox* (New York: Dutton, 2003).

Dickens, Charles, *Bleak House* (London: Bradbury and Evans, 1953). [『荒涼館』(全 4 巻)、チャールズ・ディケンズ著、佐々木徹訳、岩波書店 (岩波文庫)、2017 年/ほか]

Dimsdale, Thomas, *The Present Method of Inoculating of the Small-pox. To Which Are Added Some Experiments, Instituted with a View to Discover the Effects of a Similar Treatment in the Natural Small-pox* (Dublin, 1774).

Fenn, Elizabeth Anne, *Pox Americana: The Great Smallpox Epidemic of 1775–1782* (New York: Hill and Wang, 2001).

Fielding, Henry, *The Adventures of Joseph Andrews* (London, 1857). [『ジョウゼフ・アンドルーズ』(上・下巻)、ヘンリー・フィールディング著、朱牟田夏雄訳、岩波書店 (岩波文庫)、2009 年 (底本:「スウィフト / フィールディング」中央公論社 1994 年刊) /ほか]

———, *The History of Tom Jones, a Foundling* (Oxford: Clarendon, 1974). [『トム・ジョウンズ』(全 4 巻)、ヘンリー・フィールディング著、朱牟田夏雄訳、岩波書店 (岩波文庫)、改版、1975 年]

Drancourt, Michel, "Finally Plague Is Plague," *Clinical Microbiology and Infection* 18, no. 2 (February 2012): 105–106.

Drancourt, Michel, Gérard Aboudharam, Michel Signoli, Olivier Dutour, and Didier Raoult, "Detection of 400-year-old Yersinia pestis DNA in Human Dental Pulp: An Approach to the Diagnosis of Ancient Septicemia," *Proceedings of the National Academy of Sciences of the United States of America* 95, no. 21 (October 13, 1998): 12637–12640.

Echenberg, Myron J., "Pestis Redux: The Initial Years of the Third Bubonic Plague Pandemic, 1894–1901," *Journal of World History* 13, no. 2 (Fall 2002): 429–449.

———, *Plague Ports: The Global Urban Impact of Bubonic Plague, 1894–1901* (New York: New York University Press, 2007).

Ell, Stephen R., "Three Days in October of 1630: Detailed Examination of Mortality during an Early Modern Plague Epidemic in Venice," *Reviews of Infectious Diseases* 11, no. 1 (January–February 1989): 128–139.

Gilman, Ernest B., *Plague Writing in Early Modern England* (Chicago: University of Chicago Press, 2009).

Gonzalez, Rodrigo J., and Virginia L. Miller, "A Deadly Path: Bacterial Spread during Bubonic Plague," *Trends in Microbiology* 24, no. 4 (April 2016): 239–241.

Gregory of Tours, *History of the Franks*, trans. L. Thorpe (Baltimore: Penguin, 1974). [『フランク史 —— 一〇巻の歴史』、トゥールのグレゴリウス著、杉本正俊訳、新評論、新訂、2019 年／ほか]

Herlihy, David, *The Black Death and the Transformation of the West* (Cambridge, MA: Harvard University Press, 1997).

Hopkins, Andrew, "Plans and Planning for S. Maria della Salute, Venice," *Art Bulletin* 79, no. 3 (September 1997): 440–465.

Jones, Colin, "Plague and Its Metaphors in Early Modern France," *Representations* 53 (Winter 1996): 97–127.

Kidambi, Prashant, "Housing the Poor in a Colonial City: The Bombay Improvement Trust, 1898–1918," *Studies in History* 17 (2001): 57–79.

Kinyoun, J. J., Walter Wyman, and Brian Dolan, "Plague in San Francisco (1900)," *Public Health Reports* (1974–) 121, suppl. 1, Historical Collection, 1878–2005 (2006): 16–37.

Klein, Ira, "Death in India, 1871–1921," *Journal of Asian Studies* 32, no. 4 (August 1973): 639–659.

———, "Development and Death: Bombay City, 1870–1914," *Modern Asian Studies* 20, no. 4 (1986): 725–754.

———, "Plague, Policy and Popular Unrest in British India," *Modern Asian Studies* 22, no. 4 (1988): 723–755.

Lantz, David E., *The Brown Rat in the United States* (Washington, DC: US Government Printing Office, 1909).

Ledingham, J. C. G., "Reports on Plague Investigations in India," *Journal of Hygiene* 7, no. 3, Reports on Plague Investigations in India (July 1907): 323–476.

Link, Vernon B., "Plague on the High Seas," *Public Health Reports* (1896–1970) 66, no. 45 (November 9, 1951): 1466–1472.

Little, Lester K., ed., *Plague and the End of Antiquity: The Pandemic of 541–750* (Cambridge: Cambridge University Press, 2007).

Lynteris, Christos, "A 'Suitable Soil': Plague's Urban Breeding Grounds at the Dawn of the Third Pandemic," *Medical History* 61, no. 3 (July 2017): 343–357.

Maddicott, J. R., "The Plague in Seventh-Century England," *Past & Present* 156 (August 1997): 7–54.

Manzoni, Alessandro, *The Betrothed, trans. Bruce Penman* (Harmondsworth: Penguin, 1972). [『いいなづけ —— 17 世紀ミラーノの物語』（上・中・下巻）、アレッサンドロ・マンゾーニ著、平川祐弘訳、河出書房新社（河出文庫）、2006 年／ほか]

———, *The Column of Infamy*, trans. Kenelm Foster and Jane Grigson (London: Oxford University Press, 1964).

Marshall, Louise, "Manipulating the Sacred: Image and Plague in Renaissance Italy," *Renaissance Quarterly* 47, no. 3 (Autumn 1994): 485–532.

McAlpin, Michelle Burge, "Changing Impact of Crop Failures in Western India, 1870–1920," *Journal of Economic History* 39, no. 1 (March 1979): 143–157.

Meiss, Millard, *Painting in Florence and Siena after the Black Death* (Princeton: Princeton University Press, 1951). [『ペスト後のイタリア絵画 —— 14 世紀中頃のフィレンツェとシエナの芸術・宗教・社会』、ミラード・ミース著、中森義宗訳、中央大学出版部、1978 年]

Meyer, K. F., Dan C. Cavanaugh, Peter J. Bartelloni, and John D. Marshall, Jr., "Plague Immunization: I. Past and Present Trends," *Journal of Infectious Diseases* 129, suppl. (May 1974): S13—S18.

Moote, A. Lloyd, and Dorothy C. Moote, *The Great Plague: The Story of London's Most Deadly Year* (Baltimore: Johns Hopkins University Press, 2004).

National Institutes of Health, US National Library of Medicine, "Plague," MedlinePlus, http://www.nlm.nih.gov/medlineplus/ency/article/000596.htm, last updated August 14, 2018.

Newman, Kira L. S., "Shutt Up: Bubonic Plague and Quarantine in Early Modern England," *Journal of Social History* 45, no. 3 (Spring 2012): 809–834.

"Observations in the Plague Districts in India," *Public Health Reports* (1896–1970) 15, no. 6 (February 9, 1900): 267–271.

Orent, Wendy, *Plague: The Mysterious Past and Terrifying Future of the World's Most Dangerous Disease* (New York: Free Press, 2004).

Archaeologica Medica XLVI, "How Our Forefathers Fought the Plague," *British Medical Journal* 2, no. 1969 (September 24, 1898): 903–908.

Ariès, Philippe, *The Hour of Our Death*, trans. Helen Weaver (New York: Knopf, 1981).

———, *Western Attitudes toward Death from the Middle Ages to the Present*, trans. Patricia M. Ranum (Baltimore: Johns Hopkins University Press, 1974).

Arnold, David, *Colonizing the Body: State Medicine and Epidemic Disease in Nineteenth Century India* (Berkeley: University of California Press, 1993). [『身体の植民地化 ―― 19 世紀インドの国家医療と流行病』、デイヴィッド・アーノルド著、見市雅俊訳、みすず書房、2019 年]

Bannerman, W. B., "The Spread of Plague in India," *Journal of Hygiene* 6, no. 2 (April 1906): 179–211.

Barker, Sheila, "Poussin, Plague and Early Modern Medicine," *Art Bulletin* 86, no. 4 (December 2004): 659–689.

Benedictow, O. J., "Morbidity in Historical Plague Epidemics," *Population Studies* 41, no. 3 (November 1987): 401–431.

Bertrand, J. B., *A Historical Relation of the Plague at Marseilles in the Year 1720*, trans. Anne Plumptre (Farnborough: Gregg, 1973; 1st ed. 1721).

Biraben, Jean Noel, *Les hommes et la peste en France et dans les pays européens et méditerranéens*, 2 vols. (Paris: Mouton, 1975).

Blue, Rupert, "Anti-Plague Measures in San Francisco, California, U.S.A.," *Journal of Hygiene* 9, no. 1 (April 1909): 1–8.

Boccaccio, *The Decameron*, trans. M. Rigg (London: David Campbell, 1921). Also available at Medieval Sourcebook: Boccaccio: The Decameron, https:// sourcebooks.fordham.edu/source/boccacio2.asp, accessed August 22, 2018. [『デカメロン』、ボッカッチョ著、平川祐弘訳、河出書房新社、2012 年/ほか]

Boeckl, Christine M., "Giorgio Vassari's San Rocco Altarpiece: Tradition and Innovation in Plague Iconography," *Artibus et Historiae* 22, no. 43 (2001): 29–40.

Boelter, W. R., *The Rat Problem* (London: Bale and Danielsson, 1909).

Bonser, W., "Medical Folklore of Venice and Rome," *Folklore* 67, no. 1 (March 1956): 1–15.

Butler, Thomas, "Yersinia Infections: Centennial of the Discovery of the Plague Bacillus," *Clinical Infectious Diseases* 19, no. 4 (October 1994): 655–661.

Calmette, Albert, "The Plague at Oporto," *North American Review* 171, no. 524 (July 1900): 104–111.

Calvi, Giulia, *Histories of a Plague Year: The Social and the Imaginary in Baroque Florence* (Berkeley: University of California Press, 1989).

Camus, Albert, *The Plague, trans. Stuart Gilbert* (New York: Knopf, 1948). [『ペスト』、アルベール・カミュ著、三野博司訳、岩波書店(岩波文庫)、2021 年/ほか]

Cantor, Norman F., *In the Wake of the Plague: The Black Death and the World It Made* (New York: Free Press, 2001). [『黒死病 ―― 疫病の社会史』、ノーマン・F・カンター著、久保儀明、楢崎靖人訳、青土社、2020 年]

Carmichael, Ann G., *Plague and the Poor in Renaissance Florence* (Cambridge: Cambridge University Press, 1986).

Catanach, I. J., "The 'Globalization' of Disease? India and the Plague," *Journal of World History* 12, no. 1 (Spring 2001): 131–153.

Centers for Disease Control and Prevention, "Human Plague—United States, 1993– 1994," *Morbidity and Mortality Weekly Report* 43, no. 13 (April 8, 1994): 242–246.

———, "Plague—United States, 1980," *Morbidity and Mortality Weekly Report* 29, no. 31 (August 1980): 371–372, 377.

———,"Recommendation of the Public Health Service Advisory Committee on Immunization Practices: Plague Vaccine," *Morbidity and Mortality Weekly Report* 27, no. 29 (July 21, 1978): 255–258.

Chase, Marilyn, *Barbary Plague: The Black Death in Victorian San Francisco* (New York: Random House, 2003).

Cipolla, Carlo M., *Cristofano and the Plague: A Study in the History of Public Health in the Age of Galileo* (Berkeley: University of California Press, 1973).

———, *Faith, Reason, and the Plague in Seventeenth-Century Tuscany* (New York: Norton, 1979).

———, *Fighting the Plague in Seventeenth-Century Italy* (Madison: University of Wisconsin Press, 1981).

Cohn, Samuel Kline, *The Black Death Transformed: Disease and Culture in Early Renaissance Europe* (London: Arnold, 2002).

Condon, J. K., *A History of the Progress of Plague in the Bombay Presidency from June 1896 to June 1899* (Bombay: Education Society's Steam Press, 1900).

Crawford, R. H. P., *Plague and Pestilence in Literature and Art* (Oxford: Clarendon, 1914).

Crawshaw, Jane L. Stevens, *Plague Hospitals: Public Health for the City in Early Modern Venice* (Farnham: Ashgate, 2012).

Creel, Richard H., "Outbreak and Suppression of Plague in Porto Rico: An Account of the Course of the Epidemic and the Measures Employed for Its Suppression by the United States Public Health Service," *Public Health Reports* (1896–1970) 28, no. 22 (May 30, 1913): 1050–1070.

Defoe, Daniel, *Journal of the Plague Year* (Cambridge: Chadwyck-Healey, 1996). [『新訳ペスト』、ダニエル・デフォー著、中山宥訳、興陽館、2020 年/ほか]

Dols, Michael W., *The Black Death in the Middle East* (Princeton: Princeton University Press, 1977).

2015).

Cavanaugh, T. A., *Hippocrates' Oath and Asclepius' Snake: The Birth of a Medical Profession* (New York: Oxford University Press, 2018).

Edelstein, Ludwig, *Ancient Medicine: Selected Papers* (Baltimore: Johns Hopkins University Press, 1967).

Eijk, Philip J. van der, *Hippocrates in Context: Papers Read at the XIth International Hippocrates Colloquium*, University of Newcastle upon Tyne, 27–31 August 2002 (Leiden: Brill, 2005).

Galen, *Selected Works* (Oxford: Oxford University Press, 1997).

Grmek, Mirko D., ed., *Western Medical Thought from Antiquity to the Middle Ages* (Cambridge, MA: Harvard University Press, 1939).

Hankinson, R. J., ed., *The Cambridge Companion to Galen* (Cambridge: Cambridge University Press, 2008).

Hart, Gerald D., Asclepius, *the God of Medicine* (London: Royal Society of Medicine Press, 2000).

Hippocrates, *The Medical Works of Hippocrates* (Oxford: Blackwell, 1950). ［『新訂 ヒポクラテス全集』（全 3 巻）、ヒポクラテス著、大槻真一郎、岸本良彦、石渡隆司、近藤均訳、エンタプライズ、1997 年／ほか］

Horstmanshoff, Manfred, and Cornelius van Tilburg, *Hippocrates and Medical Education: Selected Papers Presented at the XIIth International Hippocrates Colloquium*, University of Leiden, 24–26 August 2005 (Leiden: Brill, 2010).

Jouanna, Jacques, *Hippocrates* (Baltimore: Johns Hopkins University Press, 1999).

King, Helen, *Hippocrates' Woman: Reading the Female Body in Ancient Greece* (London: Routledge, 1998).

Langholf, Volker, *Medical Theories in Hippocrates' Early Texts and the "Epidemics"* (Berlin: Walter de Gruyter, 1990).

Levine, Edwin Burton, *Hippocrates* (New York: Twayne, 1971).

Lloyd, Geoffrey Ernest Richard, *In the Grip of Disease: Studies in the Greek Imagination* (Oxford: Oxford University Press, 2003).

———, *Magic, Reason, and Experience: Studies in the Origin and Development of Greek Science* (Cambridge: Cambridge University Press, 1979).

———, *Principles and Practices in Ancient Greek and Chinese Science* (Aldershot: Ashgate, 2006).

Mitchell-Boyask, Robin, *Plague and the Athenian Imagination: Drama, History and the Cult of Asclepius* (Cambridge: Cambridge University Press, 2008).

Nutton, Vivian, *Ancient Medicine* (Milton Park: Routledge, 2013).

———, "The Fatal Embrace: Galen and the History of Ancient Medicine," *Science in Context* 18, no. 1 (March 2005): 111–121.

———, ed., *Galen: Problems and Prospects* (London: Wellcome Institute for the History of Medicine, 1981).

———, "Healers and the Healing Act in Classical Greece," *European Review* 7, no. 1 (February 1999): 27–35.

Oldstone, Michael B. A., *Viruses, Plagues, and History* (Oxford: Oxford University Press, 2000.) ［『ウイルスの脅威 ―― 人類の長い戦い』、マイケル・B・A・オールドストーン著、二宮陸雄訳、岩波書店、1999 年］

Schiefsky, Mark John, *Hippocrates on Ancient Medicine* (Leiden: Brill, 2005).

Shakespeare, William, *The Taming of the Shrew* (Guilford: Saland, 2011). ［ウィリアム・シェイクスピア著、『シェイクスピア全集 20　じゃじゃ馬馴らし』、松岡和子訳、筑摩書房（ちくま文庫）、2010 年／『シェイクスピア全集 7　じゃじゃ馬ならし』、小田島雄志訳、白水社（白水Uブックス）1983 年／ほか］

Smith, W. D., *The Hippocratic Tradition* (Ithaca, NY: Cornell University Press, 1979).

Temkin, Owsei, *Galenism: Rise and Decline of a Medical Philosophy* (Ithaca: Cornell University Press, 1973).

———, *Hippocrates in a World of Pagans and Christians* (Baltimore: Johns Hopkins University Press, 1991).

———, *Views on Epilepsy in the Hippocratic Period* (Baltimore: Johns Hopkins University Press, 1933).

Thucydides, *The Peloponnesian War* (Oxford: Oxford University Press, 2009). ［『戦史』、トゥキュディデス著、久保正彰訳、中央公論新社（中公クラシックス）、2013 年／ほか］

Tuplin, C. J., and T. E. Rihll, eds., *Science and Mathematics in Ancient Greek Culture* (Oxford: Oxford University Press, 2002).

Wear, Andrew, ed., *Medicine in Society: Historical Essays* (Cambridge: Cambridge University Press, 1992).

ペスト

Advisory Committee Appointed by the Secretary of State for India, the Royal Society, and the Lister Institute, "Reports on Plague Investigations in India," *Journal of Hygiene* 11, Plague Suppl. 1, Sixth Report on Plague Investigations in India (December 1911): 1, 7–206.

———, "Reports on Plague Investigations in India," *Journal of Hygiene* 6, no. 4, Reports on Plague Investigations in India (September 1906): 421–536.

———, "Reports on Plague Investigations in India Issued by the Secretary of State for India, the Royal Society, and the Lister Institute," *Journal of Hygiene* 10, no. 3, Reports on Plague Investigations in India (November 1910): 313–568.

Alexander, John T., *Bubonic Plague in Early Modern Russia: Public Health and Urban Disaster* (Baltimore: Johns Hopkins University Press, 1980).

参考文献

全 般

Ackernecht, Erwin H., *History and Geography of the Most Important Diseases* (New York: Hafner, 1965).

Bynum, William F., *Science and the Practice of Medicine in the Nineteenth Century* (Cambridge: Cambridge University Press, 1994).

Creighton, Charles, *A History of Epidemics in Britain* (Cambridge: Cambridge University Press, 1891–1894).

Crosby, Alfred W., *The Columbian Exchange: The Biological and Cultural Consequences of 1492* (Westport, CT: Greenwood, 1972).

Diamond, Jared, *Guns, Germs, and Steel: The Fate of Human Societies* (New York: Norton, 1997). [『銃・病原菌・鉄 —— 一万三〇〇〇年にわたる人類史の謎』(上・下巻)、ジャレド・ダイアモンド著、倉骨彰訳、草思社(草思社文庫)、2012 年]

Ewald, Paul W., *Evolution of Infectious Disease* (New York: Oxford University Press, 1994). [『病原体進化論 —— 人間はコントロールできるか』、ポール・W・イーワルド著、池本孝哉、高井憲治訳、新曜社、2002 年]

Farmer, Paul, *Infections and Inequalities: The Modern Plagues* (Berkeley: University of California Press, 2001).

Foucault, Michel, *The Birth of the Clinic: An Archaeology of Medical Perception*, trans. A. M. Sheridan Smith (New York: Pantheon, 1973). [『臨床医学の誕生』、ミシェル・フーコー著、神谷美恵子訳、みすず書房、新装版、2020 年]

———, *Discipline and Punish: The Birth of the Prison*, trans. Alan Sheridan (New York: Vintage, 1995). [『監獄の誕生 —— 監視と処罰』、ミシェル・フーコー著、田村俶訳、新潮社、新装版、2020 年]

Garrett, Laurie, *The Coming Plague: Newly Emerging Diseases in a World Out of Balance* (New York: Penguin, 1994).[『カミング・プレイグ —— 迫りくる病原体の恐怖』(上・下巻)、ローリー・ギャレット著、山内一也監訳、野中浩一、大西正夫訳、河出書房新社、2000 年]

Harkness, Deborah E., *The Jewel House: Elizabethan London and the Scientific Revolu tion* (New Haven: Yale University Press, 2007).

Harrison, Mark, *Climates and Constitutions: Health, Race, Environment and British Imperialism in India, 1600–1850* (New Delhi: Oxford University Press, 1999).

Hays, J. N., *The Burdens of Disease: Epidemics and Human Response in Western History* (New Brunswick: Rutgers University Press, 2009).

Keshavjee, Salmaan, *Blind Spot: How Neoliberalism Infiltrated Global Health* (Oakland: University of California Press, 2014).

Krieger, Nancy, *Epidemiology and the People's Health: Theory and Practice* (New York: Oxford University Press, 2011).

Magner, Lois N., *A History of Infectious Diseases and the Microbial World* (Westport: Praeger, 2009).

McNeill, William H., *Plagues and Peoples* (New York: Anchor, 1998; 1st ed. 1976). [『疫病と世界史』(上・下巻)、W・H・マクニール著、佐々木昭夫訳、中央公論新社(中公文庫)、2007 年]

Miller, Arthur, *The Crucible* (New York: Penguin, 1996). [『アーサー・ミラー II るつぼ』、アーサー・ミラー著、倉橋健訳、早川書房(ハヤカワ演劇文庫)、2008 年/ほか]

Nelson, Kenrad E., Carolyn Williams, and Neil Graham, *Infectious Disease Epidemiology: Theory and Practice* (Boston: Jones and Bartlett, 2005).

Pati, Bisamoy, and Mark Harrison, *Health, Medicine, and Empire: Perspectives on Colonial India* (Hyderabad: Orient Longman, 2001).

Ranger, Terence, and Paul Slack, eds., *Epidemics and Ideas* (Cambridge: Cambridge University Press, 1992).

Rosenberg, Charles E., *Explaining Epidemics and Other Studies in the History of Medicine* (Cambridge: Cambridge University Press, 1993).

Watts, Sheldon J., *Epidemics and History: Disease, Power and Imperialism* (New Haven: Yale University Press, 1997).

Winslow, Charles-Edward Amory, *The Conquest of Epidemic Disease: A Chapter in the History of Ideas* (Princeton: Princeton University Press, 1943).

Zinsser, Hans, *Rats, Lice and History* (Boston: Little, Brown, 1935). [『ネズミ・シラミ・文明 —— 伝染病の歴史的伝記』、ハンス・ジンサー著、橋本雅一訳、みすず書房、新装版、2020 年]

四体液説と古代医学

Bliquez, Lawrence J., *The Tools of Asclepius: Surgical Instruments in Greek and Roman Times* (Leiden: Brill,

事項索引

＊頁数の立体は上巻、太字のイタリックは下巻を示す。
＊イギリス、フランス等、頻出する語は立項していない。
＊上下巻どちらかのみ頻出する場合は、頻出しない巻のみ立項した（[上巻][下巻]のように記載）。

人名索引

＊頁数の立体は上巻、太字のイタリックは下巻を示す。
＊ナポレオン・ボナパルト等、頻出する語は立項していない。

［訳者紹介］

桃井緑美子（ももい・るみこ）

翻訳家。外資系企業勤務を経て、翻訳業に従事。訳書にヴァンダービルト『ハマりたがる脳』（早川書房）、フェリス『スターゲイザー』（みすず書房）、フェイガン『歴史を変えた気候大変動』（共訳、河出書房新社）、フランクリン『子犬に脳を盗まれた！』（青土社）、トウェンギ、キャンベル『自己愛過剰社会』（河出書房新社）ほか多数。

塩原通緒（しおばら・みちお）

翻訳家。立教大学文学部英米文学科卒業。訳書にピンカー『暴力の人類史』（共訳、青土社）、リーバーマン『人体600万年史』（早川書房）、シャイデル『暴力と不平等の人類史』（共訳、東洋経済新報社）、クリスタキス『ブループリント』（共訳、ニューズピックス）ほか多数。

［著者紹介］

フランク・M・スノーデン

イェール大学歴史・医学史名誉教授。1975年にオックスフォード大学で博士号を取得。専門はイタリア史、ヨーロッパ社会・政治史、医学史。著書に *The Fascist Revolution in Tuscany, 1919-1922* (1989)、*Naples in the Time of Cholera, 1884-1911* (1995) など。とくに2006年の著作 *The Conquest of Malaria: Italy, 1900-1962* は高い評価を得て、イェール大学マクミラン国際地域研究センターからグスタフ・ラニス賞を、アメリカ歴史学会からヘレン＆ハワード・R・マッラーロ賞を、アメリカ医学史学会からウェルチ・メダルを贈られた。

疫病の世界史（下）——消耗病・植民地・グローバリゼーション

2021年11月18日　初版第1刷発行
2021年12月31日　初版第2刷発行

著　者——フランク・M・スノーデン
訳　者——桃井緑美子・塩原通緒

発行者——大江道雅
発行所——株式会社 明石書店
101-0021 東京都千代田区外神田 6-9-5
電話 03-5818-1171　FAX 03-5818-1174
振替 00100-7-24505
http://www.akashi.co.jp

装　丁——間村俊一
印刷／製本—モリモト印刷株式会社
ISBN 978-4-7503-5268-8
（定価はカバーに表示してあります）

貧困パンデミック　寝ている『公助』を叩き起こす
稲葉剛著　◎1800円

アンダーコロナの移民たち
日本社会の脆弱性があらわれた場所
鈴木江理子編著　◎2500円

心の病理学者　アドルフ・マイヤーとアメリカ精神医学の起源
スーザン・D・ラム著　小野善郎訳　◎4200円

スピルオーバー　ウイルスはなぜ動物からヒトへ飛び移るのか
デビッド・クアメン著　甘糟智子訳　◎3800円

ポスト・コロナの文明論　感染症の歴史と近未来の社会
浜本隆志著　◎1800円

女性の世界地図　女たちの経験・現在地・これから
ジョニー・シーガー著
中澤高志、大城直樹、荒又美陽、中川秀一、三浦尚子訳　◎3200円

日常生活に埋め込まれたマイクロアグレッション
人種、ジェンダー、性的指向：マイノリティに向けられる無意識の差別
デラルド・ウィン・スー著　マイクロアグレッション研究会訳　◎3500円

ビッグヒストリー　われわれはどこから来て、どこへ行くのか
宇宙開闢から138億年の「人間」史
デヴィッド・クリスチャンほか著　長沼毅日本語版監修　◎3700円

現代アメリカ社会を知るための63章【2020年代】
エリア・スタディーズ 184　明石紀雄監修　大類久恵、落合明子、赤尾千波編著　◎2000円

アフガニスタンを知るための70章
エリア・スタディーズ 185　前田耕作、山内和也編著　◎2000円

人体実験の哲学　「卑しい体」がつくる医学、技術、権力の歴史
グレゴワール・シャマユー著　加納由起子訳　◎3600円

人間狩り　狩猟権力の歴史と哲学
グレゴワール・シャマユー著
平田周、吉澤英樹、中山俊訳　◎2400円

黒人と白人の世界史　「人種」はいかにつくられてきたか
世界人権問題叢書 104　オレリア・ミシェル著
児玉しおり訳　中村隆之解説　◎2700円

ハーレム・ルネサンス　〈ニュー・ニグロ〉の文化社会批評
松本昇監修
深瀬有希子、常山菜穂子、中垣恒太郎編著　◎7800円

ホワイト・フラジリティ　私たちはなぜレイシズムに向き合えないのか？
ロビン・ディアンジェロ著
貴堂嘉之監訳　上田勢子訳　◎2500円

無意識のバイアス　人はなぜ人種差別をするのか
ジェニファー・エバーハート著
山岡希美訳　高史明解説　◎2600円

〈価格は本体価格です〉